La sourde violence des rêves

Collection « Pulsations »
dirigée par Jean-Pierre Orban et Claire Riffard

Édition : Jutta Hepke & Gilles Colleu
Couverture : Gilles Colleu
Correction : Anne Dellenbach-Pesqué

Édition originale *The Quiet Violence of Dreams*
en langue anglaise (Afrique du Sud), Kwela Books, 2001

ISBN : 978-2-36413-039-5

info@ventsdailleurs.com
www.ventsdailleurs.com

ISBN : 978-28290-0470-4 (Suisse)
Éditions d'en bas
enbas@bluewin.ch
www.enbas.ch – www.enbas.net

K. Sello Duiker

La sourde violence des rêves

Traduction de Jean-Yves Kruger-Katelan

Vents d'ailleurs
ÉDITIONS D'EN BAS

REMERCIEMENTS

Nous remercions très chaleureusement
l'Alliance internationale des éditeurs indépendants
pour leur soutien à la publication.

La traduction de cet ouvrage a bénéficié du soutien du Centre national du livre.

Les éditeurs et le traducteur remercient Romaine Johnstone et Hélène Passtoors
pour leur contribution.

TSHEPO

C'est la faute de personne. C'est moi. Ça l'a toujours été. Je l'accepte aujourd'hui, même s'il reste difficile d'expliquer ce qui se passait alors. Une partie de moi-même a basculé. Je me suis perdu dans un truc trop vaste pour le décrire simplement. Il s'est passé tant de choses en si peu de temps. Je sais pas où commencer à chercher, alors je reste avec mes questions. Tous les jours, je m'en pose de nouvelles. Tous les jours, les réponses m'échappent un peu plus. Pas facile de passer son temps à s'interroger quand la vie est déjà si pleine de doutes.

Tout ce que je veux, moi, c'est voler. Ouvrir un peu mes ailes, sentir l'air chaud s'enrouler sous mes bras, planer. Envie de fermer les yeux pour toujours, laisser l'éternité m'emporter sans rien dire. Être aimé pour une fois, connaître de l'amour autre chose que ses seules promesses. Est-ce trop demander ?

Écoutez, je ne suis pas en train de me chercher des excuses. J'essaie seulement de raconter comment ça s'est passé. J'étais complètement seul. Courir toujours, s'accrocher à la vie par les dents. La vie était rude et je n'ai pas eu le choix. Tout était laid. Je me noyais dans ma propre existence. Mauvais coups, temps perdu, les événements se sont enchaînés. Comme ça. J'ai perdu le contrôle. Comme si j'avais tué quelqu'un et tenté ensuite de me fuir moi-même. Depuis, je n'ai pas cessé de courir. J'ai cherché le mot juste pour décrire ce sentiment terrible, cette laideur vide qui m'envahit quand je ferme les yeux. Mais c'est trop bas.

Alors, j'en parle à une amie. Comme on raconte un truc à quelqu'un qu'on aime. Un truc important. Les amis, comme les pommes, sont parfois acides. Mais comme les pommes, on ne se souvient que des plus douces, celles qui sont gorgées de soleil.

C'est de la pluie que je me souviens surtout, je lui dis. Du sentiment désespérant qu'elle ne cessera jamais. Une pluie si puissante qu'elle emporte avec elle les souvenirs et les cris qui me hantent. Elle ne dit rien, elle écoute, la tête légèrement penchée en avant comme si elle réfléchissait profondément. Je regarde ses yeux. Sombres, pleins de secrets. Je continue.

Je dors mal. Je mange trop peu, je fume trop. J'appelle constamment la mort. Parfois, la nuit, pendant mon sommeil, je me surprends à tomber, à mourir, mais je me réveille toujours. Ça me déprime. Et ce sentiment persiste. Je ne peux pas y échapper, ni le décrire. C'est moche, c'est tout. J'ai vu trop de trucs laids, c'est pour ça que j'ai cet air péniblement gauche.

Je suis devenu fou parce que j'ai été trop curieux. Fasciné, j'ai volé trop près du soleil et la chute a été très sévère.

— Mmmh, elle dit en se passant la langue sur les lèvres.

— C'est tout ce que t'as à dire ?

— Si c'est ça, Tshepo, c'est de la foutaise ! *Hawu*, bon sang, tu crois quand même pas que je vais avaler ça ?

— Des fois, *wena*, t'es tellement dure, tellement égoïste, je dis, un peu en colère.

— *O batlang*, agressif ? Ça va pas nous aider, ça.

— T'es comme mon putain de thérapeute. Tu me donnes ça de compassion, je te déballe tout.

— Bon Dieu, ça recommence. Quel comédien. Tu cherches juste des excuses pour ce que t'as fait. *Bona*, tu peux pas continuer comme ça.

Je trouve rien à répondre, je rumine en silence.

L'air est lourd, on sent la fraîcheur du lac voisin. Il fait tellement chaud, ça empêche de penser. Le visage me brûle un peu. Mmabatho n'a pas l'air de souffrir de la chaleur. Quelque chose me démange sur le crâne. Je me gratte violemment. J'ai peut-être besoin d'un peu d'attention.

— Pourquoi tu l'enlèves pas ? elle dit en montrant ma casquette.

Je l'enlève, je continue à me gratter.

— Tshepo, je t'en prie, elle dit en mettant sa main sur la mienne.

— Me laisse pas tomber. Je sais que je t'ai déçue, je concède.

Ça la surprend un peu mais elle reste sur ses gardes. Mmabatho fait partie de ces gens qui n'agissent pas sous le coup de l'émotion. Ça fait trop de dégâts, j'imagine qu'elle dirait. Elle montre rarement ses sentiments, sauf l'indignation ou la désapprobation. Elle doit garder ça pour ses cours de théâtre.

— D'accord, mais tu peux pas faire ça, elle reprend.

— Quoi, me gratter la tête ?

— Non, tu sais très bien de quoi je parle. Pourquoi tu tiens à me le faire dire ? J'essaie de comprendre. Écoute, tu peux pas fumer quatre cents *zols* par jour parce que…

— Parce que parce que. Je sais je sais, je la coupe. Tu comprends pas, je dis en moi-même. L'excès est un dieu charmeur. Il te laisse pénétrer ses secrets si tu vas un peu dans son sens. Mmabatho me regarde avec découragement, l'air d'un prof qui n'arrive à rien avec un élève.

— Je te comprends pas. T'essaies de foutre ta vie en l'air ou quoi ? Tu crois que c'est une blague ? Le cannabis t'a rendu psychotique, voilà les faits. C'est pas ce que te dit ton psy ? Hein ?

— D'accord, je dis avec irritation, message reçu.

— Tshepo, tu rends difficile ce qui n'a pas besoin de l'être.

— Pas de morale, merci. C'est facile pour toi. T'es pas à ma place.

— C'est vrai. Je me le permettrais pas. Je dis ça juste parce que…

— Parce que parce que. Je sais ce que j'ai dit. À l'époque, je me croyais invincible. Je croyais que je pouvais tout. Ce que j'avais pas compris, c'est qu'il fallait d'abord que je le veuille. Tu vois ce que je veux dire ? Il faut que je le veuille assez fort pour ne pas devoir fumer un *zol* avant de me bouger le cul. J'ai compris. Maintenant je le sais.

— C'est de la faiblesse. *O batla ho re kereng?* Tu sais comment ils t'appellent ? elle demande, l'air abattu.

Je la regarde.

— Vache folle. C'est comme ça que tu veux qu'on t'appelle ? Réveille-toi, putain ! Ce truc est en train de te détruire.

— Mais toi aussi tu fumes.

— C'est pas la question. Change pas de sujet, elle s'énerve.

On reste assis en silence. Le soleil tape. Les mots se sont mis entre nous. Je me sens en colère contre le monde, contre la vie, son fastidieux ordre des choses. Il y a tellement de trucs que je comprends pas, les énigmes sont toujours plus obscures. On a trop parlé de mon état, de ma maladie, quelle qu'elle soit. Je ne sais pas comment appeler ça, ce truc qui m'est arrivé parce que parce que. Je suis fatigué des explications sans fin, des mensonges et des faux-semblants, de l'injustice et de l'humiliation qui va avec. L'indifférence des infirmiers et des psys qui ne communiquent que par ordonnance. Prescriptions lourdes qui émoussent les sens, vous pompent l'envie de vivre. Je suis fatigué de vivre avec indignation. C'est trop crevant, trop lourd d'être sans cesse en colère contre la vie, toujours à s'interroger. Pourquoi moi ? Pourquoi ça ? Et ce médoc, ça fait quoi ? Ça va gommer cette sale sensation ? Je vais pouvoir dormir ? Ça va me rendre ma vie ? C'est trop. On se retrouve avec les mains froides, l'estomac en vrac. Finalement, la colère te submerge, déborde en flots cyniques à chaque fois que tu ouvres la bouche.

De toute façon, mes protestations sont bien vaines face au grand tout – quoi que ça désigne. Marre de la thérapie. Marre de chercher la racine du mal. Toutes ces racines ne semblent mener qu'à d'autres racines, et encore d'autres racines. Après tout, la Création est une histoire de fous. Sans fin. Et c'est ce dont j'ai besoin, d'une fin. Une réponse au moins, ou un semblant de conclusion. « Troubles psychotiques induits par le cannabis », qu'est-ce que ça veut dire ? Ça ne se limite pas à ça. C'est ce que les soignants ne veulent pas comprendre. Je cherche à mieux comprendre ce qui m'est arrivé, pas une réponse toute faite comme « troubles psychotiques induits ». D'ailleurs, qu'est-ce qui les empêche de le dire, si ça les dépasse ? Pourquoi tout mettre sur le dos du cannabis ?

Trop crevant d'être comme ça tout le temps. Je suis fatigué, j'ai faim. Lessivé à vingt-trois ans, je continue à réfléchir, à me forcer à faire quelque chose. Mais je ne peux pas. Le temps joue contre moi. Je sens les secondes battre dans mes veines à chaque respiration. Plus de minutes que de poils sur le corps. Les heures s'écoulent comme des ongles qui poussent. Pour toujours. Et à jamais. C'est effrayant. Le temps est effrayant. On dirait des dominos qui tombent sans fin dans l'oubli.

« Pour toujours », en soi, c'est déjà trop flippant. Pas de retour possible, pas de porte dérobée. Impossible de corriger ses erreurs. Tout compte, presque rien ne reste. Pour toujours. La seule réponse que nous donne la vie. Et nous sommes supposés faire rentrer ça dans une jolie équation avec la mort et son après paradisiaque. C'est trop demander. C'est trop dingue.

Je sens l'anxiété revenir. Je me calme en grattant la peinture écaillée du banc. Mmabatho se protège du soleil avec la main, elle regarde au loin. Pas grand-chose à voir, juste d'autres immeubles, quelques vagues tentatives d'arbres. Elle a les cheveux courts, décolorés, en bataille. Ils luisent au soleil. Son teint d'acajou semble briller. Dans mes rêves, Mmabatho est la femme qui a eu une aventure avec le soleil. C'est peut-être une drôle de façon de voir quelqu'un, mais je l'imagine souvent comme une enfant du soleil. Je sais aussi comme elle aime rester à absorber ses rayons voluptueux.

C'est quand elle se tait que je la préfère. Il y a quelque chose de royal dans sa posture. Une capacité à emmagasiner de la force, du courage, en prévision de la tempête qui approche. Elle est assise, les jambes croisées, dans un sarong coloré, un motif de fleur sauvage qui descend jusqu'à ses chevilles épaisses, de lourdes doc Martens aux pieds. Elle en impose, on la remarque. Rien de délicat chez elle, sauf ses longs cils, mais quelque chose d'attirant dans ses airs d'amazone. La première fois que je l'ai vue, je me suis dit qu'elle serait capable d'engendrer une équipe de rugby sans rien perdre de son énergie et de sa grâce. Il y a en elle quelque chose d'indomptable, la force de ces femmes de la campagne qui triment dans les champs, une impression de féminité rude. Et impossible de savoir d'où elle vient à sa façon de s'habiller. Ses vêtements donnent trop d'informations contradictoires. Elle seule peut porter des jeans avec un turban xhosa et s'en sortir avec élégance. La première chose qu'elle m'a dite quand je l'ai rencontrée, c'est que j'avais de grands yeux, qu'ils en disaient trop long sur moi. J'ai été frappé par son aplomb et d'abord, elle ne m'a pas plu. Les gens du Cap se prennent trop au sérieux, je m'étais dit alors. Elle semblait avoir une opinion sur tout, je me méfiais de cet air assuré qui la plaçait d'emblée au centre de l'attention. Pendant un temps, on s'est croisés comme ça, dans des fêtes, des bars. Invariablement, on terminait la soirée dans un canapé, à discuter de sujets sans grand intérêt. Chacun essayait de piger, de sonder la profondeur de l'autre. Si l'expérience se mesure au nombre de voyages ou d'amants largués, alors elle était plus expérimentée que moi. Elle m'a même avoué qu'elle avait couché avec une fille. Elle pensait que ça me choquerait, mais non. Ça m'a laissé indifférent. J'ai grandi à Jo'burg. Avec le temps, j'ai fini par moins me protéger, sensible à son charme, pas le genre sirupeux. La regarder était un spectacle plaisant. J'aimais la façon dont les gens se comportaient avec elle. Peut-être que ses cours de théâtre y étaient pour quelque chose.

On reste assis comme ça un moment, chacun dans ses pensées. C'est une artiste, je me dis en passant. Une artiste du silence. Elle le maîtrise. Je la regarde, sa peau douce caressée par le soleil.

— On devrait aller à l'intérieur, je finis par dire. Elle acquiesce, une ombre passe sur son visage. Écoute, c'est pas la peine de t'inquiéter, j'essaie, je vais m'en sortir.

— *Wena,* elle dit en pointant son doigt vers moi d'un ton maternel. *Toi*. Je ne dis rien. On se lève, on rentre.

Je me sens un peu responsable pour Tshepo. C'est moi qui lui ai fait essayer la *dagga*, la dope. La plupart des étudiants du Cap fument ; dans les milieux que je fréquente, en tout cas. Bon, j'ai cédé un peu facilement à la pression de mon entourage. J'assume. La vérité, c'est que ça n'a pas de fin. Juste un peu plus subtil à mesure qu'on vieillit. Dans la pub, j'ai vu des directeurs, à quarante ans passés, « faire la fête » à la coke et aux *zols*. Ils ont tous le même air quand ils proposent à quelqu'un sa première ligne de poudre ; un air trompeur de maîtrise de soi, de sophistication au moment de sniffer, dissimulant leur déchéance et leur désespoir derrière leurs fringues chic et leur regard vide. Je suppose que c'est aussi l'air que j'avais quand j'ai passé le joint à Tshepo, à la soirée d'Anthony. La seule différence, c'est que je n'essayais pas de le tromper, pas de cadavre planqué dans le placard. Pour moi, la fumette est sans danger, un relaxant, quelque chose comme un café ou du chocolat. Ça fait maintenant trois ans que je fume, il m'arrive d'oublier que c'est officiellement une drogue. Surtout à cause du nombre de gens qui fument ouvertement au Cap. Là où je vis, à Observatory, parler de pétard, c'est comme demander un kleenex ou taxer une clope, personne n'en fait un fromage. Oui, il y a des gens pour considérer que c'est une drogue, et alors ? Nous sommes avant tout des créatures chimiques. Nous avons besoin de vitamines, minéraux, calcium, divers métaux et autres nutriments. Quand on a envie de petites vacances chimiques, histoire de dérégler nos fonctions métaboliques, on essaie des trucs un peu moins orthodoxes, un peu plus risqués. Si ce n'est pas l'alcool, c'est la bouffe, les cigarettes, les pilules amincissantes ou le sexe pour libérer des hormones. La distinction entre drogues dures et douces n'a pas de sens. C'est comme dire « tu es un peu coupable ». Au bout du compte, on est tous coupables d'un peu de laisser-aller. C'est juste une affaire de perception.

Je ne bois pas d'alcool, je ne prends pas de drogues dures. Je fume des *zols* parce que j'aime ça. Ça m'aide à voir autrement une vie par ailleurs banale. Ça ne m'a jamais empêchée de faire quoi que ce soit. Je ne l'aurais pas toléré. J'ai trop de fierté pour me retrouver dans la situation de Tshepo. Je connais mes limites. Ça m'énerve un peu qu'il ne soit pas arrivé à maîtriser ça. Ça montre une faiblesse de caractère. Le truc avec le *zol*, c'est que ça te déboutonne ; si tu craques à ce moment-là, ça a plus à voir avec ton caractère qu'avec la drogue. Donc la psychose induite par le cannabis, je n'achète pas, mais pour son bien, je ferai semblant d'y croire.

Bref, je ne l'ai pas forcé. Il avait envie d'essayer. Il a tiré quelques bouffées et dit un truc comme « c'est de la bonne herbe », qui montrait bien qu'il n'avait jamais fumé. Je ne le lui ai pas repassé après. Je savais qu'il allait être bien perché sans en avoir l'habitude. Je ne me suis pas trompée.

Pendant ma montée, je suis restée assise avec lui, en gardant un œil sur le sourire niais qui grandissait sur son visage. On a continué à parler. Il était moins sur la défensive, essayant davantage de faire passer ses idées, ses sentiments, moins inquiet de tomber juste, de paraître cool. J'ai perçu chez lui un certain malaise dès qu'il était question de sexe, mais difficile à cerner. Il parlait avec une énergie fiévreuse de la vie après la mort, se référant abondamment aux différentes religions, à leurs conceptions de l'existence. J'ai lu beaucoup de choses là-dessus mais j'écoutais quand même, impressionnée par l'attention qu'il portait aux détails. C'est un des effets courants du *zol*. Ça libère l'esprit comme on ouvre un blouson, en mettant au jour les chemins tortueux de la pensée. Avec le *zol*, une idée banale exprimée avec enthousiasme devient une révélation. Une conversation se transforme en série d'illuminations. Je le voyais sourire à ses propres fulgurances quand il s'est mis à me parler à n'en plus finir du *Livre des morts* dans l'Égypte ancienne. Il a continué comme ça pendant des heures mais son enthousiasme entretenait mon intérêt. J'ai écouté et j'ai fait ce que j'aime par-dessus tout – j'ai regardé. Analysé chacun de ses gestes, la moindre inflexion de sa voix, la manière dont il tissait ses idées, comment il était habillé. Les gens voient en moi une fille froide, critique, un prédateur social. Si c'est ça choisir soigneusement les gens qu'on fréquente, alors je plaide coupable.

Samedi matin. La police retrouve Tshepo errant dans la rue Centrale de Woodstock. Il est nu, une housse de siège en mouton vaguement enroulée autour de la taille. Il parle vite, se met à délirer quand on approche avec David. Difficile de le calmer. Je lui donne mon pull, j'essaie de le convaincre de monter dans la voiture, il refuse. Les policiers sont soulagés que nous le ramenions. Le sergent Andrews nous raconte comment il l'a trouvé en train de s'exhiber à poil à Salt River, devant un abattoir en pleine activité.

Il y a beaucoup de vent. Une rafale le fait frissonner, lui donne un instant l'air normal. Je finis par le convaincre de monter dans la voiture. Nous nous asseyons à l'arrière, il a le regard fou. « J'ai vu Mam'lambo », il répète en chuchotant. Nous le ramenons à Observatory. Une de ses colocataires nous ouvre la porte.

— Tshepo, t'étais passé où, ces trois derniers jours ? demande Alice.
— J'ai marché, il répond juste, et il passe devant elle.
— T'as marché où ? je demande.
— Écoute, j'ai un peu froid, il dit avec impatience.
— Ça te fait les pieds, dit Alice.
David et moi, on lui jette un regard.
— Non mais vraiment. Se balader tout nu comme ça, qu'est-ce qu'il croyait ? Vous deux, vous êtes plus raisonnables que ça, elle enchaîne.
— Va te faire foutre, Alice, dit Tshepo, et il part dans sa chambre.
— Formidable, Tshepo, elle dit après qu'il a quitté la pièce. Mais qu'est-ce qu'il a, putain ?
Avec David, on l'ignore. On passe à la cuisine, les autres sont en train de petit-déjeuner.
— Il est pas bien manifestement, commence Alex, le titulaire du logement. Je crois qu'on devrait l'envoyer voir quelqu'un.
— Tu veux dire un psychiatre ? Parce qu'à mon avis, il est sacrément barré, là, dit Alice avec un geste éloquent vers la tête. Je comprends pourquoi Tshepo ne l'aime pas. Elle est tellement directe, c'est pénible.
Les quatre colocataires se regardent et opinent.
— Ne devriez-vous pas lui demander ce qu'il en pense ? je demande. Personne ne répond. Ils me regardent avec une irritation manifeste, un air qui veut dire tu vis pas ici, de quoi tu te mêles.
— Tu peux l'emmener à l'hôpital ? Alex demande à David, une façon de se dégager de toute responsabilité. David acquiesce.
Je n'aime pas l'idée, mais je me sens en minorité. Et puis, je suis pas sa mère, je me dis. Un peu plus tard, je vais dans sa chambre.
— Tshepo, je peux entrer ? je tape à la porte.
Il ne répond pas, on entend sa radio. Je le trouve recroquevillé dans un coin de son matelas. Entortillé dans un duvet.
— *Aish.* T'es pas habillé, je dis, un peu ennuyée.
— J'ai rien de propre à me mettre, il répond tristement, d'une voix distante.
— Tes colocs, ils sont toujours comme ça ?
Il ne dit rien, il a l'air confus. Côté musique, les congas passent crescendo par-dessus les cordes.
— Café del Mar ? je demande.
— C'est le seul truc que je peux écouter.
Pas vraiment approprié, je me dis.
— Un peu lourd, tu crois pas ?

Il me regarde, l'air vide, comme s'il réfléchissait à ma réponse. Je scrute son visage à la recherche du moindre indice de lucidité, je ne trouve rien. Dans ses grands yeux, plus aucune trace de ce charme doux comme du coton. Il se gratte la tête violemment, sans même s'en rendre compte. Ses gestes commencent à ressembler à ceux d'un fou. Il se gratte les couilles, l'air absent.

— Tu crois pas, Tshepo ? je lui redemande.

Il ne répond pas. Il commence à pleurer.

Je vais au magnéto, je change de cassette. Dans d'autres circonstances, Café del Mar, ça peut être cool, mais pas aujourd'hui. Je mets Kenny G et je fouille dans son placard. Bizarrement, sa chambre est bien rangée. D'habitude, elle est aussi bordélique que la mienne. Là, chaque chose est parfaitement à sa place. Je remarque une sorte de sanctuaire près de la fenêtre. Sur une petite table, il a posé des feuilles d'acacia séchées, des herbes, divers objets. Au centre, une boîte en bois avec un rameau fragile posé dessus. Menaçante comme la boîte de Pandore. En la regardant, un frisson me parcourt.

— Et ça, c'est quoi ? je lui demande pour essayer de calmer ses pleurs.

— Rien.

— C'est un sanctuaire ?

— Non, c'est un autel, il me corrige.

— Un autel. Tu me tiens au courant si tu sacrifies des bébés, hein ? J'essaie de la jouer léger. Un instant, il semble sur le point de sourire. Mais ses pleurs reprennent le dessus. Son chagrin est oppressant, il commence à me plomber moi aussi.

Je réussis à dénicher un survêtement planqué derrière des serviettes, un short pour faire office de sous-vêtement. Pour les chaussettes, je fouille dans son panier de linge sale. Il y a pire que porter des chaussettes sales, je me dis.

Il commence à s'habiller devant moi. Je ne détourne pas le regard. Je fais face à sa nudité. Il me regarde, me sourit à moitié. Son état n'a pas changé, il me signale seulement que ça ne le gêne pas. Certains hommes sont obsédés par leur pénis. Pas lui. Tant mieux. Une vague de chaleur m'envahit au creux du ventre. Je lui souris en retour. Je ne suis pas sa mère, je me rappelle, et je commence à me demander ce que je fais ici. Je n'aime pas jouer les infirmières, surtout avec les amis. Mais je me rends compte qu'il est mieux avec moi qu'avec ses colocataires et leur indifférence. En tant que noire, je me suis toujours sentie obligée d'en aider un autre dans la panade, surtout dans un environnement blanc. J'ai grandi dans un collège prestigieux du Swaziland, seule noire de ma classe. J'ai toujours été contente de croiser de nouveaux visages noirs à mesure qu'ils accédaient peu à peu aux classes primaires, au fil des ans. Mais j'ai aussi remarqué combien certains aimaient nous monter les uns contre les autres, pour la seule satisfaction de confirmer leurs pires préjugés. Je ne leur ai jamais fait ce plaisir. Je me suis toujours efforcée de bien m'entendre avec les autres élèves noirs. Ils n'étaient pas tous plaisants, malins ou chaleureux, mais j'ai appris à faire semblant, pour contredire cette idée que les noirs sont querelleurs et se font du tort les uns aux autres.

— Tu es en train de faire mes lacets, il dit.

Tiens, c'est vrai. Je continue.

— Je te donne juste un coup de main, je fais, un peu embarrassée.

— Je sais, il dit dans un éclair de lucidité.

— Et voilà, tu es prêt, je le regarde.

— Je crois qu'on doit y aller maintenant, il dit. Ils veulent que j'aille à Valkenberg, c'est ça ?

— C'est le mieux, Tshepo. Le *wena*, tu sais bien.

— Je sais, parce que parce que, il répond. Je ne comprends pas ce que ça veut dire.

Après un examen psychiatrique de routine à l'hôpital Groote Schuur, ils nous envoient à Valkenberg. Tshepo est calme. Il tire la gueule mais il semble résigné. Je me sens coupable mais je sais qu'il a besoin d'une assistance médicale. Et puis, il sait ce qui lui arrive, je me rassure. On l'accompagne avec David au pavillon 15. C'est une salle très surveillée. Le personnel est distant, agressif.

— Tshepo, faut qu'on y aille, je lui dis quand il est enregistré.

— À plus tard, il dit, un peu confus. Je m'inquiète pour lui.

— Peut-être on peut rester encore un peu, je dis à David. Je n'arrive pas à le laisser. David n'y voit pas d'inconvénient.

Un infirmier colossal donne à Tshepo un tas de cachets. Une infirmière à côté prend un air exaspéré quand il lui redemande de l'eau.

— Qu'est-ce que vous lui donnez ? David demande.

— Vous êtes médecin ? demande l'infirmier avec mépris.

— Non.

— Alors laissez-moi faire mon boulot.

— Je m'inquiète juste pour lui. Qu'est-ce que vous lui donnez ?

— 10 mg d'haloperidol et 50 mg d'orphénadrine, vous êtes content ?

— Et qu'est-ce que c'est supposé faire ?

— Pas le temps de vous expliquer.

— David, on s'en va, j'interviens.

— Voilà une bonne idée, dit l'infirmier.

— Tshepo, on s'en va maintenant, je lui dis en lui serrant la main. Il a l'air perdu.

— *Hei, vasbyt,* accroche-toi, ajoute David. On ne se retourne pas en partant. Mais la tristesse des circonstances nous hante.

Dans la voiture, on reste silencieux un moment.

— Je sais pas ce que je dois faire, je me confie brusquement à David.

— À propos de quoi ? De quoi tu parles ?

— Tshepo n'a pas de famille au Cap.

— Et donc…

— Je suis pas sûre de pouvoir jouer le rôle de garde-malade.

— Il a pas besoin de garde-malade. Ça c'est le boulot de Valkenberg. Il a juste besoin d'une amie, il dit avec un regard accusateur.

— Me regarde pas comme ça. Tu donnais pas exactement l'impression de vouloir revenir le voir, je lui réponds.

— Cette conversation est débile, il s'énerve.

— T'es qu'un sale hypocrite, je réplique.

Je regarde par la vitre, ruminant en silence.

— Pourquoi t'es si dure ? Non mais vraiment ? il demande avec son sérieux habituel.

— Ça demande de l'entraînement, je réponds pour l'agacer. Pourquoi un mec aurait le droit d'être un enfoiré, et pas une fille ?

— De quoi tu parles ? Vraiment, t'es une vraie garce, des fois, il continue.

— T'es pas le premier à me le dire, connard, je réponds. Je me souviens de ce que je trouve si énervant chez David, et en même temps si séduisant. Derrière son côté beau gosse, il est péniblement sincère. Le genre de type à toujours dire la vérité, même si ça lui donne le mauvais rôle. Je ne crois pas à la sincérité des gens. La franchise est une arme. C'est désarmant de s'entendre dire trop de vérités. Je me souviens comme je me suis sentie démunie la première fois que je l'ai rencontré. Il est trop intense, je me disais. Il disait que bavarder, c'était pas son truc, il parlait avec une gravité qui mettait sur la défensive. Il ne se voulait pas agressif, il était juste lui-même, direct. Il m'a dit que je faisais probablement peur à la plupart des hommes. J'étais d'accord mais je lui ai quand même demandé pourquoi. Il m'a répondu que ça venait surtout de mon physique. T'as l'air d'être une sacrée reproductrice, il m'a dit. Je lui ai balancé une gifle. J'étais ivre, ça ne l'a pas dérangé. C'était pas nouveau d'entendre que j'étais pas la gentille petite voisine. Je sais que je suis sacrément charpentée. J'aime porter des vêtements qui révèlent ma poitrine large, mes hanches suggestives. Ma démarche fait chuchoter les filles dans les toilettes. Et je porte toujours les cheveux très courts, par défi. Pour garder les cheveux longs, certaines femmes sont capables de déployer autant d'efforts que si elles menaient une double vie.

— J'aime pas les engueulades, tu sais, je dis en sortant de ma bouderie.

— Moi non plus. J'arrive juste pas à croire ce que tu viens de dire, il ajoute en se concentrant sur la route.

— Tu crois qu'on arrivera de nouveau à bien s'entendre un jour ? je pose ma main sur sa jambe. Il la regarde, comme pour me rappeler qu'il sort avec quelqu'un d'autre maintenant. Je la retire, avec une pointe d'humiliation.

— On est sortis ensemble pendant trois ans. On peut pas espérer que tout va être normal du jour au lendemain, il dit. Mais je ne l'écoute pas, vexée.

— Il y a une chose que je t'ai jamais demandée, même quand on était ensemble, je dis.

— Laquelle ? il me regarde, sa mèche blond pâle sur le visage. C'est dans ces moments-là que sa petite copine lui passe la main dans les cheveux. Je l'ai vue faire une fois, c'était à vomir.

— D'où vient ta fascination pour les noires ? je demande pour faire mal.

— Qu'est-ce qui te fait croire que je suis fasciné par les noires ? Juste parce que je suis sorti avec toi et que ma nouvelle copine est noire ? il dit, un peu troublé.

— Ta « nouvelle copine » ? Elle a un nom, je le nargue.

— OK, Mmabatho, qu'est-ce que tu veux ? Tu joues les garces pour rien, là, il dit.

— C'est la deuxième fois que tu me traites de garce.

Il ne répond rien. On finit le trajet en silence.

C'est vrai que je le cherchais un peu. Mes pensées se bousculaient. Je voulais parler de nous. Je voulais savoir comment il allait. Je n'essayais pas de le draguer. Tout est allé de travers. Avec David, tout ce que je dis ou fais, je me le reprends dans la figure. Je finis toujours par être mal. Pourquoi est-ce si facile pour lui de tourner la page ? Où est la souffrance, le travail de deuil ? C'est vexant quand quelqu'un se remet de vous trop vite. J'ai pleuré pendant des jours après notre rupture. Je sais bien qu'il ne faut pas attendre la même chose de lui, mais j'y peux rien. Je veux lui manquer. Je veux rester ce trophée qu'il a laissé échapper. Peu importe qui a décidé de rompre. Je ne suis plus une enfant. Mais ça m'ennuie que notre rupture ne le trouble pas plus que ça. Je repense à ce que dit Nthabiseng : les femmes veulent du mélo et tout ce qui va avec, pour se sentir au centre de l'univers. Si c'est vrai, c'est de la perversité. Paradoxalement, je recherche le drame pour avoir une meilleure opinion de moi-même. Pour qu'il y ait quelque chose de juste dans tout ça. C'est vrai, pourquoi je devrais être la seule à souffrir ?

TSHEPO

Face aux médecins, je redeviens un enfant. Je les écoute placidement conspirer contre mon esprit. Je ne pique pas de crise quand ils me mettent sous sédatifs, même si je sais bien que ça m'attaque le système. Quand c'est fait, j'oscille quelque part entre sommeil et calme. Tout semble se ralentir. Sans ma montre, je suis perdu, les heures s'évanouissent. L'ennui nous affecte tous. Rien à faire pendant les sessions d'ergothérapie, « l'ergo » comme on l'appelle, à part lire de vieux magazines, jouer à des jeux de société ou juste somnoler. Même le sommeil devient une forme de drogue. Au bout de quelques jours, j'ai développé un tic. Mon œil gauche cligne involontairement. Quand j'en ai parlé aux soignants, ils se sont remis à comploter contre moi, augmentant les doses, histoire de régler les effets secondaires de l'orphénadrine. Je prends les cachets qu'on me donne, j'avale. Il y a des jours où tout ce dont j'ai envie, c'est dormir, oublier la vie d'avant. Comme ils ferment les chambres après le petit-déjeuner, je finis par m'endormir sur une chaise ou par terre. Parfois, ils me donnent un cachet blanc, un neuroleptique puissant que tout le monde semble prendre avec réticence. Après, je me sens tout engourdi, ça dure au moins trois jours. Cet état de léthargie est insupportable. Mais quand je ferme les yeux, je ne rêve pas.

Facile d'oublier que je suis supposé être malade. La plupart des autres patients, tous plus âgés, déambulent comme des zombies. On dirait que leur tête est définitivement cassée. Avec eux, toute conversation est hachée, sinon impossible. Certains grognent ou me bousculent quand ils ont un truc à me dire. Ils sont léthargiques et ils puent. Comme s'ils ne faisaient que passer, qu'ils avaient renoncé à vivre. C'est leur posture qui trahit cela, rien ne va. Vautrés en avant, le dos arqué, comme pour saluer la terre, saluer la mort. Ils trimballent la dépression et la solitude partout où ils vont. Je me sens prisonnier de ce manque de réceptivité, de cette compagnie minable.

Je n'ai pas d'amis ici. Ça ne me gêne pas vraiment. Je passe mon temps à réfléchir sur ma vie, une spirale introspective sans fin. Rien d'autre à faire. Je ressasse les événements qui m'ont conduit ici, je me demande comment c'est arrivé, quand c'est parti en vrille. La vérité, c'est que je ne sais toujours pas comment c'est arrivé. J'ai été dépassé, j'ai atterri dans un asile d'aliénés. C'est dur à avaler. Je m'en veux.

Il ne faut pas longtemps pour apprendre les règles ; où s'asseoir, quand aller aux toilettes, à quel soignant faire confiance. Ils désignent toujours quelqu'un pour expliquer le système, une sorte de comité d'accueil. Sauf que ce n'est pas une colonie de vacances et qu'il n'y a rien de joyeux en la circonstance. Un accord tacite décourage les rires incongrus. Ça veut dire quoi ? L'humour est une chose tellement personnelle. Ça veut dire qu'on ne peut pas glousser, ricaner, s'esclaffer ? Qu'arrivera-t-il si j'éclate de rire en pensant à une histoire passée ? C'est considéré comme un rire incongru ? J'observe les soignants qui nous regardent et enregistrent. Est-ce qu'ils guettent ceux qui rigolent ? J'ai peur de sourire désormais. Je ne fais plus confiance à mes émotions. Je ne sais pas ce que je ressens la moitié du temps. Les médicaments font tout le boulot. Sommes-nous supposés nous mordre les joues, rester assis sur nos chaises inconfortables tout l'après-midi ? On nous enferme comme des criminels et on ne peut même pas rire de cette absurdité ?

Un des malades me regarde en permanence. Il s'appelle Zebron, si on accepte que c'est vraiment un nom. Il m'inquiète avec son regard sombre de tortionnaire. Il a pris l'habitude de me fixer. Quand je lui rends son regard, il me fait des grimaces agressives. Il prend généralement un air sadique, comme s'il imaginait les tortures qu'il pourrait nous faire subir. Comme moi, il ne parle à peu près à personne. Le plus étrange chez lui, c'est qu'il n'a pas vraiment de visage. Il a ces traits indéfinissables qu'on trouve dans les portraits-robots de la police. Un portrait-robot ne ressemble jamais à un individu qu'on peut croiser dans la vraie vie. En dehors de ses sourcils bas, de ses yeux enfoncés, Zebron a un visage sans aspérités, idéal pour un criminel. En le regardant, il faut un moment pour estimer son âge. Une aura très sombre émane de sa silhouette trapue. Je l'évite autant que je peux.

— Infirmiers. Infirmiers, mes jambes me font mal. Infirmiers, Salman se met soudain à crier, il se jette à terre. Nous le regardons se tortiller sur le sol, les jambes crispées dans un spasme bizarre.

— Infirmiers, à l'aide ! Infirmiers, mes jambes ! il hurle.

Zebron fait la gueule dans son coin. Parmi les autres malades, il inspire le genre de respect qu'on réserve aux chefs de bande en prison. Je me demande quelle espèce de type c'était avant de venir ici. Tout le monde à Valkenberg a une histoire. Médecins, avocats, comptables, artistes, politiciens oubliés – on trouve tout ça dans l'anonymat de cet hôpital, mais c'est rarement de la bouche des malades qu'on l'apprend. C'est plutôt une source de potins ou de ragots pour les soignants les plus curieux, les infirmières surtout. Zebron se lève, vient s'asseoir à côté de moi. J'évite son regard. Je remarque que son ombre est tombée sur mes cuisses. Il vient me piquer une cigarette. Je n'en ai pas, je lui dis pour la cent millième fois. Il sait que je ne fume pas, mais il vient toujours m'emmerder.

— Je t'aime pas, il m'a dit un jour quand je lui expliquais que je n'avais pas de cigarette.

— T'es pas le premier, j'ai répondu calmement.

— Tu te crois spécial ? T'es juste un malade comme les autres, il m'a dit.

J'essaie de ne pas oublier que je me trouve dans un hôpital psychiatrique.

Ça ne s'arrête pas là. Il continue à venir me taper des cigarettes, même si je n'en ai jamais. Généralement, il fait ça quand les soignants ne regardent pas ou font semblant d'être ailleurs. Dans un hôpital psychiatrique, on n'est jamais trop parano avec les infirmiers. C'est une sorte de loi non écrite entre eux et les malades. Ça plante le décor – on ne leur fait pas confiance, ils nous torturent. Certains malades sont convaincus que les infirmiers les manipulent savamment. J'ai ma petite théorie sur les gens qui travaillent dans un hôpital psychiatrique. Ça en dit presque aussi long sur leur santé mentale que sur celle des malades. Certaines des figures les plus inquiétantes, les plus mégalos que j'ai rencontrées travaillaient dans des hôpitaux de ce genre, réussissant à dissimuler leurs tares.

— Passe-nous une *entjie,* Zebron me harcèle à nouveau pour une clope. Son haleine pue horriblement.

Je hausse les épaules ostensiblement. Il insiste un moment, je regarde ailleurs. Il me fixe à nouveau, un sillon se creuse entre ses sourcils. La pensée me vient qu'il a de sales idées en tête, je parviens à l'ignorer et à rester calme. Je ne suis pas venu ici pour qu'un autre me rende dingue.

Les beuglements de Salman augmentent.

— Infirmiers, mes jambes font mal, infirmiers ! Mes jambes, infirmiers !

Ses cris commencent à déranger d'autres malades. Unathi tire sur sa barbe grisonnante, il commence à se balancer sans interruption. Assis à côté de moi, Zebron croise ses jambes très serrées, s'écrasant les couilles. Bruce commence à hurler avec Salman.

— C'est bon, fermez-la ou je vous envoie tous au *kulukutz*, dit Sipho, l'infirmier de jour.

Il baisse le pantalon de Salman, le tamponne avec un genre de coton et lui plante une longue seringue. Le spectacle est révoltant. Bizarrement, Salman semble soulagé ; la violence de la scène ne lui arrache aucun cri. Je regarde Sipho retirer la longue aiguille en me mordant les joues jusqu'au sang. Je n'aime pas les aiguilles ni les lames.

Zebron s'éloigne. J'attrape un vieux magazine sur la table. J'essaie de lire, mais impossible de me concentrer sur les mots. Je les regarde, hébété, oubliant une phrase après l'autre. Ça suffit à me déprimer. J'ai la tête lourde, les sens engourdis, j'essaie encore. C'est les médicaments, je me répète en glissant sur les mots. Zebron revient. Il lâche une lame de rasoir sur mon magazine avec une joie féroce.

ZEBRON

Il faut trois infirmiers pour le plaquer au sol. Ils lui filent un sédatif qui le calme en deux minutes. Ils le traînent ensuite vers la cellule d'isolement.

Je n'éprouve aucun remords pour ce que j'ai fait à Tshepo. Je m'assure simplement que nous partons tous avec les mêmes handicaps. Il y a déjà eu quelques hypocondriaques dans ce pavillon, j'en ai toujours gardé un mauvais souvenir. Leur souci de bien montrer à tout le monde combien ils sont atteints me dégoûte. Cette manière d'attirer l'attention m'exaspère, un truc de lèche-cul.

Quand il est arrivé, Tshepo marchait comme s'il était en transe. Il ne parlait à peu près à personne. Je l'observais attentivement. Les nouveaux malades passent toujours par moi. Sipho a vite été au courant de ma procédure d'admission. Ils savent tous, ils ferment les yeux.

— Alors, t'as une clope pour moi ? je l'entreprends dès le petit-déjeuner.

Il continue à fixer son bol, il avale son porridge. Je remplis ma cuillère. D'une chiquenaude, j'en expédie le contenu sur son visage. Il met un moment à réagir et finalement il rit, d'une façon incongrue.

— OK, du calme, Sipho lui dit, assis à l'autre bout de la table.

— Encore des pilules blanches pour toi, je le nargue.

Ceux qui écoutent rigolent.

— Du calme, Zebron, ça suffit, Sipho me prévient.

Quand je viens prendre le bol de Tshepo, il me dit d'aller me faire foutre et me plante sa cuillère dans le côté de l'abdomen. Je ne réplique pas. Sipho l'attrape par le cou et l'expédie une nouvelle fois au *kulukutz*. Il y reste cinq nuits. Le deuxième jour, on l'entend crier de façon atroce. Ça dure un bon moment avant qu'ils le mettent sous sédatif.

L'enfermement peut provoquer ça. Ça les étouffe. Quand les cris commencent, je sais que les dernières barrières mentales sont rompues. Après les médicaments, un silence angoissant succède aux cris. On se sent toujours vulnérable, comme au bord des larmes ; simplement, on est trop drogué pour pleurer. Les nuits sont toujours longues et froides, même quand il fait chaud – il n'y a pas de fenêtre sur l'extérieur. Ça pue là-dedans, le dernier gars était trop cassé pour pisser dans la cuvette et sa merde a glissé sur le mur en signe de protestation. Aucune dimension spirituelle dans le *kulukutz*, ni aucun effet curatif. La porte est lourde, ils la verrouillent comme si on était une bête féroce, que personne ne peut approcher. Pendant la journée, une lumière fluorescente scintille, brouillant la vue. On sent son visage perdre sa couleur. Les murs sont impénétrables. Oppressants. Un sentiment de damnation éternelle. C'est un enfer de solitude. Une puanteur d'urine émane du matelas et des couvertures, infestés de puces.

Il fallait qu'il craque. Le chemin de la guérison passe forcément par là. Avant de vous réparer, il faut qu'ils vous cassent. Je le sais parce que ça fait des années que je fréquente ces hôpitaux. Je n'aurais jamais dû laisser mon frère me convaincre la première fois, il y a près de dix ans. Je me sens plus détruit aujourd'hui qu'alors. Et la trifluopérazine me rend mauvais. Elle me fait voir le sale côté des gens, celui qu'ils passent leur vie à dissimuler. Je remarque les incohérences, ces petits mensonges qu'on dit et qu'on oublie après. Ce que les gens lâchent par inadvertance, je m'en souviens toujours, impitoyablement.

Je n'aime pas les gens. Je suppose que je ne les ai jamais aimés. Je n'y crois plus. C'est facile, on décide un jour que c'est tous des nazes et après on les chasse comme des mouches. Je n'aime pas la façon dont ils essaient d'être aimables ou sympathiques. Certains d'entre nous sont nés comme ça, sous le sceau de la cruauté, une dent contre la vie. Rien de personnel. Prenez n'importe quelles toilettes publiques, il y aura toujours quelqu'un pour avoir envie de les souiller, pour les souiller. Les gens sont comme ça. Nous ne sommes pas tous des enfants de Dieu. Ici, Dieu n'existe pas. Je suis l'oublié qui pourrit au fond du tonneau de pommes en fermentation. Dieu n'a jamais entendu mes cris. Je n'ai jamais vu la lumière ou trouvé quoi que ce soit de sacré en moi. On n'est pas tous des mystiques qui puisent une certaine grandeur dans la souffrance. Certains d'entre nous sont nés comme ça, trop pleins de pourriture pour y résister.

Quand je parle, je parle de blessures, et de souffrance, et de colère. Elles sont bien réelles pour moi. Je ne connais pas le remords ni la recherche intérieure de la beauté. Il n'y a rien de beau en moi. Trop de pourriture. Je peux rien y faire, mais je peux m'y faire. Avoir eu un père qui me cognait pour le plaisir n'a pas aidé.

Je sais bien que ma façon de penser est complètement tordue. Je me surprends parfois à fantasmer sur l'idée de bastonner les infirmières – les plus connes, celles qui passent leur temps à déblatérer sur les affaires des autres, leurs *indaba*. Je me demande ce que j'emploierais. Une bêche ou un club de golf? Avec quelle force elles gueuleraient? Voilà les pensées qui parfois peuplent mon esprit. Je l'accepte. Je suis comme ça. Les gens imaginent toujours qu'on est à l'asile pour combattre ses démons intérieurs. Ce n'est pas mon cas. Moi, je suis là pour lâcher prise, apprendre à vivre avec. C'est un combat incessant. C'est pour ça que j'y retourne souvent.

Parfois, je me referme comme une huître, pendant des jours. C'est le seul acte de résistance encore en mon pouvoir. Je crois que les médecins voient ça comme un signe de détérioration, une raison d'augmenter les doses. Quels trous-du-cul! Si seulement ils pouvaient se voir comme je les vois, ces tas de merde pompeux et arrogants. Ils s'assoient là, dans leur blouse blanche immaculée, ils dissèquent ma vie, puis la réassemblent dans ce qu'ils appellent une thérapie. Quand je ne réagis pas, ce n'est jamais leur méthode qu'ils remettent en question. Au lieu de ça, ils me punissent en me gardant plus longtemps, en alourdissant le traitement. C'est toujours moi, jamais eux.

Lors de la dernière séance au pavillon, j'ai insulté le psychologue quand il m'a demandé si je voulais quitter Valkenberg. Ça m'a valu deux jours de *kulukutz*. Je l'ai insulté parce que je savais qu'ils avaient l'intention de me garder plus longtemps. Je pique toujours ma crise avec eux, ils sont tellement convaincus que je suis malade, qu'il n'y a qu'eux qui peuvent m'aider. Parfois, pas souvent, sous l'emprise de la dépression, je me sens obligé de lâcher quelque chose à ces salopards, la souffrance est trop insupportable. J'ai dit à mon psychologue que j'avais tué quelqu'un. Je ne pense pas qu'il me croie, parce qu'ils disent que je souffre de schizophrénie.

— Cette femme. Parlez-moi de cette femme que vous dites avoir tuée, il me dit sur un ton clinique. Je lui parle mais il n'écoute pas vraiment. Il cherche à savoir si mes pensées sont déconnectées les unes des autres, si mes émotions fluctuent. Je le vois bien. Je ne suis pas idiot. Pour lui, je ne suis qu'une expérience de labo. Il prend des notes, furieusement.

— On était plusieurs. On l'a violée, je dis juste ça pour lui arracher une réaction. Nouvelle déception. « Et ça vous inspire quoi ? » il demande. Qu'est-ce que c'est que cette question ? Ils ne pourraient pas sortir de leur rôle pour une fois, demander autre chose ? Dans la vie, personne ne parle comme ça.

D'autres fois, je sors de ces séances avec encore plus de haine envers les gens. L'idée d'assassiner quelqu'un vient facilement à ceux qui ont fait un tour dans un hôpital psychiatrique. Le truc, c'est qu'ils vous testent, ils vous titillent, ils vous posent un million de questions. Tout ce que tu finis vaguement par réaliser, c'est que tu es le même qu'hier, avant de tomber malade, et que demain, quand ils te renverront chez toi. Les gens ne changent pas, les circonstances oui. Même quand ils te déclarent psychotique, c'est toujours toi, mais dans un état extrême. Quand tu commences à voir les choses comme ça, tu deviens plus réceptif au sale côté de la vie. Ton esprit se met à générer des pensées qui t'effraient ou qui t'excitent tellement elles sont tordues. J'ai des histoires à raconter. Mais certainement pas à un psychologue sectaire qui se prend pour mon sauveur.

Quand ils le laissent sortir, Tshepo refuse de parler à qui que ce soit. Une nuit, il m'attaque. Je me réveille, il est debout au-dessus de moi, me balançant des grands coups de poing. Je protège mon visage, j'attends qu'il ait fini de passer sa colère. Il me tape dessus, puis il se met à pleurer.

— Ferme-la maintenant, c'est Sipho qui est de garde, je lui dis. Tout ce qu'il attend, c'est que tu redéconnes.

— Va te faire foutre, il bafouille, chacun de ses coups est plus minable que le précédent.

Unathi se réveille énervé, il allume la lumière. Il va droit sur Tshepo, lui envoie une beigne en pleine gueule. Il tombe, son œil heurte le coin du lit opposé.

— *Voertsek, thula man!* Dégage, la paix, on veut dormir, dit Unathi. D'autres voix approuvent en maudissant Tshepo. Je leur conseille de se taire.

— C'est le *kulukutz* direct si Sipho vous trouve debout.

Unathi éteint la lumière, il retourne au lit. Tshepo se relève, il va lui aussi se coucher.

Je ne l'entends plus de la nuit.

TSHEPO

Je saigne dans le noir. Voilà ma vie. Depuis trois nuits, je me réveille quand ils dorment tous et j'attaque Zebron. Ensuite Unathi me casse la gueule. Et puis on se recouche avant que l'infirmier de garde n'entende. J'ai l'impression que tout recommence, je suis entraîné dans la spirale. Je perds le contrôle. Ça va s'arranger, tu vas t'en sortir, je passe mon temps à me répéter. Mais ça ne résout rien. Quand je vois Zebron, j'entends des tronçonneuses, ça me rappelle à quel point je peux être violent. Il ne peut donc pas voir ce que dit mon regard? Assez, je suis à bout! Je deviens dingue! Je m'accroche à peine à ce qui me reste de santé mentale. Pourquoi tu me pousses encore? Il ne se rend pas compte que je suis à bout? Le *kulukutz* vous tue. Je sens ma raison qui s'échappe.

Le psychologue m'a demandé pourquoi j'étais passé à l'acte. Ce genre de question m'embrouille, me pousse encore plus à bout. Dehors, ça paraîtrait normal de réagir comme ça après une provocation, au moins pour certains types que je connais. Mais ici, sous le regard du psy, chaque geste prend des proportions démesurées. Je perds espoir, et tout contrôle. Ils me font comprendre que c'est moi qui ai un problème avec Zebron, que lui n'y est pour rien. Aucune mention de la lame avec laquelle il m'a provoqué. À nouveau, je me noie dans mes propres actes. Je me force à me souvenir qu'il m'a provoqué, parce que les soignants ne semblent pas y attacher d'importance. Tu es passé à l'acte, ils répètent. J'ai une profonde entaille sous l'œil gauche. Elle va mettre longtemps à cicatriser. J'ai toujours trop de colère à évacuer. Et je n'arrive pas à dormir. Le traitement m'attaque les nerfs. Et j'ai attrapé la gale. Ils m'ont donné une pommade brûlante que j'applique quand j'y pense.

Les horaires sont stricts. On nous réveille à sept heures. En général, je suis déjà debout parce que j'ai faim, j'attends le petit-déjeuner avec impatience. Ensuite on doit se laver. Ils appellent ça le temps d'hygiène personnelle. Tout a une dénomination ici, même les choses les plus banales. Ils nous accompagnent jusqu'à la salle de bains, on y fait la queue comme du bétail à l'abattoir. On doit tous se mettre nus, les soignants supervisent nos entrées et sorties des douches. Avec leurs blouses blanches, criant des ordres pour couvrir le bruit de l'eau, on dirait des dresseurs plus que des infirmiers. Dans leur voix, on sent l'agressivité, l'impatience, particulièrement chez Sipho. On entre par trois. La salle est vite pleine de vapeur et sent la sueur. Ça sent les couilles et le pet, ça sent l'homme fatigué de protester ; on entre, on sort, pendant que les autres trépignent, frustrés.

— Sepo, magne-toi ! Sipho hurle. Je suis resté à peine cinq minutes dans la douche crasseuse.

— C'est Tshepo. Tshepo, je corrige.

— M'en fous. *Phuma*, dehors, mec, il dit en me tirant. Plus de serviette, je grelotte dans un coin en attendant qu'un des autres me passe la sienne.

— Tiens, dit Zebron en me tendant sa serviette trempée.

Je le regarde avec dégoût.

— Prends-la, mec, il aboie.

Trop tôt pour s'interroger sur ses arrière-pensées. C'est juste une serviette, je me dis. Je la prends.

Une fois séchés, on va aux placards, on trouve des vêtements et des blouses propres. Unathi est toujours en train de se doucher, Sipho le laisse tranquille.

— C'est un longue-durée, dit Zebron, surprenant mon regard. Il paie le personnel en échange de quelques faveurs. C'est pour ça qu'il est toujours en train de manger des biscuits.

Je ne réponds rien, je retiens juste mon dégoût.

— Tu n'as aucune raison de me détester, il dit avec un visage de marbre. Il passe sa main sur mon bras. On peut se sentir très seul à Valkenberg, tu sais, il me chuchote à l'oreille d'un ton railleur, avec cette voix épaisse qu'ont les mecs qui boivent et qui fument. Je m'éloigne pour éviter une nouvelle confrontation.

— C'est Zebron qui a la boîte, dit Sipho en lui tendant une boîte pleine de rasoirs, de lames émoussées, de brosses à dents usées.

Je déteste les lames. J'évite de les regarder, j'attrape la première brosse à dents qui me tombe sous la main. Zebron me fait un grand sourire. On doit faire la queue en attendant que Sipho nous presse du dentifrice, comme un ver qui sortirait du tube. Quand arrive mon tour, Sipho me regarde à peine, extrait négligemment un filet de pâte. Je ne m'abaisserai pas à supplier pour du dentifrice, je fais de mon mieux pour me brosser les dents avec ce qu'il m'a donné. Je frotte jusqu'à ce que mes gencives saignent.

— Vous avez fini ? Alors à table maintenant. Allez, allez, dit Sipho en tapant des mains comme s'il s'adressait à des enfants. Je continue à me brosser.

— Allez les gars, il répète. Les autres reposent leur rasoir et leur brosse. Je suis le dernier à rendre la mienne. Je ne la rince même pas. Sipho me regarde, il grogne comme pour me signifier de ne pas le chercher. Puis il tend les peignes.

Quand nous avons fini, le sol est trempé. Byron et un autre type sont de corvée de salle d'eau. Ils essuient par terre avec les serviettes mouillées, ils rincent les lavabos. Ils rangent les morceaux de savon Lifebuoy dans le placard. Pendant ce temps, nous attendons de l'autre côté.

Quand Sipho est satisfait de l'état de la salle d'eau, on va au réfectoire. On sent tous le Lifebuoy. Lifebuoy, « bouée de sauvetage », ironique, non ? Je me répète Lifebuoy encore et encore jusqu'à ce que ça devienne une bouillie de lettres sans aucune signification. On passe devant le *kulukutz*. Mon cœur se serre légèrement. Je jette un regard par l'une des portes, l'odeur d'urine envahit mes narines.

— Qu'est-ce tu cherches là-dedans ? me hurle Sipho. Je ne réponds rien.

Nous attendons le petit-déjeuner avec impatience dans le réfectoire. Je parcours la salle des yeux. De l'autre côté, un tableau avec des annonces. Dans un coin, quelqu'un a griffonné « Remets-Toi Vite ». Ça ne semble s'adresser à personne en particulier. Il y a aussi un graphique sur la santé mentale. Sincérité, assurance, amour-propre et confiance sont cités parmi les qualités principales d'un esprit sain. Sous ce diagramme, il y a le même, inversé, pour les maladies mentales. Ce qui me frappe dans ce diagramme, c'est que la méfiance est au centre de tous les attributs négatifs. Vu les circonstances, je trouve pourtant parfaitement raisonnable de se montrer méfiant au pavillon 15. L'autre jour, quelqu'un a dénoncé Byron pour avoir fumé un joint dans les toilettes. Ça lui a valu quatre jours de *kulukutz*. Les incidents les plus anodins sont rapportés. Aucune solidarité. Chacun cherche d'abord à se couvrir. Je comprends d'autant moins ces dénonciations qu'il n'y a rien à y gagner, à part le plaisir puéril de voir punir quelqu'un. Aucune faveur à attendre du personnel, alors pourquoi ? Eux n'ont rien à perdre à nous inciter à nous espionner les uns les autres.

Je meurs de faim quand le petit-déjeuner arrive finalement : du porridge, deux tranches de pain avec de vagues traces de beurre et de confiture. Heureusement, ils font le porridge comme j'aime. Ça compense leur thé faiblard. Je récupère toujours le bol de Matthew parce qu'il n'aime pas ça.

Après le petit-déjeuner, nous pouvons sortir dans la cour grillagée jusqu'à l'heure du thé, à dix heures. Après, c'est ergo dans le salon. Suivie par le déjeuner à midi. Le dîner est à cinq heures. Nous recevons nos médicaments immédiatement après chaque repas. Les portes des dortoirs restent ouvertes entre sept heures et huit heures moins le quart, ça dépend du nombre d'infirmiers de garde.

Ces horaires sont strictement respectés. Rien d'autre à faire que passer le temps en attendant impatiemment le prochain repas. Ça occupe mon esprit pendant les interminables heures vides.

Il fait chaud dehors. Je reste assis sur la terrasse en béton, car l'herbe est encore humide de rosée. Les autres font la queue pour leur ration de tabac. C'est aussi là qu'on distribue les colis de provisions personnelles. Zebron me rejoint, il commence à rouler une cigarette.

— T'es dans mon soleil, je lui dis calmement.

— Excuse, il répond en se poussant un peu.

Même quand il ne dit rien, sa présence menaçante m'irrite.

— Réfléchis pas autant, il dit finalement.

Toute ma vie on m'a répété ça. Venant de Zebron, ça me glace.

— Tu dis que des conneries. Je vais pas merder encore à cause de toi, je lui dis.

— Du calme, il dit, narquois. Écoute, t'es pas le seul. Je fais ça à tous les nouveaux.

Je lui jette un regard mauvais. Il serre les dents, comme s'il bandait ses muscles.

— Me fais pas chier, je te ferai pas chier. C'est tout ce que je veux dire, il ajoute.

Il ne m'impressionne pas. Je ne réponds rien.

— Amis, il sourit en dévoilant ses dents tachées de nicotine à la limite des gencives, le signe de son laisser-aller. Je dissimule le dégoût que m'inspirent ses chicots. C'est le genre de type qui pourrait délibérément laisser pourrir ses dents, juste pour provoquer cette réaction chez les autres en souriant.

— Alors comme ça, je réfléchis trop ? je dis pour détourner la conversation et m'épargner un début de camaraderie pas forcément bienvenue.

— Ja, tu travailles trop du chapeau, il dit de sa voix neutre.

— Qu'est-ce qu'y a d'autre à faire ? On peut aussi s'évader par l'esprit.

— Observer, il dit mystérieusement, en découvrant à nouveau ses dents.

Byron l'appelle. Il s'éloigne. Quel sale type, je me dis quand il est parti.

— Qu'est-ce tu dirais d'une clope, mon pote ? l'accueille Byron.

Pour une brute, Zebron fume avec classe. Ses cigarettes sont toujours parfaitement roulées, il fait toujours attention à ne pas mettre de cendres sur ses vêtements, comme les autres débiles, les *moegoes*, comme il les appelle. Il fume avec méticulosité, en mouillant le côté de sa cigarette quand elle se consume trop vite. Il n'a pas non plus de taches noires sur les doigts comme les autres accros. On ne peut pas vraiment dire qu'ils fument ; tout ce qu'ils veulent, c'est un fix de nicotine, même s'il faut ramasser des bouts de tabac sur le sol et des vieux mégots, tellement ils sont en manque. On ne peut pas vraiment leur en vouloir, il n'y a rien d'autre à faire de toute façon.

Je remarque que Byron est le seul à qui Zebron passe sa cigarette – il ne supporte pas les autres. Je le regarde parler à Byron. Il postillonne, il fait de grands gestes. Je crois qu'il se prend trop au sérieux. Je ne suis pas sûr que Byron l'aime plus que ça. Je les regarde en coin, pas question que Zebron pense qu'il m'intéresse, aussi peu que ce soit. Au bout d'un moment, il revient.

— Reste pas enfermé sur toi-même, il me dit. Pour qui il se prend ?

— Et toi, t'es qui ? Le psy en résidence ? je demande sarcastiquement.

— Écoute juste un peu, fais pas ta grande gueule. Si t'ouvres un peu les yeux, tu sortiras d'ici plus vite.

— Qu'est-ce tu veux dire ?

— Je parle des surveillants. Ils veulent voir que tu communiques, que tu t'exprimes. T'as bien envie de sortir d'ici, non ? Il me regarde.

— *Ja*, bien sûr. Tout le monde ici, non ?

— T'es encore un bleu, c'est clair. Jette un œil autour de toi. Regarde Unathi là-bas. Ça merde sévère pour lui. Tu crois qu'il y a quelque chose qui l'attend dehors ? Et Jeremy, le petit con énervant… Infirmier, mes médocs, infirmier, mes médocs, je vais crever. Infirmier, infirmier. C'est le seul endroit qui peut tolérer un *moegoe* comme lui et il le sait bien, il assène d'un ton froid.

Il s'assoit à côté de moi, crache un jet de salive, cherchant insidieusement à m'intimider avec son comportement de *tsotsi*, de voyou. Mais je ne me laisse pas impressionner. Ses grands gestes et sa grossièreté sont exagérés. C'est ridicule. Un type de son âge qui essaie de se faire passer pour une brute…

— Toi et moi, on est pareils, il dit. Là je rigole presque.

— Je crois pas.

— T'aimes pas beaucoup les gens, il me dit droit dans les yeux. Mais en fait, tu te sens un peu trahi que personne ne soit venu vers toi. Je t'ai bien observé.

— Qu'est-ce qui te fait croire que tu sais tout ?

— T'es un petit capricieux. Ça se voit. Un fils-à-maman. Ta mère t'a laissé sucer ses nichons trop longtemps, il dit en révélant ses horribles dents.

— Tu racontes que des conneries.

— Pourquoi tu prends tout tellement à cœur ? Tu fais une cible facile, il sourit.

Ça me coupe le sifflet un moment. J'ai envie de me lever et partir, mais ce serait admettre ma défaite trop facilement.

— Depuis combien de temps t'es là ? je lui demande.

Il me scrute avec un air hautain.

— Tu m'as entendu ?

— *Ja*. En fait, t'es juste un type ennuyeux. T'as rien de mieux à poser comme question ? Et je tombe dans le piège.

— J'ai pas à supporter ça. Va te faire foutre. Vexé, je fais mine de me lever. Il me retient d'un geste rapide.

— Désolé. Je discute pas assez souvent. Je suis un peu déréglé question communication, il dit, étonnamment humble. Tu es dans un hôpital psychiatrique, oublie pas, je me dis.

— Me sers pas tes conneries dans ce cas-là, je dis, en me rasseyant à regret.

— Le truc, c'est que je m'ennuie facilement.

— Du coup, t'insultes les gens ? je lève un peu la voix.

— Me parle pas des gens. C'est juste des objets qui respirent, il dit, impassible.

— T'es malade, je lui dis.

— Ne le sommes-nous pas tous ? il répond avec un demi-sourire. Tu crois trop aux gens, c'est pour ça que c'est si facile de te blesser.

— Et toi, tu te prends pour le docteur Bauermann. C'est un jeu pour toi, hein ? Je parie que c'est ça. Tu harcèles les gens, tu racontes toutes ces conneries, juste pour t'amuser.

— J'avais une vie dehors. T'es un petit jeunot, tu peux pas comprendre, il dit. Son visage de marbre traduit une légère tristesse qu'il dissimule aussitôt en crachant à nouveau.

— Et tu crois que t'as tout compris. Pas étonnant que tu sois là. Il y a rien à aimer en toi, je dis.

— *Eina*. Touché. C'est une remarque courageuse, même venant de toi, il dit. Difficile de dire s'il est atteint, avec cet air railleur qu'il a en permanence. Il fait partie de ces gens que j'ai toujours évités instinctivement. Quelque chose de dérangeant en lui, de repoussant, comme si un nuage sombre était suspendu au-dessus de sa tête. Mais c'est aussi, bizarrement, ce qui le rend intéressant.

— De quoi vous parliez avec Byron ? je fouine, juste pour l'agacer.

— De la vie, il répond simplement.

— Ça veut dire quoi, la vie ? C'est un peu vague.

— La vie est comme ça. À toi de remplir les blancs, il dit en essayant de prendre l'air intelligent.

— Ouais, ouais, je dis, fatigué de ses tirades.

Je regarde le sommet de la montagne en silence. Il devient un peu nerveux. Il ouvre la bouche pour dire quelque chose mais je lui fais doucement signe de se taire. Je pointe mon doigt vers les nuages qui dévalent la montagne en cascade. J'admire. Je sens qu'il fait la gueule à côté de moi, ennuyé que je l'aie fait taire. Voilà, je me dis. C'est un égocentrique. Un petit silence, c'est tout ce qu'il me faut pour lui clouer le bec.

— Il est quelle heure ? je lui demande après qu'il a regardé sa montre.

— Quelle importance ? il dit avec humeur et il se lève pour partir.

— Regardez qui fait son caprice maintenant, je me moque.

Peu après, Mmabatho me rend visite. Son sourire me redonne de la force. Nous sommes autorisés à nous promener dans le parc. Les autres malades regardent, une envie morne dans les yeux, alors qu'on me laisse passer les portes. Nous marchons vers un petit jardin, un silence gêné entre nous.

— Alors, comment on te traite ici ? elle finit par demander. Je déteste cette question. Il y a des questions auxquelles on répond mieux en se taisant.

Je regarde son visage, elle a l'air ailleurs.

— Ça va pas me tuer, je dis, je remarque soudain combien elle semble mal à l'aise. Elle hoche la tête pensivement.

— Tout va bien ? Tu as l'air…

— Tout va bien. C'est juste que… hum.

— Quoi ?

— Tu es toujours le même ? elle dit en me regardant. Je sais que c'est une question idiote, mais j'ai jamais été dans cette situation.

Dire que je suis surpris est un euphémisme. Je ne m'attendais pas à ça venant d'elle.

— Qu'est-ce que c'est que cette question ? D'accord, j'ai perdu les pédales un moment. Mais ça va maintenant, je réponds un peu vexé.

— C'est pas facile, elle dit en me regardant à peine. Qu'est-ce qui t'est arrivé ? T'as vraiment pété un plomb. J'ai jamais vu personne dans cet état-là. Je sais pas comment dire…

— T'essaies de me dire quelque chose, là ?

— J'ai l'impression de marcher sur des œufs, je déteste ça.

— Sois pas ridicule. Je risque pas de disjoncter comme ça, OK ? Crois-moi. J'ai perdu les pédales, d'accord, mais je me sens mieux maintenant. Voilà ce que je lui dis, mais au fond je n'y crois pas.

— OK, elle dit machinalement.

Nous marchons. Je ne pense pas qu'elle me croie guéri. J'ai l'impression qu'elle voulait dire autre chose. Elle ne serait pas la première amie que je perds depuis que tout ça a commencé. L'inconstance des gens, la vitesse avec laquelle leur loyauté peut s'évanouir, j'ai découvert ça à la dure. Aujourd'hui, vous êtes un ami, un confident, mais que Dieu vous aide demain, quand votre monde s'écroulera. Plus personne n'appelle, plus personne ne demande de nouvelles. Tout ce qui vous revient, c'est les ragots. Est-ce que je dois m'attendre à la même chose avec Mmabatho ? Je ne sais jamais où j'en suis avec elle. Elle a élevé autour d'elle un mur impénétrable qui me rend à la fois nerveux et peu sûr de moi. Dans notre amitié, je reste sur mes gardes. Rien de ce qu'elle dit n'est jamais acquis.

— Comment va David? je demande, surtout pour savoir si c'est toujours mon ami.

— T'inquiète pas pour David. Il est très occupé par sa thèse, elle dit.

Je ne réponds rien.

— En tout cas, je préfère pas trop le voir. On s'est engueulés récemment.

— Je croyais que tu t'étais remise de lui.

— J'aime mieux pas en parler, elle dit en levant les yeux au ciel.

On s'assoit sur un banc avec vue sur Table Mountain. Mmabatho porte son pantalon treillis avec un tee-shirt sombre. Elle a teint ses cheveux en blond platine et s'est verni les ongles en violet. Elle porte des baskets Adidas à lacets rouges. Je ne sais pas quel look elle essaie de se faire, mais le spectacle est intéressant.

— Tshepo, tu me fixes, elle dit finalement.

— Chouette, tes cheveux.

— Il y a une nouvelle boîte en ville. Utopian Nights. J'y suis allée avec des amis du cours de théâtre vendredi soir. Je crois que ça te plairait, elle dit.

— C'est comment? je demande.

— Assez cool, en fait. C'est très tard que ça devient bien. Ils jouent de la drum & bass, du hip-hop, du kwaito, un peu de R'N'B, que du super-son. *Ja*, je suis sûre que ça te plairait, elle ajoute.

— *So bo darkie bateng*, c'est une boîte pour les noirs?

— *Ja*. Mais tu sais comment c'est au Cap. Si t'es noir et que tu le joues pas à fond comme ça, on dit que t'essaies d'être blanc, toutes ces conneries. Je rentre pas dans ce jeu de «je suis plus noir que toi, mon frère»; du coup, je fais pas vraiment attention à ça, elle répond comme pour me contredire. Pas de raison, il me semble. J'ai parfois l'impression que Mmabatho essaie juste de me provoquer.

— C'est pas ce que voulais dire, je proteste.

— Je sais, mais j'en ai marre de tout ce débat. Il y a autre chose dans la vie que rester entre noirs, *bo darkie*, tout le temps. J'étais là-bas avec Felix et deux autres blancs, on a passé une super-soirée. Peut-être j'ai un petit côté provoc mais c'est pas pour ça que les deux derniers mecs avec qui je suis sortie étaient des blancs, elle dit, sur la défensive.

— T'as pas à te justifier devant moi. Je suis de ton côté.

— *Ja*, mais j'en ai marre, Tshepo. Tu sais ce que je veux dire. Je suis venue au Cap pour échapper à cette histoire de race.

— Mais c'est là. Même au Cap. Tu peux pas vraiment y échapper.

— Je sais, je me fais pas d'illusions. Je comprends ça maintenant, mais au moins au Cap, on peut davantage être soi-même. C'est plus fréquent d'entendre parler d'un blanc qui aime le kwaito et sort avec des *bo darkie* au Cap qu'à Jo'burg, elle dit. Mais ça ne m'intéresse qu'à moitié.

— À Jo'burg, il y a un type roux avec des dreads, à la télé, je dis avec indifférence. C'est quoi son nom, Tim ou un truc comme ça ?

— *Ja*, mais cites-en un autre ? Ça te gonfle pas que les gens soient aussi fermés ? Si t'es noir, tu peux pas écouter de rock, faire du surf ou porter ce que tu veux. Il faut que tu sois comme ci ou comme ça. Elle fait la leçon. Je connais tout ça par cœur.

— Je vois ce que tu veux dire. Alors, t'as rencontré quelqu'un dans cette boîte ? je dis pour changer de sujet.

— Peut-être, elle répond avec un léger sourire.

On reste assis en silence, comme j'aime, on admire la vue. Le soleil caresse les nuages, un instant il se cache derrière eux.

Je nous imagine nous baladant à Sea Point, je repense aux propos de Mmabatho sur cette histoire de couleur. Il y a des lieux au Cap où tout le monde se moque que tu sois noir et que ta mère t'ait envoyé dans une école privée pour parler correctement. Où tout le monde se moque que tu sois blanc et que ton père insulte ses collègues au boulot et les traite de *kaffirs*, de nègres, à la maison. Sur le dance-floor, peu importe le parti pour lequel tu as voté aux dernières élections ou si tu sais combien de provinces compte le pays. La seule chose qui compte, c'est ton look et ta façon de danser. Ce qui compte, c'est de porter des jeans Soviet avec une chemise Gucci et d'avoir un joli petit cul. C'est que ta copine ait un piercing sur la langue et que parfois le samedi soir, elle s'envoie en l'air avec une autre fille en te laissant les regarder. C'est de porter des jeans Diesel avec une chemise rétro et des baskets Nike. C'est la créativité avec laquelle tu mélanges des vêtements de centre commercial avec des fripes dénichées aux puces tout en ayant du style. Les marques de fringues sont le nouvel esperanto. Dolce & Gabbana, ça assure plus qu'une déclaration des droits de l'homme. Il y a des boîtes où tu peux te faire brancher juste parce que tu connais la drum & bass et que tu es sexy en dansant dessus, pas parce que tu appartiens à un certain groupe racial. L'important, c'est que tu racontes ton expérience d'une demi-dose d'acide après un samedi soir arrosé à la tequila. Ou si tu sais où il faut aller pour en savoir plus sur

Jamiroquai. L'important, c'est de vivre à fond son voyage au bout de l'excès, façon *Trainspotting*, dans un monde où les frontières entre township et banlieue nord se gomment à toute vitesse. Les gens que je connais n'oublient jamais que la différence essentielle entre kwaito et rave, c'est le nombre de beats à la minute, et que cette différence tend à s'amenuiser. C'est pas tellement que ce soit branché de sortir avec une personne d'une autre couleur. Pour Mmabatho, ça correspond sans doute à l'exploration d'une autre culture. Il y a des gens qui n'en peuvent plus de ce qu'ils connaissent déjà. Moi Tarzan, toi Jane, c'est la routine. Ils veulent créer leurs propres références par rapport à leur personnalité, leurs affinités. Ça ne suffit plus de leur filer simplement un jeu de variables et espérer qu'ils trouveront leur place quelque part là-dedans. Le Cap n'est plus la même. Les étrangers ont laissé leur empreinte sur notre culture.

Comme toute métropole en développement, le Cap veut être la prochaine ville qui bouge. Et pourquoi pas ? Elle a plein d'atouts. Des agences de mannequins naissantes, des politiciens qui se comportent en vedettes, des scandales, l'étalage du fric – tout démontre l'appétit de la ville à vouloir ressembler à New York, Londres ou Paris. On veut être vu manger des croissants dans un café chic de Table View, faire du roller à Clifton ou en séance d'aromathérapie dans la bohème d'Observatory. On veut être vu boire de la Valpré en faisant de la gym chez Health & Racquet avec son entraîneur particulier, disponible sur demande. On doit conduire une Audi A4 et surveiller son régime pour le moment où on enfilera son Speedo. Il vaut mieux porter des Ray Ban plutôt que des lunettes achetées aux puces ; comme ça, quand on se rencontre, on a autre chose en commun. N'est-ce pas ce dont nous abreuvent les publicitaires ? Il faut fumer des Peter Stuyvesant et s'éclater dans les fantasmes vus dans les spots. Il faut porter une Swatch pour pouvoir se faire draguer par une blonde bien bronzée. Du coup, ta couleur de peau devient secondaire. On veut pouvoir dire que tu es cool, pas que tu es blanc ou noir. Il faut jouer de la batterie, défendre l'annulation de la dette du tiers-monde et avoir fait calculer son thème astral. Il faut savoir que *heita* veut dire salut, connaître les fringues Magents et comment faire un check à l'africaine. Il faut savoir ce qu'est une bar-mitsva, dans quelle direction est orientée La Mecque, qui sont les *charros* au Mexique. Et quelle est la nourriture thaï qui va le mieux avec la sauce soja. Il faut savoir tout ça et davantage, dans une culture qui tend vers l'hybride, au-delà des genres et des races. Il faut aspirer à l'universalité de CK One, être prêt à plus encore. Jusqu'à ce qu'il ne reste plus sur la piste de danse que des gens formatés pour mettre le feu aux sens. Jusqu'à ce qu'il n'y ait plus que la musique qui importe et que tout ce qui te distingue des autres, ce soit ta façon de danser. Alors, avec un peu de chance, tu peux emballer une fille. Voilà ce qui définit le monde de la nuit au Cap, pas les questions de politiques raciales.

MMABATHO

On est au calme sur un banc à regarder les hirondelles qui vont et viennent sur un grand palmier. Tshepo fait de son mieux pour cacher sa tristesse mais je la vois qui déborde au coin de ses yeux, je l'entends soupirer. Ça me déprime de le voir comme ça, je ne sais pas quoi dire. C'est pas vraiment mon genre ça. En fait, je n'aime pas me retrouver dans ce genre de situation.

— Les répétitions marchent bien, je dis au bout d'un moment, je joue une chanteuse de blues américaine. C'est un personnage qui me plaît.

— Comment s'appelle la pièce? il demande sans grand enthousiasme.

— *Millie's piano*. Ça se passe à une autre époque. Genre années 1940. Le silence s'installe à nouveau.

— Désolé, je suis pas très loquace, il dit.

— T'as envie de rentrer? je demande, espérant un peu qu'il dise oui.

— Non, on est bien dehors. J'ai pas beaucoup l'occasion de sortir.

— Je crois que j'ai finalement rencontré quelqu'un qui me plaît, je dis pour changer de sujet.

— T'aimes pas trop parler de ça avec moi, il répond.

— C'est une question ou une affirmation?

Il a un petit rire, comme les gens qui essaient de dissimuler leurs véritables émotions.

— Mmabatho, si je peux pas parler de ça avec toi, alors… il dit en choisissant ses mots, alors à qui je peux parler? Je veux dire, tu es mon amie, non?

Je le regarde avec cet air coupable que je voulais tant éviter.

— C'est juste que je veux pas te faire de peine, je dis, pitoyable. Je n'ai pas trouvé mieux.

— Tu peux pas me faire de peine. Tu comprends pas que si tu marches sur des œufs avec moi, je vais m'en rendre compte ? Je crois que je connais ton problème.

— Et c'est quoi ?

— On parle de ce qu'on a en commun. Ça va jusqu'aux écoles qu'on a fréquentées. On sait tout l'un de l'autre. On partage un tas de choses sans même avoir à se le dire. Mais là, voilà un truc dont tu n'as pas l'expérience, où tu n'as pas de repères. C'est mon expérience à moi, il dit gravement.

Je fais claquer ma langue contre mes dents avant de dire :

— J'ai déjà croisé plein de dingues.

— *Ja*, mais t'as jamais été dingue toi-même, il répond simplement, me regardant l'air blessé. Il y a des fois où je ferais mieux de réfléchir avant de parler.

Nouvelle vague de culpabilité.

— Désolée, c'est pas ce que je voulais dire.

— Précisément. Tu sais pas ce que c'est. Toi et tous les gens dehors, il me dit.

— Bon, d'accord. Ça veut dire qu'on peut pas parler d'autre chose ?

— Non, il dit vexé. Mais je voudrais pouvoir t'en parler quand j'en ai besoin.

— Évidemment, je dis.

— Sois pas si désinvolte.

— Évitons de nous faire la morale.

Le silence s'installe à nouveau, les oiseaux gazouillent dans les arbres. Deux patients passent devant nous. Je les regarde attentivement pour voir ce qu'ils ont de bizarre. Mais rien de spécial. Ils ont l'air de types ordinaires qu'on pourrait croiser dans Obs. Ils sont juste mal coiffés et ils ont l'air crasseux. Leur apparence négligée ne me gêne pas. C'est tout ce que je peux remarquer de différent chez eux.

Même si ça me fait mal de l'admettre, Tshepo a peut-être raison. Je me sens peut-être déstabilisée qu'il connaisse un truc mieux que moi. Je ne sais pas quoi dire, ça me cloue le bec. Pas vraiment agréable de ne pas savoir quoi dire à un ami proche.

— Comment est la bouffe ? je tente.

— Tout est bouilli. C'est dégueu, il répond facilement.

— Et les gens ?

— Tu veux pas savoir, il dit. Je me dis qu'il ne veut pas en parler, je n'insiste pas.

— Alors, tu crois toujours que c'est à cause du *zol*? je demande.

— C'est ce que je croyais. Je suis plus très sûr à présent, il dit en poussant un gros soupir.

— Le *zol*, c'est pas pour tout le monde.

— *Ja*, mais tu vois, personne m'avait dit ça. J'avais pas compris ça. Il y a des tas de gens bizarres à Obs et au Cap. Des gens que je ne suis pas sûr de vouloir connaître de trop près. Et j'ai fumé avec eux. Tu vois où je veux en venir? il me demande, le regard intense.

— Tu crois *ba ho loyile*? qu'ils t'ont ensorcelé? je dis.

— Je sais, ça a l'air bizarre, mais…

— Non, je le rassure. Il y a pas mal de types complètement barrés qui se moquent de foutre en l'air la vie des autres.

— En tout cas, c'est ce que je commence à croire. J'aurais jamais imaginé croire à la sorcellerie, mais voilà.

— Au Cap, tu serais surpris. Il y en a qui pratiquent la wicca. Et bien sûr le *dingaka diteng* et tous ces trucs de guérisseurs.

— Me parle pas de *masangoma*, de la divination. Je soupçonne bien quelques types… Mais moi, mon truc, ça reste le *zol*, il dit, l'air obstiné.

— Après tout ce qui t'est arrivé. T'es malade, je dis, même si j'ai failli dire « fou ». Moi, je repiquerais jamais à un truc qui peut me détruire comme ça.

— Détruire, c'est pas vraiment le mot.

— Qu'est-ce tu dirais alors?

— J'ai pas forcément envie de me retrouver dans cet état-là, mais il y a des tas de choses que j'essaie de comprendre à travers ça. C'est difficile à expliquer. Comment dire? Tu vois, comme l'idée de synchronicité?

— *Ja*.

— J'ai expérimenté ça avec une intensité effrayante. Un moment, au cours des journées où j'errais dans les rues du Cap, tout s'est mis à faire sens, j'avais l'impression de communiquer avec chaque individu, il dit en me regardant.

— C'est pas une forme de délire?

— Je savais que tu dirais ça. C'est pour ça que je t'en ai pas parlé avant. Il y a des trucs qu'il vaut mieux taire; à toi ou quiconque n'est pas passé par là. Tu peux pas comprendre, il dit, un peu amer.

Il s'enferme à nouveau dans un profond silence, le vide se fait autour de lui.

— Depuis combien de temps on se connaît? je lui demande au bout d'un moment.

— Un peu moins d'un an.

— Je crois que je t'avais jamais vu déprimé jusque-là.

— T'as l'air un peu déçue, il dit, impassible.

— Non, je constate simplement. J'imagine que tu m'as jamais vue comme ça non plus.

— Oh, mais si. Quand tu as rompu avec David. Tu te souviens ? T'étais en miettes, il me rappelle.

— J'aimerais mieux oublier ça, je dis rapidement.

— Tu disais que t'avais rencontré quelqu'un, il commence, peut-être las de parler de lui.

— *Ja,* je souris.

— Il doit bien avoir un nom, il me taquine, son humeur semble s'éclaircir.

— Il s'appelle Arne.

Un des infirmiers nous appelle. Tshepo s'agace, son humeur sombre prend le dessus.

— On ferait mieux d'y aller, il dit en se levant.

On s'étreint, on se regarde comme pour se dire que tout va s'arranger.

— Je sais pas quand je vais pouvoir revenir mais je le ferai, je lui dis – je sais combien il prend au sérieux ses engagements. Nous nous quittons. Je rentre à la maison rapidement.

Je me fais couler un long bain, je brûle des quantités d'encens, je me fais cuire des pâtes avec une sauce mexicaine pimentée. Un peu plus tard, Arne appelle. Je suis contente de l'entendre, je profite de ce vertige des premiers jours. Il dit que je lui manque avec une tendresse à laquelle je crois. Nous sortons prendre un verre en ville au Piano Lounge, on croise des copains à lui, deux Sud-Africains de Pretoria, déconneurs, un peu fatigants. On boit beaucoup, on joue au billard, on fume un joint entre nous. Il n'arrête pas de me demander si tout va bien, comme font les mecs quand on ne dit pas grand-chose. Je pense à Tshepo, je me demande ce qu'il fait. Les copains d'Arne finissent par choper deux Australiennes en quête de « produits locaux parfumés à la Castle Lager ». Ça m'étonne mais elles ont l'air de chercher sérieusement deux gars avec qui faire des trucs inavouables. Je n'attends pas grand-chose des mecs, mais au moins je sais reconnaître les hommes des petits garçons, je me dis en regardant les deux filles flirter. Je suppose que c'est pour ça que les filles ne m'aiment pas et que la plupart de mes amis sont des garçons ; j'ai la critique facile. Il y a des filles qui me détestent pour ça. Ma mère est comme ça, ma grand-mère aussi. À ce qu'elles disent, les autres femmes ne les aiment pas non plus.

On s'en va quand il commence à y avoir du monde. On remonte dans sa vieille XR3 d'occasion. Ça lui plaît d'avoir ma main sur sa cuisse quand il conduit. Ça ne me dérange pas vraiment, si ça s'arrête là. Il y a des trucs que je ne fais pas avec les mecs.

Il m'emmène dans son petit appartement de Rondebosch. On prend un vieil ascenseur, on longe un couloir bruyant plein d'étudiants. On passe devant des étudiants indiens qui nous jettent un regard accusateur comme si on allait faire quelque chose de mal. Les filles sortent une vacherie en douce. Je les ignore. J'ai l'habitude. Noix de coco, ordure, paumée, accro, vulgaire, désespérée, minable, *tiekieline*, traînée – j'ai déjà tout entendu de gens comme eux. Avant, ça me mettait en colère, jusqu'à ce que je comprenne que c'est eux qui ont un problème. Arne a un air lubrique, il m'effleure les fesses avec sa main large. Je pense qu'il fait de la muscu.

— T'as quasiment rien dit de la soirée, il me dit quand nous sommes à l'intérieur, il m'embrasse derrière l'oreille comme j'aime.

— C'était bruyant là-bas, j'invente comme excuse.

— Je préfère. Je croyais que tu commençais à t'ennuyer avec moi, il dit en continuant à m'embrasser. C'est ce que j'aime avec les nouveaux mecs, ils ne sont pas sûrs d'eux. Facile de les faire douter.

On s'embrasse, on atterrit sur son lit, le seul vrai meuble de sa chambre. Sa table, c'est une caisse en bois couverte d'un sarong au motif hawaïen, et deux caisses vides font office de chaises. Je m'éclipse pour aller aux toilettes. Là, je fais ce que font toutes les filles sensées de mon âge. Je fouille dans mon petit sac tibétain, j'en sors des préservatifs et un diaphragme. En matière de sexe, une femme n'est jamais trop prévoyante.

Quand je reviens, la lumière est tamisée. Il a couvert sa lampe avec un foulard. Je lui souris, je le regarde se déshabiller.

— Viens ici, toi, il dit en me serrant sur son torse large et nu. Je passe ma main sur ce torse finement musclé. Il me mordille le lobe de l'oreille, caresse mes seins. J'agrippe ses fesses fermes. Il commence à enlever son pantalon. C'est ce que j'aime avec les étrangers ; ils savent comment amener une femme au lit. Pas de chichis avant le sexe, de petits jeux, ces embarras qui aboutissent à des demandes trop directes, dont la maladresse n'a rien de sexy. Les bêtises que j'ai pu entendre de la part de mecs qui voulaient coucher avec moi n'étaient souvent ni séduisantes ni même tolérables.

Son pantalon glisse le long de ses jambes. Nous sommes debout, nus, serrés l'un contre l'autre, je sens soudain un truc froid sur ma jambe. Je baisse le regard, je vois qu'il a une prothèse à la place du mollet. Je sursaute, je manque de tomber, il me retient.

— Ça t'ennuie ? il demande décontenancé.

— Non, mais t'aurais dû me le dire, je réponds en me dégageant pour me remettre d'aplomb.

— Que dire ? C'est ma jambe, c'est tout, il dit avec une aisance surprenante.

Il se rapproche à nouveau et m'embrasse.

— J'aime pas les surprises, je dis tandis qu'il caresse le creux de mes reins.

— Je m'en souviendrai, il promet ; le léger parfum du déodorant pour hommes me tourne les sens.

ZEBRON

Une fois par semaine, le jeudi, je vois mon psychologue. Ce sont des séances pénibles : je lui complique la tâche en communiquant peu. Il est plus jeune que moi, sans doute un peu plus de trente ans, il a cet air optimiste des gens qui ont toute leur vie devant eux. Peut-être que je rends les choses difficiles juste parce que tout est si facile pour lui. Ça se voit qu'il est heureux, qu'il aime la vie. Ça se voit dans sa façon de s'habiller, dans ce qu'il dit pour m'encourager à parler. Il est toujours chaleureux, avec la constance d'un chihuahua obstiné. Je ne le tiens pas pour responsable de mes problèmes, mais il est facile à détester.

— J'aimerais parler davantage de cette femme que vous dites avoir tuée, il me dit après la batterie de questions rituelles. Ne prenez pas cet air fermé, vous allez peut-être trouver ça utile.

Je l'ignore. Environ cinq minutes s'écoulent.

— Zebron, je croyais qu'on avait décidé que c'était mieux de se le dire, quand vous n'avez pas envie d'aborder un sujet, il dit d'un ton protecteur.

— Vous avez déjà violé quelqu'un ? je lui demande, droit dans les yeux. Est-ce que vous avez déjà été un peu rude avec une femme ? Senti ses forces l'abandonner sous votre poids ?

— Non, mais dites-m'en plus, il dit en se penchant vers moi.

— Je crois pas que vous avez assez de couilles pour comprendre de quoi je parle, je dis avant de me fermer à nouveau. D'autres minutes s'écoulent.

— J'ai eu une petite amie qui aimait que je l'attache, il essaie.

— Vous mentez, je lui dis, vous ne seriez même pas capable d'attacher un petit chien si vous le deviez. Mais au moins vous tentez le coup.

Il ne dit rien, il prend des notes.

— Ça m'énerve quand vous faites ça, je lui dis.

— C'est pour ça que vous ne voulez pas parler ?

— Si ça se trouve.

Il pose son stylo, il me regarde. Je regarde l'horloge, je le regarde lui.

— On m'a payé pour faire ça, je commence, on devait juste la flinguer. Mais sa peur m'a excité. Elle était si effrayée, si innocente. J'ai aimé ça. Il fallait que je la prenne. On l'a tous prise. J'aime pas les mouches. Pourquoi vous faites rien contre ça ? Dans ma chambre, il y en a tellement.

— Vous parliez de cette femme, il me rappelle.

— Je suis pas idiot. J'élève légèrement la voix. Vous croyez vraiment que je me souviens pas de quoi je parlais ? Vos questions m'entraînent sur un terrain où vous êtes pas à la hauteur, à mon avis. Vous avez jamais eu à tuer quelqu'un. Jamais eu à laver vos mains et vos vêtements du sang de quelqu'un d'autre.

— Vous avez raison, je n'ai jamais eu à faire tout ça, il admet. Ça vous ennuie de les avoir faites ?

— Arrêtez avec vos questions stupides. C'est trop facile, je lui dis.

— Bon, qu'est-ce que je devrais vous demander alors ? il propose, sa patience un peu éprouvée.

— C'est pas moi le psychologue, je lui dis.

Un silence s'installe, un peu tendu. Il bouge ses pieds et croise les jambes.

— Je pense que vous êtes foncièrement malfaisant, il dit finalement, pas parce que vous auriez tué quelqu'un, mais parce que vous n'éprouvez rien, aucune compassion. Qu'en pensez-vous ?

Il me regarde avec intensité, comme s'il me détestait réellement. Il n'a encore jamais fait ça – s'ouvrir comme ça.

Il essaie peut-être de me provoquer, je me dis ; l'idée me plaît bien.

— Vous commencez à être franc. J'apprécie, je dis, très calme. Vous croyez que ça me dérange que vous me trouviez malfaisant. Vous croyez que j'ai jamais réfléchi à ça. Quand j'étais petit, mon père me battait, parfois sans raison. Je me rattrapais sur ma petite sœur. Quand il y avait personne à la maison, je la forçais à avoir des rapports sexuels. C'était bien. Ça allait mieux quand je l'entendais pleurer. Vous pouvez comprendre ça ? Ça fait longtemps que je suis cassé. Venez pas me parler du mal. Une fois par an, à Noël, mon père – c'était un *tsotsi*, un voyou – il faisait un effort. On s'asseyait à table comme une vraie famille, on buvait, on mangeait et on avait l'air heureux même si c'était pas vrai. Il buvait comme un trou, jusqu'à perdre connaissance. Pendant ces deux jours où il était inconscient, ma mère, ma sœur et moi, on l'attachait. Pour le rouer de coups. Ce salopard ne marquait pas facilement. Il fallait y aller. Au matin, quand il se réveillait couvert de bleus, on lui racontait qu'il était tombé ou qu'il était sorti avec sa bande. C'était Noël, c'était la fête partout, cet imbécile nous a toujours crus. Il s'est jamais douté. Ces quelques journées, voilà ce dont je me souviens de ma jeunesse. Alors venez pas me parler du mal, il a toujours été là. Je l'ai jamais invité.

— Vous voyez toujours votre père ? il demande sur ce ton clinique, détaché, qui lui est propre.

— Comment est-ce que je pourrais le voir puisque je suis là ? je hurle.

— Je veux dire, quand vous êtes dehors… Je voulais dire, quand vous êtes dehors, il dit quelque peu irrité.

— J'ai quitté la maison à dix-huit ans. Est-ce qu'on n'est pas censés parler de moi ? je commence à m'énerver.

— Pourquoi êtes-vous si agité ? il demande en pliant et dépliant les doigts pour rester calme.

— Parce que vous me rendez dingue. On est supposés parler de moi, pas de mon enculé de père.

— Très bien, parlons de vous, Zebron. C'est bien ça que vous voulez ? il dit en me parlant de haut.

— Je vous parlais des mouches, je dis distraitement. Je me mets en boule facilement et je déteste la façon dont mes pensées s'éparpillent quand je suis en colère.

— En fait, vous me parliez de cette femme que vous avez violée, il dit.

— C'est vrai. Peu importe de toute façon. C'était qu'une pauvre conne. C'était bon de la flinguer. Elle arrêtait pas de pleurer, elle arrivait plus à la fermer.

— Comme votre sœur, il dit, quand vous la violiez.

— Ma sœur? Elle aussi c'est une pauvre conne. Elle a monté ma mère contre moi. Beurk, ma sœur. C'est un poison, du Rattex. Je la déteste.

— C'est pour ça que vous l'avez violée?

— Vous avez écouté? Vous avez entendu ce que j'ai dit? Pourquoi vous voulez que je me répète? je dis en élevant la voix, l'écume au coin des lèvres.

— Zebron, vous vous agitez, calmez-vous. On ne fait que parler, il dit.

— Ouais, mais feriez mieux d'écouter, putain, je l'engueule.

Il penche sa tête en avant, comme pour cacher ce qu'il ressent, il serre un poing puis se détend, il ouvre la paume pour chasser une mouche sur son cou.

— Les mouches sont partout, hein? je lui dis, ce sont des petits messagers, comme des petits espions. Les gens sont toujours là, à écouter, à regarder.

— Quels gens? il demande presque avec ennui.

— Ceux d'en bas, je dis en montrant le sol.

— Que voulez-vous dire, en bas? Il y a des gens qui ne devraient pas avoir le droit d'ouvrir la bouche.

— Vous ne savez donc rien? Ils écoutent, vous savez? Ils veulent savoir de quoi on parle. Et plus tard, quand vous ne serez plus là, ils vont me demander de faire des choses terribles, je dis en rigolant. J'ai l'habitude.

— Ce sont les mêmes qui vous ont demandé de violer votre sœur? il demande.

— Pourquoi vous continuez avec ça? Quelle importance si j'ai violé ma sœur. Je vous ai dit que c'était une pauvre conne. Elle le méritait. Ces mouches, elles sont partout, je dis et j'en écrase deux avec la main.

— Ces gens-là, ils vous demandent quoi d'autre? il demande.

— Vous posez trop de questions. J'aime pas quand vous faites ça. Pourquoi me regardez-vous comme ça?

— Comment je vous regarde? il dit en me fixant.

— Comme on regarde un chien, mec. Je suis pas idiot! je crie en tapant de la main sur la table.

— Je ne vous aime pas mais c'est mon boulot, il me dit finalement, en faisant un effort pour calmer son agacement. Vous êtes tellement froid, vous ne méritez même pas le nom de malade mental.

— Je vous préfère quand vous êtes franc, je dis avec indifférence.

— Non, ce n'est pas vrai. Vous vous épanouissez dans le conflit.

J'aspire l'air entre mes dents.

— Ça vous ennuie juste que je ne me sois pas énervé quand vous avez dit ça. Il tend à nouveau la main vers son agaçant calepin.

— Vous autres, vous ne savez pas ce que c'est d'être enfermé ici. Vous êtes encore un petit jeunot, je dis en le regardant dans les yeux avec agressivité. Vous croyez que, sous prétexte que je m'exprime correctement, vous pouvez faire quelque chose pour ma tête. Je sais comment les gens de votre espèce fonctionnent. Pourquoi est-ce que personne n'aide Unathi ?

— Parce que nous n'avons pas de psychologue qui parle xhosa pour le moment, il explique.

— *Kak*, connerie. Parce que vous pensez qu'il est trop barré. Vous autres, vous choisissez ceux que vous voulez aider. Mais vous ne me trompez pas. Vous cochez les cases. Je parle correctement quand il le faut parce que je sais comment les *moegoes* dans votre genre pensent. Vous et tous les autres blancs que j'ai dépouillés. Je sais ce que le *baas* blanc veut entendre. Moi, venir du township, tu coches. Mon père, lui être *kleurling*, coloured, tu coches. Mais ma mère, *uyathetha ngumkhosa*, c'est une Xhosa, tu coches. Mon père la battait parce qu'il lui ressemblait. Mais il était pas assez foncé, *Masbieker*, ce chien d'esclave, et ça le rendait malade. Donc j'ai terminé l'école parce que j'étais suffisamment malin et je suis allé à l'université de Fort Hare, et alors ? Je sais que je suis pas idiot. J'ai pas besoin qu'on me le dise. Il faut pas croire, juste parce qu'il se passe des trucs dans ma tête, que je suis stupide, tu coches. Je suis un caméléon, je peux être n'importe qui. *Jy's mos 'n lighty*, t'es qu'un p'tit jeune. *Ek is nege en dertig jaar oud*, j'ai trente-neuf ans, mon pote. Trente-neuf ans. *Ja*, moi, je suis vieux. Toi, t'as à peine trente ans. J'ai fait et vu des choses qui donneraient une crise cardiaque à ta mère. Alors fais attention à la façon dont tu me parles, pigé ?

— Vous ne me faites pas peur, il dit, de la colère dans la voix. Je connais votre méthode. Vous intimidez tout le monde jusqu'à obtenir ce que vous voulez. C'est pour ça que vous refusez de parler parfois.

— T'as pas été fouiller assez profondément en toi-même pour te permettre de me dire qui je suis. Tu t'es pas confronté à tes démons, mon pote. Tu sais pas vraiment ce qu'il y a au fond de ton cœur. Tu le sais pas. Tu penses que la vie est belle, c'est pour ça que tu portes des chemises bleu ciel et que tu souris comme ça. Ouais… Tu sais pas ce que la vraie trouille peut te faire faire. Ce que c'est de se faire traiter de dingue. Mais t'as pas de scrupules à m'expliquer qui je suis, je lui rétorque.

— Eh bien expliquez-moi comment c'est d'être fou, il dit en griffonnant sur son insupportable calepin.

— Il y a pas assez de papier pour ça, je lui dis. Et je m'arrête. Je regarde l'horloge au-dessus de sa tête, constate qu'il ne reste que dix minutes. Le mieux c'est de passer ce temps en silence, je me dis, et je commence à scruter le mur fixement. Au bout d'un moment, il renonce et me renvoie.

Dans l'après-midi, je vois mon psychiatre, il me fait ma piqûre hebdomadaire. Ça me calme, ça éloigne les voix, mais après, j'ai mal au cul pendant deux jours. Quand je suis seul avec mes pensées, je peux voir qui je suis sans avoir peur. Je peux regarder autour de moi sans me sentir persécuté en permanence, toujours à me demander qui est en train de me surveiller.

Quand je commence à entendre des voix, le monde s'assombrit. Les ombres ont leur vie propre et elle est sinistre. Comme si quelqu'un était entré chez moi et ne voulait plus partir. Comme vivre avec un intrus et avoir peur de le croiser. Plus de vie privée, plus de sentiment de sécurité, on a peur en permanence, toutes ses pensées sur écoute. Quand tu ne peux plus te réfugier dans ton esprit, c'est comme si tu étais chassé dans le néant. Nulle part où aller, aucun abri possible. Quand tu n'as plus de pensées intimes, tu cesses de respecter la vie, tu commences à comprendre que tu n'es qu'un amas de chair et de souffle, le joujou de quelqu'un d'autre. Tu n'es qu'un pantin et les autres rient de toi. Ils se disent, ce type est un pantin. Regardez-le, c'est un pantin. C'est pour ça que tu les regardes avec méfiance. Parce que tu sais que tout le monde lit dans tes pensées. Ils savent ce que tu penses et ils pensent que tu n'es qu'un pantin, un *moegoe*. Et les voix, ces terribles voix qui viennent de l'ombre, elles te font faire des choses affreuses pour te débarrasser d'elles, pour te couper du monde. Personne ne doit savoir à quel point c'est laid à l'intérieur de soi. C'est bien assez de me savoir pourri, pas besoin que le reste du monde entende mes pensées.

Cet imbécile de psychologue a essayé de m'avoir en m'insultant. En m'insultant? J'ai dépassé le stade où on souffre de s'entendre dire des choses désagréables. Il y a infiniment pire que s'entendre dire quelques petites méchancetés. La vie est bien plus imaginative, bien plus abstraite, elle trouve des chemins bien plus sombres pour venir torturer ceux d'entre nous qui pourrissent au fond du tonneau. Non, pour nous atteindre, il ne suffit pas d'égratigner la surface avec quelques insultes; ni même avec quelques volées – que nous croyons bien vite mériter d'ailleurs. Pour nous, les brisés, il y a pire que d'être ces anges déchus, dont la déchéance n'a pas de fond. La vie anéantit toute forme d'espoir en corrompant tout autour de nous, nos sentiments et notre esprit. Quand la déchéance s'installe, elle ne s'arrête que lorsqu'elle a tout envahi. Pour certains d'entre nous, souffrir n'est pas assez, il nous faut devenir la souffrance même, pour que puissent exister la religion, les prières et les prêtres soumis à la volonté étriquée de Dieu. Pour que médecins, psychologues et autres imbéciles qui croient nous aider puissent se congratuler sans relâche, persuadés de gagner par ces bonnes actions leur paradis. Pour que les gens puissent dormir la nuit, ronflant bien en paix puisque les grands malades sont enfermés. Qu'ils se sentent soulagés de savoir que d'autres souffrent tellement plus qu'eux-mêmes.

Pour survivre, nous avons dû apprendre vite. Il m'a fallu être imaginatif, obstiné, égoïste, cruel. Il faut de la force pour être cruel. Je sais comment éteindre la petite musique, alors les gens, tu penses. Je sais où aller pour être seul ; quand je veux ressentir ma destruction en privé, en silence. Je sais ce dont j'ai besoin, même quand je suis trop borné pour le prendre. C'est la vie. Même si je ne suis pas sûr d'y avoir droit. Mais j'essaie toujours d'être aux commandes. J'ai marché sur les autres, écrasé l'infirme, volé l'innocent et violé le peu de bonté que j'ai croisé. Je ne crains pas l'enfer. Je le connais. Je le vis. J'ai déjà touché le fond. Nulle part où aller. Rien ne pourrait être pire. Je connais le pire. Tout ce qui me reste, c'est la possibilité d'être détruit à jamais. Annihilé. Cesser d'exister. Ce serait un soulagement, un étrange bonheur. J'ai songé au suicide, mais je suis trop vaniteux et têtu pour le faire. Ce serait accepter la défaite, admettre l'affreuse vérité sur moi-même, montrer mon jeu à l'adversaire, quel qu'il soit. Il y a de meilleures méthodes, pas belles, juste meilleures, pour effectuer cette traversée. Tel est mon lot. Aucune raison de penser qu'il pourrait en être autrement.

Ici, en dehors de Tshepo, je ne parle à personne. Il ne m'aime pas, je pense, mais ça ne me dérange pas. Ça n'a pas d'importance. Les gens accordent trop de confiance et d'importance aux autres. Je ne cherche pas un meilleur ami ou une âme sœur, juste quelqu'un pour m'aider à passer le temps. Et je crois que ça pourrait lui faire du bien, parce que lui aussi il reste dans son coin.

— Ta dernière érection, ça remonte à quand ? C'est quand la dernière fois où tu as eu envie de te branler ? je lui demande. Nous sommes assis dans le salon, pendant l'ergo, et la télé ne marche pas.

— Maintenant que tu le dis, je me souviens pas, répond Tshepo, sur la réserve.

— C'est bien ce que je pensais, je dis avec satisfaction.

— Et toi ?

— Même chose. Je peux pas me souvenir. Ils mettent des trucs dans la bouffe, tu sais.

— Tu crois ? il dit, avec l'air stupéfait de quelqu'un qui tombe des nues. Ça me donne envie de l'écraser, de lui faire mal, comme les enfants et les animaux s'en prennent aux plus faibles. C'est ses yeux. Ils en disent trop. Pas facile de comprendre d'où viennent ces impulsions conflictuelles en moi, mais c'est assez de savoir que je peux les contrôler, parfois.

— Réfléchis. De quelle autre façon ils pourraient nous rendre si passifs ? Après tout, on est en bonne santé, tous pleins d'hormones comme les autres.

— C'est pas dans nos traitements ?

— Mais non. C'est dans la bouffe, je lui dis.

Il réfléchit à tout ça. On reste silencieux un moment, mais mon regard vagabonde. Quand il ne me regarde pas, je l'observe. Il est tellement sérieux pour son âge.

— Andile est au bord de la crise, je dis en tapotant son épaule.

— C'est pas lui qui a tué sa femme ? il demande.

— Mate ça, je montre Andile qui est en train d'enlever sa chemise et son pantalon. Nous observons.

— Rebecca Malope, il commence à crier. Rebecca Malope, c'est la meilleure.

Les autres l'ignorent, il se tient là, tout nu.

— Rebecca. Rebecca Malope ! Rebecca Malope, c'est la meilleure ! il continue.

Sipho surgit et l'expédie au *kulukutz*.

— Ils peuvent rien faire pour lui quand il s'y met. Il est mieux tout seul, je dis. Tshepo paraît choqué.

— Comment tu peux dire ça ? Le *kulukutz*, c'est l'enfer, il dit. Je souhaiterais pas ça à mon pire ennemi.

On entend Andile crier Rebecca. Sa voix résonne dans les tréfonds du pavillon.

— Il a vraiment tué sa femme ? il demande.

— C'est pas une si longue histoire. Il me l'a racontée. Sa femme était une sacrée morue. Ce qui s'est passé, c'est qu'ils sont allés boire un soir à Langa et sont revenus bourrés. Je pourrais jamais faire ça avec une femme. Bon, ils rentrent à la maison et lui, il ressort un moment, tu vois, pour pisser un coup. Mais il est trop bourré, le pauvre imbécile a probablement du mal à trouver sa braguette et tout ça. Je crois qu'il m'a dit qu'il avait perdu connaissance un moment.

— Toujours est-il qu'il revient pour trouver sa femme dans les bras d'un autre, dans la cuisine. Cette salope a un amant, tu sais comment sont les femmes quand tu les laisses boire un peu. Devant l'autre, sa femme lui dit alors de foutre le camp. *Voertsek wena!* elle lui dit, et elle commence à partir en vrille. Vraiment une folle, grande gueule, le genre qui se lâche après un coup de trop. Finalement, l'autre s'y met aussi et lui sort un truc du genre « tu comprends pas ? elle veut pas de toi ». C'est le déclic. C'est là qu'il dit qu'il a perdu la tête. Il attrape un couteau dans le tiroir et fonce sur le mec. Et tu sais ce qui se passe ?

— Quoi ? il demande, les yeux brillants de curiosité.

— Ce dégonflé se planque derrière la nana pour éviter le couteau. C'est comme ça qu'il l'a poignardée. Par mégarde. Il l'a eue quelque part par là, je dis en montrant mon cou, comment on appelle ça ?

— La jugulaire, il dit.

— *Ja*, c'est là qu'il l'a plantée. Une mort sale ; y en avait partout. Les flics l'ont attrapé et l'ont interné. Certifié direct. Il dit qu'il a jamais pris la peine de leur raconter sa version. Il était soûl et qui croirait un mec bourré ?

— Quel trouillard, l'autre type, il me dit.

— Quelle salope c'était, elle, je lui réponds. Méritait de crever. Pauvre conne. Je les aurais tués tous les deux, moi, si ça avait été ma femme. Mais elle me ferait jamais un truc pareil.

— T'es marié, il dit avec étonnement.

— Pourquoi ça te surprend tellement ?

— C'est que, euh…, eh bien t'as pas l'air du genre à te marier, il avance prudemment.

— Pourquoi ?

— Parce que t'aimes pas les gens, il dit. Parfois, trop de franchise, ça m'énerve, même si je suis le premier à dire le contraire à mon psy.

— Espèce de merdeux. J'aime pas ta gueule quand tu dis des conneries comme ça, je dis, juste pour le hérisser un peu. Faut pas qu'il se sente trop en confiance avec moi, je note mentalement.

Avec un air blessé, il me dit d'aller me faire voir. L'image explosive de la scène où je le flingue au 9 mm me traverse l'esprit, me fait tourner la tête. Quand ça arrive, c'est comme si j'étais possédé pendant un moment.

Il me fait la gueule et s'en va de l'autre côté de la pièce, mais je sais qu'il va se remettre. Il a cette capacité. À voir, c'est à la fois génial et exaspérant. Je n'ai pas l'habitude de voir les types se remettre de quoi que ce soit, surtout ici. J'ai vu trop de faces grises succomber à leurs épreuves, à leur traitement, à Valkenberg. Une fois qu'ils passent par les pavillons 12, 13, 14 ou 15, il n'y a plus beaucoup d'espoir de guérison complète ou de réintégration dans la société. J'ai vu ça trop souvent. Ça leur demande un trop gros effort d'adaptation. Tôt ou tard, ils repiquent au truc. Ce qui les hantait et les a conduits à Valkenberg revient dès qu'ils rentrent chez eux. Ils ne font plus qu'entrer et sortir de Valkenberg. Deux mois chez eux, trois à Valkenberg, quatre mois chez eux, deux à Valkenberg, et ainsi de suite. Jusqu'à ce qu'ils soient finalement certifiés. À partir de ce moment-là, ils n'ont plus le droit de conduire, de voter ou d'ouvrir un compte en banque ; des enfants autant dire. Les médicaments viennent prendre le relais et occuper le terrain. Ils leur ôtent toute volonté, jusqu'à les transformer en adultes qui font quatre siestes par jour, généralement à même le sol ou dehors, sur la pelouse. Les membres de leurs familles cessent leurs visites ou commencent à trouver des excuses à chaque fois qu'ils sont supposés les voir. Finalement, ils abandonnent tout intérêt pour la vie et baissent les bras au point de ne plus se laver correctement. Bon, les infirmiers sont partiellement responsables de ça, tellement ils sont impatients avec nous, mais bon sang, c'est d'individus adultes qu'on parle ici.

Ce n'est pas la même chose avec Tshepo. Encore trop de pugnacité en lui, trop de *voertsek*, comme dit Unathi. Mais il ne connaît pas les règles du jeu. Je pense que personne n'a pris la peine de les lui apprendre. Ça se voit dans son attitude. À sa façon de rester seul. Il fait tout en solo. Il a dû avoir son quota de mauvaises fréquentations. Je me représente ça clairement. Ils sont tous en train de fumer son herbe dans son appart. Probablement, ils mangent aussi sa bouffe et l'un d'entre eux se tape sa copine dans son lit. Et ils recommencent souvent, sans même qu'il s'en rende compte. Et il croit que ce sont ses amis. Mais je ne les blâme pas, je ferais la même chose à leur place. Il y a quelque chose d'irrésistible chez lui, qui vous pousse à abuser de lui.

Il prépare une évasion. Voilà à quel point il veut partir. À quel point il est à bout, tendu vers sa soif de liberté. Sa liberté, c'est tout pour lui. Son désir de partir est si fort que c'en est écœurant. Comme s'il avait passé sa vie au mitard. La plupart du temps, je me satisfais qu'au moins ici, on a trois repas par jour assurés et un endroit pour poser la tête la nuit. *Ja*, ça craint ici, mais si on me demande, c'est encore pire dehors. Je me sens nul quand je réalise que dans ma jeunesse j'ai gaspillé ma liberté. Je ne tenais pas en place, j'ai passé l'essentiel de mes vingt ans à la dérive. Mes jeunes années n'ont été qu'un enchaînement d'erreurs et de pourquoi-pas qui m'ont finalement conduit à épouser Kena et à avoir une fille que je ne vois presque jamais. L'éducation, c'est pas pour tout le monde. Ça a fait de moi un criminel pompeux. Largué et borné à la fois, le mâle, *indoda*. Ça a toujours été comme ça. J'ai toujours eu raison. Les femmes peuvent aller se faire foutre.

Tshepo n'est pas comme ça. C'est probablement le genre de type attentif dans ses relations, toujours plein de cet optimisme chaleureux qui me rend malade. Probablement pas de coup en vitesse sans préservatif, ou d'aiguilles qui rampent sur ses bras pour trouver où elles vont laisser la trace des orgasmes multiples de l'héroïne. Il a peur du sida. Ils en ont tous peur maintenant. Il a peur de la mort. Dans un sens, il respecte la vie parce qu'il a peur de la mort. Il a peur de ne pas pouvoir faire toutes ces choses qui nous passent par la tête. Je peux le voir songer des années-lumière à l'avance aux millions de choses qu'il pourra faire une fois libéré. Ce genre d'optimisme est dégueulasse. C'est trop épuisant de se projeter constamment dans l'avenir, de se focaliser toujours sur la course et jamais sur le moment. En cela, nous sommes différents. Je suis trop dans l'instant, dans ce qu'on m'a dit la veille et comment je vais me venger. Voilà les choses auxquelles je pense.

Je me demande pourquoi les gens comme lui se font toujours rattraper par la broyeuse. Facile de voir que c'est un bon garçon, un mec bien, quelqu'un qui plairait à ma fille. Pourquoi la vie est-elle si brutale avec lui ? Peut-être parce que la vie est malveillante. C'est compliqué, c'est sale. La vie ne peut pas s'empêcher de le déboussoler, de le regarder se débattre pour s'en sortir. La vie sait que les autres le regarderont toujours. Son obstination, son sourire sérieux, voilà ce qu'on retient de lui.

Les gens comme Tshepo sont des objets de plaisanterie, une cible idéale pour les sarcasmes, mais au moins ils deviennent des hommes, pas comme nous, tous les autres, qui vieillissons avec une telle peur de nos enfants que nous finissons par leur cogner dessus. Et la vie nous cogne en retour et nous nous rattrapons sur nos femmes. C'est pour ça que je ne pourrai jamais vraiment aimer quelqu'un comme lui. Il me rappelle trop ce qui nous sépare, un gouffre qui n'en finit pas de s'élargir. Tshepo agira toujours bien. Il a, en lui, cette constance, cette capacité écœurante que nous croyons réservée aux mauviettes ou aux lopettes. Il est probablement le genre de type à croire que les royaumes se conquièrent dans les rêves et que derrière chaque occasion se cache une perle de connaissance. On entend ce genre de conneries partout. Chez moi, ça ne provoque guère plus qu'une légère irritation. Ma colère et ma souffrance sont trop réelles. Quand je prends mon médicament, la constipation qui en résulte n'est que trop réelle. Aucune maxime philosophique à deux balles ne m'a jamais aidé dans les moments difficiles. Ce qui rend ma vie plus facile, c'est de connaître mes ennemis, ceux qui me trahiront, il dit. La vérité, c'est qu'il ne sait pas qui sont ses ennemis. Ils ont presque toujours un coup d'avance sur lui, il est tellement crédule. L'excès de confiance n'attire jamais rien de bon. La vie est trop avare. Elle vous fait bosser. Ça lui fera un choc si je lui dis que c'est moi qui ai dénoncé Byron. C'est ma façon de l'aider, ce pauvre con. Je veux qu'il sorte. À l'extérieur, il y a une vie, même si ça signifie plus d'emmerdes, mais au moins qu'il soit dehors. Fumer de la ganja dans les chiottes, ça ne fera que le garder ici plus longtemps.

Je veux que Byron sorte mais il est bouché. Sacrément paresseux. Il a le regard vif, il remarque tout, il comprend, mais il n'utilise pas sa tête comme Tshepo. Il est cet enfant pour qui les mères se font toujours du mouron, il y en a toujours un dans une famille. Byron, *die stout een*, le désobéissant, c'est ce que les gens diront en parlant de lui. Celui qui apprend les règles trop tôt et qui mélange tout. Celui qui se débrouille en trichant à l'école, jusqu'à se faire virer à la fin du collège. Celui qui a des amis, qui est toujours invité aux fêtes, qui a le plus de succès avec les filles faciles, les *tiekielines*, celles qui se maquillent trop et font régulièrement un tour dans les centres pour avortement. Il profite des bons moments. Il s'en fout un peu de tout le monde, sauf de lui-même. Une vraie amitié, qu'est-ce que c'est de toute façon ? il se dit. C'est pour les romantiques indécrottables et les bisounours comme son grand frère Tshepo. Ah, lui, il ne se fait pas avoir par ces sensibleries. Byron, c'est celui qui en fait des tonnes, *hy's mos 'n windgat*, le petit malin, le cadet, l'enfant du milieu. Il a ses propres rancunes envers la vie. Il la traverse comme un soldat, en prenant des otages quand il le peut et à la fin, en général, on lui pardonne.

À Valkenberg, il pense que rien ne lui échappe – les règlements de comptes, le fonctionnement du pavillon, la corruption du personnel. Tout ça pour lui c'est de la connerie. Il est fait pour des lieux meilleurs, la voie royale, pas un asile de merde pour paumés. Je serai dehors bientôt, j'ai des amis bien placés, il se dit. Un de ses copains louches viendra le sauver, juste pour mieux le piéger à son tour dans son propre réseau de tromperies. Pour Byron, tout ce qui compte, c'est maintenant, cet instant précis.

Tout ce qui compte, c'est de l'argent, et un bon look – jeans Soviet et Converse blanches. Tout ce qui compte, c'est d'être un *Jita*, un gars de la bande, de mener une vie de voyou, d'écouter Tupac et de prendre plein de drogues. Que diraient-ils dans la bande, s'ils le voyaient maintenant ? Rien du tout. Ou s'ils avaient quelque chose à dire, ils diraient que c'est un idiot, un stupide *moegoe*, un niais. Mais rien à propos du bon vieux temps et de la valeur de l'amitié. Tout ce qui compte, c'est que ça reste pratique. Et il y a des gens qu'il est plus pratique de connaître. Byron n'accorde de valeur à rien ni à personne. Puisque tout a un prix à ses yeux, pourquoi pas les gens ? C'est une vraie tête de mule, *houtkop*, mais maman l'aime quand même.

« Byron, quand vas-tu te décider à marcher droit comme ton frère Tshepo ? » demande toujours la mère. Il hausse les épaules. Elle dit ça pour son bien, mais il ne voit pas ça comme ça. À la place, il grandit avec un ressentiment pour son frère, ce Tshepo qui est allé à l'université du Cap mais qui a fini dingue, *malkop*, pour avoir fumé trop de ganja. Putain, il est nul aux yeux de Byron. La ganja ? Comment est-ce qu'on peut se retrouver à l'asile à cause de la ganja ? Byron fume depuis qu'il a douze ans. Pfff, son frère est lamentable. *Nyani*, c'est quoi son problème ? Sûr qu'il tient pas l'alcool non plus. Les deux frères ne sortent jamais ensemble. Byron a trop honte. C'est mon frère Tshepo, il dit en se grattant l'arrière du crâne avec embarras. Du coup, Tshepo se sent minable mais il accepte ça, parce que Byron, c'est la famille. Et la famille, c'est la famille, on n'en divorce pas.

Ton frère… qu'est-ce qui tourne pas rond chez lui ? Il boit pas, il traîne pas avec la bande, il parle trop bien à ses gonzesses. C'est une lopette, un neuneu ? demandent les potes, les *Jitas*. Et Byron, ça le rend mal à l'aise, honteux. Tshepo sait bien ce qu'ils pensent de lui. Mais ce qui le blesse le plus, c'est que son frère ne le défend jamais, il retourne toujours vers ces abrutis qui le débinent dès qu'il a le dos tourné. Pour ces abrutis, Byron est capable de lui piquer sa veste. Pour eux, il peut piquer de l'argent, s'engueuler avec tout le monde à la maison. C'est pas juste que j'aie un frère comme lui, il dit de Tshepo. Pourquoi est-ce qu'il est toujours si sensible ? Putain, faut qu'il se détende un peu. Et cette démarche, il peut pas mettre un peu de balancement là-dedans, marcher comme un *Jita,* au moins faire semblant quand ils sont là ? Comme ça, juste un petit roulement, pas être aussi pressé. Putain, il peut pas au moins faire semblant, c'est trop demander ? Pourquoi j'ai un frère comme ça ?

Voilà comment est Byron, le mauvais fils qui avait trop envie de naître. Et il ne comprend pas ce que les filles trouvent à son frère. Il ne comprend pas pourquoi elles l'aiment autant, toutes ses copines. Avec ta gueule, tu pourrais faire autre chose, il dit en voyant son frère trop sage. Il ne connaît pas la profondeur de Tshepo, comme il est allé loin dans la recherche de lui-même. Il ne sait pas non plus quel amant est son frère, comment il fait se pâmer les filles. Non, pour Byron, Tshepo est juste quelqu'un qu'il voit à table. Ils mènent des vies parallèles, leurs routes ne se croisent jamais. Réunis uniquement par le sang. Leur mère est triste parfois quand elle les regarde, l'un perdu dans ses pensées, l'autre distant et sûr de lui.

À cinq heures, ils sonnent la cloche du dîner. Nous faisons la queue devant le réfectoire, Sipho nous compte quand nous passons devant lui. Tshepo m'évite, il s'assoit à l'autre bout de la table. Il est puéril des fois. Je l'ignore, je concentre mon attention sur l'infirmière qui fait le service. Elle a un visage replet, sans intérêt, mais elle a de gros seins qui semblent vouloir déborder de son uniforme serré. Sa taille est pleine et bien faite. Ça fait longtemps que j'ai pas eu de femme, je me dis en passant ma langue sur mes lèvres sèches. Sipho l'aide. Ils nous donnent des haricots, un œuf à la coque, deux tranches de pain et de la laitue pleine de vinaigre. Le thé est léger et tiède. Nous mangeons lentement, avec apathie. Quand elle ne me voit pas, je plonge mon regard dans ses seins voluptueux, pour voler des instants de plaisir pervers. Tout ce que je pourrais faire avec ces mamelles. Dans un boui-boui clandestin de Langa, peut-être j'aurais pu me la faire. Elle n'a pas l'air du genre trop difficile avec les hommes, du moment qu'il est propre et qu'il paie son coup, j'imagine qu'elle dirait. *Ja*, je pourrais même l'emmener au cinéma avant de la ramener à la maison. Elle me surprend en train de la regarder et détourne les yeux. Ensuite, elle jette un nouveau regard bref pour voir si je suis toujours en train de la mater. Je mange, le visage penché sur ma nourriture. Elle sait à quoi je pensais, je me dis, un peu honteux et irrité. Ce sont ces moments-là où je déteste le plus être un malade mental, quand je sens la civilité s'éloigner de moi. Je me sens faible et émasculé. Chaque infirmière me semble alors cruelle, simplement parce que c'est une femme. Les femmes ont des seins, des jambes et des recoins qui me torturent de désir. Comme un maître sadique agitant un broc d'eau devant un esclave assoiffé, l'infirmière est pour moi une tentatrice qui me nargue avec son corps. Je remplis mon esprit de violence et du cri d'une femme violée. Cette musique dans ma tête, c'est suffisant pour me calmer, pour faire fuir les ombres de l'introspection. C'est peut-être pas une si mauvaise idée de droguer la nourriture, ou autre chose, pour nous faire oublier que nous sommes des hommes. Mais c'est bien cruel de nous le faire oublier quand, comme à des enfants, chaque érection vient nous rappeler cette dure réalité : nous sommes sous surveillance.

TSHEPO

J'en ai marre de cet endroit. Pendant les séances, ils me posent un tas de questions auxquelles je ne sais jamais quoi répondre. Mon psychologue est un veuf divorcé, plein d'empathie et étonnamment gentil. Des types gentils, il n'y en a pas beaucoup dans un hôpital psychiatrique. Ces lieux n'incitent pas à ça. On y cultive la méchanceté et la rancune. Jamais un sourire inattendu pour venir alléger la chape de dépression, jamais un acte charitable spontané de la part d'un malade ou d'un soignant. Chacun est trop miné par ce qui l'a amené ici. Parfois, on n'apprécie même pas les belles journées de soleil, tellement c'est sombre ici, avec ce secret qui entoure le travail des médecins et du personnel soignant, ce secret des regards qu'on se jette les uns aux autres. J'ai toujours peur de poser trop de questions, je redoute les réponses hargneuses, tapies derrière les portes closes. Il y a un esprit malin ici, qui rampe entre les lits qui craquent et les murs craquelés d'humidité. Une odeur immonde, loin de la propreté stérile et réconfortante des hôpitaux. Difficile d'ignorer cette odeur envoûtante qui nous maintient dans un limbe permanent, dérivant au fil des jours comme des zombies en exil.

Et puis cet endroit n'est pas propre. Pendant l'ergo, je tourne en rond en faisant les cent pas, sans cesser de me gratter à cause des morsures de puces. On fait tout ensemble ici, manger, se laver, paresser, s'éteindre. Ça fait si longtemps que je n'ai pas eu d'intimité que j'ai oublié comment c'était de chier sans que quelqu'un ouvre la porte cassée des toilettes. Je ne suis seul que lorsque je vais au lit le soir, l'esprit toujours agité.

J'ai un ami ici et ça me suffit. Il s'appelle Matthew, son cœur est plein de soleil. Il me rappelle ces amis d'enfance que je n'ai jamais eus, dont j'ai toujours rêvé. Nous nous appelons l'un l'autre Maestro parce que nous aimons tous les deux la tristesse tranquille des chansons de Cesaria Evora. Elle chante l'amour perdu avec une telle beauté, une telle clarté qu'on croirait presque que sa tristesse lui est douce. Lui et moi, nous avons la même histoire. Ce monde est cruel. Il a escamoté notre raison. Nos pieds sont usés de n'avoir marché que dans des mauvais plans, de n'avoir fait que de mauvaises rencontres. Malades mentaux atteints de psychose induite par le cannabis – voilà comment ils nous appellent ici. Pas Tshepo ou Matthew, mais malades mentaux. Du coup, nous nous appelons Maestro pour les tromper à notre tour, les battre à leur propre jeu, et nous discutons de notre bien-aimée Cesaria et de São Tomé. Nous parlons peu ; c'est déjà bien assez dur d'arriver au bout de chaque journée. Mais la nuit dans nos lits, quand les lumières sont éteintes, que les ronflements emplissent la pièce, nous chuchotons. À propos des endroits où nous sommes allés, des gens que nous avons rencontrés, des musiques qui accompagnaient ces circonstances. C'est toujours la musique. Et quelquefois, au passage, dans la profondeur de la nuit, il nous arrive de donner quelques détails sur ce qui nous a amenés ici.

Seul Dieu sait ce que nous faisons ici. Personne d'autre. Les psychiatres croient qu'ils savent. Nous cherchons, nous demandons, nous supplions, nous prions. Aimez-nous, nous ne sommes pas fous. Assurez-vous que nous sommes en bon état, car parfois nous nous brisons facilement, c'est notre message muet parce que nous sommes passés au-delà du langage. On a toujours besoin d'un meilleur ami parce qu'il nous donne le meilleur amour. Et c'est ce dont nous avons besoin, du meilleur amour. Nos réputations sont ruinées par les dénominations et les ragots. Qui sait vraiment pourquoi nous sommes ici ? Nous participons peut-être à des travaux secrets, comme les médecins – sans doute tout aussi importants puisque nous ne les comprenons pas nous-mêmes. Nous sommes peut-être en train de réapprendre à voir en nous accordant à la musique de la raison. Notre folie est peut-être une forme de langage, un drôle de tour que nous joue notre inconscient farceur. Si c'en est un, alors on pourrait l'appeler le langage du non-dit, ou des sourds et aveugles, il est si personnel. C'est un plaisir étrange que d'être dans une pièce pleine de gens qui passent tellement de temps ensemble sans jamais se connaître, et de savoir que sa souffrance est la seule chose qu'on possède vraiment. Dans un hôpital, on est sans cesse rappelé à sa singularité, cette couleur étrange, unique, qui fait de vous ce que vous êtes, quand les autres succombent aux tortures infinies. Il y a une infinité d'histoires en chacun de nous. J'ai suffisamment parlé de mon enfance pour remplir toutes les encyclopédies. J'en ai assez. Il y a des choses qu'il vaut mieux taire. Dans le silence, elles seront peut-être résolues.

Quand je leur demande pourquoi ils continuent à me garder ici, ils répondent que je suis en observation. Observation, mon cul ; la plupart du temps, je déambule sans but pendant que le personnel désœuvré est occupé à se raconter la fête de la veille.

Du coup, j'ai pris une décision. Je vais m'évader d'ici avant de perdre ce qui me reste de raison. Il faut que je parte. Mon esprit se rétrécit. Chaque jour qui passe, je sombre un peu plus dans la dépression. Il faut que je passe à l'action. Il y a une petite fenêtre cassée à l'arrière des toilettes. Je suis sûr que je peux grimper et me faufiler à travers. Byron dit qu'une fois qu'on s'est enfui, ils ne prennent pas la peine de vous poursuivre. J'ai l'intention de m'échapper avec lui. Zebron est au courant mais il se tait. Je sais qu'il désapprouve, j'espère juste qu'il ne nous dénoncera pas.

Je dors peu, je pense beaucoup à l'évasion. J'en rêve même. Ce sont des rêves clairs, intenses qui me laissent toujours troublé, ils sont tellement réels. Je m'y vois grimper par la fenêtre, m'enfuir avec Byron. Mais ce qui me frappe dans ces rêves, c'est que je suis toujours en train de courir, alors qu'apparemment personne ne me poursuit. Quand je me réveille le matin, je suis plein de désespoir, comme si le fantôme auquel j'essayais d'échapper dans mes rêves était en train de gagner du terrain.

Mmabatho me rend visite le jour de notre évasion. C'est une journée inhabituellement froide, elle porte son lourd manteau d'angora qui lui tombe sur les chevilles. Elle a remonté son col, dissimulant une partie de son visage comme si elle avait quelque chose à cacher. Un bonnet lui couvre le reste de la tête. Je suis toujours stupéfait comme elle peut paraître différente en changeant simplement de tenue. On peut deviner son humeur rien qu'à sa façon de s'habiller. Aujourd'hui, elle n'a pas l'air commode. Sur moi, les vêtements n'envoient pas de message particulier, ils ont juste l'air d'être accrochés là. Je suis trop basique avec mes vêtements, je ne leur accorde pas plus d'attention que ça. Mais ceux de Mmabatho sont habités. Ils ont l'air confortables, ils lui vont comme une seconde peau. Il y a en eux quelque chose d'indéniablement personnel, ils auraient l'air bizarres portés par quelqu'un d'autre. Chacun d'entre eux semble avoir une histoire et divulgue discrètement un aspect de sa personnalité. Un penchant pour ce qui vient d'Orient, un goût marqué pour la culture xhosa. Ses vêtements font tellement partie d'elle-même qu'il m'est impossible de l'imaginer nue. Je serais trop déstabilisé par la vérité de son corps dévêtu. Quelque chose comme voir une autruche à laquelle on aurait arraché toutes les plumes.

Nous entamons notre promenade dans le parc. C'est alors que me vient l'idée de m'échapper. Il suffirait que je ne rentre pas, partir juste comme ça. De toute façon, j'ai dit à Byron de me retrouver à l'arrière du bâtiment. Je ne vois pas pourquoi on devrait absolument passer par cette fenêtre. Je parle de mon idée à Mmabatho. Elle m'engueule, me dit que c'est insensé et débile. Exactement le genre de chose qui peut te faire rester ici pour toujours, elle dit. Elle continue un moment à m'expliquer pourquoi je devrais rester. Déçu par son manque de soutien, je me mets en colère. C'est l'enfer ici, je lui dis. Tu n'y survivrais pas une demi-journée. Nous nous disputons en marchant. De toute façon, je vais le faire, je finis par lui dire. Elle ne répond rien, fâchée en silence. On continue à marcher, on retrouve Byron à l'arrière du bâtiment administratif. On fait un tour derrière l'hôpital, là où il y a un grand trou dans le grillage. Je marche nerveusement, j'entends mon cœur battre dans mes tempes.

En arrivant à l'ouverture, Byron passe le premier. Je regarde Mmabatho, elle hésite.

— Tshepo, je participe pas à ça, elle dit. C'est une mauvaise idée. Je dois te ramener.

— C'est pas un crime, je lui réponds. On s'en va simplement, ils ne me courront pas après.

— Tu viens ou pas ? crie Byron avec agitation. Il commence à marcher vers l'autoroute. Les voitures passent à toute allure.

— Mmabatho, *ke eng ya nong*, ça craint ! On y va, je dis en la tirant par le poignet, mais elle se dégage.

— Tshepo, j'y vais pas, elle s'obstine.

— Très bien, alors je te quitte là, je lui dis en retournant vers le grillage. Byron est déjà de l'autre côté. Il marche vite sans se retourner.

— Tshepo, attends, elle dit soudain. Je me retourne, je la regarde impatient et nerveux, j'ai peur d'être repéré.

— Je te retrouve à la gare, elle dit rapidement avant de partir dans l'autre sens.

Je passe dans l'ouverture. Je l'entends jurer en marchant dans les hautes herbes mouillées. Je fonce de l'autre côté de l'autoroute.

Je vois beaucoup Arne, je n'aime pas ça. Je n'aime pas ça parce qu'il me plaît trop. Ça m'effraie, ça pourrait faire dérailler mes plans. Je ne suis pas prête pour tout ça, la grande histoire, le coup de grâce, la stabilisation, au point qu'il pourrait dormir du côté où on a fait l'amour. Tout ça peut attendre. Pas besoin que ça arrive si tôt, de façon si abrupte. Je dois encore finir mes études, travailler à l'étranger, gagner de l'argent et peut-être avoir quelques aventures pimentées avec des hommes mariés pour en tirer un roman torride.

Il vient me chercher après les cours. On va toujours quelque part – au jardin, sur la route du vin – ou on traîne simplement, nus dans son lit entre deux séances de sexe acrobatique. Parfois, je m'installe dans l'autre pièce, chez lui, et je travaille pendant qu'il bouquine au lit. Ou encore, on reste à zoner devant la télé le dimanche, avec les différentes sections du *Sunday Times* répandues partout.

Ce n'est pas qu'il n'ait pas d'amis, il en a. On sort avec eux et ils sont intéressants, le genre de gens qu'il aimerait voir de temps en temps, j'imagine, pour changer un peu de sa copine. Mais nous sommes toujours ensemble. C'est inexplicable, vraiment, parce que c'est en solo que je m'épanouis. Je ne sais pas pourquoi je le laisse m'atteindre malgré les signes, les signes indubitables du compagnon possible. Je ne suis pas prête parce que je me suis engagée pour une rencontre sans lendemain, avec un archétype, pas un compagnon. Les mecs sans lendemain, je les connais bien, ils sont faciles à cerner. Je comprends d'autant moins pourquoi j'aime tellement Arne, alors qu'il correspond à ce profil.

Et puis aussi, quand on est ensemble, on ne se dispute pas. Ce n'est pas que j'aime me disputer, mais du coup, je suis un peu perdue. Pas de tensions dans notre relation, simplement deux personnes qui s'entendent bien. Ça me rend nerveuse, j'imagine toujours que la rupture nous attend au tournant. Tôt ou tard, il te décevra, je m'entends dire. Ma copine Nthabiseng n'arrête pas de dire que j'ai l'air heureuse. Dans certains milieux, quand une femme dit ça à une autre, c'est une façon polie de lui signifier qu'elle est en train de se faire coloniser par son mec, qu'elle est devenue une de ces femmes dont la vie tourne autour de leur homme. Elles connaissent leurs horaires, leur bière préférée, la date des matchs, ce qui les rebute, bref tout ce qui fait la vie avec un mâle dominant, genre gratte-moi-le-dos. Du coup, je me suis évidemment sentie un peu insultée en m'entendant dire que j'avais l'air heureuse. Je suis de celles qui prennent au sérieux le fait d'être une femme, peut-être un peu trop. Je suis peut-être trop susceptible.

Ce n'est même pas qu'on parle beaucoup. La plupart du temps, quand nous sommes ensemble, nous nous taisons, mais c'est le silence confortable de deux êtres qui n'ont pas besoin de s'impressionner. Il ne passe pas son temps à me harceler au lit, comme la plupart des mecs sans lendemain, même s'il prend l'exercice au sérieux. Il fait de la musculation religieusement cinq fois par semaine et, pendant la semaine, il lui arrive de regarder des matchs de rugby ou de foot, puis d'en parler comme un maniaque avec ses copains. Quelqu'un qui nous verrait ensemble dans son appartement dirait que nous formons un parfait couple marié. Je n'y peux rien, je l'aime bien. Quand je me réveille le matin, j'ai envie de sentir sa barbe dure contre ma peau. Mais je reste prudente et je crois qu'il s'en rend compte. Je ne me laisse pas transporter par des émotions fugitives, j'évite les dorlotements écœurants, les babillages ridicules des couples tout neufs. On évite les « mon bébé », « mon chéri ». Ça me va comme ça. Ça nous évite l'effort de satisfaire aux apparences de l'amour. Nous restons naturels l'un avec l'autre. Quand il est en colère, je le sais, je le laisse. Quand je suis de mauvaise humeur, que je n'arrive pas à trouver un de mes personnages pour le cours, il me fait la cuisine en passant un CD de Django Reinhardt.

Bref, je suis un peu nerveuse ces derniers jours. Je passe mon temps à me demander où nous emmène ce conte de fées, quand est-ce que le dragon va se manifester. Je suis agitée, irritable. Je ne l'ai pas vu hier. La première fois en trois semaines. Je m'inquiète, j'espère que je ne vais pas ruiner cette histoire. Ça m'est déjà arrivé, je suis sûre que j'en suis encore capable. Mais pas cette fois. Je me répète qu'il faut être un peu aventureuse, prendre des risques, miser sur un type sans lendemain.

C'est un soulagement de retrouver Tshepo, d'avoir quelqu'un à qui raconter des trucs intimes. Ça fait un moment que je ne l'ai pas vu, j'ai tellement de choses à lui dire à propos d'Arne. Sur le fait que j'aime autant un garçon. Je suis certaine que mon enthousiasme va se heurter à son scepticisme. C'est peut-être précisément ce que j'ai besoin d'entendre pour redescendre sur terre. Je sais que j'ai vécu dans une bulle, où tout était bon. Peut-être trop bon. Je n'ai pas envie de vivre une nouvelle désillusion violente. J'ai connu trop de déceptions avec les hommes.

Je suis déçue quand j'apprends que Tshepo veut s'enfuir et je le lui dis. Je suppose que c'est égoïste parce que j'ai envie de parler d'Arne, pas de sa tentative d'évasion. Il a l'air à bout, difficile de ne pas le remarquer quand je le vois se faufiler par une ouverture du grillage, derrière Valkenberg. À regret, je repars de l'autre côté et je le retrouve à la gare. Mais je n'aime pas tout ça. J'ai un mauvais pressentiment. Intuition féminine, disons. Tu vas au-devant des ennuis, je lui dis. Mais il n'écoute pas.

TSHEPO

Le temps passe lentement dans un hôpital psychiatrique. Ça vous oblige à réfléchir, à décortiquer les événements qui composent votre vie. J'ai été si seul avec mes pensées, tellement isolé dans ma souffrance que j'ai oublié ce que c'est de vivre avec les autres, être regardé plutôt que détourner le regard. Souvent, au milieu de la nuit, je reste éveillé tout seul, à écouter le doux frottement des branches contre ma fenêtre. Seul au monde dans le silence absolu, j'arrive à entendre l'effort paisible des arbres en train de pousser, leurs branches s'étendant vers le ciel comme des danseuses.

Au matin, quand je m'éveille, je recherche le bleu du ciel et l'or du soleil, objets de mes prières. Je recherche le petit garçon que j'ai perdu en chemin et je vois cet étranger qui me regarde dans la glace. Ce petit garçon me manque terriblement. Je recherche ce silence qui me ramènera à l'équilibre, ce doux bonheur qui consiste simplement à vivre. Je vis avec trop de questions, de rêves douloureux, je porte le deuil de trop d'occasions et d'amitiés perdues. J'ai mes propres fantômes et ici, ils reviennent toujours me hanter. Parfois, la dépression devient une compagne, une amie qui passe à l'improviste, une invitée qui s'éternise, une importune. Et l'espoir s'amenuise tandis que j'inspire profondément pour combattre mes démons. Parfois l'emprise de la folie est si forte que je sens mon esprit blessé se recroqueviller dans un coin sombre, gémissant comme un chien battu, au secours, quelqu'un, au secours, mais personne n'entend. L'obscurité de la nuit est parfois trop réelle, un objet de terreur tapi avec les monstres oubliés que la mémoire réveille mystérieusement. Il m'arrive de prier juste pour que revienne la lumière du jour, pouvoir à nouveau respirer au lieu de retenir mon souffle d'effroi. Parfois je ne vis que pour le lever du soleil.

Ici, il n'y a jamais assez à manger. Juste de quoi tenir d'un repas sur l'autre. Je me demande si ça fait partie du traitement. Poussés à bout, nous devenons rapaces, échangeant cigarettes contre nourriture, prêtant une casquette contre deux tranches de pain. Oui, j'ai connu la faim, et elle se marie mal avec la folie. Elle fait ressortir ce qu'il y a de pire en vous, la bête sauvage prête à voler une miette. J'ai même été malade, couché avec d'abominables crampes d'estomac. Matthew m'a donné un peu d'eau et c'était un cadeau merveilleux parce que j'avais soif. Je me suis réveillé le jour suivant en ayant encore plus soif. Et j'ai bu à nouveau. C'est comme ça ici. Vous faites ce que vous pouvez pour vous sentir mieux, même si ça consiste à redécouvrir la magie de l'eau.

Chaque journée est dure. Et chaque jour est différent parce que les humeurs changent. Les visages deviennent des masques, votre silence, une croix. Ici, on apprend à vivre avec la souffrance. Les gens imaginent que les médicaments font tout pour vous. Ce n'est pas vrai. Ils peuvent aider mais ils ne rendent pas la vie plus facile. Il reste la charge à porter, le travail à faire.

Ils dorment tous, c'est moi qui suis fou, je me dis parfois la nuit, quand je ne peux pas dormir. Les médicaments m'empêchent de dormir. Mais en moi, le silence s'approfondit, prend une dimension religieuse même, au fil des jours. En chacun de nous, sans exception, une graine a été plantée, plus profond que la mémoire même, une lumière qui n'est émise que par Dieu. Une lumière que Dieu seul peut éteindre, même quand on nous déclare fous ou qu'on se suicide. J'ai vu le point central de tous mes problèmes. C'est mon univers à moi et je le protège par mon silence. J'y entends Dieu qui m'appelle.

Peut-être que j'ai vu Dieu et que je ne le sais pas. La folie est peut-être une façon d'accéder au divin dans nos vies minuscules. Peut-être que celui qui a fait le soleil d'un morceau de plume est plus proche que nous ne le croyons, plus espiègle que nous ne l'imaginons. Dieu est peut-être un vieil homme qui a perdu ses enfants quand il avait le dos tourné. Parfois je me sens si mal que j'entre en communion avec la terre. Je souffre pour elle et je joue avec l'idée du suicide. Je m'interroge, pourquoi faut-il que tout soit si difficile ? Pourquoi faut-il que la souffrance s'éternise et vide ma volonté de sa substance ? Quand je m'observe, que j'essaie de répondre, je tombe sur d'autres questions et d'autres cadences. Est-ce que Dieu nous écoute ? Est-ce que quelqu'un m'a appelé par mon nom ? Ai-je vu sans réagir la faiblesse sur le visage d'un autre ? Quand on commence, il se pose une éternité de questions.

Alors, dans mon esprit, pour rendre tout ça plus supportable, j'imagine que Dieu a beaucoup d'enfants. Certains d'entre nous ne sont pas sages, mais d'autres sont gentils. Et nous jouons dans une grande cour de récréation. Je suis allé faire un tour dehors sans rien dire à personne. Mais Dieu est au courant. Ou encore j'imagine que je suis celui qui est sorti jouer en cachette. Ou qu'on m'a envoyé faire une course, mais que j'ai été distrait en route. Le truc, c'est que je suis si facilement séduit. Je le sais. Je suis toujours en train de chercher, toujours attentif à ne rien manquer. Je ne cherche peut-être pas où il faut. J'étais peut-être trop absorbé par ma recherche, je suis tombé sans le voir dans le piège qu'on m'avait tendu. Il y a beaucoup à dire sur le fait d'être ici, d'être un malade mental. Mais qu'est-ce que ça veut dire être fou, maboul, comme ils disent ? Ça veut dire jouer avec les Grands, avec les Silencieux, avec les Subtils, jouer à cache-cache. Ne pas dépendre des tours et détours de l'intellect ; la tête n'est qu'un outil. Rien ne sert de trop dépendre de ses capacités. Elles ont été données, elles peuvent être reprises. Il y a des routes bien plus intéressantes pour faire connaissance avec la vie que celles de l'esprit. L'esprit peut vous jouer des tours ; c'est une idole fausse, inconstante, qui vous trompe et vous désavoue en un clin d'œil. Tous les malades mentaux savent cela. Nous avons eu une vie jadis. Autrefois, nous étions des professeurs respectés, des enseignants et des étudiants estimés, des architectes inspirés, des comptables accomplis, des policiers vigilants, des ouvriers durs à la tâche, des hommes mariés, des citoyens utiles. Savoir ne compte pas autant que faire. Mais où nous sommes-nous trompés ? les gens se demandent. C'est la question que nous passons notre vie à nous poser.

Une fois de temps en temps, pas souvent, quand je sors, je sens la véritable chaleur du soleil. Soudain le ciel n'est plus si loin de moi. Il y a une musique dans la façon dont les gens marchent, dans les soupirs entre les plantes. Dans l'air qui porte tant de secrets, tant de conversations et de messages. Est-ce que quelqu'un l'écoute ? Quelqu'un ressent-il le rythme frénétique auquel nous allons ? Quelqu'un entend-il la musique de la folie ? C'est une fréquence au-dessus du brouhaha de la vie, au-dessus des conspirations des satellites et des sociétés clandestines. Les gens agissent en secret alors que nous restons étendus, éveillés dans la nuit. Ils complotent pour s'emparer du monde. Ils volent nos rêves, s'emparent de nos espoirs et font des choses terribles au nom de Dieu.

Je suis devenu très méfiant envers la vie. Matthew plaisante, il dit que ça fait partie des risques du métier quand on est un malade mental. Son humour est parfois mon seul réconfort. Un simple coup d'œil peut ouvrir un nouveau monde. Les détails me fascinent. Les nombres sont des prières magiques ou secrètes. Une simple graine peut devenir un moutardier impressionnant, un séquoia majestueux. La vie est peut-être une équation ; une équation tourbillonnante, tournoyante, pleine d'envies, mais simple. Peut-être que longtemps avant que le sable ne forme les continents, nous n'étions que gaz et fumées. Des êtres simples flottant dans une soupe appelée espace.

J'aime avoir ce genre de pensées, ça me soulage de la monotonie, ça renforce ma conviction qu'il n'y a rien de plus abstrait que Dieu. Ça me remplit d'un peu de magie. Enfermé ici, il faut improviser, même si ça veut dire s'échapper. Je me suis enfui en esprit aussi loin que je pouvais. Facile pour Mmabatho de dire que je devrais rester. Elle ne connaît rien de la folie qu'il y a à rester dans un hôpital psychiatrique. Ça peut vous tuer. Froncer votre regard sur la vie. Ça vous rend étranger à vous-même. Il y a pire que se perdre soi-même. Il y a le cauchemar d'être retrouvé par les ténèbres, les démons, toutes ces choses qui sont tapies dans des endroits où on croyait pouvoir se réfugier. On peut aussi ne jamais être retrouvé, ne jamais se retrouver soi-même, perdu pour toujours dans la démence, un espace étroit, plus court que la distance qui sépare deux lettres.

Je m'évade pour me sauver. Rester, c'est accepter la maladie, ne pas m'autoriser à guérir. C'est regarder Zebron instiller sa noirceur aux plus faibles par jeu. C'est vivre comme une ombre et s'effacer un peu plus chaque jour. Je m'évade parce que c'est le mieux que je puisse faire, la seule chose qui semble possible. Tout le reste est noir. Je ne sais pas ce qui va se passer. Je ne sais pas si je vais me sentir mieux. Je ne sais plus rien désormais. Demain, le soleil se lèvera, les étoiles vont briller et peut-être il va se passer quelque chose.

MMABATHO

Je le retrouve à la gare. Nous prenons le train en direction du centre-ville. Pendant un moment, nous ne parlons pas, chacun dans ses pensées. Je me sens comme une écolière qui sèche les cours, embêtée de l'avoir laissé s'échapper. Tshepo a l'air pensif, distant, peut-être même un peu triste.

— T'es pas content d'être dehors ? je lui demande.

Il s'efforce de sourire mais ne tire qu'une expression vulnérable, comme quelqu'un qui cache sa souffrance sous un air stoïque. Il regarde par la fenêtre, nous passons devant une cour où jouent les enfants de l'école voisine.

— C'est juste que ça fait un moment que j'ai pas été dehors, il dit.

Je me renfonce dans mon siège, je surprends son profil. Ses pommettes sont saillantes de façon obscène, ses joues sont creusées. La découverte est soudaine, un peu choquante. Moi aussi je regarde par la fenêtre.

Le voyage est long avant d'atteindre la gare du Cap. Nous n'échangeons pas un mot pendant l'essentiel du trajet. Plusieurs personnes viennent s'asseoir à côté de nous au fil des stations. J'ai toujours aimé le train. En dehors d'être la manière la plus sûre de voyager, ça me rappelle mon enfance. J'allais à Jo'burg en train pendant les vacances scolaires de juin et décembre pour retrouver mon père, toujours impatient de me revoir. Mes parents sont divorcés. Je chéris particulièrement ce moment où il me reconnaissait au milieu de la foule des gens encombrés de bagages. La façon dont il courait vers moi, me prenait dans ses bras et m'embrassait joyeusement, à n'en plus finir, devant tous ces inconnus. Ça gênait toujours les gens plus âgés. J'imagine qu'ils se disaient que cette démonstration d'affection était un truc de blancs, qu'on avait appris à force de trop regarder la télé. Ils nous considéraient avec peine et désapprobation. Ça m'énervait toujours parce que je refusais de blâmer l'histoire. Trop facile de dire que c'était à cause de l'apartheid. Leur façon de nous dévisager montrait surtout comme ils étaient devenus peu charitables. Triste de voir que leurs blessures ne leur avaient appris qu'à regarder en eux-mêmes. « Ça vient du trop-plein de souffrance enduré par notre peuple, Mamsi », me dit mon père une fois, quand je lui avouai que ça me dérangeait. « Les opprimés passent tellement de temps à se regarder qu'ils finissent par oublier de regarder au-delà. C'est déjà un effort que simplement se coltiner les injustices auxquelles la vie vous soumet », il disait pour me consoler.

Dans le siège en face, un type me regarde. Quand je croise son regard, il me fait un clin d'œil. Je regarde ailleurs avec indifférence.

— J'ai faim, me dit finalement Tshepo.

— On peut prendre un sandwich aux frites, je suggère alors que le train arrive en gare. On se lève tous pour sortir. Tshepo marche devant, surveillant à peine si j'arrive à le suivre. Les gens se poussent, me bousculent avec impatience. Agacée, je trace ma route dans la foule compacte.

Nous achetons deux sandwichs dans une friterie.

— Je te rembourserai, il dit en guise de remerciement.

— Sois pas bête, c'est rien, je lui dis.

Il insiste pour manger dehors. Il y a un jardin magnifique juste en sortant de la gare. Bien entretenu. On s'assied à côté d'un étang. En face de nous, la silhouette de l'hôtel Cap Sun ; un peu plus à gauche, l'immeuble Sanlam. À l'arrière-plan, comme un fantôme amical, se dresse la montagne. Il pousse un long soupir et mange en silence.

— Qu'est devenu ton copain, l'autre type ?

— Byron… pfff… qui sait où il est maintenant ? Peut-être en route pour Jo'burg, ou n'importe où, il dit sans avoir l'air d'y attacher grande d'importance. Il finit vite son sandwich.

— T'en veux un autre ? je lui demande.

— Ça va, merci, il dit, même si je sens qu'il a encore faim. Il a des manières un peu bourgeoises.

Il se promène sur la pelouse pendant que je finis de manger. Il s'intéresse à quelques arbres, à certaines fleurs. Il disparaît dans un petit chemin bordé d'arbres et d'arbustes. Quand il réapparaît, son visage semble moins tourmenté. Il est peut-être simplement heureux d'être de retour après cet enfer. Ça n'a sûrement pas été facile. On achète deux Coca, on s'allonge au soleil un moment.

— On devrait rentrer, je dis, j'ai raté ma répétition aujourd'hui, ils vont s'inquiéter.

— Pardon, je me suis pas rendu compte…

— Pas de problème. T'inquiète pas. C'est pas grave, je le rassure.

À la maison, je trouve plusieurs messages du cours de théâtre, chacun plus urgent que le précédent. Tshepo traîne dans la maison, l'air un peu perdu.

— Tshepo, faut que j'y aille, je lui dis.

— OK, je vais juste rester ici un petit moment.

— Pour faire quoi ? Non, tu ferais mieux de rentrer chez toi. Tu disais pas que tu voulais déménager ? je dis, un peu agacée.

— *Ja*, OK… *Aish, wena !* Bon sang, c'est juste que je sais pas quoi dire à mes colocs, il dit dans un soupir.

Je suis pas prête à m'occuper de ça maintenant. J'imagine le metteur en scène criant sur les comédiens, gueulant mon nom dans le vide à chacune de mes répliques.

— Tshepo, on reprendra cette conversation plus tard, je lui dis avec le plus de précautions possible. Je prends mon sac, je sors avec lui.

Tout va bien aller, je dis en vitesse et je me hâte vers la gare.

Après la répétition, Arne vient me chercher. Il m'embrasse avec fougue, me caressant le creux des reins comme j'aime. Je le repousse gentiment. « La journée a été longue », je dis à voix basse, il comprend. C'est ça que j'aime chez lui, je peux être franche, directe.

Il nous conduit à un petit resto mexicain intime dans Obs où les serveurs connaissent la plupart des clients par leur nom. L'hôtesse, *madame* Spiers, une délicieuse Française plus toute jeune qui dissimule son âge sous un maquillage adroit, nous embrasse sur la joue avant de nous conduire à une table près de la fenêtre. Arne commande deux tequilas, le garçon nous donne un menu. Arne raconte sa journée, qu'il a passée dans une petite ville, pas loin du Cap. Il fait des recherches pour sa thèse, quelque chose sur les contraintes économiques en milieu rural. J'écoute distraitement, acquiesçant, m'exclamant aux moments opportuns, mais ne retenant à peu près rien de ce qu'il me dit. Au bout d'un moment, il demande :

— Ça t'intéresse pas du tout ce que je te raconte ?

— Désolé, c'est juste que Tshepo est sorti aujourd'hui, je dis en lui caressant la main, mes pensées revenant à lui. Ses traits se tendent légèrement. Je ne pense pas qu'il aime beaucoup Tshepo, il se tait à chaque fois qu'on parle de lui.

Le serveur revient avec nos verres et prend notre commande, deux chili con carne. Je demande un verre d'eau qu'il apporte rapidement. Arne descend son verre, commande une Amstel à un garçon pas loin, son humeur assombrie depuis que j'ai parlé de Tshepo.

— Alors, tu rentres avec moi ce soir ? il demande.

— En fait, j'espérais un peu voir Tshepo après. Je m'inquiète pour lui.

— Allons, c'est pas un enfant, il lâche.

— Sois pas injuste. T'as jamais été en hôpital psychiatrique.

— T'arrêtes pas de parler de lui. Notre serveur revient avec la bière, il dispose les couverts.

— Sois pas ridicule. Je n'ai jamais trouvé la jalousie très attractive chez un homme.

— J'aime pas ce type. Je veux dire, on planifie des trucs et tout. Ça peut pas attendre demain ?

— Arne, je lui dis en le regardant, écoute-toi une seconde, on dirait un enfant. C'est mon ami, d'accord ? Je couche pas avec lui.

Il prend une longue lampée de bière, il rote.

— Sois pas grossier juste parce que t'es en colère.

— Qu'est-ce que ça veut dire, ma chère ? il dit, sarcastique. Il marmonne quelque chose en allemand dans sa barbe.

— OK, si tu as décidé de jouer au con toute la soirée, je m'en vais.

Il se lève, se dirige vers la table de billard, de l'autre côté de la salle. Madame Spiers s'approche quand elle me voit seule.

— *Alors*, qu'est-ce qui ne va pas *les amoureux ce soir* ? elle sourit.

— Comme d'habitude, les mecs sont des porcs, je dis avec un geste méprisant pour Arne, soudain absorbé par une partie entre deux autres types. Notre première dispute, à propos d'un truc aussi idiot. Ça devait arriver tôt ou tard, je me dis. Madame Spiers fait un signe à l'un des serveurs, elle s'assoit à côté de moi.

— Tu es pleine de fougue quand tu t'énerves, je suppose que c'est pour ça que les hommes te trouvent *très charmante, chérie,* elle dit en allumant une cigarette. Elle m'en offre une.

— Il est en colère contre moi parce que je vais voir un de mes amis, je me plains.

— *Mais bien sûr*. Il est jaloux.

— Ça m'énerve parce qu'il n'y a aucune raison d'être jaloux.

— *T'inquiète pas*, il s'en remettra, *chérie,* elle sourit, les yeux pétillant de charme. Elle regarde Arne et me conseille d'être patiente avec lui. Il manque de confiance, ils sont tous comme ça.

— Et je suis supposée être la bonne petite fiancée qui comprend tout. Même quand il fait le con.

Elle a un petit rire.

— Les choses sont différentes aujourd'hui. *Quand j'étais jeune*, quand un homme rencontrait une femme, c'était tout une histoire. Même quand ça ne marchait pas, ça prenait un bon moment avant de rompre. Les gens avaient le temps à l'époque. On pouvait se permettre de tomber amoureux, de laisser venir, elle dit avec nostalgie. *Mais aujourd'hui*, ça a changé. Tout va très vite. On se rencontre et puis on se quitte. Je ne comprends pas. Les jeunes femmes… Ma fille travaille à Hout Bay. Elle habite chez son amant, elle me raconte qu'elle lui dit parfois qu'elle ne reviendra pas avant le surlendemain, qu'il ne l'attende surtout pas. *Tu te rends compte ?* Du jamais vu, de mon temps. Mais peut-être je suis vieux jeu, *chérie.*

On se sourit d'un air entendu – si seulement les hommes savaient comme nous les connaissons bien. Elle tire une bouffée de sa cigarette longue et fine, dévoilant un poignet délicat. L'odeur subtile de son parfum accroît encore sa beauté. Pas le genre de beauté qu'on remarque de l'autre côté de la rue, mais j'imagine qu'elle peut ensorceler un homme. Elle repousse discrètement, élégamment, ses cheveux mi-longs soigneusement coupés, pas pour attirer l'attention sur elle, ce vieux truc de drague ridicule, le mouvement de tête pour rejeter ses cheveux en arrière, presque un coup du lapin juste pour attirer un homme. Madame Spiers est une lady, un exemple de cette culture européenne d'une époque révolue, bien élevée, des manières qui font que chacun se sent le bienvenu, détendu. C'est une femme qui aime les belles choses de la vie et qui s'entoure de gens aimables. Mais aussi charmante soit-elle, je suis sûre qu'elle peut être tout aussi habile, professionnelle avec les gens. Ça se voit à la façon dont elle tient son restaurant. Le personnel est toujours impeccable, le restaurant n'est jamais trop bondé. Et même si la clientèle est sans chichis, elle vient d'un certain milieu. Pour des gens comme elle, l'argent n'est pas tout. Ça se voit à la façon dont elle s'habille, dont elle s'exprime. Son restaurant, c'est juste pour s'occuper quand elle ne voyage pas dans un pays exotique, ou qu'elle ne fait pas les brocantes à la recherche d'antiquités raffinées ou de peintures qui viendront décorer son restaurant élégant. *C'est mignon non*, elle dit souvent quand elle trouve quelque chose qui lui plaît.

— Je ferais mieux de m'en aller, *chérie,* elle dit quand le garçon apporte notre dîner. Elle se lève, arrange sa longue jupe. *Courage*, elle murmure en s'en allant. Je vais au billard pour retrouver Arne, toujours en train de regarder la même partie. Je m'appuie sur son épaule, je passe un bras autour de sa taille. Il m'entoure de son bras, un air tendre d'écolier sur le visage.

— Notre première dispute, je lui dis.

— Au moins, on a évacué la pression maintenant.

On regagne notre table, on ne parle plus de Tshepo. La nourriture délicieusement pimentée incite à boire. Alors on boit beaucoup en parlant du film de la veille.

TSHEPO

Chère maman, j'ai beaucoup pensé à toi ces derniers temps. Toutes ces nuits d'insomnie à regarder par la fenêtre, je les ai passées à penser à toi, où que tu sois. Tu me manques, comme me manque douloureusement cette époque où tu étais là pour t'occuper de moi. Ce sont des choses bêtes qui me manquent le plus. La façon dont tu disais mmh quand tu voulais dire non mais que tu ne savais pas comment. La façon dont tu me sermonnais quand je buvais au robinet plutôt que dans un verre. La façon dont tu aimais rester seule avec tes pensées au crépuscule, préparant quelque chose à la cuisine, ta façon à toi de méditer. Et aussi combien tu aimais les poivrons rouges et le poisson grillé au four. Je pense à toi parce que c'était l'époque la plus heureuse de ma vie.

Je me suis enfui de l'hôpital aujourd'hui. C'était facile. Je savais qu'il fallait que je m'en aille, et donc je suis parti. J'ai fait une petite balade dans Obs, j'ai revu passer ma vie dans des visages d'inconnus, dans ce qu'ils faisaient. C'était étrange. Un instant, j'étais en train de me promener, celui d'après, j'étais ce petit garçon qui boudait parce que sa mère ne voulait pas lui acheter de glace. Ce vagabond aux yeux éloquents, devant la supérette, qui chantait et pleurait, mais que personne ne semblait remarquer. Cette vendeuse se dépêchant de retourner au travail après sa pause-déjeuner. Je me suis soudain senti mal à l'aise et furieux. Je voulais m'enfuir. Mais il n'y avait nulle part où s'enfuir. J'étais acculé. Perdu, vide, comme si j'avais épuisé mes émotions. Ou alors j'étais si déprimé que je n'arrivais plus à les reconnaître. La souffrance était trop profonde, les gens grimaçaient presque de dégoût en me croisant.

Du coup, je suis allé chez un de mes amis, un type avec qui j'étais à l'université. Il s'est montré gêné avec moi, maman. Il m'a fait sentir mes cicatrices, à quel point les blessures étaient profondes. J'ai eu honte d'avouer que j'étais parti. Je recherchais désespérément son amitié, je me suis senti minable, abandonné. Il m'a dit qu'on racontait des trucs sur moi, qu'il était inquiet. Mais je le voyais qui regardait discrètement sa montre. Il ne m'a même pas proposé à boire, maman. Après à peine dix minutes, il s'est excusé, prétextant qu'il devait rejoindre ces mêmes vautours qui soi-disant déblatéraient sur mon compte. Le monde m'a abandonné. Il a déménagé sans me donner sa nouvelle adresse. Les gens sont froids. Ils portent tant de masques, j'ai cessé de les compter.

Je pense à toi, maman. Ta force me manque, la façon dont tu me soutenais, même dans la tempête. Je me sens brisé. Je ressens le vide du ciel, le froid de la nuit, le silence muet de l'océan et la nature suicidaire des vagues qui viennent s'écraser sur elles-mêmes inlassablement, compulsivement. La violence de tout ça, je la comprends. Je ne suis pas le premier à ressentir ça, ni le dernier. Il y a des cohortes d'autres gens comme moi, qui s'arrangent progressivement avec le silence de leur vie.

Quand ils s'écroulent, nos chemins se croisent dans des endroits comme Valkenberg. Je les croise aussi à Obs, silencieux, presque invisibles dans leur combat avec la vie. Des mystères jaillissent en moi. La vie conspire pour m'apprendre ses plus dures leçons.

J'avais de grands rêves, de grandes idées sur un monde que je pouvais cueillir. J'étais plus jeune, insouciant, ma jeunesse une excuse pour avancer aveuglément à travers la vie. Blessé désormais, je mesure combien le monde est délicat, combien son équilibre est fragile. Aujourd'hui mes aspirations sont plus mesurées, meilleures, des choses que je peux concevoir – un endroit simple à moi, une voiture, peut-être quelques amis avec lesquels on peut boire une bière les jours où il fait chaud, quand j'aime être dehors. Et peut-être une balade sur les plages de ce Brésil dont je rêve. Voilà ce qui me fait tenir le coup. La petitesse de ma vie m'a obligé à ouvrir les yeux sur une bien plus grande variété de personnes. Comme les gens sont divers et mystérieux, maman. Mais je ne suis pas sûr de les aimer.

Tous les jours, je suis un peu plus proche de qui je suis vraiment, un peu plus éloigné de celui que les autres voudraient voir. Je marche seul sans me donner de genre, je connais la longueur de mon pas. Je ne m'inquiète pas de savoir si je peux aller loin. Je me déplace, c'est suffisant. Il y a des jours où je ne vois pas les couleurs, où je n'entends pas les oiseaux et où les gens semblent me dévorer des yeux. Bizarrement, ce sont ces jours-là où j'accepte presque ma solitude, attentif aux subtilités de ma propre respiration, que je ressens combien je suis nu en vérité.

Mais il y a des jours meilleurs, où le soleil semble moins brutal, où sourire demande moins d'efforts. Ces jours-là, il me suffit de me rappeler ce que j'apprécie, les gens que j'aime, comme toi. Je me souviens de ce que j'oublie dans mes moments de faiblesse, quand la vie semble plus forte. Je comprends maintenant qu'elle a toujours été forte. C'est moi qui ai dû apprendre ma force, passer le test des fleuves de la vie.

Je suis pris dans une spirale, maman, je tombe dans les ténèbres. J'aimerais que tu puisses me rattraper, me sauver de la douleur de toutes ces leçons. J'aimerais n'avoir besoin que de la chaleur du soleil pour m'en sortir. J'envie le dénuement des plantes, le peu dont elles ont besoin pour survivre – seulement du soleil et de l'eau. Je me souhaite de meilleurs jours parce que j'ai l'impression d'être mon seul ami. J'aimerais avoir le courage des enfants des rues, essayer de ne pas m'apitoyer sur moi-même.

Mais j'espère surtout que toutes ces petites choses que je commence à percevoir m'ouvriront le cœur, pour que demain je commence à deviner un début de réponse.

Je retrouve Tshepo un peu plus tard à Wrensch Road. C'est Alice qui m'ouvre la porte. Elle a l'air soulagée de me voir. Pas bon signe.

— Tu ferais mieux de le voir. Il est resté dans sa chambre toute la soirée. Il n'a rien mangé, elle dit, les sourcils froncés.

Je vais dans sa chambre, la porte est ouverte. Il est étendu sur son matelas, l'air morose et affamé. Une grande bougie est allumée, une musique d'ambiance fantomatique remplit la pièce. J'allume une cigarette, je coupe la musique.

— J'aimerais mieux que tu la laisses, il dit depuis son lit.

— Tshepo, cette musique est déprimante. Ça n'aide pas, je dis en ouvrant la fenêtre, la pièce sent le renfermé.

— Alors que toi, si ?

— *Ke eng ka wena ?* Qu'est-ce qui t'arrive ? Nom d'un chien, tout allait bien cet après-midi. Qu'est-ce qui s'est passé ?

— Allez, dis-le, Mmabatho, il dit sèchement.

— Dire quoi ? je m'impatiente en tirant une bouffée.

— Dis-le. Tout allait bien et maintenant tu es à nouveau fou.

— Fais pas ça, je dis en écrasant ma cigarette à moitié consumée.

— Dis-le. Je sais bien que c'est ce que tu penses.

Je respire profondément et pousse un long soupir. Tshepo est toujours sur son matelas. J'allume une autre cigarette, je m'assieds à son bureau. Il met la radio pendant que je rassemble mes pensées.

— Ils m'ont demandé de partir, il dit au bout d'un moment.

Je l'écoute en recrachant des ronds de fumée furieux.

— Alex m'a demandé de partir. Il dit que les autres se plaignent. *Bo Alice, ke moloi*. C'est une sorcière. Elle peut pas me blairer mais elle fait semblant. Elle est mauvaise, tu vois, il dit avec amertume.

— Tshepo, ne dis pas ça d'elle, même si elle méchante.

Je n'en reviens pas qu'Alex, Paul, Julia et même Alice ne trouvent rien de mieux à faire que le mettre à la porte au moment précis où il a besoin d'aide. Comment peut-on être aussi dur ?

— J'ai une semaine pour trouver une nouvelle piaule, il dit, à nouveau assombri. Je termine ma cigarette, je me lève.

— Allons manger quelque chose, je dis pour lui changer les idées.

— J'ai pas envie de sortir. Et puis je suis fauché.

— OK, alors on fait un truc en vitesse. Je vais chercher des pâtes et des tomates chez Spar. Tu t'occupes des oignons et de la sauce au fromage.

— Bon pour moi, il dit en se levant.

J'ai envie de lui dire, je suis désolée, Tshepo, mais c'est pas le moment. Et puis je commence à en avoir un peu assez d'être son unique source de réconfort. Je veux bien l'aider mais j'aimerais qu'il finisse pas s'en sortir tout seul. C'est tout ce que je lui souhaite. Je ne veux pas qu'il finisse comme un de ces paumés que j'ai vus à Valkenberg. Ceux qui ont renoncé à vivre, qui passent leur temps à dormir dans l'herbe, en attendant l'heure du thé, ou qui demandent la permission des soignants pour tout, même pour aller aux toilettes. Je veux retrouver le Tshepo d'avant, celui qui n'avait pas peur de regarder quelqu'un en face.

On fait un repas délicieux que nous partageons avec Paul et Julia. Alex est sorti dîner avec une nouvelle fille assez étonnante, à ce que je comprends. Il aime les filles bizarres, explique Paul. Alice dit qu'elle n'a pas faim, mais elle rôde dans la cuisine. Elle a cette habitude énervante de jeter un œil dans les casseroles, de faire des commentaires sur telle herbe ou telle épice. Elle a l'air tatillonne, probablement le genre d'emmerdeuse qui se plaint quand le riz est un peu trop cuit. Ça se voit à son air. Quand elle n'aime pas quelque chose, elle prend un air grognon. Je commence à comprendre pourquoi Tshepo ne l'aime pas. Quand on a tous fini de dîner, elle commence à manger notre salade verte.

— Je croyais que t'avais pas faim, Alice, dit Tshepo avec irritation.

Elle l'ignore.

C'est le moment que choisit Paul pour dire qu'il a un truc à finir. Julia met son assiette dans l'évier et va dans sa chambre. Tshepo et moi, nous faisons la vaisselle pendant qu'Alice continue à tournicoter dans la cuisine, en traînant ses pantoufles orientales. Elle tripote des cassettes avant de décider qu'elle ferait mieux d'écrire une lettre.

Tshepo reste assis dehors tandis que je range les derniers plats. Quand je le rejoins, je le découvre en train de rouler un joint. Je préfère ne rien dire. Qu'il réfléchisse par lui-même, je me dis. S'il veut jouer avec le feu, je n'y peux rien.

— Je sais ce que tu penses, il dit avant de l'allumer, mais tout est sous contrôle.

— Comme tu veux, c'est ta vie.

— On devrait aller chez Ganesh après ça, il dit en changeant de sujet.

On partage le petit pétard. Les pupilles de Tshepo se dilatent, son regard s'embrume, *stoned immaculate*, la défonce immaculée que chante Jim Morrison. Je l'observe attentivement, imaginant ce qui pourrait lui arriver de pire. Je rentre pour me calmer, un verre d'eau fraîche. Tshepo rentre à son tour, arborant un sourire niais. Nous prenons nos vestes et partons.

Ganesh est un café-bar unique en son genre, à l'écart, dans le centre d'Obs, le genre de lieu qui diffuse une musique subliminale, discrète, qui vous emporte sans que vous en preniez conscience. C'est une planque, une vraie trouvaille, à propos de laquelle on raconte des tas d'histoires mais dont on n'entend jamais parler officiellement. Histoires invraisemblables d'amants qui s'y seraient disputés comme dans les séries télé, ou encore d'habitués qui, certains soirs, se mettraient à exécuter une danse du ventre lamentable devant tout le monde. C'est un lieu agréable, petit, familial, on y connaît rapidement tout le monde et si on vous aime, on y est connu à son tour. Tshepo s'y plaît, parce qu'il aime à penser qu'il se fond bien dans l'ambiance. La vérité, c'est qu'il est toujours trop déchiré pour avoir une vision claire de Ganesh. Je crois que les gens y sont un peu trop sophistiqués pour lui. Ils adoptent cette posture du tout ou rien, ils pensent tout connaître et se trouvent intéressants. Il rit poliment à leurs blagues parce qu'il les croit amicaux. Je le soupçonne de trouver leur humour froid et leurs blagues intellos. Pourtant, il s'accroche parce que c'est le genre de gens qui s'agglomèrent par contagion, qui semblent toujours prendre du bon temps, s'esclaffant et beuglant comme des ânes pour être sûrs que tout le monde les entende. Si tu ne comprends pas leurs blagues, tu ne marches pas avec eux. C'est pour ça qu'il est toujours là. Il veut être l'un d'entre eux, faire partie de la bande, être aimé, qu'on lui demande « qu'est-ce que tu fais ce week-end ? », mais ça n'arrive jamais. Ils le tolèrent comme un petit frère qu'on traîne. Celui qui s'assoit au bout des grandes tablées et qui se penche pour demander « qu'est-ce qu'il a dit ? ». C'est peut-être pour ça qu'il est toujours stone quand il va là-bas.

Le truc chez Ganesh, c'est que c'est tellement petit que tout le monde est dehors. Quand je suis là-bas, je réalise combien Tshepo est fragile. Parfois, ça me déplaît de le voir comme ça parce que les autres me regardent curieusement. Ils ne comprennent pas notre amitié, ils ne voient pas ce que je vois en lui.

On salue Anthony, le propriétaire, et Karuna, l'Indienne si belle qui tient le bar. J'ai eu une aventure avec elle. Ça n'a pas duré. Je crois que c'était surtout l'idée d'être avec une femme qui m'attirait. Mais nous sommes restées amies, proches, et quand on se voit, on se fait la bise et on bavarde. Parfois, elle me provoque avec ses longues boucles et ses doux cils de papillon. Mais je sais que je ne suis pas lesbienne. J'aime trop les hommes. Le corps des femmes a des contours trop fragiles.

On s'assoit autour du canapé. Il y a peu de monde pour un mardi soir, je regarde ma montre, constate qu'il est encore tôt, à peine huit heures et demi. À une autre table, deux Françaises s'efforcent d'avoir une conversation avec un coloured habillé essentiellement en Ruby in the Dust. Je les regarde buter sur les mots, le type essayant désespérément de comprendre ce qu'elles veulent dire. Je sais qu'avant la fin de la soirée, ils se mettront à rire ou à danser, qu'ils arriveront bien à s'entendre de toute façon. Ganesh possède cette magie, il révèle les gens derrière les apparences. Je commande un Black Label pour Tshepo et, pour moi, une Savannah. Tshepo paiera la prochaine tournée. Karuna apporte les verres, elle remarque que Tshepo est perché.

— *Hawu*, bon sang, Tshepo, déjà, chef? Il est même pas dix heures, elle dit.

— Et Mmabatho alors? il se défend.

Je l'incendie du regard.

Arne débarque avec ses copains.

— Je pensais bien que je te trouverais là, il dit en m'embrassant. Il salue Tshepo d'un bref « hey », même s'ils ne se sont jamais rencontrés.

— Tu me surveilles maintenant, je lui dis à l'oreille. Il m'entraîne vers le bar. Karuna s'approche pour prendre la commande d'Arne.

— Alors voilà le type avec qui tu files quand j'ai le dos tourné, il dit en me prenant par la taille.

— C'est pas la peine d'être comme ça, je réponds en me dégageant. Tshepo sait que nous sortons ensemble, détends-toi. Et ne fais pas le con avec lui. Je retourne à la table. Arne me rejoint avec quatre verres qu'il tend à ses copains.

— Désolé, t'en voulais un? il dit en regardant Tshepo.

— C'est bon, merci, répond Tshepo en descendant les dernières gouttes de sa bière, avant de rejoindre une fille au bar.

— J'ai posé la question, il me dit, mais je le foudroie du regard.

Ma copine Nthabiseng fait son apparition. Elle jette un regard circulaire et s'anime quand nos yeux se croisent.

— Quoi de neuf, ma fille? *O ipatile kae?* Tout roule? elle dit en s'approchant pour me prendre dans ses bras. Elle salue Arne et ses amis, s'assoit avec nous. Les autres types la considèrent attentivement, supposant qu'elle est libre.

— Alors, qu'est-ce que vous faites ce soir, les mecs? elle dit.

— Pas grand-chose, répond Arne. Il se passe un truc ?

— Le mardi, c'est pas mal au Piano Lounge, elle dit avec l'air d'une habituée. J'aime beaucoup Nthabiseng mais ça m'énerve cette façon qu'elle a de toujours proposer des trucs alors qu'elle fait partie de ces gens qui n'ont jamais un rond sur eux, ni de bagnole, et qui comptent toujours sur les mecs, ou qui que ce soit à la ronde, pour les emmener et régler la note.

— Je suis claquée en fait, je dis pour éviter une dépense inutile.

— On peut juste traîner ici, elle dit en se mettant à l'aise, attendant que quelqu'un propose de lui payer un verre. Je connais sa technique. Un des copains d'Arne, taillé comme un rugbyman, se prête au jeu. Il parle anglais avec un drôle d'accent allemand.

— Il est arrivé il y a une semaine, explique Arne quand l'autre est parti au bar commander un verre.

Comme d'habitude Anthony observe attentivement tout ce qui se passe dans le bar. C'est son petit monde. Il l'a créé de ses propres mains, jusqu'à la déco. Tout sur les murs, dans les coins et recoins, révèle un peu de ses voyages, de sa culture éclectique. Il change la musique pour alléger un peu l'atmosphère. Boom Shaka beugle « Thobela ». Tshepo se lève pour danser avec la fille à qui il parlait. Arne se détend, il m'invite à l'accompagner en haut sur la terrasse.

On s'assoit contre un mur. Il allume un petit joint, il me le tend. La soirée est chaude, le ciel incroyablement noir. La Voie lactée nous passe dessus en diagonale.

— J'aime pas quand tu joues les petits copains jaloux, je lui dis, c'est pas sympa.

— Eh bien moi, je déteste la façon dont tu te comportes avec ce type.

— C'est juste un copain. Où est le problème ?

Il ne répond pas. On finit le joint, on retourne à l'intérieur. Arne appelle ses amis pour partir. Je l'embrasse sur la joue mais il reste distant. Nthabiseng part avec eux. Tshepo revient à la table quand il me voit seule.

— T'as l'air un peu en colère, allons à côté, il propose.

J'embrasse Karuna en partant. On va à côté, chez A Touch of Madness.

Nous sommes accueillis par un grand type mince, l'air délicieusement efféminé. Il nous montre une table mais nous préférons aller en haut. On grimpe l'escalier étroit et raide pour rejoindre une petite pièce au plafond bas. Le décor est baroque, de riches draperies en velours marron pendent des tringles. Le plancher grince comme s'il avait des histoires à raconter. L'atmosphère est étrange. J'ai l'impression que les gens parlent de nous. Je sens leurs regards sur nous. Tout le monde semble chuchoter, les sons se propagent si facilement. Nous nous asseyons près de la fenêtre, avec une bonne vue sur la petite pièce. Tshepo commande du thé et un gâteau au chocolat. Je prends un cappuccino.

— C'est donc lui, Arne, il dit au bout d'un moment.

— Qu'est-ce que t'en penses ? je lui demande.

— Qu'est-ce que tu veux que j'en pense ? C'est ton petit ami, il dit avec l'intention manifeste de ne rien avoir à ajouter. Je ne peux pas lui en vouloir. Arne a été grossier.

Un garçon apporte notre commande. Avec ma cuillère, je prends un peu de la crème de mon cappuccino, c'est délicieux. Tshepo me fait goûter son gâteau.

— Tu sais, cette fille avec qui tu parlais ce soir ? je commence.

— *Ja*.

— Tu sais qu'elle est lesbienne ? je demande.

— Je sais… Et alors ?… J'étais pas en train de la draguer, si c'est ce que tu veux dire. On a juste discuté et passé un bon moment, il dit.

— Comment se fait-il que quand quelqu'un te plaît, tu ne m'en parles jamais ? je tente.

— Je savais pas que je devais, il répond, le regard fuyant.

— Non, c'est juste que tu parles jamais de personne ; dans ta chambre, je vois jamais ces photos bébêtes des personnes à qui tu serais attaché, je continue.

— *Ja*, eh bien, *ha re tshwane kaofela*. Ce sont tous des singes. J'aime pas parler de ces choses-là, il dit en buvant son thé.

Je lui parle de ma nouvelle pièce, de mon personnage de chanteuse de blues des années 1940, amoureuse d'un salaud dont elle n'arrive pas à se détacher. J'ai discuté avec d'autres femmes de leurs histoires d'amour foireuses, pour essayer de comprendre ce que ces types, menteurs, briseurs de cœur, font et disent pour qu'elles reviennent à chaque fois. Ce travail de recherche m'aide à mieux cerner mes personnages.

Il est partagé entre ce que je lui dis et sa propre rêvasserie. Je ne lui en veux pas, je parle bien trop de ça. J'ai discuté avec Karuna de ce genre de type, elle n'avait rien d'encourageant à dire. « C'est pas que je coucherais avec un mec, mais je me méfie du charme chez un homme, elle m'a dit. Du charme et une bite, c'est une combinaison mortelle. »

— C'est bon d'être dehors, il dit en soupirant.

— Ça avait l'air d'être vraiment la merde là-bas, je dis pour compatir mais il ne répond rien.

Il finit son thé, parcourt la pièce du regard.

— Je meurs d'envie de te poser une question.

— Tu es pleine d'interrogations ce soir, il dit rapidement. Qu'est-ce qui se passe ?

— Pourquoi tu parles jamais de ta mère ou de ton père ?

— Pfffuu, sacrée question. Pourquoi est-ce qu'on parle jamais de ses parents ? Je sais pas. C'est compliqué.

Il se passe la main sur le front, joue avec ses cheveux. Au passage du serveur, je lui demande d'apporter un autre thé à Tshepo, ce qu'il fait rapidement. Je continue à boire mon cappuccino, tandis qu'il sirote son thé. De l'autre côté de la pièce, un couple continue à nous observer, puis ils se donnent des coups de coude en chuchotant. J'essaie de les ignorer.

— J'aimais ma mère, il commence, peut-être trop. Rien ne remplace une mère. L'amour d'une mère peut te sauver quand tu es tenté de sauter dans le vide ou d'appuyer sur la gâchette. J'aurai toujours du mal à exprimer tout ce qu'elle représentait pour moi.

— Et ton père ? je demande avec précaution.

Il soupire à nouveau.

— Notre relation est difficile à décrire. On s'entendait bien, mais il m'énervait aussi. Je crois pas que j'étais le genre de fils qu'il souhaitait. On peut avoir de l'amour pour quelqu'un de sa famille et ne pas le supporter. Je crois que c'était comme ça avec mon père. Il aimait pas qui j'étais, il dit doucement, presque pour lui-même, perdu dans ses pensées.

Il reste comme ça, en silence, songeur.

— Je me sens nul, il dit finalement.

— Désolé. Je voulais pas te bouleverser, je dis.

— Non, ça va. C'est juste que je commence à avoir l'impression de plus avoir d'issue. Tu vois ce que je veux dire ? Non, évidemment. Il y a pas mal de choses qu'il faut que je règle. Ma vie est en train de me rattraper.

Il se tait à nouveau, il redevient l'individu que j'ai vu à Valkenberg. Je l'écoute.

— On était tous endormis quand ils sont entrés, il commence soudain, tenant sa tasse à deux mains, comme pour absorber sa chaleur, son réconfort. Il me regarde à peine. Ses yeux courent à la périphérie de mon visage, sur la table derrière, il parle doucement, comme on découvre une blessure. Il devait être trois heures du matin. Je me souviens pas. En tout cas, j'avais dix-sept ans. Je me souviens de maman qui me réveille. Mon père était déjà debout. Elle dit, il y a quelqu'un dans la maison. Papa dit qu'il a déjà appelé la police.

Le serveur passe pour demander si tout va bien. Je lui souris, il s'en va.

— Nous nous sommes enfermés dans la chambre de mes parents. Tous les trois. Terrifiés. Au bout d'un moment, on a entendu des pas dans le couloir. Ils étaient plusieurs. Ils ont commencé par défoncer la porte à la hache. On aurait dû crier, mais impossible. On était paralysés par la peur, assis sur le lit. Je me souviens que je serrais la main de maman dans la mienne.

Il se tait un instant, son regard est doux et vulnérable. Il a la tête légèrement penchée, comme quand il réfléchit à quelque chose.

— Je t'ai déjà parlé de tous ces cousins que j'ai? il dit en changeant brusquement de sujet. Je le regarde, surprise, mais il n'a pas l'air de remarquer; du coup, je ne dis rien.

— J'ai des douzaines de cousins, surtout du côté de mon père. Mais ma mère ne s'est jamais bien entendue avec celle de mon père. Elle est difficile, ma grand-mère. Très exigeante, jamais contente. Je crois pas qu'elle soit heureuse. Les gens durs sont souvent des gens malheureux. C'est difficile de parler d'elle. Elle a fait vivre un enfer à maman. Je sais pas si je l'aimais. Elle ne m'a jamais vraiment aimé parce qu'elle pouvait pas souffrir ma mère. Je suppose qu'elle me voyait comme une extension de ma mère. Mes tantes aussi, elles étaient gentilles avec moi, mais distantes avec ma mère. Au cours de mon enfance, j'ai jamais reçu de cadeau de leur part pour mon anniversaire. Pas le souvenir qu'elles aient jamais dit bravo ou félicitations, le genre de trucs que disent les tantes. Tu sais, c'était bizarre de grandir comme ça, sans vraiment avoir de famille, parce que c'est l'impression que ça donnait. Ça a toujours été comme ça avec la famille de mon père. On était un peu paumés, on n'a jamais eu l'impression de faire partie de la même famille. Ma grand-mère régissait le foyer d'une main de fer. C'était un bulldozer. Mon grand-père faisait de la figuration, une simple présence. Elle l'avait complètement castré.

Il se lève pour aller aux toilettes. En face, le couple revêche continue à nous fixer. « Il y a un problème? » je finis par leur demander quand Tshepo a quitté la pièce. C'est un jeune couple, à peine trente ans, je dirais. Les gens des autres tables nous regardent. « Quoi ? Je ne comprends pas », dit la femme, « on s'en va », elle ajoute pour son compagnon. En partant, elle marmonne quelque chose comme « ils sont partout ». « Qu'est-ce que vous regardez ? » elle dit agressivement en passant près de moi. « Oh, ça va, allez-vous en », je leur dis.

— Mauvaises herbes, me dit une femme seule à la table d'à côté, faut les couper avant d'être envahis.

— C'est vrai, je dis, encore un peu tendue.

Tshepo revient bientôt, l'air défait. Il joue avec son thé avant de reprendre.

— Ils ont défoncé la porte. Ils étaient cinq. Qu'est-ce que vous voulez ? Prenez notre argent, prenez nos voitures, a supplié mon père. J'étais assis à côté de maman, je m'accrochais à sa main. Ils ne portaient pas de passe-montagne, n'essayaient pas de dissimuler leurs visages. Ils agitaient leurs flingues dans tous les sens. Ils ont attaché papa à une chaise avec du gros scotch, ils l'ont mis dans la salle de bains à côté. Ils voulaient le bâillonner mais leur chef a décidé que non. J'ai parlé de ça à personne à part mon psychologue, il dit avec effort.

— T'es pas obligé de continuer.

— Ensuite, ils ont pris ma mère. C'est pas la peine d'être brutal, elle leur a dit calmement. Je sais ce que vous voulez. Tshepo, elle a dit en me regardant. J'ai commencé à pleurer. Ils l'ont laissée se déshabiller. Je suis allé dans la salle de bains avec papa. Ils ont tous pris leur tour avec elle – tous les cinq. Ils ont fait ça à ma mère magnifique. Elle pleurait mais elle n'a pas crié. Papa n'a rien dit pendant tout ce temps. Rien.

Puis l'un d'entre eux est venu me chercher dans la salle de bains. J'ai fermé les yeux parce que ça m'aurait tué de voir ce qu'ils avaient fait à maman. Maman, j'ai dit, maman, avec les yeux fermés. Elle a pas répondu, je l'ai entendue gémir doucement. Je les ai entendus l'emmener, j'ai crié maman, maman. Tshepo, elle a soupiré comme ils l'emmenaient. Ensuite, les deux autres m'ont jeté sur le lit, ils ont arraché mon pantalon de pyjama. J'ai ouvert les yeux et hurlé non. Un pénis déformé, taché de sang me regardait.

J'écoute épouvantée. Il y a un calme étonnant dans ses yeux. Le regard de quelqu'un qui a été dans l'œil du cyclone et qui a survécu. Il continue.

— Il y en a un qui m'a pris par-derrière alors que l'autre m'a à moitié étouffé avec sa bite. Ils rigolaient. Tu penserais qu'ils devaient avoir l'air dingues, mais pas du tout. Ils avaient juste l'air de bien s'amuser. Ensuite, dans tout ce chaos, j'ai entendu deux coups de feu à l'extérieur. J'ai hurlé. J'ai crié parce que je savais qu'ils étaient pour maman. Quand je me suis pissé dessus, ils m'ont relâché.

— Mais ton père… je dis, écrasée en pensant à tout ça.

— Il a jamais appelé la police. La première chose que j'ai vue en m'habillant, c'est une tache de sang sur le tapis où était ma mère. Ensuite je suis passé dans la salle de bains, j'ai regardé mon père. Il a pas pu affronter mon regard. Il a commencé à pleurer. J'ai pris son téléphone, composé le 10111. Ils m'ont trouvé assis sur le lit. Ils ont d'abord détaché mon père et puis il leur a parlé de ma mère. Nous l'avons retrouvée avec deux balles dans la tête sur le siège avant de la BMW. J'ai pas prononcé un mot.

Il s'est occupé des funérailles rapidement. Elle a été enterrée deux jours plus tard, ce qui était inhabituel. Tu sais, *bo darkie ba jwang ka kepelo*, comme les noirs attachent de l'importance aux funérailles. En tout cas, j'ai pas pu le regarder pendant toute la cérémonie. Quand ils ont mis le cercueil en terre, je me suis mis à pleurer. Il a essayé de me consoler mais je l'ai repoussé. Ensuite j'ai perdu les pédales.

J'ai été admis à Sterkfontein, puis à Tara. J'étais supposé y rester. C'était l'idée. Il pensait que je m'en remettrais jamais, psychotique à vie. Il voulait redémarrer à zéro, refaire sa vie. Mais j'ai guéri et je me suis souvenu de tout. On m'a relâché.

— Désolé de te demander ça, mais… pourquoi a-t-il fait ça ? je dis en repassant le film de cette horreur dans ma tête.

— L'argent. Le pouvoir. Les scandales ont toujours les mêmes ressorts. Plus tard, j'ai découvert que mon père était connecté à la mafia, ils l'avaient recruté. Ma mère s'en était doutée. Elle a jamais été d'accord, il le savait. J'ai trouvé ça dans son journal intime. Elle souffrait terriblement de ses agissements. Pour faire court, elle était en position de le faire accuser si jamais elle décidait de le dénoncer. C'est pour ça qu'il l'a tuée. Il trempait dans plein de mauvais coups, elle aurait pu le faire condamner à vie. J'ai aussi découvert qu'il avait gagné un peu d'argent dans l'histoire, il se trouve qu'il a récupéré un joli paquet d'argent sur son assurance vie. Il en avait pris deux à son nom. Mon père est un homme d'affaires avisé. J'ai passé les années suivantes, jusqu'après mes vingt ans, à rechercher la vérité. Ça m'a presque tué. Ça a été l'enfer, mais je suis content de savoir ce qui s'est passé.

— Et où est ton père maintenant ? je dis, abasourdie que quelqu'un puisse réellement avoir un père comme ça.

— J'en sais foutre rien. Je l'ai pas vu depuis des années. J'ai de ses nouvelles de temps en temps, tu sais, les trucs habituels. Est-ce que tu as assez d'argent et tout ça. En dehors de ça, nous ne nous parlons pas. Mais je sais que c'est un ponte de la mafia désormais, couvert de pognon. J'aime pas parler de lui, c'est pour ça que je dis aux gens qu'il est mort dans un accident de voiture avec ma mère. Je suppose que je me suis senti orphelin la nuit où elle est morte.

Il boit un peu de thé. Il doit être froid maintenant. J'ai du mal à imaginer ce qu'il peut ressentir.

— Je sais pas quoi dire, j'essaie, mais je me sens à côté de la plaque.

— T'excuse pas, ça arrive, OK ? il me dit bravement mais il y a plus que de la bravoure dans sa voix. C'est comme ça, c'est tout.

Je suis son conseil, je hoche doucement la tête, pour m'excuser.

— Quand on m'a laissé sortir, j'ai découvert qu'il m'avait laissé de l'argent. Du coup, je suis resté chez une tante, du côté de ma mère. Elle m'a fait reprendre mes études. Du côté de mon père, j'ai plus jamais entendu parler d'eux. J'ai même découvert des trucs encore plus dérangeants de leur côté.

Mon père a quatre sœurs et trois frères, deux sont morts, une sœur et un frère. C'est lui l'aîné et ils en ont bien conscience. Il les a terrorisés quand ils étaient plus jeunes. Je t'ai dit un mot de ma grand-mère. C'est une sorte de tyran. Eh bien, mon père était un peu comme elle. Dans la famille de mon père, ils sont fous. Tu sais ce qu'elle a fait, ma grand-mère ? Tu devineras jamais. Elle a fait faire un enfant à sa fille aînée par mon père.

— Comment ça, elle a obligé ton père à engrosser sa sœur ? C'est répugnant.

— Exactement. Ma grand-mère, elle est malfaisante, tu vois... Hum... Tu la connais pas. Elle les a obligés. Elle était leur mère, ils ont obéi.

J'ai un cousin, il s'appelle Mpho. Un peu plus âgé, de quelques mois. Si tu le regardes bien, tu verras la ressemblance, le sang de mon père. Le nez, l'implantation des cheveux. Toute la famille a toujours plaisanté sur le fait qu'il ressemblait à son oncle, mon père. Si seulement ils savaient. Ou peut-être ils savent, qui sait ? Dans cette famille, il y a trop de cadavres dans le placard. Je ne sais même pas qui sont mes ancêtres au-delà de mes grands-parents paternels. C'est comme une impasse. Tout est teinté de mystère.

— Mais pourquoi ta grand-mère a fait ça ?

— J'ai réfléchi à ça pendant des années. Je sais pas, c'est juste trop sombre pour comprendre. Peut-être un truc rituel ? Ou de la malfaisance pure et simple.

— Et ta mère, elle savait ça à propos de ton père et sa famille ?

— Je crois pas. Alors, mon demi-frère maintenant, je l'appelle l'Antéchrist, il vit à Jo'burg dans une villa. Il dirige un réseau de vol de voitures, entre autres. Bien sûr, c'est mon père qui tire les ficelles. C'est pour ça que j'évite d'aller à Jo'burg. C'est trop chargé, il dit en buvant son thé froid.

— Et tes autres oncles et tantes du côté de ton père ?

— Quoi, mes oncles et tantes ?

— Et du côté de ta mère ?

— Ma tante prend souvent de mes nouvelles. Mais j'aime pas l'embêter. Elle a assez de problèmes comme ça, il dit.

— Et l'argent ?

— J'ai un arrangement avec la banque. Il faut que je fasse gaffe avec l'argent qu'il m'a laissé. Il a l'air fatigué.

— Tu as l'air crevé.

— La journée a été longue, il dit en s'étirant. On ferait mieux de partir.

Je regarde ma montre. Il ne reste qu'une seule table encore occupée.

On se lève, on prend nos vestes. J'enfile la mienne lentement, encore sous le choc. Une forme de léthargie qui me fait bâiller, même si mon esprit est encore alerte. Dehors, il y a un peu de vent, mais l'air est toujours chaud.

— À bientôt, peut-être à demain, il dit en partant dans la direction opposée. J'agite la main vers lui. Il s'en va les mains enfoncées dans les poches ; bizarrement, il a l'air bien, pas écrasé par ce qu'il vient de me raconter.

Je me dirige vers Milne Road, je cherche un peu de compagnie, quelqu'un qui me soulage de toute cette tristesse. Je passe devant la maison de Nthabiseng, il y a de la lumière chez elle. Ses bavardages, sa conversation légère, c'est exactement ce dont j'ai besoin. À la porte, je croise une de ses colocataires qui s'en va. Elle me dit que Nthabiseng est là et elle file avec son copain. Je ferme doucement la porte. Dans le couloir, Toni Braxton ressasse son amour perdu. Je suis la musique jusqu'à la chambre de Nthabiseng. Je frappe deux fois, je tourne la poignée. Elle se redresse sur son lit et quelqu'un halète, caché sous les couvertures en désordre. Elle me regarde avec ses grands yeux, je me sens comme une imbécile. La première chose que je remarque, c'est une prothèse abandonnée sur le sol, avec la chaussure d'Arne.

— Ça fait combien de temps que ça dure ? je la regarde. Arne, tu peux sortir maintenant.

Sa tête émerge, les cheveux tout ébouriffés. Il ne dit rien du genre je peux tout t'expliquer, c'est pas ce que tu crois, aucun de ces clichés débiles que les hommes utilisent dans ces circonstances. Il me regarde juste. L'odeur d'un parfum bon marché flotte dans la pièce.

— Tu peux passer prendre tes affaires chez moi demain après-midi. Pendant que tu y es, rapporte les miennes. Dégueu. Je veux plus jamais vous revoir, je leur dis en sortant avec autant de dignité que possible. J'ai la gorge nouée, le corps en miettes. Pourvu que je tienne jusqu'à la porte, je me dis en retenant mes larmes.

Je sors rapidement.

Je rentre à la maison en larmes. J'aurais jamais dû miser sur un mec sans lendemain, je me dis. J'aurais dû m'en douter. Tu es attirée par les mecs qui ne savent pas tenir leur pantalon, j'entends me dire la voix de Tshepo dans ses bons moments. Nous les mecs, on est des salauds, mon chou. On joue avec vous comme avec des marionnettes. On simule des émotions juste pour vous attirer dans notre lit. Et vous, vous simulez des orgasmes pour nous y retenir. Nous, on simule même des disputes. Quand on en a assez, on s'excuse et on se tire. C'est de ma faute, on dit. L'imbécile, c'est moi. C'est le bordel dans ma tête. C'est pas toi. J'ai besoin de temps. Il faut qu'on fasse une pause, on dit, mais on veut encore que vous couchiez avec nous. Et vous le faites parce que vous nous croyez, vous voulez que ça marche. Alors on file dans le lit d'à côté et on commence une nouvelle histoire.

Mais parfois vous nous rattrapez. On finit par vous aimer vraiment, par s'attacher. C'est encore pire parce qu'on devient jaloux, on fait n'importe quoi pour vous garder, jusqu'à vous cogner. Je la dresse, on dit après lui avoir esquinté la moitié du visage d'un coup de poing, juste parce qu'elle a regardé un autre type.

Mais c'est pas la même chose avec les mecs blancs, hein Mmabatho, je l'entends me dire. Ces types *ha batswe kasi*. Ils connaissent rien aux passades. *Ja*, les mecs blancs, ces histoires de vérité et d'honnêteté, ils achètent. Ils disent, parlons-en. C'est comme si je voyais Tshepo se moquer de moi. *Ja*, les mecs blancs, je sais que tu l'aimes bien, il disait de David quand je sortais avec lui. Mais te fais pas avoir, c'est quand même un mec. Tu sais, avec un pénis. Ce truc, ça nous trahit toujours, il disait en rigolant.

J'aimerais pouvoir rire de tout ça, au moins en parler calmement. C'est juste un mec sans importance. J'aimerais que ces histoires n'arrivent qu'aux personnages que j'incarne. Peut-être que le concept même de « mec sans lendemain » n'est qu'une prophétie autoréalisatrice.

J'allume une cigarette, je rentre à la maison, les joues trempées. Heureusement, je ne porte pas de mascara.

TSHEPO

Ça me prend un moment avant d'aller à l'université. Mmabatho m'a prévenu, tôt ou tard, tu vas devoir y aller. Les devoirs que je devais rendre il y a un mois me pèsent, je rassemble mon courage. Je n'ai jamais été fort pour affronter les déceptions, encore pire quand c'est moi qui déçois les autres. Un matin, je finis par prendre un taxi pour aller en ville.

Quand j'arrive là-bas, j'évite le regard des autres. Tous ces vautours qui déblatèrent sur mon compte, qui racontent n'importe quoi sur ce qui m'est arrivé, ils chuchotent, se poussent du coude quand je passe. Il a pris des acides. Il a pris de l'ecstasy. Il a fumé du Malawi Gold. Il se drogue depuis le début de l'année, c'est ce que certains racontent d'après Mmabatho. Ceux avec qui je fumais à l'heure du déjeuner, ils diraient n'importe quoi juste pour éviter de se regarder en face. Des vautours, tous des vautours qui n'attendent que votre chute. Demain, ce sera le tour d'un autre.

Je me demande parfois pourquoi Mmabatho prend la peine de me tenir au courant. Je me fiche de ce que les gens disent. Mais au fond de moi, non. J'imagine qu'elle fait ça pour que je ne recommence pas. Pour que je renonce à l'idée de fumer un autre joint, pour que je me rappelle que les gens sont inconstants et cruels, et qu'ils vous reprennent leur amitié si vous les y poussez. J'imagine qu'elle croit qu'ils me rendent service en me traitant comme un paria. C'est une bonne leçon, elle doit se dire.

Je passe devant les glandeurs qui traînent à côté de la cafétéria, qui fument sans cesse en discutant de trucs qui n'intéressent personne, je me rends au bureau du conseiller d'éducation. La secrétaire, une femme souriante avec un visage qui pourrait calmer n'importe qui, m'invite à m'asseoir pendant qu'elle appelle M. Andrews.

— Entrez, je vous prie, il dit en me voyant. Il a un large sourire. Son bras tendu, manches retroussées, est couvert de poils. Je serre sa main large et lourde.

— M. Andrews, je commence en m'asseyant dans son bureau spacieux.

— Appelez-moi donc Mark.

— Ça fait maintenant un mois et demi que je ne suis pas venu en cours, je crois que j'ai trop manqué. Donc j'arrête. Je reprendrai l'année prochaine, je dis d'une traite, un peu nerveux à l'idée de devoir me justifier.

Il prend un moment avant de répondre.

— Pourquoi avez-vous été absent si longtemps ? La question que je redoutais. Mais son regard n'est pas menaçant.

— Hmm... je, euh... Il reste, patient, calme, attentif. J'étais à Valkenberg.

Je m'attends à ce qu'il soit choqué, mais son attitude ne change pas. Il y a de la bonté dans son visage.

— Comme ça, vous pensez que vous avez été trop absent, il répète comme font les gens qui essaient de comprendre.

— Oui, je dis un peu ennuyé, pas vraiment envie d'expliquer davantage.

— Qu'allez-vous faire après ?

— Je pensais être serveur ou travailler dans une librairie, je sais pas, quelque chose dans le genre.

— Je pose la question parce que vous dites vouloir revenir l'année prochaine. C'est plus facile de redevenir étudiant si vous avez continué à faire marcher votre tête, en travaillant dans une librairie par exemple.

— Écoutez, ça a été dur. C'est pas facile d'être interné et que tout le monde soit au courant.

— Je suis sûr que ce n'est pas facile.

— Le truc, c'est que je ne suis pas capable de retourner dans ma classe. C'est juste impossible de les regarder en face. Du coup, je veux me désinscrire.

Après ça, il cesse de me poser des questions. Il me souhaite bonne chance et me dit de passer au bureau des inscriptions. Une petite dame efficace m'aide à me désinscrire. Et c'est fini. Je quitte le bâtiment, je me retrouve dans la rue en pleine effervescence. Dans le ciel, les nuages se font menaçants.

Pendant trois jours, je scrute les annonces à la recherche d'un nouvel appart. Chez Spar, je finis par repérer une offre pour un appartement à Wynberg. Un après-midi, je prends le train pour y aller.

Je descends à la gare de Wynberg. Elle grouille de vendeurs itinérants qui essaient de fourguer leur matos. L'appartement est tout près à pied, au 17 Ergham Court. À la porte, une belle femme au teint café m'accueille.

— Entrez. Entrcz. Elle a de riches intonations exotiques, venues de beaucoup plus au nord en Afrique. Un grand homme sombre se tient derrière elle. Il est plus indigo que marron foncé, sa peau brille dans la lumière. On passe au salon en faisant les présentations.

— Voici mon épouse, Akousia, il dit poliment, mélange intéressant d'accents chez lui aussi. Elle serre ma main en la prenant dans les siennes.

Et je m'appelle Patrick, il dit en me serrant fermement la main. Je souris bêtement en fixant leurs traits étrangers. Ils sont très beaux et leurs yeux brillent. Ils brillent d'espoir, je pense. On va réussir en Afrique du Sud, semblent-ils dire.

— Asseyez-vous, je vous en prie. Je vais faire du thé, dit Akousia.

Je m'assois sur le modeste canapé du salon. Un masque menaçant, avec de profondes entailles sur les joues et une abondante chevelure de paille, est accroché au mur, dominant la pièce. C'est le visage d'un dieu sévère.

— Ce masque est magnifique. Il vient du Congo ? je demande en prenant un biscuit offert par Akousia. Je croque dedans, il est rassis. Je prends une longue gorgée de thé et j'avale rapidement.

— Non, ça vient du Ghana, mais je suis de la RDC. Ma femme vient du Nigeria.

Il a dit ça un peu sur la défensive. Même le visage d'Akousia est grave. Je m'imagine le nombre de fois où ils ont dû répéter ça.

— Donc, voilà l'appartement.

— Vous voulez certainement visiter, propose Patrick, son visage s'éclaire.

— Certainement.

C'est un appartement de deux chambres, avec un salon, une cuisine et un petit couloir nu. La salle de bains est raisonnablement petite.

— Vous pouvez prendre cette chambre, dit-il en désignant la plus petite. La lumière se déverse depuis une grande fenêtre d'où on a une large vue sur la montagne endormie. Il ouvre une porte qui mène à un petit balcon. Une courte corde pour étendre le linge.

— J'espère que ça ne vous dérangera pas si nous passons pour utiliser la corde à linge, il dit en souriant. Je remarque que sa femme se tient toujours légèrement en retrait.

Rien à dire. C'est propre, ça a l'air neuf. Et puis, ils sont noirs. Je ne serai pas obligé de défendre ma culture en permanence. Je suis fatigué de toute cette histoire de race, de devoir parler au nom de mon sang et de mes frères, sans arrêt à me défendre contre ci ou ça. Là où je vivais avant, à Wrensch, il y avait trop de malentendus raciaux. J'ai grandi dans une famille où on mangeait bien. Et bien manger, ça veut dire faire un bon dîner. La plupart du temps, à Wrensch, pour le dîner, ils se préparent juste une salade ou un sandwich. Et puis ils sortent. Et je me retrouve seul devant la cuisinière, ça coûte cher quand on cuisine pour une seule personne. J'aime pas particulièrement ce système du chacun-pour-soi où tout le monde achète sa propre bouffe et la garde dans son propre placard. Ça pousse à la radinerie, ça ne favorise pas l'esprit de communauté.

Quand j'étais plus jeune, un repas, ça voulait dire du monde, rire et partager. Avec maman et son tablier rouge dans la cuisine, en train de frire, de touiller, l'esprit léger, en discutant avec quelqu'un. À Wrensch, la nourriture est soit quelque chose qui prend de la place dans un placard, soit l'objet de la même rigueur esthétique qu'une œuvre d'art. Ils discutent à n'en plus finir d'un fromage, d'une épice ou d'une huile d'olive venue d'une région reculée d'Italie. Nos goûts diffèrent. Ce qui compte pour moi, c'est le partage, quand eux se concentrent sur la préparation. Rien à dire de floral sur la semoule, sauf que bien préparé, c'est bon et consistant. Des trucs aussi simples et terre à terre que ça, ça leur passe au-dessus de la tête.

— J'aime beaucoup cet endroit.

— Asseyons-nous ici, dit Patrick en montrant le salon. Je suis frappé par son sens de la cérémonie, alors qu'il va s'agir de parler d'argent. Avec lui, je sens qu'il y a une bonne et une mauvaise façon de se comporter. Akousia a soudain quelque chose à faire à la cuisine. Patrick s'assoit sur le bord de son siège, les mains jointes.

À peine nous sommes-nous mis d'accord sur le montant du loyer que la sonnette retentit.

— Ce doit être la propriétaire, dit Patrick en se levant.

La femme salue Akousia dans l'entrée.

— C'est votre propriétaire ? je m'exclame. Je la connais. Sœur Hendriks, comment allez-vous ?

Elle sourit avec embarras. Je m'avance pour l'embrasser, mais elle tend sa main pour serrer la mienne.

— Tshepo ! Bien, bien. Quelle coïncidence, elle dit avec un petit rire forcé.

— Ah, alors vous vous connaissez ? demande Akousia.

— Oui, je réponds mal à l'aise.
— Oui, je connais ses parents, ment-elle.

Le salon a l'air plus petit maintenant que tous les sièges sont occupés. Akousia sert à nouveau du thé et des biscuits. Le thé est toujours tiède et les biscuits secs. Sœur Hendriks n'en semble pas affectée. Elle boit et mange avec plaisir.

Elle m'annonce que je peux emménager le lendemain. Au bout d'un moment, elle disparaît dans la cuisine avec Patrick, ils discutent à voix basse. Akousia m'en dit un peu plus à propos du masque sur le mur. Puis sœur Hendriks prend congé et s'en va. Patrick et moi parlons de la violence dans les taxis, de la violence en général au Cap. Pour chaque histoire sanglante que je lui raconte, il m'en trouve une pire sur Lagos ou d'autres villes d'Afrique. En le regardant de plus près, je remarque deux longues cicatrices sur son visage, une sur le côté de la joue gauche, l'autre sur le haut du front. Elles sont difficiles à remarquer, bien dissimulées par sa magnifique peau sombre. Ses dents sont d'un blanc d'ivoire. Quand je lui demande si Wynberg est sûr, il répond évasivement, ça existe, un endroit sûr ?

J'acquiesce, la vie est dangereuse. Plus nous parlons, plus je mesure son sérieux. Même son humour est discret, teinté d'ironie. Ça le fait rire quand je lui dis combien je payais à Wrensch pour partager une maison. Pour ce prix, je pourrais avoir mon propre appartement, il dit.

Je commence à me noyer dans un monde irréel. Je vois dans tout ce qu'il dit un sens caché, tout me paraît étrangement profond. Tout est difficile, il dit, son visage est calme, mais ses yeux en disent davantage. On discute de la pauvreté dans les townships. Il parle avec l'autorité d'un prophète, il a des gestes de chef d'orchestre. On discute de beaucoup de choses, la plupart m'intéressent. J'éprouve un sentiment bizarre et plus je m'interroge sur la raison de ce malaise, plus je prends conscience que Patrick me trouble. Dans les moments de silence qui parsèment notre conversation, je suis troublé par les questions qu'ils semblent soulever. Comme s'il en disait davantage en ne disant rien, en répondant à certaines de mes questions par un rictus évasif, un sourire entendu. À lui seul, son visage communique tout un univers. Je commence à comprendre pourquoi Akousia se tient toujours derrière cet homme impressionnant, si subtil à sa façon. Tout ça m'angoisse, je trouve rapidement une excuse pour m'éclipser.

Une fois dehors, mes forces retrouvées, je me dis qu'il ne faudra jamais que je déconne avec Patrick. Il y a trop de strates en lui, une noirceur sinistre fait parfois surface dans certains silences, dans la réserve et l'humilité d'Akousia, intelligente mais timide. Sous la politesse virile de Patrick, je perçois une certaine cruauté, le sentiment de quelqu'un qui a été atteint dans des zones fragiles. Certaines blessures ont beaucoup de mal à cicatriser.

DAVID

Avec Ntombi, nous sommes contents de voir que Tshepo est à nouveau sur pied. On l'invite à dîner un soir. Rien de spécial ; je fais du riz avec une soupe de légumes et un peu de viande. Litha, la femme avec qui nous partageons la maison, est ici. Et aussi nos bons amis, Elizabeth et Sam. Tshepo mange bien, il en reprend même. Je note quand même qu'il a l'air plus maigre. De sombres cernes sont venus éteindre un certain éclat dans ses yeux. À la fin du repas, je propose un spliff. Elizabeth, Sam et Tshepo sont partants.

J'ai une Swazi puissante qu'un ami danois m'a laissée. Je la retire du vase sur la cheminée, je commence à nettoyer la grosse tête avec précaution, m'extasiant sur les grosses graines sombres. Elle est toute fraîche. Je peux encore sentir l'effluve d'une vallée sauvage, peut-être du côté de Port St Johns. Je finis par rouler deux longs cônes. Je n'aime pas trop que plusieurs joints tournent en même temps, du coup je n'en allume qu'un.

— Alors, qu'est-ce tu fais maintenant ? je lui demande.

— J'essaie de trouver un boulot. Je sais pas, peut-être un job de serveur au Spur, quelque chose comme ça, il dit.

— Serveur ? Au Cap ? demande Elizabeth, alarmée.

— *Ja, aish,* c'est un boulot de merde au Cap, ajoute Ntombi.

— Ça paie rien. Les Allemands sont des rats. Tout le monde sait qu'ils ne laissent pas de pourboire, souligne Elizabeth.

— Et les Français ? demande Tshepo.

— Oh, leur réputation est surfaite. Ils brassent beaucoup d'air. Quand tu t'es occupé d'eux toute la soirée, ils finissent par trouver un prétexte pour se plaindre et ne rien te laisser du tout. Des connards, vraiment. Bizarrement, c'est finalement les Sud-Africains qui sont les plus généreux.

— Bon, c'était une idée, il dit, désappointé.

— Tu as un diplôme de journalisme, non ? je demande.

— Oui, il soupire en levant les yeux au ciel.
— Tu pourrais essayer l'*Argus*. On m'a dit qu'ils sont toujours en train de chercher, je dis en lui passant le joint pour la deuxième fois.
— Je suis pas journaliste.
— Peut-être un truc à la radio.
— C'est quoi, ça? Ça suffit, les gars. Je trouverai bien quelque chose, il dit en tirant la dernière latte du joint.
On laisse tomber le sujet, on allume la télé. Une émission spéciale du *National Geographic* sur les vagues tueuses. On contemple avec émerveillement la puissance de la nature, son étonnante capacité destructrice. Une ville côtière du Japon est détruite en l'espace de quelques minutes par un tsunami dévastateur.
— Je crois qu'il faut que je consulte un guérisseur, dit soudain Tshepo.
Il se lève, va aux toilettes, il y reste dix bonnes minutes. Je m'inquiète un peu, je l'appelle, mais il ne répond pas. Je toque à la porte plusieurs fois avant de tourner la poignée.
Je le trouve assis sur les toilettes, la lunette baissée, le visage dans les mains.
— Ça va pas, chef?
Il secoue la tête et renifle bruyamment.
— Allez, remets-toi, ça peut pas être si terrible, je dis maladroitement. Ntombi est meilleure que moi à ça.
— Tu sais pas ce que c'est, il dit en relevant la tête. Ses yeux sont rouges, pleins de larmes.
Il pleure. Au bout d'un moment, il se regarde dans la glace et réussit à rire un peu, je crois qu'il fait ça pour moi.
— J'ai une gueule effrayante, il dit gravement.
Il a les pommettes saillantes, le visage creusé, comme si quelqu'un avait sculpté ses traits avec un instrument très pointu.
— Pas vraiment.
— Tu es un vrai ami, mais tes mensonges n'y changent rien. Je sais que j'ai un air affreux.
— Tu oublies que je t'ai vu dans ton numéro de bronzage intégral à Salt River, je plaisante pour essayer de l'égayer.
Je le laisse, il revient quelques minutes plus tard. L'air moins bouleversé mais ses yeux restent gonflés. Les autres sont contents de le voir mais ne le manifestent pas trop. Je brûle un peu de *mpepho*, j'allume un autre spliff. On le fume lentement, pour permettre au parfum purifiant du *mpepho* de chasser les démons qui sont après Tshepo.

— Écoute, mon pote, tu vas t'en sortir, dit Sam avec confiance au bout d'un moment. Tshepo ne répond rien, il est distant, quelque part dans les profondeurs de son imagination. Il s'enferme dans le silence et l'isolement. Ntombi me pousse du coude.

— Les gars, faut que j'y aille, il dit soudain en se levant.

— OK. Je ne vais pas discuter avec lui, même si je crois qu'il ne devrait pas rester seul. Puisque t'as rien à faire et que ma thèse n'avance pas, je me demandais si ça te dirait d'aller à la réserve naturelle demain. On dit toujours qu'on devrait y aller. Alors, ça marche ?

— Sûr.

Je sais qu'il ne va pas rentrer chez lui. Il va errer dans les rues comme un vagabond. Mmabatho dit qu'il déambule souvent comme ça jusqu'aux petites heures du matin, à la recherche de Dieu sait quoi. Une fois, elle est tombée sur lui par hasard, en ville, sur Long Street, il ne l'a pas reconnue. Il est juste passé comme un zombie.

Il vient me chercher tôt, juste avant que Ntombi ne parte au boulot. Il se trouve un truc à manger pendant que je m'habille. On prépare un déjeuner léger, deux avocats et des sandwichs au fromage. Et bien sûr notre kit de survie, des joints déjà roulés, du *mpepho*. La route est chouette jusqu'à la réserve. Il est taciturne mais ça ne me gêne pas, le matin moi aussi je me tais. On arrive là-bas après dix heures, on gare la voiture à quelque distance de l'entrée.

C'est une journée chaude, je transpire déjà. J'ai un short à l'arrière du pick-up. Je l'enfile rapidement pendant que Tshepo enlève ses chaussures. On démarre par un chemin qui monte le long d'une petite pente avant que le terrain ne redevienne plat. Je marche devant, Tshepo suit. On marche environ une heure dans le *fynbos* en suivant un sentier étroit supposé nous conduire à un petit lac. Tshepo est inhabituellement silencieux.

— Peut-être on devrait s'en fumer un petit, non ?

— *Ja*, bonne idée, il répond.

On trouve un gros rocher où s'asseoir, on allume.

— Est-ce que t'as déjà eu l'impression d'en avoir trop vu ? il demande, la tête légèrement penchée, le regard au loin.

— Ouais, peut-être... Il comprend que je ne sais pas de quoi il parle.

— J'ai l'impression que le temps converge, il reprend, j'ai l'impression que tout essaie de se fondre, mais il y a de la résistance, du frottement, de la colère. C'est difficile à expliquer. Ça me fait peur, parce qu'elle est significative, cette turbulence. Je sais d'où elle vient et où elle va. C'est dingue. Il y a tant de choses étranges dans ce monde. Il tire fort sur le joint, regarde de nouveau au loin.

— Qu'est-ce que tu entends par « choses étranges » ? J'allume un brin de mpepho.

— Est-ce que tu crois aux anges ?

— Je sais pas. Je me suis jamais posé la question.

— Eh bien moi, je les vois.

— Et… je fais, encourageant.

— Ils me suivent partout. En train, en taxi, dans les rues. Partout. Je crois qu'ils essaient de me dire quelque chose mais j'entends pas. Trop de musique, trop de trucs qui se passent. Difficile de pas entendre la musique de la folie. Ça me rend dingue. Encore ce mot. Je tressaille.

— Ils ont des ailes ? je demande. Je place le parfum brûlant du mpepho au-dessus de lui.

— Non, ils sont comme toi et moi.

— Alors comment sais-tu que ce sont des anges ?

— Parce que je le sais, tu peux me croire.

— Parce que tu le sais.

— Tu crois que je suis fou. Je le vois dans tes yeux. Je leur ai parlé, tu sais, aux anges. Mais sans ouvrir la bouche. Télépathie, il dit en mettant un doigt sur sa tempe.

Il entend des voix, je me dis.

— Ils sont partout. Dans les supermarchés, les jardins, en ville. Je les ai vus dans Obs.

— Et qu'est-ce qu'ils te font ?

— Rien. Ils me regardent juste. Ils restent silencieux, mais parfois ils disent quelque chose. Un mot ou deux. Ils ne parlent pas en vain, du coup je reste concentré, j'écoute. J'ai croisé des démons aussi.

Je lui passe le spliff.

— Des démons ?

— Oui, des démons, qui sont aussi des gens comme toi et moi.

Il termine le spliff, il enchaîne.

— Parfois, la nuit, quand j'essaie de dormir, j'entends des hurlements affreux. C'est tellement aigu que je peux à peine penser. Un cri animal qui vient de quelque part, je ne sais pas d'où. Comme un dragon enragé, hurlant. Parfois, ça m'empêche de dormir, alors je pars le chercher, je marche dans la nuit.

— On ferait mieux d'y aller, je dis en me levant.

On continue notre chemin. Il se retranche dans un silence hostile.

Il insiste pour marcher devant, il s'écarte souvent du sentier. Quand je suggère que nous restions dessus pour préserver la végétation, il s'énerve. Il se met à pleurer, parle tout seul. Je ne comprends pas ses sautes d'humeur. Pendant un moment, le voyant parler tout seul sans interruption, je suis convaincu qu'il est possédé. Mais je remarque aussi qu'à chaque fois que je brûle du mpepho, il se calme.

On manque de marcher sur une vipère près d'un buisson. Elle est d'un rouge magnifique, brique et ocre. Tshepo reste devant elle, pieds nus, sans y prêter attention. Je l'écarte quand le serpent s'enroule sur lui-même pour attaquer. Je l'entends s'éloigner quand nous coupons à travers les buissons dans la direction opposée.

On finit par atteindre le lac. Il s'est beaucoup asséché. Les berges sont sèches, craquelées comme des lèvres gercées. On s'arrête pour déjeuner. Je coupe les avocats en tranches, je les dispose sur les sandwichs au fromage. On mange en silence. Après, il s'approche de l'eau. Il reste là un moment à contempler l'eau sombre et trouble. Il revient en larmes, inconsolable.

— Il faut que tu voies un guérisseur, je lui dis.

— Credo Mutwa s'est baladé par ici, il répond.

— Et alors ?

— Il me fait peur, il dit en frissonnant légèrement.

— Ne pense pas à lui, profite du paysage, je dis, mais il retourne vers l'eau, il s'y assoit.

Des vaguelettes rident la surface du lac, font doucement scintiller ses eaux. Le soleil est brûlant. Je mets de l'écran solaire sur mon visage et mon dos, je lui en propose. Il en prend un peu, s'en étale sur le nez et le front.

— On peut y aller ? il dit. J'en ai assez vu.

TSHEPO

J'erre dans la ville sans but, comme un bagage oublié sur un tapis d'aéroport. Mon cœur est un livre ouvert. C'est la seule façon de comprendre, d'exprimer ce qui m'arrive. J'ai l'impression que mon esprit est disjoint, qu'il se brise en un kaléidoscope de couleurs fragmentées, absorbé par une grande lumière, à moins que ce ne soit les ténèbres ? Difficile d'expliquer ce que je vois. Tout ce que je regarde me hante, comme si tout avait une vie propre. Les arbres se déplacent, les pierres chuchotent. Parfois, quand je regarde par terre, je vois mon ombre qui observe des choses, qui m'observe moi-même et tire ses propres conclusions du spectacle de ma vie. J'ai l'impression que tout me parle. Les zombies, les invisibles ont des voix. L'air est aussi vivant que moi, il fait naître des histoires, des messages, peuplant la terre d'idées sur les événements à venir. Je reste en mouvement pour échapper à ce vacarme.

L'indifférence des gens m'empêche de dormir la nuit. Je l'entends frotter et grincer contre une surface métallique. Il faut que je reste en mouvement, ce bruit me rend fou. Quand ils me regardent, ils voient un objet de haine. Comme si ça ne suffisait pas, il faut aussi que je me déteste moi-même. Il faut que je comprenne l'humilité de la merde. Toutes ces horribles choses que les autres m'ont dites. Je pense à mon père. Je pense à toi, maman. Tout cela n'a pas de sens : toi, moi et lui. Peut-être c'est à cause de lui si je fuis sans cesse. Je fuis ma haine pour lui. Ma haine envers moi-même n'est en fait qu'une haine envers lui.

Je ne veux pas pousser trop loin la détestation. C'est trop destructeur. Je pourrais passer une éternité à rêver à tout ce que mon père aurait pu être pour moi. Mais non, c'est à moi de tout faire. C'est à moi de me créer un Père. Je dois percer à jour la logique de ma folie. La vie est en train de me dire quelque chose. J'écoute. J'essaie de voir au-delà de mon père. Il faut que je le cherche parmi les vagabonds qui peuplent les rues du Cap, les adolescents en chaleur qui baisent dans les toilettes publiques, qui s'injectent de l'héroïne ou prennent du crack. Il faut que j'explore les ruelles glauques de Sea Point, les cauchemars nocturnes de Cape Flats, le bas-ventre de la misère humaine. Je dois faire face au pire de moi-même, tout ce que je déteste chez moi, comme mon petit pénis timide, ma peur écrasante des hommes. Il faut que je me demande pourquoi je m'entoure toujours de femmes, pourquoi je ne peux pas regarder un autre homme dans les yeux, pourquoi je ne laisse pas ma propre masculinité s'épanouir. Parce que sûrement, comme une fleur, un homme peut s'épanouir. Il faut que je dorme sous un arbre, que je me masturbe en public, que je me défonce à l'acide et que je me sente écrasé par le plomb du soleil. Il faut que je connaisse le froid, que je comprenne l'humidité de la pluie et la plainte des vents qui soufflent dans les rues. Il faut que je ressente la dépression et le rejet. Il faut que je connaisse la violence et le cri du sang. Il faut que je croise d'autres fous, d'autres gens aux visages flétris pour avoir trop vécu dans l'ombre. Il faut que je marche comme si j'étais amputé aux genoux, comme s'il y avait trop de rues à parcourir, trop de chemins à emprunter, trop d'intérêts en route, trop à voir. Il faut que je me sente anéanti par la taille et l'intelligence de la vie, toutes les formes qu'elle peut prendre. Il faut que je contemple les cafards, leur façon de ramper dans les fissures, leur capacité à être aussi plats, aussi petits. Il faut que je devienne mon monde, une encyclopédie qui se dévoile, un jardin qui a besoin d'être entretenu.

Il faut que je me mérite, comme un oiseau qui se souvient qu'on lui a appris à voler et qu'il y est parvenu. Il faut que je marche jusqu'au bout de la route, jusqu'à épuiser toute force de penser à un père. Il faut que je marche jusqu'à ne plus ressentir que la fatigue, jusqu'à m'effondrer sur mon lit, dormir et me réveiller avec du soleil dans les yeux. Il faut que je sente ma gorge me faire souffrir quand je mange parce que je l'ai mérité. Il faut que je me souvienne que tout se mérite, même l'amour de soi. Parce que se connaître, c'est s'aimer. Je ne dois penser à rien d'autre qu'à marcher, car personne ne m'apprendra à être un homme. Personne d'autre ne me montrera comment traverser un pont démoli. Il faut que j'essaie, que je tombe plusieurs fois, que je touche le fond de la dépression. Il faut que je retrouve la force de ramper, le visage dans la boue. Il faut que je devienne un phare sur moi-même. Je ne peux faire confiance à personne. Personne, voilà en qui je peux avoir confiance. Salut, personne. Tu m'entends ? Il ne faut pas que je m'arrête de trop penser, parce que je ne peux plus me fier à rien. Tout ce que je sais, c'est toi, maman.

Un nuage sombre plane sur ma tête, maman. Dans l'air flotte un parfum de mort. Des forces du mal sont à l'œuvre. Je vois ça partout où je vais, dans les rues de la ville, dans mon quartier, dans mon immeuble. Des yeux me suivent avec de noirs desseins. Le mal ne peut pas se cacher, maman, il est trop fier, il veut qu'on le voie. Il prend différents visages : un vagabond, un revendeur, une esthéticienne, une femme au foyer, un marchand de fruits, un étudiant, un enfant. Tous ils m'ont regardé avec un appétit de destruction, en me narguant sur l'air de la démence. Ils m'empêchent de dormir la nuit, ils me pourchassent dans mes rêves, chevauchant des chèvres, criant des obscénités. J'ai vu des gens au regard perçant dont le seul désir est d'écraser et d'anéantir. Ils essaient de m'attirer dans leur toile avec leurs sorts et leurs incantations. Ils mâchent des chewing-gums, agacent les pigeons pour qu'ils volent trop près de moi, portent de grands sacs suspects, attachent soigneusement leurs cheveux, pour dissimuler leur malfaisance. Certaines femmes portent des robes noir et rouge sang, quand vous les regardez, vous savez qu'elles sont capables de tuer leurs enfants. Elles ne sourient jamais quand elles me croisent, elles sifflent des malédictions mystérieuses. Ou bien elles tentent de me persécuter avec des parfums, des odeurs qui me donnent de fortes migraines.

J'ai traversé la ville, hébété comme un somnambule. J'ai marché jusqu'à ce que mes pieds soient couverts d'ampoules, jusqu'à tellement manquer de sommeil que je le considérais comme mon meilleur ami, mon seul ami. Je marche parfois dans les bas-fonds de la ville, là où naît le mal ; ce mal indicible qui nous maintient joyeusement opprimés. On le trouve sous les ponts, près du centre de Bonne-Espérance, à la gare de Khayelitsha, dans la ville et dans les bibliothèques. Une part du mal se trouve là, dans la crasse putrescente, la pollution. Ils utilisent les ténèbres et les ombres comme un artiste joue avec sa palette et les lumières. Certains de ces clochards, maman, ont été entraînés au mal contre leur gré. Les enfants des rues se sont enfuis à mon approche parce que j'avais vu des démons dans leurs yeux. Les rats détalent, les pigeons s'envolent.

J'ai perdu mes sacs à la gare en ville. Je suis persuadé que le mal y est pour quelque chose. Quand j'ai mal à l'estomac ou qu'une migraine me désoriente, je les imagine qui déchirent mes vêtements, les utilisent pour des pratiques occultes. Quand je marche dans les rues, il y a partout des gens qui me suivent, maman. Sorcières, magiciens, vieillards au dos tordu, traînards aux yeux cernés par le manque de sommeil, viragos au regard torve et aux longues chevelures portant d'anciens symboles païens. Ce qu'elles font à leur corps, ce qu'elles mangent – elles sont les ténèbres mêmes. Certaines de ces femmes marchent en boitant comme si leurs entrailles se desséchaient en elles, comme si elles se torturaient, se mutilaient au plus profond d'elles-mêmes. Quand je les regarde, je vois des bébés sans tête, des démons aux traits déformés. J'ai croisé une femme obèse si emplie du mal sous sa perruque qu'elle était incapable de cligner de l'œil. Le mal est paranoïaque, il veut tout voir. J'ai entendu des prières formulées à rebours par un être qui en recherchait le pouvoir, pour les mettre au service du mal. J'ai été pris au piège, à demi-conscient, par la voix d'une force primitive qui me chuchotait à l'oreille une transe de mort. J'ai été poursuivi par l'idée d'un nombre qui croissait si vite dans ma tête qu'il s'emparait de mes pensées.

Je pense beaucoup à toi, maman, tu es la seule trace de lumière et d'amour dans ce paysage moribond peuplé de gens malades, shootés à l'ego, qui dansent sur l'autel de la Mort. Tous, ils vénèrent la mort, tous ces gens qui ne sont jamais très loin derrière moi. Je connais leur ténacité, la puanteur de leur putréfaction. Partout où ils vont, ils emplissent l'air de prémonitions. C'est d'eux que mon instinct me protège. J'ai vu l'ange le plus sombre exulter devant une légion de disciples. J'ai vu cet être obscur qui marche au milieu de la route, tenter le faible et le perdu. Il sait les attendre.

Alors je marche dans les rues en cercles restreints, à la recherche d'un peu de répit, lorsque mon corps succombe à l'épuisement. Mais mes pensées sont toujours avec toi, maman. Tu es ma boussole même si je suis perdu et sans repères, une feuille volant au gré des caprices de la vie. Tu es ce fleuve frais qui charrie des eaux claires, le Nil sacré, la mère de tous les hommes. Tu es ce tigre qui chevauche la nuit dans mes rêves, rugissant et dansant pour quelque chose d'aussi ancien que la vie. J'ai connu ton lait, même si j'ai oublié ma naissance. Quand je pleure et que je pense à toi, c'est pour l'Afrique que je me purifie, pour te revoir clairement. Tu n'as été qu'une ombre dans la vie, dans la mort j'ai appris à te connaître par l'esprit. Isis endormie, je te cherche dans des lieux troublés, dans les jardins à l'abandon, les allées sombres, les bouges minables aux clients agressifs, courtisant le danger et la mort, même si je ne suis pas comme ça. Je te cherche dans mes rêves, sur les rivages de ces souvenirs d'enfance, qui sont à jamais autant d'énigmes. Je gravirais les montagnes les plus formidables, parcourrais des cités infinies et me soumettrais à ce que le monde a de plus abject pour ressentir ta douce étreinte, le réconfort du soleil, la douceur d'une brise, la rêverie d'un coucher de soleil ravivant le souvenir d'un endroit cher, d'avant la vie. Mes sanglots, je les ai mis en chansons, avec toi en tête, tandis que je me noyais dans les rues et que les chamanes des ténèbres dansaient autour du chaudron de la folie.

Alors je suis allé dans une réserve naturelle avec mon ami David, maman. David qui regarde avec son cœur, pas avec des yeux secs. Il fallait que je m'échappe. Je te cherchais, j'attendais que tu m'appelles, et tu l'as fait. Tu te rappelles mon nom. Tu te rappelles comme j'aime avoir chaud sous ma peau, comme j'apprécie le confort des chaussures mais préfère le contact avec la terre. Tu te rappelles ma chanson, cette musique de rivière tranquille, le roulement des galets. Comme tu es gaie, alors que tu tentes de m'ouvrir les yeux. Regarde plus près, tu dis toujours, juste un peu plus près. Alors je scrute les eaux sombres du lac, aussi impénétrables que celles du fleuve Congo.

Dans ce lac, je vois des choses terribles, maman ; la pauvreté, des enfants atteints de kwashiorkor, qui jouent avec des flingues. Je vois des femmes hurlantes qui courent les bras levés vers le ciel parce qu'elles étaient endormies quand la vie leur a enlevé leurs enfants décharnés. Je vois le malheur, le conflit et les politiciens profiter des espoirs des peuples. Je vois des peuples se soulever contre les humeurs putrides de l'oppression. Je vois aussi leurs blessures, maman. Ce sont des entailles profondes, ouvertes. Les vers ne sont jamais loin. Je vois des industriels boire le sang des fleuves, déféquer sur nos peurs. Je vois des vieillards las des protestations nous emmener encore plus loin dans les ténèbres, aussi légers et insouciants que dans les années 1960, quand le monde s'enivrait d'amour libre. Je vois des enfants suicidaires qui savent ce que fouiller ses poches à la recherche d'une pièce veut dire, fouiller sans rien trouver, jusqu'à faire un trou au fond. Je vois des gens indifférents à la rapacité des banques, à l'humiliation des estomacs vides et de leurs gargouillis permanents. Les puissants s'effondreront sous leur propre poids, les monarchies tomberont. Je vois la corruption des politiciens, des ministres fraternisant au grand jour dans les parcs avec des gangsters, des barons de la drogue. Peut-être ne redoute-t-on pas assez d'être examinés au grand jour. Je marche à cause d'eux, de toute cette laideur qu'ils nous ont léguée. Mais la laideur à laquelle nous essayons d'échapper, c'est nous-mêmes. Toujours ce même cri terrifiant monte du plus profond de moi. Il remplit d'air mes poumons quand j'écoute ce cri primal vieux de milliers d'ères. Il me rappelle que l'histoire est toujours en marche, que ce n'est pas fini. Une tempête se lève, le monstre que nous avons créé dans nos cauchemars est affamé, et il nous guette. Le serpent se tord de fureur. Les grands arbres tomberont, les montagnes s'ébouleront. Le monde va vers le tumulte, les gens s'entredévoreront tandis que persisteront des froids terribles et des chaleurs intolérables. Quand j'écoute les cris déchirants de la bête, je sais qu'une volonté étouffée essaie de se libérer. Une créature féroce est à nos portes, chaque jour je la sens s'avancer.

PATRICK

Je ne sais pas grand-chose de lui, mais il m'a plu immédiatement. Il a l'air facile, mais il n'est pas simple. Je vois qu'il a de l'éducation, ses yeux sont constamment à l'affût, à la recherche de nouveaux objets d'attention. Les détails l'obsèdent, comme d'autres sont maniaques de leur apparence. Il a beaucoup de livres, il passe des heures à les compulser, comme un enfant avec ses jouets préférés. Il a beaucoup de temps et de patience pour tous ces gribouillis. Quand j'étais jeune, je n'étais pas comme ça. J'étais trop impatient de quitter l'école pour commencer ma vie. L'énergie de la jeunesse me consumait. Quand j'ai quitté la maison, j'ai vécu comme un fou, j'ai eu tous les ennuis auxquels un garçon plein d'hormones peut être confronté. Désormais, plus je vieillis, moins j'ai l'impression d'en savoir, plus j'avance doucement, avec précaution. Quand il se réveille le matin, la seule chose dont un homme peut être sûr, c'est qu'il respire et que c'est déjà pas mal.

Il plaît aussi à Akousia. Il est soigneux, toujours prêt à aider dans la maison, elle dit. Je crois qu'il l'aime aussi. Il sait s'y prendre avec les femmes, elle s'inquiète toujours pour lui. Et il aime marcher. Parfois, il revient tard dans la nuit et quand je lui demande d'où il vient, il marmonne. Je sens ce truc dans son haleine. Mais je ne dis rien parce qu'il prend son apprentissage au sérieux. Fumer de la ganja, c'est une façon de voir les choses quand on est jeune. Parfois, ça vous ouvre les yeux sur un monde inaccessible jusqu'alors. Je comprends ça, c'est pour ça que je le laisse. Il faut qu'il fasse son propre apprentissage.

Il lui arrive d'être mélancolique et silencieux. Je suppose qu'il est fils unique. La solitude est pour lui comme une couverture. Ce n'était pas comme ça quand j'étais jeune. Seul, un homme est toujours mal accompagné, disait mon père. Aujourd'hui, ils sont tous comme ça. Un homme ne peut pas compter sur l'amitié de ses pairs pour l'aider. Tout le monde semble s'accommoder à l'idée de vivre seul, de se débrouiller.

Le monde est dur, il dit. Il parle avec la gravité de quelqu'un de plus âgé. Ça m'irrite quelquefois. Quand je l'entends, parfois je me hérisse. L'entendre se plaindre, être aussi désabusé sur la vie, c'est presque un blasphème. Il est trop jeune, je trouve. Je ne lui ai vu aucune vieille cicatrice. La jeunesse vous aveugle d'espoirs et d'énergie. Pourquoi pas lui ?

Il est sérieux. Tout le touche : les blancs, leurs jérémiades sur l'Afrique du Sud post-apartheid, la corruption du nouveau gouvernement, les politiciens obèses, les barons de la drogue, la police et les cambriolages opportuns, la pollution, les essais nucléaires, les prix de l'alimentation, le coût de la vie, les pauvres, les riches, les handicapés, les vieux, les montagnes, les étoiles et la lune – ça n'en finit pas. Je l'écoute parce que j'imagine qu'il n'a personne d'autre pour l'écouter. Il est en colère. C'est normal, je le rassure. Chaque noir connaît intimement la colère à un moment ou à un autre. Mais contrôle-la, façonne-la, je le préviens. Ça peut être un outil efficace ou la cause de ta perte.

— Tu trouves que la vie est difficile. Au Zaïre, Mobutu a dépensé toute la richesse du pays. Les gens mouraient de faim quand ses enfants allaient en Europe faire des courses insensées. Tu peux imaginer ça? Cet homme était à la tête d'une nation. Il ne nous a rien laissé. Au moins, votre économie à vous est intacte, je lui dis.

— Mais nous aussi nous connaissons la pauvreté, les gens qui font la queue pour manger, et la plupart des gens se trompent eux-mêmes quand ils nous rangent parmi les pays développés. Les blancs nous ont fait du mal. Dans les années 1980, l'Afrique du Sud était un pays en guerre. C'était horrible. Je sais pas si tu as entendu parler de Soweto, il dit, les yeux pleins de sérieux. Il parle beaucoup du mal.

— *Ah, oui*, Soweto, je crois que j'en ai entendu parler, je dis, l'air bête, même si je connais bien l'histoire. Je dis ça pour l'encourager à parler. Il a besoin de décrire un monde plein de choses qu'il comprend, les mots sont ses jouets. Quand il ne parle pas, il marche. Il est comme ça, il ne laisse pas à la vie le choix de ce qu'elle peut faire de lui. J'imagine qu'un jour il verra plus loin que les mots, il les dépassera. Quand il aura maîtrisé les idées, que cesseront les cris à l'intérieur de lui-même, il commencera à voir, à cesser de ne se fier qu'à ses émotions.

— Oui, *necklacing* et cocktails molotov, intervient Akousia, l'air dégoûté.

— Et aussi les forces de sécurité et leurs exactions? Les disparitions. Des gens ont disparu de la circulation quand la police est venue frapper à leur porte, il dit avec véhémence.

— Mais c'est la même chose en RDC, partout dans le monde.

— Oui, mais ça c'est différent. Ce sont les blancs qui nous ont fait ça. La sécurité était malfaisante, il dit l'air tourmenté.

— C'est la même chose en Amérique du Sud, j'ajoute, ce que les Espagnols ont fait aux peuples indigènes, puis aux esclaves africains... C'est le passé, la vie, tu ne peux ni le changer ni le contrôler. Commence à vivre, laisse la vie en dehors de ça.

— Mais c'est encore tout frais pour moi. Tu peux comprendre ça? Comme si c'était hier, les couvre-feux, errer dans les townships avec rien d'autre à faire que les *toyi-toyi*, les danses de protestation, les détentions... Et tous ces mensonges tordus autour des morts atroces, je peux pas les oublier. Je veux pas les oublier, il dit avec difficulté.

Parfois, tout ce qu'on peut faire, c'est écouter.

Au bout d'un moment, il se lève brusquement, il dit qu'il a du travail. Mais on voit bien qu'il est bouleversé.

TSHEPO

Il est mort.

Il s'est suicidé en se jetant du John Vorster Square, c'est ce qu'ils diront. Ou bien est-ce qu'il s'est tapé la tête plusieurs fois contre le mur de sa cellule ? Peut-être s'est-il pendu avec une corde venue de nulle part, les mains menottées. Ou peut-être il s'est étouffé. Ou alors il a glissé accidentellement dans sa cellule vide et s'est mortellement blessé à la tête en tombant ? À moins que ce ne soit John Vorster lui-même qui lui soit tombé dessus ? Ils peuvent aussi bien dire que ses mains ont heurté sa tête et qu'il a glissé sur les murs de sa cellule avant de tomber de John Vorster. Mais ces marques sur son cou ? Et ces incisions à l'aine ? Et son pénis mutilé ? Même quand la vie dont on parle est celle d'un gamin de onze ans ?

Et sa mère ? Qu'est-ce qu'ils lui diront, à sa mère ?

Rien.

Ils ne lui diront rien du tout, au moins pendant un moment. Peut-être jusqu'à ce que l'inquiétude ravage ses nerfs, que des semaines d'attente sans nouvelles de son fils la laissent exsangue, que son couple parte à la dérive, chacun essayant de retrouver ses forces de son côté. Ils peuvent aussi attendre une semaine que le corps de l'enfant, avec les autres cadavres de John Vorster, commence à se décomposer. Dans tous les cas, ils vont la faire attendre.

Ja, baas. Ja, l'attente va la démolir, la pute du nègre. Sale pute, ça lui apprendra. À faire des saloperies de torchons graisseux pour leurs cocktails molotov. *Ja*, fais-la mijoter. Pour qui elle se prend ? T'as raison, *baas*, les nègres deviennent trop malins.

Si les ancêtres sont avec elle, peut-être ils lui rendront le corps de son enfant, sans l'enterrer dans une fosse commune, ou ils l'abandonneront dans une décharge où les voisins le découvriront un matin, trop tôt.

L'enterrement ? Ils auront peut-être envie de le perturber, parce que trop de gens là-bas, avec trop d'idées et d'énergie.

La justice ? La justice, on l'emmerde ! *Justice se moer ! Masepa !* Merde ! C'est la guerre, le régime fait ce qu'il veut, mais chut, personne ne le sait ou ne le dit. Ils vont couvrir ça pudiquement, appeler ça « agitation », « perturbation » alors que les foutus townships s'enflamment. De toute façon, personne en a rien à foutre de ces townships, ces cages à lapins.

Les voisins ? Quoi, les voisins ? Qu'est-ce qu'ils peuvent faire ? C'est leur fils qui a trouvé le corps du gamin.

Alors au moins, du réconfort… Du réconfort? Qui va la réconforter, cette mère? Qui sera là pour écouter ses pleurs quand le père sillonne Jo'burg à la recherche d'un boulot, pleurant secrètement sa fierté en miettes, il n'a pas même de quoi rapporter un pain pour le dîner. Alors qui va la réconforter?

Personne!

Et elle survivra, comme tant d'autres.

Et quand l'envie d'appeler son fils dans la rue, avec les autres enfants qui jouent, commencera à s'effacer, peut-être aura-t-elle encore sa raison et un mari à ses côtés dans son lit. Alors, les jours où elle sentira la chaleur du soleil sur sa peau, la douceur de l'air, alors, peut-être, elle esquissera un sourire.

AKOUSIA

Il vivait avec nous depuis à peine une semaine quand nous avons dû le mettre à la porte. C'est triste, mais il le fallait. Il ne nous a pas laissé le choix.

Une nuit, nous sommes réveillés par des policiers qui frappent à la porte. Un de nos voisins s'est plaint, Tshepo jette des affaires du balcon. Nous ouvrons sa porte, nous le trouvons sur le balcon, balançant des papiers et des vêtements. Il ne semble pas surpris de voir les flics. Il leur aboie presque dessus, il continue à déchirer des papiers et à les jeter dehors.

— Tshepo, qu'est-ce que tu fais? commence Patrick.

Il ne répond pas.

— *Meneer, wat gaan aan hier?* demande un des flics, je lui explique que nous ne parlons pas cette langue.

Nous passons sur le balcon pour regarder les dégâts.

— Il faut que je continue mon travail. Il nous repousse, rentre dans sa chambre pour trouver d'autres affaires à jeter.

— Écoute, tu peux pas faire ça ici. On n'est pas à Gugulethu. Les voisins se sont plaints, dit le policier.

— J'ai pas été sage, j'imagine, il se moque.

— Hé, c'est sérieux, mec, dit l'un d'eux.

Patrick lui colle une bonne gifle pour que le message passe. Il le regarde avec toute la colère dont il est capable, puis son visage retrouve son calme. C'est là que je réalise que quelque chose ne tourne pas rond chez lui.

— Ce que je fais aussi, c'est sérieux, dit-il avec un air suffisant. Je débarrasse le monde du mal.

— Tshepo, écoute les policiers, dit Patrick, embarrassé.

— Alors, qu'est-ce que tu vas faire pour ça? reprend le type en le regardant.

— Je suppose que je ferais mieux de ranger ce bordel, il dit sans sembler y attacher la moindre importance.

Il prend des sacs en plastique à la cuisine, puis descend les escaliers.

— Écoutez, m'sieur-dame, les voisins se sont plaints. C'est un quartier tranquille. J'ai jamais eu d'ennuis. Qu'est-ce qu'il a, votre copain? demande l'officier.

— Je ne sais pas. Ça ne fait que quelques jours qu'il est avec nous, répond Patrick.

— Il a un petit problème de comportement, je suis pas aveugle, dit l'autre en faisant craquer ses phalanges.

— Il est pas bien dans sa tête, reprend le premier, il est *gerook*?

— Qu'est-ce que ça veut dire? demande Patrick un peu agacé, je leur répète que nous ne comprenons pas cette langue.

— Est-ce qu'il fume des pétards? il répète.

— On ne sait presque rien de lui, dit Patrick, qui me prend à témoin de son mensonge. Je hausse les épaules, je leur adresse un regard vide, même si je sais bien qu'il fume, beaucoup trop. Patrick et lui croyaient que c'était leur petit secret. Je sais qu'il ne l'a jamais encouragé. Il ne ferait jamais ça. Quoi qu'il en soit, il a assez d'ennuis comme ça pour que les flics ne se mettent pas à fouiller sa chambre.

J'ai envie d'ajouter que sœur Hendriks pourrait peut-être nous en dire davantage sur Tshepo, mais je m'abstiens. Il y avait quelque chose de bizarre dans la façon dont ils se sont salués. Je ne suis pas sûre que cette sœur Hendriks soit une amie de la famille.

Je jette un œil à la chambre de Tshepo pendant qu'ils discutent sur le balcon. Je ne l'ai jamais fait jusque-là, Tshepo est si secret, il passe tellement de temps seul ici; je n'aime pas le déranger. Parfois, quand je lui apporte son linge, je regarde sur son bureau ce qu'il est en train de lire. La plupart du temps, ce sont des livres obscurs, destinés à quelqu'un qui a trop d'éducation et pas assez de bon sens. Mais quand je suis seul avec lui, nous parlons. Il me parle un peu de ce qu'il fait quand il n'est pas dans cette pièce. Je ne sais pas trop s'il travaille ou s'il cherche un boulot.

Il n'en dit pas grand-chose. Ce dont il aime parler, ce sont les endroits où Patrick et moi sommes allés en Afrique. Et les masques, comme ils l'intéressent.

— Ta mère a dû beaucoup t'aimer, je lui dis un jour alors que nous parlons avec grand plaisir du peuple dogon.

— Pourquoi dis-tu ça ? Son expression change soudain, la tristesse envahit son visage.

— Parce que tu es à l'aise avec moi. Tu dois avoir beaucoup de copines, je plaisante mais le mal est fait. Il semble blessé, il trouve une excuse pour s'en aller.

Cet incident m'a marquée. Il résume bien Tshepo. Ses yeux trop grands qui lui donnent son air enfantin sont trompeurs. Son visage a faim de questions. Je ne peux m'empêcher de me demander qui sont ses parents. Il a cet effet sur les autres. Même s'il semble peu attentif à quiconque s'intéresse à lui, tellement absorbé qu'il est par ses propres pensées, on ne peut s'empêcher de vouloir le protéger, il est si aventureux, si bêtement radical dans ses convictions et sa façon de les exprimer, ainsi que dans sa façon de se moquer de ce que les autres en penseront. Son idéalisme m'intrigue, c'est pour ça que je m'interroge sur ses parents. Je me demande quel genre de gens ont pu élever un petit garçon si triste. Parce que c'est un petit garçon. Pour se vieillir, il fait passer ses bouderies pour des postures intellectuelles. Il était sans doute pareil avec ses parents, pas très loquace. Sa mère devait probablement fouiller dans ses affaires pour en savoir un peu sur ce qu'il y avait dans cette tête, toujours dans les nuages. Elle le faisait parce qu'elle ne savait pas à quoi s'en tenir avec lui. Jamais au courant de rien, quand elle a finalement découvert quelque chose, elle a sûrement été choquée parce que pas prête à ça. Il y a certains enfants comme ça. Trop autonomes, ils vous obligent à vous demander à quoi vous servez en tant que mère. Il ne lui a probablement jamais rien dit, rien de vraiment important, ce qu'il ressentait, ce qui le troublait. J'imagine qu'ils parlaient des infos, ou de ce qu'il avait trouvé dans ses livres. Elle a dû s'inquiéter, sans doute le gâter un peu trop, et se confier à lui jusqu'à ce qu'il se mette à grandir d'un coup. C'est pour ça qu'il a ce regard, de grands yeux dans un visage où la barbe étonne. La vie continue, les gens deviennent des adultes. Il ne s'en rend pas compte. Ou plutôt il s'y refuse. Tout doit tourner autour de lui, de sa façon de voir le monde, ses souffrances d'abord. La façon dont le monde le voit n'a pas d'importance à ses yeux. Il ne s'est probablement jamais rendu compte que sa mère s'inquiétait à son sujet, que ça l'empêchait de dormir. Pas d'importance que, dans ses yeux à elle, il soit toujours un enfant, pour lequel elle ne cessera jamais de s'inquiéter. C'est aussi un truc de garçon, ça.

Sur la porte de sa penderie, une carte postale de Salvador Dalí avec un Christ en croix. Autour, il a mis des photos de ses quelques amis. Sous le Christ, il y a la photo d'une femme. Assise sur un banc sur fond de paysage exotique. Elle a un sourire radieux, le vent balaie sa chevelure afro sur le côté. Elle est très belle. Quelque chose de familier en elle. Il a les mêmes yeux. Le sourire mis à part, je retrouve le même air sérieux. C'est sa mère, j'imagine. Une autre photo, avec écrit « Dîner de départ » en bas. Tshepo est au milieu, entouré par ses amis. Il rit, il porte un costume. C'est bizarre de le voir comme ça. Les autres photos le montrent sur Table Mountain. Il est torse nu, le photographe le saisit juste au moment où il se retourne, l'air romantique, rêveur. Devant lui, la ville s'étale, en vue panoramique. Sur la poignée de la penderie, il y a un rosaire luminescent, ces trucs qui absorbent la lumière et brillent dans le noir. C'est un enfant de l'amour, conçu dans un moment de passion intense ; tout ce qu'il possède trahit ce secret.

Tshepo revient au bout d'un moment avec six sacs pleins des affaires qu'il a jetées du balcon. Les policiers lui donnent un avertissement sérieux, il n'a pas l'air de les écouter, il va dans sa chambre avant même qu'ils aient terminé. Patrick s'excuse et les raccompagne jusqu'à la porte. Puis il ferme la porte du balcon et garde la clé. Il regarde Tshepo avec colère.

— Qu'est-ce que c'est que cette histoire ? il gueule.

— Je me débarrassais du mal, répond Tshepo d'une voix plaintive.

— Ça suffit maintenant. Tu peux pas faire ça ici. Tu comprends ?

— Il y a des gens qui complotent contre moi. La voisine d'en face, c'est la mère du malin. Elle et ses mignons, ils me traquent à travers la ville, il dit.

— Ça va, Tshepo, arrête là. Assez !

Je lui prends le bras pour le calmer. Il n'aime pas qu'on lui dise qu'il crie.

— Assez ? Je commence juste. Tu crois que je vais les laisser s'en sortir comme ça ? Tu crois que je vais m'asseoir et les regarder ? dit Tshepo avec stupeur.

— On est là depuis un mois, on se plaît ici. Si tu crois qu'on va te laisser tout foutre en l'air, tu ferais mieux de réfléchir deux fois, *parce que moi j'en ai marre*, il dit en le pointant du doigt.

— Patrick. Je lui serre le bras.

Il quitte la chambre, furieux. J'essaie de parler à Tshepo mais il est distrait, ailleurs. Il me répète que les forces du mal sont après lui, il recommence à tripoter ses papiers.

On passe une nuit agitée. Le remue-ménage de Tshepo nous empêche de dormir. Il bouge des meubles, passe de la musique, parle tout seul, jusqu'aux petites heures du matin. Patrick est furieux, mais je le convaincs de ne pas bouger. On lui parlera dans la matinée, je plaide.

Au matin, la première chose que nous faisons, c'est d'appeler sœur Hendriks. Elle nous dit que Tshepo a fait un passage à Valkenberg. Patrick est furieux. Elle aurait dû nous dire que c'était un malade mental, il crie. On réussit à convaincre Tshepo que sœur Hendriks veut le voir. Patrick accepte à contrecœur de l'accompagner. Un van de la police l'attend dehors. « Tu m'as trahi, Patrick », c'est tout ce qu'il dit en s'installant à l'arrière. Patrick monte à l'avant. Ils emmènent Tshepo à Valkenberg. Je commence à réunir ses affaires.

TSHEPO

Ils m'emmènent. Jour tranquille, sans nuages. Je peux voir leurs nuques. Ils me ramènent à l'asile, où tout le monde sait la Vérité. Ils vont m'injecter leur poison, la soupe maison qui fait des trous dans la mémoire. Il est mieux comme ça, ils se justifieront devant mon hébétude. Au moins, il peut se reposer et il n'est pas un danger pour lui-même, ils ajouteront quand les effets secondaires m'empêcheront de me concentrer, quand je commencerai à développer un tic. Il va tellement mieux, ils diront en voyant ma saine agressivité naturelle s'émousser et, à sa place, l'abrutissement de la défaite.

Je ne résisterai pas. Fatigué de me battre. Nulle part où aller. Je jouerai le jeu. J'avalerai leur soupe, je dormirai dans leurs lits pleins de puces, je regarderai la gale attaquer ma peau. J'écouterai le personnel maussade nous traiter comme des attardés. Je me lèverai quand ils diront, je chierai quand ils diront, je me laverai quand ils diront, je mangerai quand ils diront, je dormirai quand ils diront. Ici, fini de rêver, la soupe est trop forte. Je porterai leurs vêtements minables, chaussettes dépareillées, sous-vêtements trop grands, bermudas trop petits, chemises tachées. Je passerai mon temps à ne rien faire, promenade, sieste, sieste, promenade. Je regarderai les autres sombrer dans la vraie folie, je les écouterai crier des obscénités. J'écouterai mon cœur me rappeler une promenade dans le soleil, une baignade à la mer. Je suivrai toutes leurs règles imbéciles parce que je ne suis pas fou. Je sais pourquoi l'eau est si bonne quand j'ai soif.

On arrive au pavillon. Un policier, lunettes noires, m'ouvre la porte du van. Patrick reste à l'avant. Il ne dit rien, me regarde à peine quand un des officiers m'escorte à l'intérieur.

C'est la procédure habituelle. Ils remplissent un formulaire et je retrouve bientôt les fringues de l'hôpital. On me donne un tas de cachets. La première fois est toujours la pire. C'est comme prendre une dose massive de réalité, après on tient à peine sur ses jambes. Au bout d'un moment, je m'effondre sur une chaise, je fais partie des meubles. Les autres passent devant moi, bavant, pétant, marmonnant, et puis ils repartent.

Tout se ralentit, s'efface. Mes paupières sont lourdes. J'ai sommeil. Je deviens le sommeil. Quelque part dans la pièce, Zebron me regarde. Je suis trop fatigué pour penser à lui. Il faut que je me repose. Que je laisse la vraie folie me soigner.

MMABATHO

Arne a appelé plusieurs fois, pour implorer, s'excuser, dire combien je lui manque. J'ai déjà entendu ça. Ça me laisse froide. Je n'ai pas grand-chose à lui dire après ce qu'il m'a fait. Quant à Nthabiseng, je ne la vois plus. Comme si elle avait glissé hors de ma vue. Il dit qu'ils ne sont pas ensemble, que c'était une mauvaise idée, une erreur, qu'il regrette, qu'il était soûl. Les hommes sont si bêtes. Croient-ils vraiment que l'alcool les exonère de tout ? Pour moi, c'est même plus effrayant. De quoi d'autre est-il donc capable quand il a bu ? C'est une excuse minable.

— Tu aurais fini par me le dire ? je lui demande. Un silence, puis il répond « bien sûr », sur un ton faussement confiant. Du coup, je lui raccroche au nez. Mais il insiste. Il appelle au moins trois fois par semaine, demande désespérément à mes colocataires de noter les messages qu'il laisse.

Je passe beaucoup de temps chez Ganesh, quand je ne traîne pas avec David et Ntombi. Quand je la croise chez Ganesh, Karuna continue à me proposer de partager la chaleur de son lit. Je ne cède pas à ses avances. Ce serait une erreur. Et puis je n'ai pas envie d'une nouvelle histoire. Pas si vite. Je ne sais pas comment font les garçons.

— Je suis tellement déçue, tu vois ? Il commençait vraiment à me plaire, je dis à Karuna vers la fin de son service. Nous buvons toutes les deux une Savannah, c'est loin d'être la première. David, Ntombi et Anthony sont sur la terrasse en train de fumer un spliff. Les lumières sont éteintes à l'exception d'une bougie qui continue de brûler sur la table, près du canapé où nous sommes assises, on a toutes les deux trop bu. La mélodie hypnotique de Massive Attack emplit la pièce. Anthony va bientôt fermer.

— Comment peux-tu prendre un pénis au sérieux ? elle a un hoquet, son corps se secoue légèrement.

— Commence pas. Tu sais que j'aime les garçons, je bois une lampée à la bouteille. Je me sens juste trop bête, j'étais pas supposée tomber amoureuse, tu sais ce que je pense des histoires sans lendemain. C'était juste un type comme un autre. *Ag*, passons, j'ai pas envie de parler de lui.

Karuna pose sa main sur ma cuisse.

— Fais pas ça, tu es soûle. Je retire sa main.

— Putain, t'es qu'une allumeuse, elle explose soudain, elle a du mal à articuler.

— Quoi ? T'es bourrée, je dis en essayant de garder mon calme.

— Je suis pas bourrée, je suis seule, mais ça n'est pas la question. T'es une putain d'allumeuse. Elle me pointe du doigt en se levant pour se resservir.

— Je crois que tu as assez bu, je lance. Je me dis que je ferais mieux de dessoûler quand je la vois tanguer vers le bar, revenir avec un autre verre.

— Je te plais pas ? elle continue.

— Ça c'est nul. Si t'étais un mec, on dirait que t'es un salopard, une vraie enflure. Je suis là à te faire des confidences, je te traite comme une amie et toi, qu'est-ce tu fais ? t'essaies de m'emballer.

Elle ne répond rien. On boit en silence, j'allume une cigarette.

— T'en veux une autre ? elle demande quand j'ai fini.

— Non merci. J'attrape la carafe d'eau et un verre.

— Je crois que je suis amoureuse de toi, elle dit au bout d'un moment.

— Tu déconnes, Karuna, t'as juste trop bu.

— Tu sais quand quelqu'un m'a touchée pour la dernière fois ?

Je lève les yeux au ciel, puis je la regarde.

— Il y a six mois.

— Il y a pire, je lui dis. Je me mets à boire plusieurs verres d'eau d'affilée.

Anthony, Ntombi et David reviennent. Ils ont l'air bien déchirés, ils parlent par gestes.

— Vous avez vu la lune? demande Ntombi. Ils s'assoient à notre table. Elle est tellement jaune, putain, elle est tellement jaune ce soir.

— C'est peut-être pour ça que Karuna est aussi chaude, je dis. Ils rigolent mais Karuna n'entend pas ou fait mine de ne pas entendre. Elle trébuche vers les toilettes.

— Il faut qu'on bouge, dit finalement David, il nous invite chez lui. Anthony dit qu'il est trop fatigué, Karuna qu'elle a trop bu. Je les embrasse tous les deux sur la joue, on va chez David, un peu plus haut dans la rue. Ça fait huit mois qu'il vit avec Ntombi. Ils ont l'air de bien s'entendre – en fait ils ont l'air proches. Je m'attendais à ce qu'ils rompent, je pensais que David était trop compliqué pour s'établir avec qui que ce soit. Il n'a jamais voulu qu'on emménage ensemble. Quand on sortait ensemble, je pensais le connaître aussi bien qu'il est possible de connaître quelqu'un d'autre. J'étais très amoureuse de lui, trop confiante. Comme je me suis trompée avec lui. Ça ne me dérange plus maintenant de les voir ensemble. Ce qui me dérange, c'est d'être toute seule. Les voir ensemble me rend un peu triste.

On marche jusqu'à chez eux, sur Dove Street.

— Tu es bien silencieuse ce soir, dit David.

— Non, j'ai juste trop bu, je mens, mais ils savent bien pourquoi je me tais.

— Ukaruna peut être pénible quand elle a bu, *nè*? dit Ntombi et nous nous sourions. Un soir, c'était avant David, elle a essayé de me faire boire pour que je l'invite chez moi. *Shoo*, qu'est-ce qu'elle peut avaler! On était là, et tout d'un coup, elle a mis sa main sur ma poitrine. Elle sourit, ses yeux sont rouges, ses pupilles dilatées.

— *Ja*, elle se lâche quand elle a bu.

— *Hey and aganxili Ukaruna*. Son numéro de ce soir, c'est de la pure comédie. On est allés boire un soir avec elle. Tu te souviens? dit Ntombi en se tournant vers David, qui acquiesce, et elle était avec cette fille qu'elle draguait. Elles avaient bu toute la soirée, elle devait nous raccompagner en voiture, on se demandait si elle en était capable. Dès qu'on s'est assis dans la voiture, l'autre fille s'est effondrée mais Karuna a tenu le coup, elle nous a ramenés sans problème. *Yo haai Ukaruna*, un vrai requin cette Karuna…

— Elle est très seule, quand même, je leur dis, je veux dire, derrière toutes ces conneries, cette façade solide, elle est très seule et fragile. Sa famille n'a jamais accepté qu'elle soit gay. C'est difficile à encaisser. Les trucs qu'elle raconte sur sa famille… ils peuvent être si durs.

David nous ouvre la porte, nous entrons. Litha, leur colocataire, n'est pas là. Ntombi allume la radio et ouvre une bouteille de vin blanc. Je m'affale dans le canapé avec David pendant qu'elle va chercher des verres à la cuisine. Soudain seule avec lui, je me sens mal à l'aise. Difficile à expliquer. Parfois je crois que je suis complètement remise de lui, je me convaincs qu'il ne m'attire plus du tout. D'autres fois, comme maintenant, je me surprends à regarder son cou et d'autres parties de son corps qu'un jour j'ai bien connues. C'est peut-être l'effet de la lumière dans le salon, tamisée, suggestive. Ou peut-être juste que je me sens seule ce soir. Il joue avec son briquet, j'essaie de me convaincre qu'il ne me plaît pas vraiment.

— Et comment va Tshepo ? Ntombi revient avec trois verres.

— Pas bien. Ils l'ont à nouveau interné ce matin, je soupire.

— Tu veux dire, il est retourné à Valkenberg ?

— *Ja*, je devais aller le voir aujourd'hui, mais j'ai pas eu la force.

— Il est vraiment barré, dit Ntombi. C'était prévisible, non ? Moi, ça me surprend pas. Elle s'installe confortablement avec David sur le canapé.

— Qu'est-ce que tu veux dire ?

— Je veux dire, il est barré, quoi. Un de mes amis est allé à Rhodes avec lui. Il dit qu'il vient d'une famille riche, qu'il est allé dans des écoles privées, tout le tralala.

— Et alors ? je demande. Moi aussi, j'ai fréquenté des écoles privées. Qu'est-ce que ça a à voir ?

— Apparemment, il s'est pas beaucoup mélangé aux noirs sur le campus. Toujours à ces affreuses soirées rugby et cricket, aux bals et *ntoni ntoni,* et tous ces trucs. Tu vois comment ça peut être à Rhodes, très colonial.

— Et c'est pour ça qu'il était destiné à l'asile ? je demande, agacée.

— Eh bien, il était perturbé, il traînait avec des blancs tout le temps, elle répond, David ne tique pas.

— Tu sais, ces histoires « moi j'suis plus noir que toi », ça me gave, Ntombi. Pour toi, sous prétexte qu'il était avec des blancs, il était perturbé. Qu'est-ce que t'en sais ? Il savait peut-être ce qu'il faisait. Sa folie n'a peut-être rien à voir là-dedans ? Je regarde si David a quelque chose à répondre à ça, mais il se tait.

— Te méprends pas. Quand je dis blanc, je parle de la culture, pas de la race. Pareil avec les écoles privées. J'ai rencontré des tas de gens, noirs et blancs, qui y étaient passés, ils ont pas tous adopté leurs manières de faire.

— Comme quoi ? je demande avec irritation.

— Tu sais bien. Les enfants snobs, qui se croient riches, qui se la pètent, elle dit avec un air bête.

— On dirait que tu fais un complexe.

— Tu sais bien ce qu'elle veut dire, David vient à son aide, il l'enlace, lui caresse les cheveux.

— Je croyais que t'aimais bien Tshepo, je dis.

— On l'aime bien, dit Ntombi, pas très convaincue. Sans doute qu'ils le tolèrent, ou alors qu'ils lui trouvent un côté intéressant.

Je décide de me taire. Je sais que Ntombi n'a pas la chance d'avoir été dans une école privée, mais pas question de m'excuser.

Nous passons un moment à ne rien faire, juste à boire en écoutant la radio, Mary J. Blige chante de sa voix puissante un de ses hymnes aux femmes. Metro est une bonne station le vendredi soir, quand tu te sens déprimée.

— Tu vas au mariage de Fiona la semaine prochaine ? demande Ntombi.

— Oui. Je redoute sa prochaine question.

— Tu y vas avec ce type, comment il s'appelle déjà ?

— Arne. Non, j'y vais pas avec lui. On s'est séparés. Ils mouraient d'envie de m'entendre dire ça. Ça fait un moment que c'est dans l'air. C'est petit, Obs. Les nouvelles vont vite. Les gens savent plein de trucs qui ne les regardent pas. C'est ce qui arrive quand on vit dans des coins tellement petits que toute relation risque d'être incestueuse.

— Oh, elle dit, tu peux peut-être amener Tshepo.

— Je crois pas qu'il sera sorti. Et puis, passer la journée chez Fiona, c'est pas bon pour lui. Tu sais comme ses copains sont avec les drogues et tout ça.

Quand je ne suis pas au cours de théâtre, je sors pour ne pas rester seule chez moi, à vouloir appeler Arne pour savoir comment il va. Il sera gentil avec moi, je serai polie avec lui, bientôt on s'arrangera pour « prendre un pot », façon lamentable de ne pas appeler ça un

« rendez-vous ». Rendez-vous, ce serait aller trop vite en besogne, comme plonger dans l'eau salée avec une blessure encore à vif.

Du coup, j'attends. J'attends que le besoin de penser à Arne s'efface. Ntombi a fait passer le mot à ses amis que je suis à nouveau libre. Elle est agaçante. Je crois qu'elle a pitié de moi, je suis seule, elle a David, comme si c'était une tare pour une femme d'être célibataire. Peut-être qu'elle se sent un peu menacée aussi, que je sois célibataire. Je ne suis pas sûre qu'il soit si fidèle que ça. Je vois ça dans la façon dont il regarde les autres filles, dont il se tait en attendant de se décider à propos de quelqu'un. Avec ce regard du mec qui signifie « je te baiserais bien mais je suis avec quelqu'un ». Il la trompe probablement quand elle est au boulot ou qu'elle fait autre chose. Il y a des femmes que ça ne gêne pas, de coucher avec d'autres types alors qu'elles sont en couple, des filles comme Nthabiseng. Pas d'engagement. Moi aussi, je suppose que c'est le sexe que je recherche d'abord dans ces relations sans lendemain que je m'obstine à avoir. Le seul ennui, c'est que ces mecs, je n'aime pas les partager avec d'autres filles. Pourquoi Arne n'a-t-il pas compris ça ? Pourquoi a-t-il gâché un arrangement aussi parfait ? Il ne s'est jamais plaint de nos relations sexuelles ; j'ai une libido active qui semblait satisfaire nos besoins.

Les mecs sont énervants. Je déteste l'idée que soit inscrite dans leurs gènes l'obligation de posséder le plus de femmes en un minimum de temps.

Hier, je suis tombée par hasard sur un petit copain d'enfance, Lukhanyo. Il vient juste de s'installer au Cap, il travaille pour une banque d'affaires. C'était bon cette excitation de retrouver quelqu'un qu'on n'a pas vu depuis longtemps. On est allés dîner ensemble.

— Je pensais pas que tu me reconnaîtrais, il me dit, alors que nous attendons d'être servis, à La Perla, un resto de Sea Point.

— Sois pas bête, je te reconnaîtrai toute ma vie, je dis en flirtant un peu.

— C'est juste que la dernière fois qu'on s'est vus, t'étais plus grande que moi et mon visage était couvert de Clearasil.

— Je savais que les choses finiraient pas s'arranger pour toi, je plaisante.

La soirée se passe ainsi. À se remémorer notre adolescence, les gens dont on était amoureux, ce qu'on était capables de faire pour eux. À la fin du dîner, il est clair qu'il est en train d'essayer de ranimer notre histoire.

— On était mignons tous les deux. Tu te souviens ? il dit en me prenant la main l'air de rien.

Je ne dis rien. Avec les garçons, je laisse les choses aller le plus loin possible. On partage l'addition, ça l'ennuie quand j'insiste pour ça.

— Mais tu es encore étudiante, il essaie de me convaincre, comme si je m'en prenais à sa virilité.

— Peu importe, je dis en regardant le serveur emporter l'addition.

Après, il m'invite dans sa garçonnière, à Greenpoint. Il met du jazz brésilien, un rythme doux de samba, ses yeux sombres posés sur mon corps. De fil en aiguille, on commence à s'embrasser sur son divan cossu. Ça fait bizarre de ressentir à nouveau le poids d'un homme. Je commence à me sentir mal, pas vraiment dans le rythme, nos nez se tamponnent, nous nous tournons dans tous les sens. Je sens son désir contre mes cuisses, son souffle plus lourd, plus humide.

— Je peux pas, je dis brusquement en me levant. Je me sens un peu bête, c'est le genre de trucs que les mecs détestent, qui vous valent une réputation d'allumeuse. Il se montre compréhensif, n'insiste pas. Ça aide que ce soit un ami d'enfance. Je vais à la salle de bains pour remettre de l'ordre dans mes pensées.

Il est trop tard pour rentrer à Obs, du coup je passe la nuit chez lui. Il me laisse son lit, il dort sur le divan. En me passant un tee-shirt pour la nuit, il me demande finalement :

— Alors, il s'appelle comment ?

— Longue histoire, je réponds embarrassée, je n'ai pas envie d'en dire plus.

Il me regarde, me sourit. Je le serre contre moi. Je m'endors avec l'image de ce regard.

TSHEPO

Je me réveille avec un violent mal au crâne, un tourbillon de rouges, de bleus, de jaunes autour de moi. Quelqu'un ouvre la porte, dit « c'est le matin » d'un ton neutre et moqueur. La lumière qui vient de la porte me blesse les yeux. Sipho est debout au-dessus de moi.

— Tu trouvais ça malin, *nè*, de t'enfuir comme ça, il ricane. Je suis toujours étendu sur le matelas en mousse, je me frotte les yeux.

Ja, on va voir comment tu aimes le *kulukutz*, il dit en partant, fermant la porte à clé. Il allume. Une lumière fade fluorescente tremblote au plafond. Mes yeux me font mal. Je m'assois sur le matelas, je jette un œil au petit-déjeuner. Une rafale de couleurs explose devant mes yeux, séquence fantastique qui me donne le tournis.

J'attrape le porridge. Le salopard n'a pas mis de sucre. Je mange lentement. Mon corps est lourd. Comme un disque de plomb. J'essaie de tourner la tête, ma nuque est raide. Je bois un peu de café, j'en renverse. C'est beaucoup trop sucré. Je finis par mettre un peu de café dans le porridge, pour le sucre. Ma migraine est installée. Une tornade est en train de me ravager la tête. Leur soupe à décerveler est efficace, j'ai le cerveau en compote. J'essaie de me souvenir quel jour on est, mais tout est flou. Je cligne des yeux, j'essaie d'empêcher ma tête de rouler. Elle est si lourde.

Sipho revient un peu plus tard.

— *Hini, a'funi ukudla?* T'as pas mangé ton pain? Je vois bien qu'il cherche comment me persécuter. Il me donne mon traitement, me regarde avaler les trois cachets. Puis il s'en va. Je retourne au lit, je m'entortille dans les couvertures rêches, puantes. Elles sont froides, dures comme du linge d'hôpital. Je reste sur le dos à regarder clignoter la lumière fluorescente. Les insectes dansent sauvagement dans la lumière.

L'odeur du thé me tire de la sourde violence d'un rêve. C'est l'heure du déjeuner. J'entends des pas sur le sol, des assiettes qui s'entrechoquent. La porte est à nouveau verrouillée. Je me lève, je mange avec difficulté les spaghettis saupoudrés d'un peu de fromage. La *jelly* met un peu de douceur dans ma bouche. Je mange volontiers, sans penser à rien, juste dormir. Il fait froid dans ma cellule et je n'ai pas de chaussures. Mon mal au crâne revient. Je n'attends pas d'avoir la tête à nouveau cisaillée. Je retourne me coucher.

Quand la porte s'ouvre pour le dîner, je demande à Themba d'aller aux toilettes. Je me retiens depuis deux heures. Je n'aime pas chier dans le pot de chambre. Et puis, il n'y a pas de papier. Il me laisse y aller mais il attend et s'impatiente.

— T'as fini? il répète. Au début, je l'ignore. Bon Dieu, t'as fini? T'es pas en train d'accoucher, bordel.

— Va te faire foutre, je lui dis.

À la fin, il m'attrape par le bras, aucune chance de me laver les mains.

Au dîner, viande hachée, haricots et trois tranches de pain. Je meurs de faim. Les médicaments m'ouvrent l'appétit. Je mange vite, malgré l'abrutissement. Plus tard, Sipho revient avec la soupe maison. J'avale les deux premiers cachets, je regarde le blanc avec méfiance, c'est celui qui me rend somnolent, faible. «Avale», il ordonne. J'avale, je retourne au lit. La porte claque, j'entends le clic du verrou. Ce cliquetis résonne comme une condamnation à mort. Comme si personne n'allait plus jamais ouvrir la porte.

Je passe le jour suivant à regarder les graffitis sur les murs et le sol. Je lis tout en détail, j'essaie de me représenter les gens qui les ont écrits, leur état d'esprit. Je m'arrête ensuite sur la meilleure phrase, je me demande pourquoi elle me plaît. Je passe beaucoup de temps dessus : IL VON LE DIR. Après le déjeuner, quatre tranches de pain, salade, concombres dégoulinant dans le vinaigre, deux œufs durs, je relis à nouveau tous les graffitis, à l'envers cette fois. Je rigole quand il faut que je prononce : RADEBE ET SA GROSSE BITE SONT PASSÉS ICI.

Un cafard passe sous la porte. Ces créatures sont incroyablement plates. Je profite de cette occasion de m'amuser un peu.

MMABATHO

Je hais les mariages. Ça fournit juste à quelques femmes un prétexte pour se réunir et se vanter d'avoir réussi à se marier, alors que nous, les autres, on continue à s'accrocher à des mecs énervants, tout juste rencontrés, et on s'inquiète de l'introspection que suscitent ces cérémonies. Mais puisqu'il s'agit de mon amie Fiona, je passe outre. Déjà, ce n'est pas un mariage comme les autres. Elle a posté elle-même toutes les invitations, précisant qu'on était priés de se déguiser. Je ne suis pas surprise. Ce côté non conventionnel lui ressemble. Une fois par mois, avec son mec, ils organisent une fête de la pleine lune. Elle est en troisième année de peinture à Michaelis, elle est taciturne et silencieuse, avec un visage qui rappelle celui d'Anna Paquin, l'enfant vedette de *La Leçon de piano*. Son teint est tout aussi pâle, on ne peut pas faire plus anglais. J'ai croisé son copain plusieurs fois. Quand ils sont ensemble, ils sont agaçants, le genre à finir les phrases de l'autre, à vivre collés l'un à l'autre quand ils ne sont pas séparés par le boulot. Il est grand, intimidant quand on ne le connaît pas. Il s'appelle Jay, il travaille dans un abattoir. C'est là où elle récupère tous les os et squelettes de vaches qu'elle peint avec obsession. Je ne la connais pas assez pour lui dire que je crois qu'elle est en train de faire une grosse erreur; j'ai l'impression qu'ils se connaissent à peine. Mais j'en sais assez pour voir qu'il la rend heureuse, je suppose que pour certains c'est suffisant.

J'ai rencontré Fiona chez Ganesh un soir. Elle m'a offert un verre sous prétexte que j'avais une belle peau, et puis elle a tendu la main pour se présenter. Elle m'a plu immédiatement. On s'est découvert une passion commune pour Frida Kahlo, son sourcil incroyablement androgyne. Une fois, elle m'a demandé de poser nue pour elle. Pour un triptyque composé d'une multitude de corps dans une salle de bains. L'âpreté de son geste, l'épaisseur de ses couches – façon Lucian Freud – ont fini par donner aux corps la même apparence de chair crue que ses cadavres de vaches. Quand je lui ai avoué que je trouvais cette image repoussante, elle m'a dit que c'était le but. Après ça, je me suis dit qu'elle n'était pas aussi naïve qu'elle avait l'air.

J'arrive dans la maison de Fiona avec Lukhanyo. Les autres invités sont eux aussi déguisés. Nous sommes déguisés en Ashford et Simpson. Je suis passée au théâtre, j'ai trouvé des perruques géniales, dans le style des deux chanteurs. Avec un boa rose, une robe courte à paillettes style années folles, qui dévoile ma poitrine généreuse. Lukhanyo porte un pull rose en cachemire, col en V, un pantalon flashy façon MC Hammer et une chaîne en or très voyante. Notre imitation est assez convaincante.

Ça fait quelques jours qu'on se voit. Mais je n'ai pas couché avec lui. J'hésite toujours. Il est si gentil et poli, il plairait à ma mère. Je crains que ses intentions ne soient trop pures, trop sérieuses. Il n'est pas assez joueur. Je n'ai pas envie de me précipiter dans une nouvelle aventure. Juste envie d'être distraite un moment. Quand on se câline, il ne cherche pas à abuser de la situation, à aller plus loin. Il ne me semble pas particulièrement fougueux. Il y a quelque chose de clinique, de mécanique dans ses baisers. Quand il me touche le cou, je me crispe, c'est si évident qu'il essaie d'être sensuel, sensible. J'aime que les hommes soient eux-mêmes, imprévisibles et gauches, même si ça veut dire que le sexe est plus maladroit. Au moins, il y a quelque chose d'honnête dans un mec qui ne sait pas vraiment ce qu'il fait, quelque chose d'authentique.

Karuna, Anthony et sa copine viennent en trois mousquetaires. Ntombi et David viennent en sabots, avec des costumes vaguement scandinaves. Je leur demande qui ils sont supposés être, ils me répondent Hansel et Gretel. Ils semblent déçus par leurs costumes, tout le monde leur pose la même question. Au bout d'un moment, un homme déguisé en lutin demande aux quelques invités de prendre leur place, la cérémonie va commencer.

Nous nous asseyons dans le petit jardin à l'arrière de la maison, l'herbe est impeccablement tondue. Il doit y avoir une douzaine de couples. Une femme habillée en Cruella De Vil ne quitte pas Lukhanyo des yeux. Je fais mine de rien. Tout devant, il y a Jay, habillé en *Voortrekker* équipé de *veldskoene*, les chaussures de marche, et un pasteur nerveux, apparemment un peu perdu. Quand la musique commence, « Dead Can Dance », Fiona, habillée en Marie-Antoinette, traverse la pelouse sans aucune demoiselle d'honneur. Elle tient un petit bouquet d'orchidées sauvages, un triste sourire ironique sur le visage, comme si elle marchait à la guillotine. La cérémonie est rapide. Les autres acclament quand ils s'embrassent. Fiona réussit à conserver son sourire, mais elle ne lance pas son bouquet à toutes les célibataires. Ils ne font pas le truc avec la jarretière non plus.

La réception se déroule chez Jay, à quelques blocs de la maison de Fiona. Il y a plein de choses à boire et à fumer, un cochon dodu tourne sur la broche. Jay allume un bong géant et le fait tourner. Quand il ne fait pas le DJ, nous soumettant religieusement à sa collection d'albums de Bob Marley, c'est un hôte chaleureux, qui s'assure que chacun ait assez à boire. Au bout d'un moment, quelqu'un prend le relais aux manettes, l'arrivée de Massive Attack est un soulagement. Le reggae peut être lassant. Dans la cuisine, je croise deux types, le Diable et la Mort, qui gobent de l'ecstasy ; Fiona me propose un demi-bouchon d'acide, je préfère passer. Avec Lukhanyo, on prend une bière légère. Karuna me fait un clin d'œil à chaque fois que je croise son regard. On sort un moment, on rejoint un petit groupe qui fume un spliff. Karuna me dit qu'elle a rencontré quelqu'un et qu'elle pense que c'est le bon numéro. Je lui dis que je suis contente pour elle, même si je trouve infantile son enthousiasme pour une relation aussi récente. Elle donne toujours trop, trop tôt, elle en ressort blessée. Il faut toujours se ménager une retraite, c'est ce que je lui répète, mais je ne crois pas qu'elle y prête la moindre attention. Je fume peu, c'est du Poison de Durban, elle est forte. Je rentre bientôt à l'intérieur pour retrouver Lukhanyo. Il est en train de parler à Anthony, il fait connaissance avec mes amis. C'est agréable de ne pas avoir à m'occuper de lui. Je dois avoir les yeux un peu brumeux et rouges, il vient me chuchoter à l'oreille « tu as fumé de ce truc, hein ? » Il dit ça sans mauvaise intention, mais je sens un léger reproche dans sa voix.

— J'oubliais que t'étais de Jo'burg, je ne cherche pas à m'excuser. C'est beaucoup plus ouvert au Cap. Tout le monde en prend.

— Et toi, tu es comme tout le monde ? il dit en me regardant avec ses yeux sombres, impénétrables. Je saisis l'excuse d'aller aux toilettes.

Je tombe sur Ntombi dans la salle de bains, en train de se remaquiller. Elle a l'air passablement ennuyée par son costume, elle s'agite devant le miroir avec ses joues rouges. Elle ne loupe pas l'occasion de m'interroger sur Lukhanyo.

— Je le connais depuis que je suis petite, je lui dis.

— Il a l'air d'un type bien, elle dit, avec un soupçon de condescendance, comme si je guettais son approbation.

— *Ja*, il travaille pour une banque d'affaires, en ville. Je sais pas laquelle, je dis pour lui prouver que c'est pas un imbécile.

— C'est un bon boulot.

— Écoute, j'ai vraiment besoin d'aller aux toilettes, je lui dis, elle s'en va. C'est pour ça que je n'aime pas les filles. Elles sont trop compétitives. Pourquoi est-ce qu'elle ne pouvait pas juste dire je suis contente pour toi, ou au moins faire semblant ?

J'évite David et Ntombi le reste de la journée. Avec Lukhanyo, on discute avec deux de mes amis gays, travestis pour l'occasion, l'un en Diana Ross, l'autre en Mariah Carey. Ils sont assis sur le canapé, leurs jambes entrelacées, discutant du sort des drag queens dans les grandes villes. J'imagine que Lukhanyo va se sentir mal à l'aise, mais non. Je connais la scène gay de Jo'burg. On n'y croise pas des homos aussi souvent qu'au Cap. De toute façon, j'ai tellement d'amis qui le sont que ce serait compliqué si Lukhanyo était homophobe. On est toujours en train de discuter avec les deux quand Arne fait son entrée.

— Merde, je laisse échapper et je détourne le regard.

— Qu'est-ce qui va pas ? demande Lukhanyo alors que j'essaie de cacher mon visage. Mais bientôt Arne s'approche.

— Je pensais pas que tu viendrais, je lui dis un peu embarrassée.

— C'est pas parce qu'on est séparés qu'on peut plus se voir, il dit fermement. Il sourit, il porte une chemise à fleurs moulante, un pantalon en velours côtelé marron.

— C'est un mariage costumé, t'aurais pu faire un effort, je dis juste pour l'ennuyer.

— Tout le monde est trop perché pour s'en rendre compte. Ses yeux parcourent la pièce enfumée.

Lukhanyo le regarde attentivement. Un court silence avant que je réalise que je ne les ai pas présentés l'un à l'autre. Les deux gays sur le canapé ne disent rien, ils connaissent l'histoire et assistent à la scène avec un air ravi, comme pour le dénouement d'une sitcom.

— Arne, je te présente Lukhanyo ; bien sûr, tu connais Ashley et Steven. Arne tend le bras pour serrer la main de Lukhanyo. Sourire teinté d'hostilité de part et d'autre. Il salue Steven et Ashley.

— Alors pourquoi tu étais pas à la cérémonie ?

— *Ja*, j'étais pas sûr de vouloir venir, et puis, il y a environ une heure, je me suis dit après tout… de toute façon, un mariage, c'est juste une excuse pour se soûler, *ja,* il dit ça avec son léger accent allemand. Ça fait trois ans qu'il est dans le pays, son accent commence à s'effacer. Lukhanyo l'interroge sur ses études, ils échangent des informations banales sur leurs parcours respectifs.

— Désolé, mais vous êtes ensemble ? Arne nous demande. Je serre les dents, je lui jette un bref regard noir, avant de me tourner vers Lukhanyo.

— Ah, qu'est-ce que t'en penses ? il dit en me regardant avec arrogance.

Ashley et Steven nous regardent avec amusement, ils attendent ma réponse.

— Il faut que j'aille aux toilettes, je dis en me levant brusquement. Lukhanyo est dépité, humilié. Quand les garçons se tirent la bourre comme ça, moi je ne joue pas.

— Ah, les femmes, on ne peut pas vivre avec et on ne peut pas vivre avec, dit Ashley pour le consoler.

Arne me suit dans la salle de bains, il ferme la porte à clé. Il ne me laisse pas dire un mot, se jette sur moi, m'embrasse avec force. Je ne proteste pas, je lui rends son baiser sans penser aux conséquences. J'enlève ma perruque, j'empoigne ses fesses musclées. Il grogne, écrase son sexe contre mon pubis. Ses larges mains m'attrapent les seins, sa respiration chaude dans mon cou. Je suis toute mouillée. Mes mains remontent le long de son sexe, je commence à déboutonner son pantalon. Il fouille dans sa poche arrière, à la recherche d'un préservatif. Je lui dis d'oublier. J'ai ce qu'il faut, je dis. On s'empoigne, jusqu'à trébucher tous les deux, on se retrouve sur les carreaux de la salle de bains. Il vide la corbeille de linge sale, on s'étend sur les vêtements. Je lui lèche le cou pour l'exciter, il remonte ma mini-jupe sur la taille. La dernière chose à laquelle je songe, alors que nous nous balançons l'un contre l'autre, c'est sa prothèse. Il n'a même pas pris la peine de l'enlever.

J'ai passé les trois derniers jours au *kulukutz*. J'ai insulté mon psychologue au cours de la visite médicale précédente. Il a failli me cogner parce que je l'ai humilié devant ses collègues. Du coup, ils m'en ont collé une nouvelle. Une vieille grincheuse qui a l'air d'attendre la retraite, elle croise sagement ses mains osseuses et fragiles pendant qu'elle m'écoute. Elle porte des petites lunettes avec de longues branches, généralement posées sur le bas du nez. Ça lui donne l'air prétentieux quand elle baisse légèrement la tête pour me regarder. Elle a des mèches grises et les cheveux toujours relevés en chignon. D'où son air constipé en permanence. Elle est incapable de sourire. Son chignon semble trop serré, c'est une insulte à l'esthétique. S'il se détachait, je redoute que la pression ainsi libérée ne ravage la pièce. Mais en fait je l'aime bien. Elle n'a pas d'idées préconçues. Elle ne note rien de ce que je dis et la plupart du temps, ça ne la dérange pas quand je refuse de parler. Occasionnellement, quand je fais le malin, elle lève un sourcil et j'ai un bref aperçu de la femme redoutable qu'elle a été. Je l'appelle Ma Brooks, même si elle insiste pour que je l'appelle soit par son prénom, Ellen, soit madame Brooks. Je ne crois pas qu'elle prête attention aux autres médecins et elle n'essaie jamais de me faire accepter une idée.

— Quand je regarde les infirmières, j'ai parfois envie de les violer, je lui dis, juste pour la décoiffer un peu.

— Vous trouvez vraiment que je suis si vieille ? elle demande avec son air habituel, à la fois un peu aigri et ennuyé.

— Vous ne souriez jamais, vous savez ça ?

— Plutôt que de mon sourire, vous feriez mieux de vous préoccuper davantage d'être encore ici.

— Mon frère n'est pas venu me voir.

— Votre frère ? Je croyais que vous n'aviez qu'une sœur, répond ce vieux renard. Ne jouez pas avec moi, jeune homme. Si vous n'avez rien à dire, juste fermez-la. J'ai de quoi m'occuper. Sa bouche se crispe légèrement.

C'est ainsi que se déroulent les séances généralement. Je crois que je l'aime bien parce qu'elle n'en a pas grand-chose à faire. Je ne suis pas obligé de faire mon cirque avec elle. Elle ne me parle pas comme une psy. Elle s'énerve parfois un peu quand je me ferme.

— Ce serait avisé de votre part d'être plus ouvert sur ce que vous ressentez, elle dit avec son impeccable accent british.

— Vous avez grandi au Zimbabwe ? Les Sud-Africains blancs ne parlent pas comme vous. Vous devez être une *when-we*, je dis.

— Ce dont vous avez besoin, c'est d'une bonne raclée, elle dit en haussant légèrement le sourcil. Si j'avais la force, je vous assommerais avec ce bureau.

— Ça vous inquiète pas d'être face à un noir ? Je veux dire, en tant que vieille blanche.

Elle ne répond rien. Elle se contente de baisser légèrement la tête, elle me regarde par-dessus ses lunettes, toujours studieusement posées sur son nez. Le silence qui suit en dit long sur ce qu'elle ne craint pas.

— Je ne dors pas bien, je finis par dire.

Elle écoute.

— Je rêve de cette femme que j'ai tuée.

— Un cauchemar ?

— Non, juste un rêve. Je la poursuis dans la forêt jusqu'à ce qu'elle tombe d'une falaise. Je me réveille quand c'est moi qui tombe aussi. Là, je me sens très mal. Quand j'étais à Fort Hare, j'avais aussi des rêves récurrents avant les examens.

— Bon. C'est quoi le problème ?

— Je peux pas dormir.

— Parlez-en à votre médecin. C'est Nikolov, n'est-ce pas ? Je suis sûre qu'il peut vous donner quelque chose.

— Pas si simple, je dis, ennuyé.

— Balivernes. Vous croyez être le premier à qui ce genre de chose arrive. Écoutez, mon petit, j'ai fait une dépression il y a vingt ans, j'ai passé trois ans dans une situation comparable à la vôtre. Le problème avec les gens comme vous, c'est que vous essayez de faire carrière dans la maladie mentale.

Je la crois.

— Qu'est-ce qui vous a aidée ?

— C'est tout simple. J'ai décidé d'aller mieux, elle dit et elle hausse un sourcil.

— Quoi qu'il en soit, je crois que ce rêve a quelque chose à voir avec mes appétits sexuels, j'ajoute après un instant.

— Il faut que vous grandissiez un peu avant d'aller mieux. Vous avez passé votre vie à utiliser vos mauvaises manières comme bouclier, elle me dit.

Je garde le silence, l'image d'une hache lui fendant le crâne en deux s'impose à moi. Elle me fixe, comme si elle lisait dans mes pensées, un air d'invincibilité sur le visage qui semble dire « je risque pas de flancher ».

— Bon, c'est tout ce que vous avez à dire à propos de ce rêve ?

Je ne me sens pas à la hauteur, je me tais. Elle se renverse dans sa chaise, jette un œil à l'horloge sur le mur, ses mains osseuses s'agitent légèrement.

— J'ai jamais eu personne pour me dire quoi faire. J'ai juste grandi.

— Et vous avez sacrément raté votre coup, elle dit.

— Mon père était alcoolique, ma mère était plus heureuse quand elle baisait d'autres hommes.

— Vous n'êtes pas obligé d'être grossier à propos de votre mère.

— J'essaie. C'est pas facile. Tous ces imbéciles m'ont fait me retourner contre moi-même. J'essuie la salive séchée au coin de mes lèvres, un éclair de haine pour mon psy d'avant.

— Le premier pas vers la guérison, c'est de parler correctement. Vous n'êtes pas un animal, bon Dieu.

Je commence à la voir comme une mère.

— Est-ce que votre mari vous a quittée pour une autre femme ?

Elle ne répond pas, elle ajuste ses lunettes.

— Je demande ça parce que vous avez l'air en colère, je dis.

— C'est vous le malade, pas moi. J'ai fait mon temps, elle dit, plissant ses lèvres fines, soigneusement couvertes de rose à lèvres.

Je suis soudain envahi par un terrible sentiment de culpabilité. Je voudrais m'excuser mais je ne sais pas comment. Je n'ai pas les mots, l'humilité requise, la volonté suffisante. Du coup, je reste silencieux, ruminant ce sentiment terrible qui m'assaille à chaque fois que je rate mon coup en voulant bien faire. Nous gardons le silence le restant de la séance. En partant, je lui jette un regard honteux, j'espère qu'elle voit combien je suis désolé. Une minable tentative d'excuse qu'elle réduit en cendres en me fixant simplement de son air revêche.

Pendant la séance d'ergo, je trouve Tshepo assis tout seul près du piano verrouillé. J'étais en colère contre lui quand il s'est enfui parce que je savais qu'il reviendrait bientôt. Et c'est ce qui s'est passé. En me dirigeant vers lui, je réalise que ça ne sert à rien de me mettre en colère.

— Ils vont te garder ici plus longtemps maintenant, je m'assois à côté de lui.

— Je sais, il dit avec découragement, combien de temps, tu penses ?

— Trois mois, je dirais.

Il ne dit rien. Il regarde le sol, ses chaussures.

— Trois mois, c'est une éternité, il finit par dire.

— Ça, c'est si tu as de la chance, s'ils estiment que tu vas mieux. Ils peuvent te garder plus longtemps.

— Trois mois, il soupire et regarde à nouveau le sol.

— N'y pense pas. Tu es ici maintenant, tu vois.

— Au moins, je suis sorti du *kulukutz*.

— Mais il faut pas que t'essayes encore de t'échapper. Je savais que tu reviendrais.

— Je me demande ce que Byron est devenu, il dit comme si ça pouvait le réconforter.

— *Ja*, Byron. J'ai entendu que ses copains dealers l'avaient foutu dans un sale coup avec les Nigérians à Jo'burg. Ils disent qu'il est revenu au Cap les pieds devant. Je me laisse aller en arrière en haussant les épaules. J'en ai rien à foutre de Byron.

— Je peux pas y croire. Byron disait que les choses allaient s'arranger. Qu'il allait voir du pays, il dit gravement.

— Byron parlait beaucoup. Il se la pétait, comme toi et moi. C'était juste un *windgat*, une grande gueule, tu saisis ?

La cloche du thé de milieu de matinée sonne, il ne prend pas la peine d'aller faire la queue.

— Je t'ai inscrit pour la corvée de cuisine. Tu sais, passer la serpillière, faire la plonge. Ça te fait gagner des points avec ton médecin. T'as qui ? je lui demande.

— Nikolov.

— *Ja*, Nikolov.

— Ça veut dire quoi ?

— Rien. Je l'ai aussi. Écoute, me fais pas chier à trop interpréter ce que je dis. Ça m'emmerde. Je suis très direct. Si j'ai envie de te dire un truc, je te le dis, je fais avec agacement.

— Très bien. Pourquoi tu viens m'aider ?

— Me fais pas chier avec des questions comme ça. Si t'as pas besoin de mon aide, alors *voertsek*, va te faire voir. J'ai pas de temps pour ces conneries.

Il reste là à bouder.

Après le dîner, ils nous donnent nos provisions perso. Je roule un joint, je lui propose de m'accompagner dans les toilettes. Il n'y a personne. Je ferme la porte et je m'appuie dessus.

— Tiens, prends-en.

— C'est quoi ?

— Toi et tes foutues questions. Je sais que tu fumes pas des saloperies.

Il l'allume, il prend une lente et longue bouffée.

— Ganja, il exhale.

— Écoute-moi maintenant. Tu prendras que de la mienne. Je veux pas que t'ailles voir les autres gugusses. Ils t'enverraient au *kulukutz*. Et t'en fumeras qu'une fois par semaine. Ne me demande ni quand ni comment. Je t'en donnerai quand je pourrai. Compris ?

— *Ja*, comme tu veux, il dit en fumant. C'est un petit joint, vite fumé.

On va se coucher à huit heures et demie, une demi-heure plus tôt parce que Themba est de mauvais poil. Tshepo dort sur le lit à côté du mien. Je l'entends marmonner dans le noir.

— Avec qui tu dégoises ?

— Je prie, il répond. Et il se retourne pour dormir.

Après le petit-déjeuner, avec Tshepo, nous sommes de corvée de cuisine. Sipho tournicote pour surveiller Tshepo.

— Nettoie bien cette casserole, il lui lance.

— C'est ce que je suis en train de faire. Sipho fait juste passer le temps. Ils ont tous leurs humeurs. Je fais signe à Tshepo de l'ignorer. Sipho en a vite marre et s'en va. Je nettoie le sol pendant que Tshepo sèche les assiettes.

— Faut pas que tu laisses les gens t'atteindre comme ça.

— Je peux pas m'en empêcher, c'est une pourriture, tout le monde sait ça.

— *Ja*, mais tu es un détenu maintenant. Tu dois apprendre à être fort.

— Comme tu veux.

On sort rejoindre les autres. Le soleil est caché par les nuages. On s'assoit tous les deux par terre, on attend qu'il sorte.

— Tu vois ce mec là-bas ? je dis en montrant quelqu'un du doigt.

— L'Indien ?

— Non, le blanc, près du banc.

— Eh bien ?

— Il était en train de finir ses études de médecine. C'est un mec malin. Il a perdu les pédales dans sa dernière année. Ils ont retrouvé des entrailles de poulet partout dans sa chambre quand ils l'ont emmené. Et sa petite copine en finissait plus de crier. Ça fait trois ans qu'il est là. Ils le trimballent de pavillon en pavillon. Il est OK, dans ses bons jours en tout cas. Dommage que ses parents l'aient laissé tomber. Ils ne viennent presque jamais le voir. Tu sais comment sont les blancs quand il y a un scandale dans la famille.

Il hoche la tête en signe de compréhension.

— Et l'Indien ?

— Salman ?

— Non, l'autre. Celui qui a la peau claire et les cheveux longs.

— Zahid. Il est convaincu que quelqu'un veut sa peau. Les musulmans sont comme nous, les noirs. Eux aussi, ils croient à l'*amaqgwira*, à la sorcellerie. Il me regarde, très surpris.

Le soleil sort un court instant. Nous baignons dans sa chaleur.

— Parle-moi de tes parents, je dis.

— Pourquoi tu me demandes toujours ça ? Je t'ai dit qu'ils étaient morts dans un accident de voiture. J'aime pas parler de ça, d'accord ? Qu'est-ce qu'y a à dire ? Ils sont morts de mort violente. Point barre, bordel.

On regarde les autres errer sans but. Je raconte à Tshepo les histoires de chacun. Je lui montre ceux qui ont pris des drogues, ceux qui versent dans l'occulte. Et puis les alcooliques qui ont maltraité leur famille, les pervers qui ont violé des enfants. Je lui parle de ceux qui sont nés marqués par les ténèbres, qui regardent la vie à l'envers.

— Tu veux dire, les gens comme toi, il dit. Je souris, il en sait si peu sur moi.

TSHEPO

Pour moi, le plus difficile, c'est de grandir. Les animaux font ça si gracieusement. Mon enfance a été incomplète. Ce truc fondamental de jouer, courir partout sans états d'âme, je n'ai jamais vraiment connu. J'ai passé trop de temps avec ma mère pendant ces années formatrices. J'étais un enfant malade, précocement sujet à des crises d'asthme qui m'ont placé sous observation constante. Peut-être que je lui en veux un peu pour ça, même si ce n'est pas de sa faute. En fait, je crois que ça m'a rendu étranger au monde, y compris à moi-même. Peut-être que c'est puéril d'être un adulte. Il n'y a pas grand-chose de gracieux ou d'encourageant chez les adultes. Quand je regarde autour de moi, les infirmières, le personnel masculin, je vois des gens qui ne se sont jamais vraiment remis d'être devenus adultes. Cette insécurité de l'adolescence est toujours présente, elle nourrit l'irritabilité et la méchanceté. Les remarques acerbes, les mauvaises humeurs, l'insensibilité et la cruauté ne peuvent sûrement pas être les attributs de gens parfaitement mûrs, accomplis et réussis. Quand je pense aux gens que je connais, ils n'ont pas l'air finis eux non plus. L'intelligence féroce de Mmabatho, son sens tarabiscoté de l'élégance, ça ressemble plus aux conséquences d'un divorce douloureux pour l'enfant qu'elle était, et dont elle ne s'est jamais remise. Son rapport problématique aux hommes est une histoire sans fin. Et David, qui ne sort qu'avec des noires, comme s'il essayait de réparer quelque chose. Mmabatho mise à part, David ne semble viser, comme un tueur en série, qu'un genre bien particulier de filles, toujours du même milieu, généralement un peu défavorisé, ou alors venues des bantoustans mais supérieurement intelligentes. Le genre de filles que les hommes ignorent parce qu'elles ne sont pas forcément jolies, mais qui s'épanouissent si on leur donne une chance. Ntombi par exemple, elle a sur le visage cet air affamé de ceux qui ont été privés de tout quand ils étaient petits, qui veulent se rattraper. Vu comme elle s'agrippe à David, j'espère juste qu'il s'agrippe à elle avec la même ténacité. Je crois qu'aucun des deux ne m'aime en tout cas. Même Mmabatho, je m'interroge sur la profondeur de notre amitié.

Le soleil ne sort pas pendant trois jours. Des nuages noirs, comme des boules de glace à la mûre, s'assemblent dans le ciel, mais il ne pleut pas. Le ciel est juste lourd de pluie. Quand je ne suis pas avec Matthew, je passe beaucoup de temps avec Zebron, surtout parce qu'il me fournit en herbe. J'en ai besoin en ce moment, que les médecins aillent se faire foutre. Quand il n'essaie pas de faire peur aux gens, il peut se montrer très intéressant. Ici, je ne peux pas être difficile dans le choix de mes relations, il n'y a à peu près personne à qui parler. Zebron en sait long sur les autres malades. Surtout parce qu'il les pousse à bout, il leur pose des questions qui les déstabilisent. Son esprit fonctionne comme un système d'archivage. Chacun a son profil, sa catégorie. Il se souvient de tout, quand ils entrent, quand ils partent. Il n'y a rien à faire ici, il dit. Autant créer son propre monde en étudiant les autres. Il scrute comme un vautour, toujours prêt à fondre sur un moment de faiblesse quand personne ne regarde.

J'essaie d'observer les autres attentivement, mais c'est un exercice parfois ennuyeux. Je finis généralement par m'endormir, ou par bavarder avec Matthew. Sa colère contre la vie est rafraîchissante, au moins il ne se laisse pas faire comme les autres. J'aime son énergie, sa capacité à admettre qu'il est malheureux, sa nostalgie de la liberté, de la musique et des filles. Il est en colère contre la façon dont le système l'a traité. Il en veut à son médecin d'avoir retourné sa famille contre lui.

— Ils sont convaincus que je suis maboul, il dit, pas moyen de les faire changer d'avis tant que Habib est dans le coin.

Il envisage de créer un forum des malades.

— Le but de ce forum, ce serait de permettre aux malades les plus anciens d'initier les nouveaux, de leur expliquer comment on entre et on sort de Valkenberg. Les électrochocs par exemple, les gens sauraient à quoi ils s'exposent. Les anciens en décriraient les horreurs aux nouveaux, pourquoi ça marche pas, les cicatrices mentales que ça laisse.

Il a lancé une pétition contre l'électrothérapie. De nombreux malades la signent, simplement parce qu'ils voient une feuille de papier et un stylo posés devant eux. Mais Matthew ne se laisse pas décourager. On va gagner.

Il tend sa pétition au docteur Habib, qui est supposé la transmettre à l'administratrice de l'hôpital. Je me demande si elle la verra jamais.

— Ils pourront pas toujours m'ignorer, Maestro.

— Tu connais pas ces salauds.

— J'irai voir les journaux s'il le faut. Je ferai un scandale médiatique.

— Mais comment, Maestro ?

— Je mettrai le feu à cet endroit s'il le faut. Les gens doivent savoir ce qui se passe ici, qu'on nous traite comme des singes en cage. Qu'ils sachent que la moitié de la nourriture disparaît avant d'atteindre la réserve. Qu'on manque de serviettes, de linge, de couvertures. Il faut que quelqu'un réponde de ça. J'en ai marre de cette merde. Ils peuvent pas nous traiter comme des débiles et s'en sortir comme ça.

— Je sais bien, mais…

— Non, vraiment, il s'échauffe, assez. Pourquoi ils nous traitent comme des demeurés ? Pourquoi on peut pas décider quelle thérapie est efficace, laquelle ne l'est pas ? Pourquoi on donne pas notre avis sur ce qu'ils nous font ? On a strictement rien à foutre pendant l'ergo. L'ergo, c'est quelques journaux et magazines pourris, des jeux de société auxquels il manque des pièces. Ça n'a pas d'importance, nous sommes des malades mentaux. Personne en a rien à cirer qu'on joue aux échecs avec la moitié des pièces. Et la télé ? Putain, c'est plus pour le personnel que pour nous. On regarde que ce qui leur plaît. Et puis, je vois pas pourquoi on peut pas fraterniser avec les femmes internées.

— Ça, tu l'obtiendras jamais. Des rencontres entre patients, ça m'étonnerait. Ils penseraient qu'on fait ça que pour le *punani*, pour le sexe.

— Et pourquoi pas ? Pourquoi on aurait pas des relations sexuelles en groupe ? On appellerait ça la sexothérapie. Je vais pas mieux en restant ici, ça c'est sûr.

— T'es pas sérieux.

— Imagine seulement toutes les tensions qu'on libérerait. Il fait une moue salace, l'air émoustillé.

— Les tensions, d'accord. Mais Maestro, et le plaisir ?

— Le plaisir aussi, bien sûr. On pourrait prendre des photos, les envoyer à *Hustler*. Tu sais, cette section un peu perverse à la fin, où des petites ménagères qui s'ennuient envoient des photos d'elles ? On pourrait en envoyer une de nos partouzes. T'imagines, des malades mentaux dans *Hustler* ? C'est exactement le genre de coup médiatique dont on a besoin, il dit en se grattant les couilles.

— Ce serait marrant, je dis, je laisse mon imagination dériver un moment.

— Et pourquoi ils nous laissent pas organiser des cours de dessin ? Je connais une fille qui est prête à venir ici une fois par semaine. Pour rien, Maestro. Rien à payer et elle nous fournit le matériel. Imagine. Cet endroit plein de Van Gogh. Et on peut tous se trancher l'oreille pour marquer le coup. Je ne sais pas comment il faut prendre cette dernière remarque.

— C'est toujours la même chose. Il faut qu'on fasse ce qu'ils veulent, je lui dis.

— *Ag kak*, mec. Foutaises. Je suis pas sûr de pouvoir tenir beaucoup plus longtemps. Cet endroit me tue.

— Comment ça se passe ton traitement ?

— Tu veux pas savoir. Putain, ça fait trois mois que je suis là et tout ce qu'ils sont foutus de me dire, c'est que je suis en observation. C'est de la foutaise. La plupart du temps, on tourne en rond ici avec rien à foutre, pendant que Sipho et les autres discutent dans l'autre pièce, à raconter des conneries sur ce qu'on veut faire. De toute façon, qu'est-ce que ça veut dire « être en observation » ? il dit en laissant pendre ses bras dans le vide.

— Ça, il faut demander à Zebron, je réponds, mais la blague lui échappe.

— J'en ai marre de cette merde, Maestro, il ajoute en se passant la main dans les cheveux. Si j'ai pas une réponse bientôt de l'administratrice ou de Habib à propos de la révision de mon statut, je me barre, putain. Marre d'être traqué, emmerdé. Quoi, ça remonte à quand la dernière fois que tu as bandé ? La dernière fois que tu t'es branlé avec plaisir ?

— Ça… je dis en grimaçant.

— C'est dans la nourriture, tu sais. Mais jamais personne le reconnaîtra. Ils ont même pas la décence de nous prévenir des trucs qu'ils mettent dans la bouffe.

— Pourquoi tu résistes tellement ? Laisse-toi aller, joue le jeu… Ils finiront bien par te laisser sortir.

— C'est ce que Basil croyait aussi. Le pauvre type, ça fait trois ans qu'il joue le jeu. Il attend de sortir depuis, depuis quand ?… Putain, c'est cruel de faire ça à un homme, de le faire attendre comme ça, de lui donner de faux espoirs. Je connais toute l'histoire. Si tu lui demandes maintenant, Basil, il va te répondre que sa femme vient le chercher à sept heures demain matin. Ça fait un an qu'il dit ça. Tu trouves ça juste ?

— Non, mais Basil est barré, Maestro. Je jette un œil à Basil, assis sur une chaise, chassant des mouches imaginaires.

— *Ja*, mais ça veut pas dire qu'on peut l'éliminer. Qui a le droit de décider ça ? Il est doué avec ses mains. Ces petites sculptures, les flûtes qu'il fabrique avec des tubes de dentifrice vides, c'est futé ça. Dehors, il pourrait faire quelque chose de ses mains. Peut-être travailler dans un atelier à tisser des paniers, ou enfiler des perles. Je te le dis, si on lui donne une chance, il peut s'en sortir. D'accord, il est à côté de ses pompes, avec ses mensonges et compagnie, mais il fait de mal à personne. On sait tous les deux qu'il est pas violent. Des types comme Andile, eux, ils doivent être ici.

— Matt, l'autre chose avec Basil, c'est qu'il a été certifié, je lui rappelle.

— Et alors ? Moi aussi.

— Je savais pas, je dis avec surprise.

— C'est pour ça que je fais tout ce que je peux pour obtenir la révision de mon statut, pour les convaincre que je peux encore me rendre utile, faire des trucs. Une fois que t'es certifié, t'es foutu. Je suis foutu. Je peux plus me permettre de faire le moindre truc illégal maintenant, pas avec cette menace au-dessus de ma tête. Ils m'enfermeront à vie, il dit, le regard éperdu.

Même si j'ai du mal à l'admettre, j'ai de la chance de ne pas être certifié. C'est une façon détournée d'établir que quelqu'un est fou. Qu'est-ce qui leur permet d'être si certains de l'état mental d'un individu ? Bien sûr, il y a des gens qui sont indubitablement dingues, en particulier ceux qui sont violents, ceux qui ont des comportement compulsifs, déviants, les Jeffrey Dahmer de ce monde, qui rôdent la nuit en secret, semant le mal pendant notre sommeil. Dehors, je connais un type qui bosse comme manager dans un supermarché. Au moment de fermer, il compte toujours la monnaie de sa caisse treize fois. Et avant de se coucher, il lèche sept fois l'aisselle gauche de sa femme. Il dit que ça maintient sa virilité. Ici, tout le monde sait qu'il y a encore plus de dingues dehors et que nombre d'entre eux sont des politiciens, des avocats, des juges, des comptables et des banquiers. C'est juste un hasard si nous sommes ici et eux dehors.

— Je t'ai déjà parlé de mon procès ? demande Matthew.

— *Ja*, tu m'as dit que les fermiers avaient laissé tomber les charges contre toi.

— Non, pas celui-là. Le procès pour mon argent et tout ça. Mes parents essaient d'obtenir mon incapacité. Mon grand-père est mort récemment, en me laissant un gros héritage. Mes parents essaient d'obtenir un jugement qui leur donnerait le contrôle de mes finances et de tout ce que je possède.

— Ils peuvent faire ça ?

— Ils le font. Et moi, j'essaie de les empêcher. Il doit y avoir une audience dans une semaine. Il fait craquer ses articulations.

— S'ils gagnent, ils contrôlent tout, et toi, tu te retrouves dans la position d'un enfant de six ans ?

Il hoche la tête gravement.

La cloche du dîner sonne. On fait la queue dans la salle à manger. Zebron est sombre. Il traîne les pieds dans la pièce, les trous dans ses vieilles chaussures puantes font comme des yeux. Je lui souris pour le saluer, mais il ne me remarque pas. Je ne me rapproche pas, je m'assois avec Matthew. On finit de dîner en dix minutes. C'est toujours comme ça, rien de cordial dans nos repas. Avec Zebron, on rassemble les assiettes, on les empile sur la table roulante. Je la pousse vers la cuisine.

— Je l'aime pas, ce Matthew, il dit quand nous arrivons dans la cuisine.

Je ne réponds rien, je commence à mettre les assiettes dans l'évier.

— Tu m'entends ? Je dis que je l'aime pas, ton ami.

— Ça veut dire quoi ? C'est mon ami.

— Il est en train de te farcir la tête avec ses idées idiotes sur la façon de détruire cet endroit – comme si c'était possible. J'ai déjà entendu tout ça. Il réussira à rien. Ça ne fera que l'emmener au *kulukutz*, c'est tout.

— Il essaie juste de faire tomber la pression. Laisse-le tranquille.

— Putain, t'es tellement naïf. La colère fait mousser la salive au coin de ses lèvres.

— T'es juste de mauvais poil. Je crois que tu l'aimes pas simplement parce qu'il est blanc. Je lui tourne le dos, je commence à laver les assiettes. Il me saute dessus, m'attrape à bras-le-corps. Une assiette se brise par terre.

— C'est vrai que je l'aime pas, ni ceux de son espèce. C'est dur de les aimer. Ils racontent que des conneries et ils m'ont pourri la vie. Pourquoi tu m'écoutes pas ? C'est un poissard, il postillonne dans tous les sens.

— Lâche-moi.

Il me lâche et retourne de l'autre côté de la pièce. Je nettoie les débris sur le sol, la tête en feu.

— T'es pas mon père, OK ? J'aime bien Matthew, faut t'y faire. Qu'est-ce qui t'arrive, aujourd'hui ?

Il a le visage tourmenté, ne tient pas en place, les gestes désordonnés. Je le vois se débattre avec sa colère et d'autres noirs sentiments, l'air complètement dérangé. C'est perturbant de le voir comme ça. Ça arrive parfois ici. Un mauvais jour. Même les médicaments n'y font rien.

— Je me débats avec mes démons. Je me débats avec les démons de tout le monde, aujourd'hui. Vous me rendez tous dingue. Contente-toi de faire la vaisselle et disparais de ma vue.

On travaille dans un silence tendu. Il est agité, travaille furieusement, jette les couverts dans leur boîte, claque les portes des placards. Sipho vient voir d'où vient le vacarme, il repart quand il constate que c'est Zebron qui en est à l'origine. Je ne l'ai jamais vu comme ça. Il est d'humeur exécrable. Quand on a fini de nettoyer la cuisine, il manque de cogner Matthew sous prétexte qu'il l'a regardé de travers. Ici, on perd facilement son sang-froid.

L'autre jour, Salman s'est battu avec Zahid. Ils se disputaient le fauteuil confortable. Le lendemain, ils fumaient une cigarette ensemble. Ça se passe comme ça au pavillon 15. Tu ne peux pas te permettre de te faire des ennemis, pas assez de place pour ça. Même si tu détestes quelqu'un, tu dois arriver à lui parler. Ce n'est pas comme dehors, où tu peux étaler ton ego et ta fierté avec arrogance, parce que tu te moques de te faire des ennemis. Ici, il faut vite ravaler son orgueil, ton ennemi mange et dort à côté de toi. Et tôt ou tard, tu auras besoin de son allumette, qu'il te donne l'heure, ou quoi que ce soit d'autre.

Rendre un service à quelqu'un, c'est une question d'honneur. Il faut rendre la pareille, tout le monde est d'accord là-dessus. Quand Andile a refusé de donner une de ses deux dernières cigarettes à Matthew, alors que Matthew lui en avait passé une plus tôt dans la journée, personne ne lui a filé de clope pendant deux semaines. On lui parlait, mais on ne lui a rien donné à fumer. Et il a dû accepter ça comme un grand. S'il avait taxé une clope à un membre du personnel, ses chances de se racheter à nos yeux se seraient envolées en fumée.

C'est marrant comme cette loi de réciprocité ne s'applique qu'aux cigarettes et au tabac. Dans ma culture, le tabac est traditionnellement un attribut masculin, jusqu'à la façon dont on le nomme, *motsoko*, qui signifie également pénis. C'est une chance de n'être qu'un fumeur occasionnel. Je n'aime pas me réveiller avec une toux râpeuse. Ni avoir des taches de nicotine sur les doigts. Ça m'énerve de voir certains malades perdre leur temps à fumer sans cesse, fumeurs chroniques qui se disputent les dernières bouffées. Ils sont généralement tout maigres et dépenaillés, avec le bout des doigts tout noir. Un vieux type, Harry, m'énerve particulièrement. Il est repoussant. Toujours à bout de souffle, il souffre d'une maladie qui le rend tout fragile et tremblant, mais il continue à fumer mille cigarettes par jour. Ça finit généralement par des quintes de toux qui atteignent des paroxysmes et le laissent plié en deux, sa salive contaminée giclant partout dans la pièce. Mais il ne lâchera pas. Vingt minutes après, tu le retrouves en train d'allumer une cigarette et, peu après, en train de recracher ses poumons. Je le trouve grossier, répugnant, je l'évite avec soin.

— Il essaie de se tuer avant que cet endroit ne détruise ce qui reste de lui, dit Matthew.

Quand bien même, ça m'énerve.

MMABATHO

Je dois admettre que dans les bras d'un homme, je perds parfois tout discernement.

Arne passe me voir. Après notre petite scène au mariage de Fiona, je me suis enfuie. Cette fois, c'est moi qui me suis trouvé des excuses bidons pour m'échapper. Quant à Lukhanyo, je ne l'ai pas revu depuis. J'imagine qu'il n'a pas très envie de me voir de toute façon.

J'ai tourné en rond dans ma chambre toute la matinée. Je ne sais pas quoi lui dire. Je n'ai pas de stratégie, aucun plan. Je ne suis qu'une boule d'émotions. Même si tout me montre que je devrais rester loin de lui, je trouve des excuses pour le laisser revenir dans ma vie.

On tape à la porte. Dans le miroir, je me répète de rester calme, de ne pas prendre cet air de femme vulnérable, rongée par ses sentiments.

— Salut, il dit. Il m'embrasse immédiatement sur la joue. Je le fais entrer, il avance jusqu'à la cuisine, au bout de la maison. Il s'assoit à la table, je reste debout.

— Tu veux boire quelque chose ? je demande, la voix un peu tremblante, mal assurée.

— Non, ça va, il sourit, il prend une banane. Sa confiance en lui me rend nerveuse.

— Ce qu'on a fait… c'était une erreur. Je veux juste que ce soit clair, je lui dis.

Il ne répond rien, je continue.

— Je sais pas ce qui s'est passé. J'étais peut-être un peu partie. Je veux pas que tu te fasses des idées sur moi. Je veux dire, on a juste fait l'amour, hein ? Ça veut rien dire de plus.

Il continue à se taire, mange doucement sa banane.

— Et me laisse pas faire tout le boulot, dis quelque chose, espèce de con.

— Qu'est-ce que tu veux que je te dise ? J'ai déconné, *ja*, ça, j'ai bien compris. Est-ce que tu me croiras si je te dis que j'ai pas été avec une autre depuis ce soir-là ? Tu me croiras si je te dis que j'ai envie de tout faire pour que ça marche entre nous ?

Ça me serre le cœur d'entendre ça. Une lueur d'espoir, une petite décharge d'enthousiasme. Je les dissimule, comme toujours avec les hommes. J'ai été blessée trop souvent. Il faut bien que j'en tire les leçons.

— Mais qu'est-ce qui me dit que tu ne recommenceras pas ?

— Parce je me suis senti très mal après, et que tu m'as manqué, il dit sans hésiter. Je ne suis donc pas la seule à avoir réfléchi à tout ça. Mais je ne vais pas le laisser s'en sortir si facilement. Il doit bien y avoir des failles.

— *Ja*, mais déjà, tu ne m'as toujours pas dit pourquoi tu l'avais fait cette fois-là. Pourquoi tout foutre en l'air si c'était si bien ?

Ma question le trouble un peu. Le doute, une légère panique envahissent son visage. Il passe sa main dans ses cheveux.

— Qu'est-ce que tu veux que je te dise ? Oui, tu me manques. Tu me manques beaucoup. J'ai déconné. Je suis désolé. Je ne sais pas quoi dire d'autre. J'étais jaloux de Tshepo. Je manquais de confiance. Je me disais que peut-être, toi et lui… *Ag*, c'est débile, je sais. Tu comprends pas que ça n'avait rien à voir avec toi ? J'ai été débile. Pas assez mûr pour faire face, il dit en se levant. Il jette la peau de sa banane dans la poubelle, se sert un verre d'eau. Il boit à grosses gorgées, comme si l'eau allait le laver. C'est un aveu inhabituel chez un garçon, dire qu'il manque de confiance, qu'il est jaloux. Mais dire « j'étais pas assez mûr pour faire face », ça, je ne l'ai jamais entendu. C'est pas rien. Je souris intérieurement.

— Bon, qu'est-ce que tu crois qu'on devrait faire ? je propose, mes soupçons apaisés par sa confession.

Il se lève, fait un pas vers moi. Je ne sais pas si dois fuir ou rester. Il me prend par la taille et m'embrasse. Il sent la banane.

— Je crois que j'en ai dit assez. Tu sais combien je m'en veux. Recommençons comme avant, il dit.

— Mais je veux pas recommencer comme avant. Pas si ça veut dire que tu vas recommencer toi aussi.

— Tu sais bien ce que je veux dire. Recommençons. Je sais qu'on peut être bien ensemble, il plaide, l'air sérieux.

C'est dans ses yeux. Il ne s'agit pas simplement de ressortir ensemble. Il ne sera plus un mec comme un autre.

— Et comment je sais si c'est pas juste un coup de charme ?

— Chut, il fait en mettant son doigt sur ma bouche, puis il m'embrasse encore. Je lui rends son baiser avec le sentiment que je viens de lui confier mon cœur. S'il te plaît, sois gentil avec moi, mon cœur se casse facilement, je me dis pendant notre baiser. Finalement, tout revient à ça. Il faut être prêt à donner quelque chose. Il y a une place pour la peur et il y en a une pour l'espoir et toutes les jolies choses auxquelles on aspire. Alors je me donne à lui. Je vais cesser de tirer des enseignements du passé, suivre mon cœur insouciant.

— Ne joue pas avec moi, Arne, je n'aurai pas la force, je le préviens alors que nous allons dans ma chambre.

La semaine suivante, nous la passons ensemble, sauf quand il doit partir pour ses recherches. Je crois qu'il sait combien j'ai peur encore. Et les pipelettes sont toujours au travail. Je suis ça d'assez loin mais la rumeur veut qu'il m'ait suppliée de le reprendre après m'avoir vue avec Lukhanyo. Je sais que c'est bête, mais ça fait une différence. Ça me donne une forme de confiance, ils pensent que j'ai gardé la main.

Un soir, je vais dans le restaurant de madame Spiers à Obs. Arne doit me retrouver là-bas.

— *Chérie, ça fait longtemps que je t'ai pas vue.* Qu'est-ce que tu deviens ? Elle m'embrasse sur les joues. Elle porte un élégant pull à col rond en cachemire bleu marine, avec une jupe noire toute simple qui tombe sur les genoux, fendue sur le côté, exposant partiellement une cuisse. Elle est debout dans une posture charmante, dans des chaussures plates au dessin très italien.

— J'aime beaucoup votre bracelet, je lui dis.

— *Quoi*, cette petite babiole, souvenir de vacances au Brésil avec un Hollandais charmant que je n'aurais jamais dû fréquenter, elle sourit et me guide vers une table.

— *Alors*, où est Arne, *ce soir* ?

— Il arrive. Il avait du travail, je dis avec un certain manque d'assurance qu'elle remarque.

— *Mais bien sûr* il a du travail, sinon comment pourrait-il laisser seule une fleur aussi délicate ? Elle réussit à me faire sourire. J'aurais peut-être été différente si j'avais eu un visage comme le sien au détour de l'adolescence. J'aurais peut-être été plus amie avec d'autres filles, moins agressive avec les hommes, plus sûre de moi.

— Vous arrive-t-il jamais de douter ? je lui demande.

— Mais qu'y a-t-il d'absolument certain dans la vie, *chérie* ? À mon âge, quand on commence à te décrire comme une femme d'un certain âge, tu ne peux que douter que les gens te revoient un jour comme tu te vois toi-même. Il vaut mieux construire sur ses atouts. Plus personne ne construit rien *aujourd'hui*, il n'est plus question que de réparer ou de détruire.

Un serveur apporte un menu, je commande de l'eau pétillante. Peu après, Arne arrive, un peu débraillé et fatigué. Il embrasse madame Spiers, ils plaisantent. Elle part à la rencontre d'autres arrivants.

— *À plus tard, chérie.*

— Tu vas pas croire la journée que j'ai passée, il dit en posant son sac à dos sur le sol. Bon, mais ça n'a pas d'importance. Tu as commandé ?

— Non, je réponds. Il pousse un soupir et cherche un serveur des yeux.

Et là, tout d'un coup, je me mets à pleurer. Des torrents de larmes. Arne, stupéfait et embarrassé, essaie de dire quelque chose, mais rien ne vient.

— Je sais plus où j'en suis, je sanglote.

Le serveur apporte les menus. Voyant que je m'essuie les yeux avec une serviette, il s'en va sans nous détailler les plats du jour.

— Tu comprendrais pas de toute façon. Je pleure comme si j'étais en deuil, des larmes douces qui m'emplissent de l'absence de mon père, du réconfort de ses grands bras.

— C'est un trop gros effort, je lui dis, d'essayer de tenir le coup. Si tu dois me briser le cœur encore une fois, fais-le maintenant.

Il me regarde abasourdi.

— Je peux pas me demander avec qui tu es, chaque fois que tu t'en vas, je lui dis. Ça m'épuise.

Je me tais un instant. Je ne fais que pleurer. Lui, en face de moi, me regarde.

Je croyais que l'amour, ça pouvait se contrôler. Je veux que ce soit doux, je me disais. Je voulais le modeler comme une sculpture, le garder à ma main. Ça fait trop longtemps que je traîne la dépression larvée de mes précédentes ruptures. Je trimballe trop de regrets, de blessures, des choses que j'aurais dû dire, mais que j'ai gardées. Je me suis bercée de l'illusion que je pouvais dompter l'amour, que je pouvais rencontrer un homme selon mes termes, quand ça me convenait. J'ai lu trop de magazines, écouté trop de psychologues et d'experts à deux balles, qui n'ont réussi qu'à me perturber davantage : l'anatomie du couple, l'ego féminin, la femme eunuque, les règles du sexe, le chemin du rétablissement, les hommes jouets, la personnalité sexuelle, une question d'immunité, pourquoi nous les aimons, quand nous n'étions que des femmes, quand ils n'étaient que des hommes… et ainsi de suite. Le plus triste, c'est qu'il ne saura jamais. Il ne saura jamais tout qu'il faut faire pour être une femme, la somme de précautions. Il ne connaîtra jamais les luttes avec soi-même, avec les autres femmes. Pour lui, je serai simplement une femme comme une autre, qui pleure parce que c'est ce que font les femmes. Elles pleurent comme ça, sans raison. Elles dérangent. Elles font des scènes.

— Tu veux rentrer à la maison ? je finis par demander quand mes pleurs se calment.

— Non, je veux comprendre… Je veux savoir quoi faire. Je croyais que ça allait. Je ne sais pas quoi dire, il dit avec impuissance.

Mais tu les vois pas, tous ces marathons que j'ai disputés, tous ces salauds qui m'ont humiliée, qui m'ont laissée ensuite recoller les morceaux de ma dignité éparpillée ? Mon père, lui, il m'aime. Il ne m'a pas cueillie de l'arbre pour que les hommes puissent ensuite me dévorer. Je ne suis pas un simple divertissement pour les garçons. Je ne suis pas un homme. Si je pleure, c'est que j'ai quelque chose à dire. Si je pleure, c'est que j'ai rien à cacher. Ces larmes ne sont pas vaines. Elles ne sont pas une arme. Je lutte pour soulager mon cœur. Tu peux pas voir ça ? Tu peux pas l'entendre ?

— Je crois qu'il y a quelque chose que tu me dis pas, il dit avec compassion.

— J'ai rien à cacher. Je suis simplement fatiguée de tous ces jeux. Je veux pas savoir comment tu fonctionnes. Je veux simplement te connaître, je dis, et si tu veux pas être avec moi, je veux que tu me le dises. Je veux pas d'un autre gâchis. Je veux pas te haïr. Je veux juste te connaître.

— Mais tu me connais. Tu me connais, il insiste en tendant sa main pour toucher la mienne. Je t'entends. Moi aussi j'ai envie de quelque chose de vrai, pas de jeu. D'accord ?

Je hoche la tête, j'essuie mes larmes. Pas de honte ni d'embarras, la fille débile toujours prête à sortir son mouchoir. Je veux qu'il me voie comme je suis, *snot en trane*, morve et larmes. Je veux qu'il sache où je vais et d'où je viens. J'en ai assez d'attraper le train en marche avec les hommes, en pariant sur une destination appelée bonheur. Je veux qu'il sache dans quoi il vient de s'engager.

Le serveur revient, il me regarde à peine. On commande un repas léger, une salade, des tortillas au fromage. On ne dit pas grand-chose. Dans ses yeux, je vois plein de questions sans réponse. Je le regarde. On boit beaucoup de vin.

Une femme doit aller très loin pour se trouver elle-même. Elle doit aller au-delà de la sécurité du village, apprendre à connaître la petite fille que tout le monde a protégée avec des mensonges. Être rejetée, ce n'est pas grave, on m'a dit. Les hommes, il ne faut jamais leur faire confiance. Chante, aujourd'hui, seule, comme la nouvelle héroïne que tu dois devenir, l'amour est à sens unique. Chante, tes chansons ne résonneront peut-être pas demain. Chante, toujours seule, tu es vouée au destin de ta mère – méconnue, mal aimée. Chante, tu ne connais pas ta mère. Chante toujours pour toi-même, tu ne peux pas faire confiance aux hommes, tu ne peux pas te fier à leur amour. Le seul amour d'un homme qu'une femme peut connaître, c'est celui de son père. Chante, chante.

— Par-dessus tout, je veux qu'on reste toujours amis, je lui dis au bout d'un moment, il acquiesce gravement. Cette laideur. Les pleurs et tout ça, c'est parfois nécessaire.

— Je sais.

Le lendemain matin, je me réveille avec le désir brûlant de voir Tshepo. Peut-être est-ce de la culpabilité, je ne suis pas allée le voir depuis qu'il y est retourné. Je me présente à son pavillon un après-midi, à l'heure des visites. Il est surpris de me voir.

— Qu'est-ce que tu fais là ? il demande, nous nous asseyons dans le couloir. Après ce qui s'est passé, ils ne vont certainement pas nous laisser nous promener dehors.

— Sois pas ridicule. J'avais envie de te voir, je dis en me sentant coupable.

— Oh, il fait, avec un regard très froid.

— J'ai passé des moments compliqués. Je serais venue plus tôt sinon…

— Les excuses, c'est pas terrible, tu sais, mieux vaut ne rien dire.

Je l'ai mérité, je me dis.

— Arne te passe le bonjour, à propos, je dis.

— Pitié. Pas de charité. Depuis quand ton petit ami pense à moi ?

— Pourquoi tu es aussi odieux ? je dis en allumant une cigarette.

— Tu te fous de ma gueule, il dit en me regardant à peine. Est-ce qu'on peut parler d'autre chose ? Tout à l'heure, je vais avoir mon joint hebdomadaire. J'ai pas envie de le gâcher en me mettant de mauvaise humeur.

Il regarde ailleurs.

— Comment se passe la thérapie ? je demande.

Il tourne la tête et me fusille du regard.

— Je sais pas, j'ai toujours pensé que ce serait pas mal d'avoir quelqu'un qui m'écoute râler sur tout pendant une heure, je tente. Bon sang, j'aurais dû venir le voir plus tôt.

— Que dire ? Je suis déjà passé par là. Les questions sont les mêmes. Tu parles de ton enfance, toutes ces conneries, il dit en frottant une blessure sur sa main.

— Écoute, je suis vraiment désolée, OK ? Je me débattais avec mes propres emmerdes.

— Peu importe, il répond en saluant un grand type qui passe. L'homme me tire lubriquement la langue et se tient le bas-ventre.

— T'inquiète pas, sourit Tshepo, Sipho est de garde, il ne fera rien.

Je regarde l'homme aller aux toilettes, probablement pour se tripoter.

— Cet endroit me fout les jetons.

— Je me doutais que tu dirais ça, il dit froidement. Il y a quelque chose de changé en lui, un détachement qu'il n'avait pas auparavant. Je me sens bête, assise à côté de lui, comme avec quelqu'un qu'on n'a pas vu depuis longtemps, réalisant qu'il n'y a peut-être plus d'amitié entre nous.

— Je t'en veux pas de pas être venue me voir, vraiment. J'aurais probablement fait pareil, il dit en s'efforçant de prendre un air amical. Il ne sourit pas vraiment, mais je retrouve un peu du Tshepo que je connais.

— Tu as raconté à ton thérapeute ce qui est arrivé à tes parents ? Je veux dire, la vraie histoire, pas l'accident de voiture que tu sers à tout le monde ?

— *Ja*, j'étais bien obligé. Elle a retrouvé mon dossier de Sterkfontein, il dit avec irritation. C'est trop personnel, je laisse tomber le sujet, je termine ma cigarette.

— Comment c'est, chez Ganesh ? il demande.

— Toujours pareil. Karuna est avec une nouvelle fille, qui vient des Philippines. Elles ont l'air de bien s'entendre. J'ai rompu avec Arne pendant un moment, mais les choses s'arrangent.

— Ah bon ?

— C'était dur, mais je crois qu'on va y arriver tous les deux.

— C'est bien, il dit d'un ton morne. Il reprend son air indifférent.

— Tu as l'air changé, je lui dis finalement.

— Non, je suis juste plus maigre. Mais je vais mieux, si c'est ce que tu veux dire.

Je ne suis pas sûre de comprendre, je laisse filer.

Un autre type, en manteau sombre, s'approche de nous, sans rien dire. Tshepo lui dit de se barrer, il le pousse presque. Je ne l'ai jamais vu agressif.

— Un endroit comme ici, ça vous change, il dit en regardant par terre. C'est l'enfer. Je passe mon temps à regarder cette foutue horloge dans le salon. Rien d'autre à foutre. J'ai perdu toute motivation, même pour lire. En fait, c'est surtout dû aux médicaments. Je suis toujours agité.

— Et ce type, comment s'appelle-t-il, Zeffron ? je demande.

— Zebron, il corrige.

— Il est bien, lui, non ?

— Aussi bien qu'on peut l'être dans un endroit pareil. Je traîne pas mal avec lui mais je ne fais pas trop attention à ce qu'il dit. Il est un peu trop barré dans sa tête pour moi, il dit, un tic lui secoue le visage.

— Et les autres ?

— Ils font partie des meubles. Ils ne parlent quasiment pas, à part Matthew. Mais il s'est tiré. Il y a deux jours, il a découvert qu'il avait perdu un procès qui donne tout pouvoir à ses parents sur son héritage et tout son argent, il dit, ses yeux parcourant la pièce.

Il me regarde à peine. Je ne sais pas s'il m'en veut ou si c'est juste à cause de cet endroit épouvantable.

— Ils peuvent faire ça ? elle dit.

— C'est ce que je lui ai demandé. Ça fait peur, mais ils peuvent et ils l'ont fait. Il a annoncé qu'il partait à Pretoria. Mais il a mis le feu à son matelas avant de partir. Il a dit que c'était symbolique, pose pas de question. Matthew est une sorte d'esprit libre, il aime jouer avec le feu, ça aide pas. Si on le provoque, il réagit. Pire, il va vouloir se venger. Il croit à fond à la justice et au châtiment. Je suppose qu'on est tous comme ça dans une certaine mesure, mais chez Matthew, c'est frénétique. Juste avant de partir, il m'a dit que certains de ceux qui l'avaient maltraité devaient payer. Il était vraiment très amer.

— Et comment voulait-il se venger ? je dis, en allumant une autre cigarette.

— Il m'a pas dit. *Ja*, cet endroit l'a vraiment brisé. Ils l'ont mis au *kulukutz* pendant six semaines quand il a cassé la gueule d'un des infirmiers. Il sait pas lâcher, même si c'est à son propre détriment, il dit en s'arrachant une croûte sur la main.

— Mais pourquoi ses parents ont fait ça ? je demande.

— Apparemment, il est assez riche. Il a hérité de son grand-père. Il fut un temps où il s'est montré trop prodigue. Il a organisé un barbecue au pavillon 15, il a acheté des chaussures à certains gars, des blousons chauds pour l'hiver.

— Du coup, ses parents ont paniqué et lui ont fait un procès ?

Il hoche la tête, il me regarde brièvement. Je suis un peu embarrassée parce que je me suis percé le nez et il n'a encore rien dit. Mais je ne vais pas en parler.

— Comment est-ce qu'il a atterri ici au départ ?

— Longue histoire.

— Je suis pas pressée. J'ai pris l'après-midi.

Il pouffe.

— Ah, la vache, je sais pas où commencer, il dit.

— Ça va, j'ai bien compris, je dis un peu exaspérée.

Il commence à grogner dans sa barbe.

— C'est pas très clair. Il disait qu'il avait des emmerdes avec des paysans du Cap. Apparemment, ils utilisaient des machines à vendanger qui décimaient des petits animaux, genre caméléons. Et tu sais comme ils comptent dans notre culture, il dit en me regardant.

— Je sais.

— Bref, Matthew organise une manifestation là-bas, peu importe où. Je crois que c'était à Stellenbosch. La presse était là. Il a même mis le feu à son van pour marquer le coup. Mais ne me demande pas ce que ça prouve de brûler sa bagnole. Toute l'histoire était dans le *Mail & Guardian*. Je me rappelle pas l'avoir lue. *Ja*, en tout cas, il était sacrément remonté sur ce coup. Il s'est mis à tout saccager, disant que les viticulteurs devaient détruire leurs vignes, qu'ils avaient le sang des caméléons sur les mains, que ça aurait des conséquences terribles, mauvais sort, *ntho tsa boloyi*, il dit avec un petit rire.

— C'est lui qui t'a dit ça ? je demande.

— Tu sais, le truc ici, c'est que tu te souviens de tout. Même quand tu dérailles. Pas d'amnésie ou rien de ce genre, il me dit.

— OK.

— Bref, il se débrouille pour foutre un sacré bordel dans une des villes viticoles du Cap. Les flics l'arrêtent pour le sabotage d'une vendangeuse, un truc du genre. Ça commence à sentir mauvais. Finalement, un de ses amis le sort de prison et il rentre à la maison. C'est là qu'il a pété les plombs à ce qu'il dit. Paranoïa. Il croyait que quelqu'un le traquait. Il était convaincu que les viticulteurs voulaient sa peau. Il a dormi à droite à gauche. Il s'est mis à entendre des voix. À ce qu'il raconte, certains de ses amis l'ont lâché à cette occasion. Il a fini par tailler la route, pour échapper à ces viticulteurs qui voulaient sa peau. Il est allé chez ses parents à Kokstad, qui l'ont convaincu de se faire hospitaliser. Il voulait pas, mais il a fini par le faire. Il est allé à Townhill, à Maritzburg. Il dit que c'est la plus grosse bêtise qu'il ait jamais faite, parce qu'ils l'ont certifié. Tu sais ce que ça veut dire, n'est-ce pas ?

Je secoue la tête.

— Je ne souhaiterais pas ça à mon pire ennemi. Ça signifie que tu as plus le droit de voter, de conduire, d'ouvrir un compte en banque, en gros, t'existes plus. Plus question d'être traité comme un adulte. Avant l'histoire des caméléons, il était au Transkei pour s'initier à la médecine traditionnelle, *amaqgira*. Je me souviens qu'il racontait que pour une raison quelconque, ça a mal tourné, ils se sont engueulés, presque tapé dessus. Ils l'ont accusé d'être un homme blanc, un *mlungu*. *Ena o bone boloi,* ensorcelé.

— Tu crois que c'est ça qui t'est arrivé aussi, non ?

— C'est pas exclu, il dit sans s'arrêter, même si je sais bien que c'est une idée qu'il prend très au sérieux. Les gens sont capables de beaucoup de choses.

Il me regarde, il fait un geste vers le nez.

— Je l'ai fait faire il y a une semaine. Qu'est-ce t'en penses ? je dis avec enthousiasme.

— Comme tu veux, il dit, j'arrive pas à te suivre. Bon, bref, je suis toujours ici. Chaque jour, je suis confronté à huit murs, trois repas, six cachets et des types bizarres.

— Oh, il faut que je te dise un truc avant d'oublier. Je meurs d'envie de parler de ça à quelqu'un, je dis.

Il me regarde avec ennui.

— Tu pourrais prendre l'air intéressé.

— Quoi ?

— Mercredi dernier, c'était la dernière de *Macbeth*. Notre metteur en scène, Tony, un chic type vraiment, organise toujours une soirée pour nous. Donc on fait la fête après la représentation. La semaine avait été chargée, Tony n'avait pas eu le temps de faire les courses pour la fête. C'est toujours l'administration qui paye, alors on se lâche sur le fromage et les vins. Bref, il me demande de m'en occuper. Je vais chez Pick n' Pay, sur le front de mer. Tony me prête sa voiture. Je fais les courses : vin, champagne, fromage, chips, gâteaux, la totale. J'arrive à la caisse. Je vois une noire à la caisse d'à côté. Une femme spectaculairement belle, Tshepo. Tu vois, bien habillée, sophistiquée. On voyait qu'elle avait un bon boulot. Et son chariot était plein.

— Où ça mène, ton histoire ? il dit en levant les yeux au ciel.

— Attends un peu. Alors cette femme, qui devait avoir dans les trente-cinq ans, fait la queue, elle attend son tour. Derrière elle, il y a deux blanches, elles aussi super sapées, le genre « mon mari dirige un centre commercial chic à Clifton ». Et elles papotent à propos de cette femme. Je peux presque les entendre mais je ne sais pas si la fille noire fait semblant de n'avoir rien remarqué. Finalement, une des deux s'approche et tape sur l'épaule de la femme. Et tu sais ce qu'elle lui sort ? J'en croyais pas mes oreilles. Elle dit : « Alors ta patronne t'a envoyée faire les courses ? » Comme ça, avec un air pincé.

Tshepo n'a pas vraiment l'air emballé.

— Alors la noire se retourne, avec un air *'ntlwayela-ga-mpe*, et dit : « Non, la patronne c'est moi. Toi, c'est ton mari qui t'envoie faire les courses, parce que tu es probablement une de ces petites ménagères qui n'ont rien d'autre à faire de leur journée que raconter des bêtises dans les supermarchés. » Tu peux croire que de telles choses arrivent encore ? Et au P & P en plus, je dis en le regardant.

— Plus rien ne me surprend. Les gens, on les connaît jamais vraiment, il dit sans grande conviction.

— Moi, je suis confrontée au même genre de conneries, mais à un niveau différent. Tu sais comme les blancs peuvent se montrer condescendants si tu parles un anglais châtié – on sait bien que ça tient à la façon de parler, avec un accent impeccable. Oh, vous parlez si bien, où êtes-vous allée à l'école ? Et patati et patata, ce genre de conneries. Je suis confrontée à ça souvent parce que je travaille avec des enfants et parfois, je suis la première noire avec laquelle ils parlent vraiment. Les questions qu'ils posent ! Le pire, c'est les cheveux. Une de mes amies, Khanyisa, a des dreadlocks. Mais ils ne lui en parlent jamais directement, ils m'interrogent moi, parce que je parle avec un accent qui ne leur fait pas peur, pas comme Khanyisa qui est allée à l'école à Mdantsane. Est-ce que ça tient avec de la bouse de vache ? On m'a dit qu'ils utilisaient du jaune d'œuf ? C'est vrai qu'on ne peut pas les laver ? C'est vrai que Bob Marley avait quarante-deux variétés de poux dans les cheveux quand il est mort ? Qu'est-ce que c'est que ces conneries ? Quand ils salissent la mémoire de Bob, je les envoie péter. Ça m'énerve.

— Je vois ce que tu veux dire, il répond un peu plus intéressé maintenant. On devrait écrire un livre pour eux. On appellerait ça *Tout ce que vous avez toujours voulu savoir sur les noirs – toute la vérité !*

— Ce serait un best-seller.

— Ça a bien changé depuis l'école, *nè* ? il dit.

— *Wena*. Oui, à l'école, on était que des enfants. La couleur, c'était là, mais aussi, c'était pas là.

— On était tous trop excités, obsédés par nos boutons pour réaliser ce qu'était vraiment le monde, il dit.

— Maintenant, les gens avec qui je suis allée à l'école, les gens que je croyais être mes amis, ils sont devenus sectaires. Et bien sûr, les noirs vont t'en vouloir parce que tu as réussi. Tu te prends pour un blanc. *O e ketsa lekgowa. Bana ba di,* école privée, et patati et patata, je dis.

— C'est pour ça que je ne fais plus attention à ce que racontent les gens. C'est trompeur. Chacun voit midi à sa porte. J'ai renoncé. Je sais qui je suis, il dit résolument.

— Mais pourquoi ils sont comme ça ? je dis, en geignant un peu.

— Parce qu'on est en Afrique du Sud. Et ne te fais pas avoir en te disant que les gens du Cap sont ouverts. Certains des plus sectaires, des plus hypocrites viennent du Cap. Les vieilles familles riches, Mmabatho, elles veulent pas de nous, elles n'ont jamais voulu, elles voudront jamais. Tu sais comme c'est dur pour elles d'assister à la fin de l'apartheid et de leurs privilèges ? Alors, elles s'enferment derrière de hauts murs à Constantia. Partout où tu trouves une forte concentration de riches, tu peux être sûr qu'ils sont hyper conservateurs.

— Ma théorie sur le Cap, c'est qu'il y a plein de riches, des Allemands, des Français, des juifs, des musulmans, des Italiens et bien sûr, quelques-uns de ces noirs *nouveaux riches*. Et puis la majorité de la population, qui appartient à la classe ouvrière. Peut-être qu'il n'y a pas une classe moyenne assez développée au Cap, comme tu peux trouver à Jo'burg. Je crois pas pour autant que toutes les valeurs de la classe moyenne soient bonnes, mais au moins elles contribuent à une forme d'équilibre. Au Cap, t'as pas ça. Il y a tous ces gens riches à crever, qui ne savent pas quoi faire de leur argent, et de l'autre côté, tu as Gugulethu et les Cape Flats. Bien sûr que ça crée des tensions. Du coup, les riches tiennent tout, les tribunaux, les flics, les politiciens, les usines. Mais leur plus grande erreur, c'est de croire qu'ils tiennent les gens, qu'ils peuvent dire ce qu'ils veulent, comme ces morues chez Pick 'n Pay. Le *Baasskap* est mort. Il faut qu'ils acceptent ça, il dit en s'essuyant la bouche.

TSHEPO

Je peux pas dormir, maman. Les remèdes m'en empêchent. Je suis agité, je passe mon temps à ressasser une seule pensée, partir d'ici. Et je ne peux pas m'échapper ; il faut que je reparte d'ici en homme libre. C'est mon unique objectif. Comme un mantra. Je prends mes cachets, je leur dis ce qu'ils veulent entendre, je fais un effort pour être sociable. C'est parfois humiliant de sourire aux médecins qui viennent me voir pendant les visites. Une fois, il y en a un qui a dit, « attention, certains ont des puces ». Ils nous regardent avec un mélange de dégoût et de pitié, comme s'ils ne savaient pas vraiment quoi faire de nous, pour nous. Mais je m'oblige à avaler leur merde. Je ne dois penser à rien d'autre, si je veux arriver à sortir de cet endroit maléfique. Même les cafards sont malveillants, ils mangent tout, même s'il n'y a rien à manger. Zebron affirme qu'une fois il s'est fait mordre.

À propos de Zebron, je commence à me ranger à sa façon de penser. Sa chanson n'est pas si étrange. Ça m'inquiète, je deviens un peu comme lui. Quand ils nous distribuent du tabac, il m'arrive de harceler les plus psychotiques pour leur voler leur ration, l'échanger ensuite contre de la nourriture ou du chewing-gum. Parfois sous la douche, quand les infirmiers ne regardent pas, je prends toute l'eau chaude et je les repousse. Cet endroit est en train de me bouffer, sa pourriture est contagieuse. C'est pour ça qu'il faut que je m'en aille, avant que le pire ne se produise. Je n'ai pas envie de connaître le pire de moi-même. On déambule avec Zebron, comme deux prédateurs, des félins silencieux qui guettent la liberté. L'attente est longue jusqu'au matin. Mes nuits sont pleines d'un silence lourd depuis que Matthew est parti, me laissant avec le bruissement des arbres tandis que les autres dorment.

Je change, j'évolue. Je suis forcé de renoncer à mon équilibre, à mon identité, si je veux survivre à cet endroit. Ils m'avalent tout entier avec leur thérapie et leur traitement. La nuit, quand je suis seul, j'essaie de me souvenir ce que c'est d'être moi. Je ne me souviens pas bien. Je me transforme en autre chose. Mes rêves sont autant de révélations. Je me réveille avec des impressions, des impressions complexes, comme une batterie de codes. Ensuite, pendant la journée, j'essaie lentement de déchiffrer ces humeurs compliquées. En fait, ce sont des messages. C'est difficile à expliquer. L'essence de ces rêves, c'est que tout arrive par l'air. C'est comme si on m'avait coupé la musique de la vie. Tout ce que j'entends à présent, c'est la chanson des mourants et des morts.

Je suis devenu sensible à la présence des femmes. J'ai toujours été proche d'elles, mais là c'est différent. Elles m'ont infecté avec un virus que je ne comprends pas. Quand les infirmières sont près de moi et bavardent, c'est comme si je comprenais leurs plaisanteries, leurs plaintes. Ça va même plus loin. Mon corps change, des changements très subtils, maman. Il y a un secret que je garde depuis longtemps, mais il faut que je le dise maintenant, maman. Ça me fait mal de le garder pour moi. Mon corps change. C'est gênant, mais il faut que je me décharge de ce secret. Personne ne m'entend ici. Personne ne m'écoute. Personne n'écoute mon corps me parler des femmes, m'aider à les comprendre.

C'est comme ça, j'ai commencé à saigner, comme une femme. Pas là où on pourrait croire, à l'autre endroit. Je sais qu'on appelle ça des hémorroïdes, mais c'est différent. Je sais que c'est différent parce que ça vient en cycle, un étrange cycle de mutation. Ce que je suggère est peut-être sacrilège. Peut-être que c'est une insulte aux femmes. Mais pour mon corps, c'est une douleur sacrée. Elle m'oblige à penser vers l'intérieur. La différence entre un homme et une femme n'est peut-être pas si grande. Je sais que c'est bizarre, mais c'est la seule explication logique que je trouve à ce qui m'arrive. Sinon, comment expliquer cette sensibilité accrue ? Et aussi, je perçois toutes les odeurs. Mais peut-être que je pousse un peu.

Voilà ce qui arrive quand on dort mal. Ton esprit trouve des prétextes pour te garder éveillé. Il trouve une façon de tuer le temps, avant que le temps ne te tue. Peut-être que mes pensées déviantes sont un mécanisme de survie. Peut-être suis-je en train de décoder ma propre psychose. J'ai tellement besoin de sommeil, maman. J'attends l'oubli des rêves. Je dors peu, mais quand ça m'arrive, je rêve beaucoup. J'ai rêvé de ma mort et de ma transformation. J'ai rêvé que je mourais et que je survivais à mon rêve. J'étais couvert de fumées et de poussières furieuses. Une étoile volontaire se lève sur mon horizon. Je suis gouverné par sa violence. Comme une bête sauvage qui me fait frissonner à chaque fois qu'elle grogne. Je sens son appétit. Comme un tigre affamé qui guette sa proie. Son énergie insondable, sa fébrilité m'empêchent de dormir la nuit. J'entends ses pas puissants qui se déplacent avec souplesse. Parfois, je ne suis pas sûr que ce soit les médicaments qui me gardent éveillé. Cette violente énergie femelle, cette créature de l'ombre, venue des profondeurs de la peur humaine, elle est devenue ma lune. C'est elle qui me fait m'interroger la nuit, qui m'abreuve d'images de destruction. J'ai retrouvé ma fascination d'enfance pour le feu.

Le jour où Matthew a mis le feu à son lit, j'étais là. Je n'ai rien fait. J'ai regardé les flammes dévorer le lit, s'élevant en une danse aussi vieille que la mort. J'ai regardé avec curiosité, comme un enfant fasciné regarde les autres jouer brutalement et trébucher. J'ai regardé hurler les dragons de feu, les serpents sauvages de Méduse gémir et lancer des cris stridents qui me transperçaient comme un trait de lumière. Un serpent tournait, se tortillait dans les flammes. Pendant un bref moment, j'ai entendu le monde s'effondrer. Les arbres s'abattre, les montagnes s'ébouler. Une clameur partout, les gens s'entredévorant, pendant qu'un froid terrible et un brasier intolérable persistaient. C'était le *Ragnarök*, le combat des dieux, la destruction des destructions. C'était incroyable. J'avais le souffle coupé, si près du désastre et du feu. C'est Zebron qui a finalement appelé quelqu'un. Quand Sipho est arrivé, le feu avait laissé sa marque de cendres.

J'ai peut-être l'envie secrète de me détruire. J'ai fini par comprendre mes désirs, comme ils sont profonds et primitifs. Je sais que j'ai des humeurs sombres, comme des virgules entre les moments d'espoir. Je ne les ignore pas, je ne les remets pas en cause. Je les ressens. Quand j'écrase les plus faibles, c'est pour survivre, il faut que je fasse ce qu'il faut pour rester maître de la situation. Comme être sur un bateau d'esclaves. Nous sommes comme des esclaves, vivant les uns sur les autres. Quand la nourriture est rationnée, chacun essaie d'en avoir autant qu'il peut. On ferait n'importe quoi pour rester en vie. Et moi, je fais tout ce que je peux pour sauver mon esprit, pour agripper les dernières branches de ma santé mentale, aussi clairsemées soient-elles. Je suis obligé d'apprendre le langage de l'effacement. Je donne aux médecins le spectacle auquel ils veulent assister : le rétablissement d'un patient atteint de psychose induite par le cannabis.

Quand ils me regardent, je sais qu'ils ne voient pas un individu. Ils voient un cas, quelque chose qu'ils doivent travailler, décoder, diagnostiquer. Pour eux, mon esprit n'est qu'un puzzle. Ils en scrutent chaque fragment. Ils s'étonnent devant les pièces cassées, ils s'échangent des histoires sur ce qu'ils voient et entendent. Ils n'écoutent que ce qu'ils veulent entendre, ils n'écrivent que ce qu'ils comprennent. Tout le reste, les gestes, les pauses, les signes du désespoir, est absorbé dans un néant appelé thérapie. Pour eux, nous nous résumons à des points d'interrogation et des points finaux, c'est pour ça qu'ils ne nous comprendront jamais. Notre souffrance est devenue un tatouage. Personne ne peut l'effacer, pas même leurs médicaments ni leurs électrochocs. Le silence dans lequel ils nous forcent à vivre nous ouvre de nouveaux territoires en nous-mêmes. Nous devenons nos propres réponses, des points qui effacent leurs interrogations. C'est peut-être pour cela que nos maux sont si profonds. Qu'ils nous enferment, nous maltraitent et nous insultent. Ils redoutent peut-être la piqûre de notre psychose, tout ce que nous disons est fondé sur une réalité qu'ils ne percevront jamais. Ce qui les laisse dans l'expectative, ce qui les fait nous garder ici plutôt que nous relâcher, c'est précisément ce qui nous rend forts, ce qui nous apprend à voir. Nous devenons les monstres qu'ils redoutent. Je deviens le schizophrène paranoïaque qu'ils ont diagnostiqué au départ, mais je le cache. Il faut que je dissimule la vérité sur moi-même. Ça, je le garde pour moi. Ils ont mis mon esprit à nu, ils savent tout de moi. Ils en ont vu assez. Que leur reste-t-il à découvrir hormis ma vérité ? Ils m'ont dépouillé de tout, c'est la dernière information que je peux revendiquer comme mienne. Et je ne les laisserai pas la trouver.

Je sais qui je suis. La nuit, mon esprit patrouille. Et mes pensées ne sont pas réconfortantes.

ZEBRON

Ma Brooks m'a apporté du papier et un crayon. Elle me demande de dessiner des choses.

— C'est un exercice pour libérer votre subconscient, elle dit sur son ton égal.

Ça me stimule d'être avec elle, elle n'a pas peur de moi. J'imagine que c'est ma seule alliée dans cet endroit maudit. Je n'aurais jamais cru que je pourrais un jour appeler « alliée » une vieille peau blanche, mais c'est le cas.

— Votre enfance. Dessinez ce qui vous vient à l'esprit quand vous pensez à votre enfance, elle dit.

Je dessine un personnage en bâtons, qui joue seul sur une balançoire. L'image est toute petite. Elle jette un œil sans faire de commentaire. Elle continue.

— La chambre, elle dit en hochant la tête.

— La chambre ? Quelle chambre ? je demande.

— Celle que vous voulez, ce qui vous vient à l'esprit, elle répond en regardant ailleurs.

Je commence à dessiner un lit, il occupe bientôt presque toute la page. Sur le lit, je dessine plusieurs personnages en bâtons, qui font quelque chose à l'un d'entre eux. Je fais plein de lignes et de gribouillis. À force, les personnages finissent par se fondre les uns dans les autres.

— Parlez-moi de ce dessin, elle dit quand j'ai fini.

— Eh bien, il y a une femme et cinq hommes. On lui fait des trucs. Toutes ces marques, c'est son sang.

Elle me regarde avec un air de pitié inattendu, une compassion aussitôt contrôlée. C'est une femme qui sait se contrôler, Ma Brooks. Même quand elle est en colère.

— Je rêve d'elle, souvent, je dis en me massant les tempes. Elle me laisse pas en paix. Elle est toujours là.

Je ressens ça comme une confession.

— Ce que vous avez fait à votre sœur, aux autres femmes revient vous hanter, elle dit. Il faut vous confronter à ce démon, Zebron.

C'est la première fois que je l'entends prononcer mon nom.

— J'aimerais être pardonné, mais je sais pas comment faire, je dis la gorge serrée, mais je ne pleure pas. Je ne pleure jamais. Ça m'effraie de songer à la dernière fois où j'ai pleuré. Ça doit remonter à l'enfance.

— Il y a pire que de se laisser submerger par ses sentiments, elle m'encourage, les mains croisées, ses lunettes fixées sur moi.

— Je voudrais bien, mais je sais pas comment, je dis, à propos de mon envie de pleurer. C'est peut-être la chose la plus bizarre que j'aie jamais dite à quelqu'un. Je ne sais pas comment pleurer.

— Il faut que vous reveniez à ces femmes, à votre sœur. Il faut que vous entendiez leurs cris, les choses terribles que vous leur avez faites. Il faut que vous ressentiez un peu de leur souffrance, de leur peur. Il faut que vous voyiez l'homme qui a fait ça, elle dit avec netteté, le regard aigu, celui d'un faucon.

— J'essaie, mais seule ma gorge me fait mal. Je sens ses yeux sur moi, elle ne me juge pas. Elle me regarde juste, peut-être elle me soutient.

— Il faut du courage pour être faible, elle dit, et un déclic se produit en moi. Une blessure terrible que j'avais oubliée se rouvre soudain. Je commence à en ressentir la douleur. Je commence à gémir, un grognement terrible et sourd, celui d'un sanglier blessé. Mais toujours pas de larmes. Même si ça fait des années que je n'en ai pas été aussi près.

Elle me regarde, spectacle étrange d'un adulte poussant un horrible mugissement, comme une créature terrifiante de la nuit, la bouche dégoulinant de salive. Ça fait mal. Tout mon corps me fait mal. C'est comme une blessure, une blessure purulente qui aurait couvé pendant des années. Je me tiens le corps, je gémis. Ma gorge est en feu. Hurggggh, hurggh.

— Il faut demander pardon, elle dit, se redressant légèrement. Elle dit cela avec une telle autorité, c'est comme si elle me donnait une potion, un remède magique. Ce que vous avez fait à ces femmes, ça vous hantera toujours si vous ne leur demandez pas pardon. Il n'y a que vous qui puissiez faire ce travail.

Je m'assois sur la chaise, je me tiens le corps, je me balance un peu. C'est peut-être la douleur que je balance ainsi, cette douleur que j'ai infligée à ces deux femmes. Peut-être me balancent-elles vers le pardon ?

— C'est cela qui m'a empêché d'avancer, je finis par dire.

— Non. C'est vous-même qui vous êtes retenu, elle dit. Ce n'est pas son habitude de me corriger, de mettre son avis en avant. Mais quelque chose a changé. Elle est plus que ma psy désormais. Et je suis plus que son patient.

Après un silence, elle sort un paquet de cigarettes. Elle m'en offre une, me tend des allumettes pour que je l'allume moi-même. Ce sont des petits détails comme ça qui me réchauffent à l'intérieur. La plupart des gens ont oublié que je ne suis pas un enfant.

— Merci, je dis sans hésitation, je lui rends ses allumettes. On fume pendant le reste de la séance.

À la fin, je lui dis à la semaine prochaine. Vous n'êtes pas si mauvais, elle dit en partant, un sourire dans les yeux. Mais son visage reste impavide. Comme si elle gardait ses expressions pour quelque chose d'autre, des jours meilleurs. A son âge, on est probablement économe, je me dis en retournant dans le salon.

Après deux mois à suivre la routine, ils transfèrent Tshepo au pavillon 2, un pavillon ouvert près d'un lac agité. C'est un pavillon de présortie, ce qui veut dire que Tshepo va probablement sortir plus tôt que prévu. À leurs yeux, il s'est bien comporté. Il a pris ses médicaments, interagi avec les autres de façon adéquate. Il rayonne d'excitation en m'annonçant la nouvelle.

— C'est ta chance de partir. Déconne pas, je lui dis.

On est assis sur un banc dehors. Il fait un peu frais.

— J'ai la trouille, il confesse. Ça fait tellement longtemps que je suis ici. J'ai oublié comment on choisit ce qu'on fait. Au pavillon 2, je devrais avoir le droit d'aller à Obs, si je veux. Je pourrais aller dehors. Il y a tant de choses autorisées.

Je le regarde avec un peu d'envie. Je connais la valeur de ces petits plaisirs.

— Il faut que je te dise un truc, je commence avec un peu d'irritation. Je suis pas bon à ça. Tu vas probablement me haïr.

— Quoi ? il dit en me regardant.

— Je sais pas où commencer. Ça fait un moment que ça me trotte dans la tête, je dis en regardant le sol.

— Tu commences à me foutre les jetons, il dit en me poussant un peu. Vas-y, dis-le.

Je suis sur le point de parler quand je remarque un homme à la porte, il porte un costume. Il est dix heures passées. Il est ponctuel, je me dis en me redressant sur ma chaise. Themba le fait entrer, il se dirige vers nous. Tshepo lui jette un œil et se lève pour rentrer.

— C'est comme ça que tu salues ton père ? lui lance l'homme.

Ça fait un moment que je n'ai pas vu mon père. Je ne suis pas préparé. Je ne sais pas quoi lui dire. Trop de sentiments contradictoires quand je suis avec lui. Je me souviens de choses que je préférerais oublier.

Il parle avec Zebron dehors. Je les vois à travers la vitre. Je me demande de quoi ils parlent. Je me demande si ce que Zebron voulait me dire a quelque chose à voir avec mon père. Qu'est-ce qu'il vient faire ici ? Qu'est-ce qu'il veut après tout ce temps ? Ça me rend malade, mon estomac se retourne. Ils discutent un bon moment avant qu'il n'entre.

Il me trouve assis dans le salon. Aucune fuite possible, je dois l'affronter.

— Ton père est là, dit Themba. Vous vous ressemblez.

C'est une vérité douloureuse. À une époque, j'ai porté des dreadlocks pour masquer la ressemblance, pour effacer son visage, mon visage.

— Qu'est-ce que tu veux ? Pourquoi est-ce que c'est pour mon dernier jour ici que ça arrive ?

— *Hawu*, bon sang, tu es mon fils, il dit en s'asseyant à côté de moi.

— Ça fait quatre ans que je t'ai pas vu, je dis avec mépris, et très franchement, je m'y suis fait.

— Ne sois pas si grandiloquent, on dirait ta mère.

— Comment oses-tu parler d'elle ?

Je me lève, je tire ma chaise pour m'asseoir en face de lui.

— Tu as grandi. Tu es presque un homme, il dit d'un ton dominateur.

— Presque, pfff… C'est quoi ça ?

— On m'a dit que tu partais, il dit.

— Je suis transféré au pavillon 2. Tu me surveilles, ou quoi ? Qui t'a dit ça ? Zebron ?

— Je suis ton père, il répète, bien sûr que j'ai le droit de savoir. J'ai parlé aux médecins. Zebron m'a rendu service aussi. Il avait pas le choix.

Il regarde autour de lui, l'air dédaigneux.

— Qu'est-ce que tu veux dire, il avait pas le choix ? Tu l'as menacé ? T'es toujours une belle enflure. Je te hais. J'ai passé des années en thérapie, juste pour être capable de te le dire, salopard, je hurle, je commence à m'en aller, il me retient par le poignet et me force à me rasseoir.

— Tu t'es jamais demandé pourquoi ton petit copain est là ?

— Je suppose que toi tu le sais.

— Cette nuit-là, quand ta mère est morte, il était là, t'as juste oublié. Il s'appuie sur le dossier de sa chaise pour voir quel impact vont avoir ses paroles.

Mon cœur s'arrête. Le sang se retire de mon visage, vient se coaguler dans mon ventre. Le chagrin appuie sur ma gorge. Qu'est-ce qu'il a dit ? Mon père ment rarement. C'est un mauvais menteur. C'est sans doute sa seule qualité.

— Pourquoi tu fais ça ? je dis en refoulant mes larmes.

— Parce que j'essaie de te protéger, il dit, mais ses paroles n'ont aucun sens, elles sont comme le vent. Ses yeux sont calmes, plus froids et plus sombres que dans mon souvenir. Il a un peu pris au niveau de la taille. Son visage n'a pas changé, simplement gagné en impassibilité. Il vieillit bien. Mais dans ses yeux, je vois un homme qui fraternise régulièrement avec le diable.

— Va te faire foutre. Je commence à pleurer.

— Écoute-moi. Grandis un peu une seconde, il me hurle, de très gros clients sont en ville. Les affaires ont été difficiles. Ils sont pas contents de moi. Faut pas que tu te fasses repérer, tu entends ?

J'ai le visage dans les mains. Il me secoue un peu.

— Tu me fais gerber, je dis en le repoussant.

— Tu es la dernière monnaie d'échange, mon talon d'Achille. Ils s'en prendront à toi s'ils pensent qu'ils peuvent m'atteindre ainsi, il dit.

Épuisé, je le regarde avec haine.

— J'essaie de t'aider au cas où ça tourne mal. Ils feront n'importe quoi pour m'avoir, il prend un mouchoir pour s'essuyer les sourcils.

— Tu es malade. Tu es le diable. Mon propre père. Je peux même pas te regarder.

— Il fait chaud ici, il dit avec irritation. Tu es mon fils. Que ça te plaise ou non. Je tiens toujours à toi, c'est pour ça que je te préviens. Alors, rends-toi service et reste ici. J'ai entendu dire que c'est pas mal du tout au pavillon 2. Tu peux aller prendre l'air, même aller en ville de temps en temps, mais ça je te le déconseille.

— J'ai pas à écouter tes conseils. T'étais passé où ?

— Calme-toi. Tu es impulsif, exactement comme ta mère.

— Ne prononce pas son nom ! Tu n'as pas le droit !

Themba vient voir si tout va bien. Mon père lui fait un geste, il repart.

— OK, bon Dieu, j'ai compris. Mais tu sais que j'ai raison. Je t'ai laissé de l'argent. Il faut que je parte. Pense à ce que je t'ai dit. C'est de ta vie qu'on parle, là.

Il se lève, tente vaguement de me serrer la main. Je l'ignore.

— Pourquoi rends-tu ça si pénible ? fait-il en serrant les dents.

— Tu as tué ma mère.

Il essuie son visage avec son mouchoir et s'en va.

Ils me transfèrent au pavillon 2 dans l'après-midi. Je ne reparle plus à Zebron, au moins il a la décence de me laisser tranquille. C'est sœur Hendriks qui est en charge du pavillon 2. Elle me conduit à ma chambre. Je la partage avec un coloured qui s'appelle Freddie. Il est sympa, il a toujours quelque chose à dire, mais il sait quand il faut me laisser tranquille.

Les deux premières semaines au Pavillon 2 sont difficiles. Je déambule, déprimé. Je pense à Zebron, à ce que m'a dit mon père. Je me sens trahi.

Pendant un moment, ils augmentent le traitement. 15 mg d'haloperine, 50 mg d'orphenadrine. Les effets secondaires sont perceptibles. J'ai la nuque raide, la mâchoire crispée.

La vie est différente au pavillon 2. Je me lève à sept heures. Puis je prends mon temps pour aller à la salle de bains. Personne pour superviser. Personne pour regarder. Et puis, nous ne sommes pas si nombreux, il y a toujours assez d'eau chaude. Je prends mon petit-déjeuner à huit heures. Après, je peux me promener dans le parc de l'hôpital. Les jours où j'ai envie d'acheter quelque chose, j'ai la permission d'aller à Obs, à côté. Je rends parfois visite à Mmabatho en revenant du Spar. Elle ne sait pas quoi dire quand je lui raconte l'histoire de mon père.

— J'ai pas de père, je lui dis. Il est mort avec mère ce soir-là.

MMABATHO

Tshepo est inconsolable depuis qu'il a découvert comment Zebron l'a trompé.

— Ils vont te garder plus longtemps. La durée de sa dépression m'inquiète. Les semaines passent, il sourit à peine, ne parle presque à personne. Au pavillon, sœur Hendriks me dit que ses conversations avec les autres malades sont très limitées, il ne parle aux autres que quand c'est nécessaire. Son appétit n'est pas très encourageant. Il a demandé une permission de sortie pour le week-end, il a passé tout ce temps chez moi.

— Je suis sûre que ta mère n'aimerait pas te voir ainsi. Elle te dirait de passer à autre chose.

Il ne répond rien. Il me jette un regard et va dans l'autre pièce. Je soupire, frustrée. Il s'est refermé sur lui-même, rien à faire, je me dis. L'essentiel du week-end se passe à essayer de lui décrocher une parole. Le peu qu'il lâche est attristant. Il passe son temps à ressasser la mort de sa mère.

Il repart tôt au pavillon, je ne le revois pas pendant un moment.

Avec Arne, nous construisons notre relation. C'est bien une relation, je ne peux plus me le cacher désormais. Je ne peux pas dire qu'on se fréquente, ou aucun de ces euphémismes qui servent à masquer le fait qu'on s'est engagé avec quelqu'un. J'imaginais qu'il en aurait marre de moi au bout d'une semaine, mais non. J'espérais peut-être qu'il me quitte pour pouvoir continuer à en vouloir aux hommes, éternellement. J'ai pris l'habitude de m'attendre au pire avec eux, une habitude difficile à perdre. Je me demande de quoi pouvaient se plaindre les femmes avant de décider que les hommes étaient des salauds.

Rien n'a vraiment changé, sauf que nous sommes plus conscients de ce que nous représentons l'un pour l'autre. Le silence entre nous n'est plus le même. Il recèle des secrets. Parfois, quand je le regarde travailler à son bureau, je me surprends à prier pour que ça dure toujours ainsi. Qu'il soit mien, que je sois sienne.

Mais l'appréhension ne disparaît jamais. Ça n'a rien à voir avec lui, il est attentif et fidèle. Et la plupart du temps, quand je suis avec lui, je ne manque pas d'assurance. Je ne ressens pas le besoin d'être quelqu'un d'autre.

Je suis sa fiancée. Je l'aide avec son linge, particulièrement les jours où il va au club de gym. Il est maniaque sur la façon de laver ses serviettes, la propreté en général, ce qui me va très bien, j'aime les mecs propres. Mais parfois je pousse un peu. Quand je vois une chemise qui me plaît dans une vitrine, j'ai envie de la prendre, en me demandant si elle lui irait. Ou quand je tombe sur un article sur son équipe de foot préférée, Manchester United, je le lui garde. Ou quand je le trouve en train de faire la sieste sur le canapé, je lui mets une couverture. C'est agaçant, cet instinct maternel ou je ne sais quoi. J'aimais la situation d'avant. Il s'occupait de lui, je m'occupais de moi. Maintenant, on s'occupe l'un de l'autre. J'ai quelque peu capitulé, c'est un passage obligé.

Il est aussi coupable que moi. Il me fait régulièrement la cuisine et nous ne faisons plus l'amour aussi spontanément. C'est toujours bien, mais nous devenons un couple. Je peux pas te voir jeudi, clin d'œil, j'ai mon cours de théâtre. Si on se voyait vendredi pour déjeuner, en vitesse, je pourrais te prendre après ma réunion, excuse le jeu de mots. C'est comme ça – on planifie tout ensemble. J'ai tort de me plaindre, ça fonctionne bien comme ça. Il y a des femmes qui se plaignent de ne pas vivre ça. Et je n'aimerais pas qu'il refasse des choses en cachette.

L'autre jour, on prenait un bain ensemble.

— Je me demande ce que devient Stephen. Ça a fait un moment que je l'ai pas vu, il dit.

— Ça veut dire quoi ? je me défends. Je t'empêche pas. Tu peux voir tes amis si tu as envie.

Il me jette un coup d'œil, l'air de dire « encore une de tes crises ».

— Je dis juste que ça fait un moment que je l'ai pas vu. Ne sois pas toujours sur la défensive, il répond calmement.

— Désolée. Je veux juste pas que tu te croies obligé de passer tout ton temps avec moi parce que…

Il me coupe.

— J'ai envie de passer mon temps avec toi. Peut-être pas tout mon temps ; on n'est pas siamois quand même.

— Tu dois en avoir marre de moi de temps en temps. Je traîne tellement de trucs.

— *Ja*, eh bien, je savais que tu étais pas comme les autres, il dit. Tous les hommes n'ont pas envie d'une femme qui sait ce qu'elle veut.

Je le regarde, j'approuve de la tête.

— Mais parfois je trouve que tu penses trop à toi, il dit avec franchise. Et je sais que je peux être distant, c'est mes humeurs.

— Je veux pas que tu me perçoives comme un boulet. Je me dis toujours que les mecs ne sont vraiment eux-mêmes que quand ils sont avec d'autres mecs. Quand ils sont avec des filles, ils sont différents.

— C'est peut-être vrai. Mais je me sens très à l'aise avec toi, il répond, et il pète. Des bulles sortent de l'eau.

— Pas à ce point-là, je dis en l'aspergeant. Mais dis-moi la vérité, est-ce qu'il t'arrive de désirer d'autres femmes ?

— Pourquoi tu compliques tout avec tes questions ? Il me regarde tendrement. C'est difficile. Alors oui, je ne veux être qu'avec toi. Et oui, je ne recommencerai jamais le genre de pirouettes que j'ai faites avec Thabi, *ja*. Mais parfois dans la rue, on croise une femme très belle, et l'idée me traverse l'esprit. C'est un truc de mec. C'est sans conséquence, pas question de passer à l'acte.

— Tu aurais pu aussi bien me mentir, tu sais, je dis, un peu agacée par sa franchise.

— Tu aurais insisté. Je crois que je te connais maintenant, il dit en se penchant pour m'embrasser. Il a une adorable manière de m'embrasser.

— Oh, une dernière chose, je l'interromps, est-ce que le sexe…

— Pas d'inquiétude là-dessus. Ça ne pourrait pas être mieux, il répond. Il devient soudain sérieux et attentif. Tu ne simules pas, si ?

Une légère angoisse sur son visage.

— Ne sois pas ridicule, je mens, en riant légèrement.

Je connais trop les hommes. Ça les irrite quand ils découvrent qu'ils ne sont pas les meilleurs amants, les plus sensibles. C'est une attaque contre leurs gènes, la mise au jour d'une faiblesse.

Il m'est bien arrivé de simuler un orgasme ou deux. Mais c'est quand il essayait de m'impressionner avec son endurance et sa technique. Où ont-ils été chercher que si ça dure des heures, c'est meilleur ? C'est un truc qu'ils se disent dans les vestiaires de l'école ou du club de gym ?

— Mais parfois tu pourrais me serrer contre toi un peu plus, je lui dis.

Il réfléchit.

— Mais c'est parce que j'aime te regarder. C'est pas que je ne veuille pas te tenir contre moi, c'est euh…

Il a un air inquiet. Voilà ce que les hommes détestent, je me dis. Ils détestent se sentir coincés dans ce que les femmes perçoivent comme un défaut.

— C'est pas grave, je lui dis. Je suis sûre qu'il y a aussi des choses que tu voudrais que je fasse.

J'ai honte de dire un truc comme ça.

— Pas vraiment, il répond d'une voix distante, du coup, je me sens coupable. Mes parents ne me faisaient jamais de câlins, *ja*. Pas de ça chez nous. On ne se disait jamais qu'on s'aimait, sauf une fois par an, quand ils avaient trop bu, à Noël ou au Nouvel An.

— Tu n'as pas à te justifier.

— L'eau devient froide, il dit.

Un matin, je me réveille et je constate que le soleil remplit ma chambre d'une lumière inhabituellement claire. Ça a quelque chose de réconfortant. Au point de rencontre de l'ombre et de la lumière, les particules de poussière flottent, clignotent comme des diamants scintillant sur des faisceaux célestes. Il y a de la magie dans la chaleur de cette lumière sur mon visage quand je vais à la fenêtre. Je m'éveille comme si j'allais tomber amoureux. Une excitation étrange et silencieuse m'envahit. Comme si j'étais endormi et que je venais de m'éveiller d'un sommeil trompeur.

L'impatience de sortir me reprend. Le désir de rire à nouveau avec insouciance. Le désir d'écouter de la musique et de danser, de fouler le sable doux de la plage d'un pas léger. J'ai faim de montagne, des excursions du samedi matin, de cette transpiration abondante que fait venir l'effort.

Elle me submerge très soudainement, cette vague d'euphorie, et je la prends tranquillement. Je me fais la promesse silencieuse que tout va s'arranger, que le soleil va briller à nouveau sur mon horizon. Tous les matins, je demande mon chemin au soleil levant et je me souviens de cette promesse. Elle devient un mantra.

À force d'y croire, de penser aux autres, à tout ce que je pourrais faire, le bonheur fait surface en moi. Il me tombe dessus comme une fièvre, m'emplissant parfois d'une joie enfantine. Ce sont des moments privilégiés, comme une prière. Le bonheur après tout, c'est la récompense de nos efforts secrets. Il n'a pas besoin de reconnaissance. C'est Dieu qui nous sourit en cachette, l'humilité toujours à nos côtés.

Quatre semaines plus tard, ils me libèrent. C'est le mois de juin, il pleut sans cesse. J'éprouve la nostalgie d'un ciel clair et ouvert qui baignerait tout d'un soleil d'or. Mmabatho m'aide à trouver un appart pas cher à Sea Point. Je le partage avec un coloured qui s'appelle Chris Swart.

Il est silencieux et morose, une démarche qui trahit son passé de prisonnier. C'est terrible de dire ça de quelqu'un, mais je sais que c'est vrai. Derrière Valkenberg, il y a une prison pour malades mentaux. De temps en temps, j'apercevais ceux qui venaient d'être libérés. Ils marchaient avec un respect poli pour la terre, ils savaient ce que ça signifie d'être confiné à quelques mètres carrés de béton. Il y a quelque chose de mesuré, de mal assuré et maladroit dans leurs pas. Ils n'oublient jamais combien le sol est doux, comme leurs pieds s'y enfoncent tendrement et comment l'herbe vous chatouille la plante des pieds.

Chris et moi, nous partageons un appartement de deux chambres, avec une salle de bains et une cuisine si petite qu'on dirait un garde-manger. Il y a de la moquette au sol, sauf dans la cuisine et la salle de bains. Le locataire précédent nous a laissé une huche à pain et une plaque chauffante. Pas de frigo. Un vieux balai et une pelle sont planqués dans un coin où les araignées deviennent folles. On achète des couverts, quatre assiettes, quatre tasses, quatre soucoupes. Ça suffit pour l'instant. J'ai gardé des casseroles de Wynberg. Pour le reste, on improvisera. Par exemple, on se rend compte que le savon Lifebuoy convient aussi bien pour la lessive, la vaisselle et la toilette. On l'utilise aussi pour nettoyer la cuisine et le sol de la salle de bains.

Chris est très méticuleux sur la propreté, un truc qu'il a appris en prison, il me dit. Les prisons comme les hôpitaux sont supposés reposer sur la propreté. Les gardiens sont fiers quand leur unité est impeccable. Chris prend la grande chambre sans porte, je prends la plus petite, qui communique avec la salle de bains. Je m'habitue vite à ses allées et venues à la salle de bains.

Après avoir cherché pendant deux semaines, on trouve tous les deux un boulot dans Waterfront. Moi comme serveur, parce que je parle bien, me disent les employeurs. Chris est timide et gauche, ils lui trouvent une place à la cuisine, comme plongeur. Il est amer de ne pas avoir été pris comme serveur, mais il est content d'avoir un job. On travaille à toutes les heures, y compris en horaires divisés, on fait tous les remplacements. Au départ, les pourboires sont minables, mais je finis par arriver à fournir un service plus souriant. De temps en temps, Chris me demande combien je me fais. Je trouve toujours une façon de ne pas lui répondre. Il finit par arrêter de poser la question.

J'utilise l'argent de mon père aussi peu que possible. Pour moi, cet argent est taché de sang. Je ne m'en sers que quand j'ai besoin de liquide ou quand on n'a pas assez pour payer le loyer.

Quand on ne travaille pas, on passe notre temps devant ma vieille télé noir et blanc. Le monde est pris dans la fièvre de la coupe du monde de foot. Chris suit religieusement chaque match, pas comme moi, et il est désespéré quand les Bafana Bafana sont éliminés, au premier tour. Mais c'est le commentaire brutal d'un entraîneur allemand qui le met le plus en colère.

— Comment peut-il dire que les joueurs africains se sont couverts de honte au Mondial, qu'ils auraient même pas dû être là ? Qu'est-ce qu'il y connaît à l'Afrique, ce con, ce que ça représente de se qualifier ? il s'énerve. Ses colères sont spectaculaires, il connaît toutes les insultes possibles. C'est la première fois qu'on accède à cette putain de phase finale. Tu sais quelle performance c'est déjà ? Et là, ce putain de merdeux sort une telle connerie.

Il est furieux, scandalisé. Je sympathise du mieux que je peux. C'est plus que du foot pour Chris. C'est une religion, le commentaire de l'entraîneur allemand est sacrilège.

— *Wit mense*, les blancs, il dit avec mépris.

Un soir, on mange un poulet peri-peri de Nando's en regardant la télé, après un service de douze heures. Je l'interroge sur son passé.

— T'étais où avant Sea Point ?

— Pourquoi tu me demandes ça, bordel ? il dit brutalement. Pourquoi faut-il qu'il soit toujours si grossier ?

— On vit ensemble, non ? je réponds en le regardant.

— *Ja*, mais j'ai ma vie privée, quoi ! il dit en continuant à regarder la télé.

— Très bien.

Mais un peu plus tard, il est disposé à me répondre.

— J'étais à Pollsmoor. *Jy weet mos waar* Pollsmoor ? Tu sais où ça se trouve, non ? il dit avec un sourire hautain.

— Pas vraiment, je réponds, juste pour l'énerver.

— Et toi ? il demande.

— Valkenberg.

— Ho ho, Valkenberg c'est *vir mal mense*, c'est pour les fous. *Ek ken daai plek*, je connais cet endroit, il dit en riant. Le tact, c'est pas vraiment son truc.

— J'étais pas fou. J'ai eu un mauvais moment, je lui dis.

— Et j'étais innocent, il ricane. C'est la même chose. Pourquoi ils t'enverraient là-bas sinon ? Pourquoi tu crois qu'ils m'ont envoyé à Pollsmoor si j'étais pas coupable ? C'était parce que j'étais coupable. T'as qu'à le dire, t'étais fou. De toute façon, ça n'a pas d'importance. T'étais là-bas.

— T'es tombé pour quoi ?

— J'ai poignardé un type, il est mort. En fait, c'est lui qui m'a attaqué avec un couteau, j'ai fait que me défendre. On se battait pour une stupide gonzesse, Nadine. Et toi ?

— Je fumais beaucoup, je dis un peu embarrassé.

— *Ja*, les *zols*, il dit en souriant. J'en ai fumé pendant des années, même à Pollsmoor. Dans la ganja, il y a du spirituel, *jy weet mos*, tu sais bien ? C'est pour ça que ça rend les gens fous.

— Personne m'a jamais dit ça, je lui dis.

— Alors, ça fait quoi d'être avec les fous ? il demande, l'air curieux.

— La même chose qu'être avec des détenus, je suis sûr, je dis avec assurance.

— Je parie que vous aviez de l'eau chaude pour vous laver le matin, il dit.

— *Ja*, et alors ?

— Pas nous.

Je ne réponds rien.

— On se lavait *kaalgat*, nus, à l'eau froide. Alors me dis pas que c'était la même chose, il dit, soudain furieux. Ses colères montent comme des fièvres.

— C'est pas la peine de me parler sur ce ton, je lui dis en essayant de me contrôler.

— Tu racontes que des conneries, tu sais ça ?

— *Agh*, t'es juste de mauvaise humeur, je réponds en me levant.

— C'est ça, barre-toi, il beugle alors que je vais dans ma chambre.

— Toi aussi, va te faire foutre, je gueule en retour.

CHRIS

Le jour où je sors de Pollsmoor, ma mère m'appelle pour me dire de surtout pas rentrer à la maison. C'est la première fois que j'entends sa voix en huit ans. J'avais été condamné à dix ans, elle est venue me voir régulièrement la première année. Un jour, elle arrête de venir. Peu après, je reçois une lettre, une longue lettre de justification. *Ek het nie meer krag nie Chris, vergewe my*, elle écrit. Je ne peux plus rien faire, Chris, pardonne-moi. Après ça, j'entends plus jamais parler d'elle. Mes quatre gangsters de frères, aucune nouvelle non plus. Ce qui est marrant, c'est que je pleure jamais là-dessus. J'accepte ça comme une part du châtiment. Dieu me punit. Ça, je sais.

Mais je regrette pas d'avoir poignardé André. Je regrette qu'il soit mort. Il m'a provoqué. J'ai essayé de discuter avec lui cette nuit-là. J'ai essayé de lui dire de ranger son couteau. Mais il était bourré, il frimait devant Nadine. Du coup, il m'a planté. Je lui prends le couteau et je le plante à son tour. Il s'écroule. Si je pouvais changer les choses, je le planterais dans l'épaule ou la jambe, pas dans le cœur. Je visais pas là. C'est juste arrivé comme ça. J'ai attrapé le couteau et poussé en avant. *Ag*, qui ça intéresse de toute façon ? Personne ne me croit. Tu es un fauteur de troubles, *skollie*, gangster, *gam*, coloured, ils disent. Ils me battent. Et puis, ils m'enferment.

J'ai jamais été bon à l'école, du coup j'y suis pas allé souvent. L'école, c'était juste une obligation. Dur d'y aller, surtout quand ça m'empêchait de me faire de l'argent avec les paris de la boutique du coin. Je détestais l'école. Les profs étaient dépravés, tout ce qu'ils voulaient, c'était se taper autant de filles que possible. Mes amis Kleintjie et Zakes ont jamais vraiment su à quoi ressemblait un manuel scolaire. Je les ai croisés l'autre jour, ils avaient tous les deux des boulots sans avenir dans un garage bizarre, à fumer un *zol* quand le patron a le dos tourné. Rien n'a changé pour eux. Ils sortent toujours draguer. Ils continuent à boire jusqu'à s'écrouler. Je crois pas qu'ils sachent ce que ça veut dire grandir.

Je sais que je suis un raté. J'ai été élevé dans les Cape Flats. C'est un ghetto qui a sa propre histoire. Bidonvilles, toilettes défoncées, mouches à merde partout, lampadaires anti-émeutes qui déversent tellement de lumière orange que la nuit, on se croirait dans une boîte de nuit. Deux familles entassées dans un trois pièces. *Ja*, la vie de ghetto, *bunny chow* matin, midi et soir. Xavier qui passe Public Enemy jusqu'aux premières heures du matin, quand il ne cogne pas jusqu'à l'inconscience sa petite copine de seize ans, qui est aussi la mère de leur enfant. Tupac, le hip-hop, le break-dancing à la sauce du bush, *jy verstaan, vir Kleurlings*, tu comprends, on est foncés. *Ja, die Kaap is duidelik*. Oui, le Cap c'est cool. Voilà ce qu'on chante, même quand on va à un enterrement chaque week-end. Les funérailles elles-mêmes, ça devient un rendez-vous social, une occasion de montrer ses pompes en croco, son faux costard Armani. Une occasion de mettre cette veste doublée qu'on vient de tirer. Et la fille qui pleure son petit copain mort dans une fusillade, c'est une occasion de la mater, voir comment elle pleure respectueusement avant de sauter sur le prochain mec. C'est l'occasion de voir qui monte dans la hiérarchie, qui est devenu chef, qui fait la loi dans les rues, quelle mère vend de l'herbe et des cristaux. C'est l'occasion de se mettre sur son trente et un, et peut-être qu'on vous prenne en photo avec vos lunettes noires Police.

Ja, les Cape Flats. On dirait un réseau inextricable d'égouts souterrains. Tous les gens que je connais là-bas voudraient vivre ailleurs, mais ils font semblant d'adorer ça. C'est pour ça qu'ils sont bruyants, qu'ils rient si forts et qu'ils beuglent. Ils font tout ça parce que, en privé, ils retiennent les larmes qui étouffent ce qui subsiste d'eux-mêmes. Ils sont dévorés de jalousie, d'envie et de colère pour ce que leur a fait tel type ou tel autre. On cesse d'être un être humain si on passe toute sa vie dans les Cape Flats, si on va jamais prendre l'air, au moins pour la journée. Les morts, les viols, les intrusions, les dépressions, des chiffres creux qui signifient rien et qu'on oublie aussitôt. Personne se rappelle que madame Paulse était une femme bien avant qu'ils ne tuent son fils. Personne se souvient qu'avant de se renfermer, de plus dire bonjour à personne et de jeter de l'eau bouillante sur les enfants bruyants du quartier, c'était une femme souriante. Personne se souvient comme elle était belle, avant de devenir cette vieille sorcière desséchée, pleine de haine. Les gens vous jugent sur les apparences parce qu'ils ont rien d'autre à offrir. Ils ont si peu eux-mêmes, si peu de fierté, de respect, d'honorabilité. Chacun a sa propre histoire, et ça cause rarement d'école, de bonnes manières ou de valeurs familiales. Ça cause plutôt de voyous, de vendredi soir à la taverne de Bennie où on peut se taper de l'alcool de contrebande pour rien, se rouler des pet' et se faire sucer par une pute de bas étage, séropo, payée pour s'occuper de vous et de vos copains. Ça cause de cogner sur Rochelle parce que *sy het 'n grot bak en ek likes dit nie*, elle a une grande gueule et j'aime pas ça. Ça cause de déambuler dans les rues en se demandant d'où viendra le prochain repas, qui il faudra dépouiller pour l'avoir, où est-ce qu'on peut trouver un flingue pas cher. Ça cause de barons de la drogue qui tiennent les rues, des rues qui les conduisent en taule en attendant pire. Jusqu'à ce que ceux de la Vingt-Huitième se disputent avec ceux de la Vingt-Sixième et que votre allié devienne votre ennemi. C'est le repère de la misère, prendre, prendre, toujours prendre, jusqu'à ce que ça saigne. Prends jusqu'à ce qu'il n'y ait plus rien, jusqu'à ce qu'il y ait un trou dans le sol.

À quatorze ans, j'avais pris l'habitude des tribunaux. Je connaissais la musique. Mes actes de délinquance ont valu à mes fesses un nombre incalculable de coups de bâton. Peut-être qu'André est mort pour me sauver. Ma vie n'allait nulle part. J'aurais pu devenir un gangster comme un autre, qui porte des Levi's et des bijoux. Je suis allé en prison à seize ans et j'ai purgé neuf des dix années de ma sentence.

Neuf ans, c'est beaucoup pour réfléchir à sa vie. Tu commences à comprendre que tu peux pas continuer à agir sans réfléchir. *Jy moet dink, man, jou houtkop*, réfléchis, tête de mule, me disait ma mère chaque fois que j'avais des ennuis. Puis elle me corrigeait avec la même grande cuillère de bois qu'elle utilisait pour faire la cuisine. Respecte la main qui te nourrit, j'ai lu ça en prison des années après, elle peut aussi te détruire. Mais c'est vrai, j'ai appris à penser. Il le fallait. On est pas tous des rapides. Apprendre à penser par moi-même, ça m'a pris neuf ans. J'ai grandi en regardant les autres, mes frères. Je voulais être un gent, un vrai mec, respecté dans ma rue parce que j'avais dérouillé untel et untel, et que je tenais l'alcool. Tout le monde savait que je m'énervais facilement et que j'y allais sans hésiter. C'était comme ça. Je croyais qu'on vivait sa vie à travers les autres. Je croyais qu'une vie réussie était une vie dont on parlait. Ce que disaient les autres, ça comptait, ça voulait dire qu'ils regardaient, qu'ils faisaient attention, qu'ils savaient qui vous étiez. OK, c'était débile, mais c'était comme ça. Je sais ce que je fais maintenant. Mais c'est trop tard pour les gens comme moi. Tout ce dont parlent Mandela et les siens, ce sont les nouveaux programmes, les nouveaux étudiants. Personne ne s'intéresse à ce que je deviens, moi. Je suis juste Chris, qui vient de sortir de Pollsmoor. Un voyou.

— Pourquoi tu me fais tellement chier avec ça? me demande Tshepo quand je lui demande de ranger la table de la cuisine. T'es pas ma mère et je paie la moitié du loyer, il dit en sortant. C'est un enfant gâté, un de ces noirs qui sont allés dans une école de blancs, qui ont appris à parler comme eux. Il s'habille aussi un peu comme eux. Il porte pas des baskets All Star comme les autres, il mange jamais de pain blanc – tu sais comment ils sont avec la santé – et il écoute parfois 5fm. Mais je sais qu'il se la pète pas, autrement il aurait même pas envisagé de vivre avec moi.

— C'est facile pour toi de dire ça, je dis en le rejoignant, j'ai jamais eu d'endroit à moi, même si je le partage avec toi. Tu comprends?

Il me jette un regard indéchiffrable. J'ai envie de le gifler mais je peux pas, je viens de passer neuf ans à réfléchir à ça. Je sais pas s'il m'écoute ou s'il meurt d'envie de quitter la pièce. Facile pour lui de s'en foutre. Il peut déménager. Je sais qu'il gagne assez d'argent. Je suis payé des cacahuètes comparé à lui. Mais cet appartement représente beaucoup pour moi. L'ordre, c'est ma licence à moi. Mon master ou je ne sais quel foutu diplôme il a. C'est ce que j'ai appris à la dure en neuf ans de Pollsmoor. C'est ce que je peux brandir si quelqu'un me demande si j'ai changé. Si quelqu'un entre, il doit voir que je sais me nourrir parce que ma cuisine est propre, que je peux survivre parce que mon lit est fait et que la salle de bains sent bon. On doit pouvoir entrer ici et se sentir bien, comme dans une maison, pas comme dans un endroit où on pose la tête pour dormir. Parfois je pense au gardien, à la façon dont il nous faisait récurer le sol, jusqu'à ce qu'il puisse se voir sourire dedans. Je repense à ça, comme je me sentais con de m'être mis dans une telle situation, d'être ridiculisé par un type comme ça, pour un truc aussi débile que nettoyer le sol. Je pense à ça et à la jalousie de ce salopard s'il voyait mon petit château aujourd'hui. Mais Tshepo verra jamais les choses comme ça. Il saura jamais jusqu'où certains doivent aller pour trouver un peu d'estime de soi. Il saura jamais que la fierté peut se nicher dans les détails les plus insignifiants, qu'elle a pas forcément besoin de grands gestes. Pas forcément besoin d'actes grandioses pour se sentir fier de soi, pour se sentir un être humain. Tout le monde est pas capable de bien s'exprimer, de dire ce qu'il faut et d'aller au bout de l'école obligatoire. Je suis simplement heureux d'être propre, ma maison est propre et je travaille. Je paye cet endroit avec mon argent, moi, à la sueur de mon propre front. J'ai dépouillé personne ni trafiqué.

Au boulot, je m'en fous que ces idiots de serveurs blancs me considèrent comme une poubelle, juste parce qu'ils déversent leurs assiettes sur moi et retournent en courant sourire à des clients, qui sont eux-mêmes des sacrés merdeux à ce que j'entends. Je sais qu'ils me voient comme un autre de ces coloureds qui essaient de s'en sortir et qui va probablement boire sa paie à la taverne du coin, heureux de gagner des clopinettes puisque c'est tout ce dont il a besoin pour se soûler. J'entends la façon dont les managers nous parlent en cuisine, nous qui ne sommes pas assez clairs, pas assez éduqués pour travailler comme serveurs – en arrivant, on voulait tous être serveurs. On sait où est l'argent. Et il est pas à la cuisine. Mais tous les gens qui vont chercher un job ne sont pas comme Tshepo. Ils regardent ton nom. Si c'est Klippie, Kleintjie ou quelque chose de curieux comme ça, ils transmettent ta candidature côté cuisine ou aux équipes de sécurité de nuit. Ensuite, ils t'écoutent parler et chopent ton accent. Et bien sûr, il faut sourire, être poli, les regarder dans les yeux. Les mêmes salauds qui, il y a pas si longtemps, te faisaient nettoyer le sol ou t'explosaient si tu ouvrais trop la gueule. Maintenant, tout d'un coup, tu dois leur parler comme s'il s'était rien passé, comme si *alles is kwaai*, comme si tout était cool. Pas comme si c'était de la foutaise de patron blanc.

Difficile de se comporter tout d'un coup avec eux comme si on les avait toujours connus, difficile d'être à l'aise juste parce qu'ils vous le demandent. Il faudrait être confiant et sourire. Mais je peux pas sourire. *Naai*, j'ai trop de souvenirs. Les sourires peuvent aller se faire foutre.

TSHEPO

Chris et moi, on sort beaucoup. On va souvent sur Long Street où il y a un bar que Chris aime bien, le Mash. Là-bas, on joue au billard, on boit des bières, on fume des *zols*, tranquilles sur le balcon. Parfois, on va au Lounge, un peu plus haut sur la rue, mais Chris n'aime pas trop. « Trop de dentifrice ici », il dit, ce qui veut dire qu'il y a trop de blancs. Mais j'aime la musique qu'ils passent. Cette atmosphère détachée, presque indifférente de banlieue blanche me fascine. C'est là où les enfants de riches viennent dépenser leur argent de poche, de façon obscène. Le genre de sales gosses dont les parents se garent en double file devant l'école pour que Junior et Missy n'aient pas trop à marcher. Le genre d'enfants qui peuvent se choisir des activités extrascolaires comme le tennis ou la danse classique et les abandonner en route parce qu'elles se marient mal avec leur vie sociale chargée. Je tolère le Lounge parce qu'on y trouve généralement une ado hautaine, venue de Clifton et trop maquillée, qui nous paye à boire toute la nuit, à Chris et moi, en échange de conversations creuses sur le kwaito, le dernier disque de Tricky ou la dernière mode au Cap.

Ça a l'air d'être en vogue chez ces jeunes filles à peine pubères d'être vues en compagnie de types de couleur. Quelque chose à voir avec la vraie culture de la rue, l'authenticité, la souffrance, blablabla – tissu de conneries bien sûr. Ils sont riches, ils s'ennuient, ils meurent d'envie de connaître la vraie vie, qui les change de leur existence façon *Amour, Gloire et Beauté*. Ils ont tellement envie de souffrir, ils aimeraient tant pouvoir se plaindre de quelque chose de réel. C'est le genre à parler des Himba et des San avec une révérence pompeuse, à s'extasier sur leur innocence spirituelle et leur pureté. Ce sont les mêmes qui vous diront que la culture noire est tellement magnanime et ouverte, à la différence de la leur, si stérile ; et pourtant, ce sont les premiers à traiter leurs femmes de chambre de « négresses paresseuses » quand elles oublient quelque chose. Ils sont fascinés par les cultures primitives et recherchent Dieu dans les coins les plus reculés, quand Il est sous leur nez en permanence. Il est chez les Dube, ces voisins rapidement oubliés, comme faisant partie des rouages de cette nouvelle Afrique du Sud qui s'enrichissait rapidement. Je me dis parfois qu'ils veulent qu'on reste pauvres et arriérés, juste pour pouvoir observer à la loupe notre côté primitif. Parce que, si je regarde ma culture, ses traditions, les valeurs riches dont elle se nourrit, je suis bien certain que mon peuple n'est pas primitif. Est-ce cela qu'ils trouvent si fascinant, notre capacité à souffrir et survivre dans les circonstances les plus éprouvantes ?

Ils aiment tant glorifier la souffrance. Oh mon Dieu, ton père te fouettait. Tu étais pauvre. Tu as eu ta première paire de chaussures à quatre ans. Tu mangeais de la semoule sans viande. Ton père battait ta mère. Les histoires s'enchaînent. Je les invente parce que j'en ai assez de leur sollicitude artificielle, de leur indifférence minable. Ils n'ont pas vraiment envie de connaître ma vie, d'où je viens, où je vais. Ils veulent juste goûter un peu aux détails sordides pour se les échanger ensuite dans des conversations croustillantes avec leurs amis.

La contrepartie, c'est qu'ils ont généralement la meilleure herbe qu'on puisse trouver et qu'ils fument de gros cônes. Avec Chris, on a goûté à la corne d'abondance africaine, et même à la sinsemilla, une herbe particulièrement puissante qu'on obtient en coupant les pieds mâles avant la pollinisation. Ça donne de plus grosses têtes dans les plants femelles restants.

Mais le samedi Chris sort seul, sans jamais me proposer de l'accompagner. C'est son petit rituel. En général, je sors avec Mmabatho. Lui, il porte habituellement son bonnet rasta et il prend toujours son sac à dos. Je ne lui demande jamais où il va, même si ça m'intrigue. Mais un samedi soir où je n'ai rien de prévu, il me demande si je veux venir avec lui.

— C'est pas le Lounge, il me dit avec hauteur.

Je fais comme si j'avais pas remarqué.

— Et ne mets pas ton drôle de pantalon, il dit, d'un ton sans réplique. Mets un truc simple.

— OK, Chris, je vois le tableau. Alors, où est-ce qu'on va ?

— Khayelitsha, il dit, impassible. Tu veux toujours venir ?

— Ouais, je rétorque.

On prend le dernier train pour le township, celui de dix heures, on descend à la gare de Nyanga. Chris se tait, il me regarde avec désapprobation quand je joue avec mes longs poils de nez.

— Tu as honte d'être vu avec moi ? je demande alors que nous marchons au milieu des taudis et des rues sales.

Un chien plein de puces nous aboie dessus. Chris lève son bras, il détale. Dans les rues, des tuyaux d'égouts éventrés, dégoulinants, une odeur fétide d'ordures en décomposition et de souillure animale flotte dans l'air.

— J'ai vécu à Soweto, alors va te faire voir, je lui dis alors qu'il continue à me jeter des regards désapprobateurs.

On marche, on commence à entendre de la musique. De lourdes lignes de basse qui résonnent dans l'oreille interne. Une foule de gens vont dans la même direction, vers la musique. Ils ont des grands chapeaux qui couvrent leurs dreadlocks sacrées. Chris salue beaucoup de gens sur la route. Il entame les salutations par «*Sélassié I Rastafari*», ils lui répondent «*Hellie I Rastafari*». Je les écoute parler dans leur jargon, ils s'appellent «*I n I*» les uns les autres, ils parlent avec un formalisme et une politesse que je trouve pompeux. Les femmes couvrent leurs cheveux d'écharpes élaborées et portent des jupes longues. On arrive dans un hangar de fortune, baptisé Peter Tosh Hall. Il y a beaucoup de rastas dehors, la plupart apparemment engagés dans des conversations intenses.

Chris continue ses salutations pleines de cérémonie avec les types qui se tiennent devant la salle, puis nous entrons. On fait une longue queue, on paie notre entrée 5 rands. Chris s'imagine que je vais être refroidi par l'aspect minable de la salle, mais je m'y promène à l'aise, comme si j'étais chez moi. C'est convenablement décoré avec des photos de chanteurs reggae et de grands leaders noirs. C'est pas tous les jours qu'on voit des gens célébrer la négritude de manière aussi vivante. La salle est un arc-en-ciel de couleurs, l'air est plein de riches arômes de ganja et d'épices. Chris enlève son bonnet, le met dans son sac à dos. C'est la coutume, une fois à l'intérieur, les hommes peuvent étaler leurs dreads, leurs crinières de lion, mais les femmes gardent leurs cheveux couverts. Nous avançons doucement jusqu'au fond de la salle, Chris saluant toujours plus de gens. Tout le monde me regarde.

Le DJ passe une fusion sophistiquée de roots, ragga et reggae, une musique qui a plutôt la pêche, qui invite à danser. Je suis réservé au début, je les regarde avec curiosité et émerveillement évoluer sur les pulsations de la musique. Sur ces rythmes splendides, garçons et filles se mettent à balancer leurs hanches, ils ondulent avec la grâce de l'antilope. Je n'ai jamais vu des gens danser comme ça. Une façon de sauter en l'air, sans discontinuer, comme des athlètes, comme des guerriers massaïs du Kenya. Dans un coin, un petit groupe de garçons torse nu. Ils semblent se défier, qui sautera le plus haut, qui débordera le plus d'énergie, qui tiendra le plus longtemps. Ça aide d'atterrir sur un sol sablonneux. *Jah guide*, « Dieu te guide », ils me sourient quand je les rencontre. La plupart sont pauvres, leurs traits émaciés trahissent que, pour certains, l'entrée à 5 rands, c'est le prix d'un repas. Dans un autre coin, un groupe d'hommes et femmes pieds nus, en haillons, le visage couvert de cendres, psalmodient et s'époumonent sur la musique. On dirait des ascètes, leur présence est bien acceptée par les autres. Ils ne sourient pas, semblent en colère, comme si les chaussures et les vêtements que nous portons étaient une insulte à leurs haillons. Tout ce à quoi j'arrive à penser en les regardant, c'est aux puces, comme il est dur de vivre sur Table Mountain et dans les autres réserves naturelles autour du Cap.

— Ils peuvent lire dans tes pensées, tu sais, Chris me prévient, alors que je les regarde. Seul dans la forêt d'une montagne comme celle-là, on apprend beaucoup de choses. Déconne pas avec ces types-là, ils ont des pouvoirs. Je détourne les yeux quand l'un d'entre eux me regarde avec mépris et articule une parole.

Les copains de Chris partagent avec nous leur pipe plusieurs fois pendant la nuit et ils m'offrent de la nourriture *ital*. Quand je plane, quand j'entre en communion avec la musique, j'enlève mes chaussures, je commence à bouger sur la terre nue. Je danse souplement mais avec feu. L'esprit plein de fougue comme si je priais. Je me sens heureux, j'exulte, ou est-ce que je suis perché ? Je regarde Chris, je lui souris. Lui, c'est pas vraiment un danseur, mais il a l'air content que je passe du bon temps.

Au bout d'un moment, il y a une telle communion entre ma respiration, les pulsations de mon cœur et la musique que j'atteins une forme de clairvoyance. Phénomène étrange que de voir les gens tels qu'ils sont, pas tels qu'on les imagine. Je vois clair à travers Chris, comme il est fragile, dissimulant ses peurs et ses espoirs derrière une posture. Je vois clair dans chaque danseur, dans l'histoire de chacun. La danse est un langage éloquent. Je me sens étrangement connecté à chacun, et ce n'est pas seulement la dope. C'est un sentiment profond qui irradie tout mon corps. Nous sommes des cellules d'amibes, nous nous assemblons en une majestueuse créature multicolore, frappant le sol avec délices et la grâce d'un mille-pattes.

Certains me regardent avec insistance, d'autres de façon oblique. Je suis le nouveau venu ici, alors j'accepte leurs regards inquisiteurs. Je regarde Chris par intermittence, je continue à lui sourire. Un sourire amical, heureux, comme un cadeau.

Je vais à Peter Tosh Hall aussi souvent que possible. Parfois, je me rends à Marcus Garvey Square, là où les rastas ont leur propre communauté, à l'abri des lois établies par l'homme blanc. Mais c'est quand même pas le coup du siècle pour les rastas, l'endroit est petit et dès qu'ils sortent de Marcus Garvey Square, ils se font harceler par la police pour possession de ganja.

À Tosh, c'est généralement bondé le samedi soir, frères et sœurs rassemblés, prêchant la bonne parole, parlant de la fin des temps. Tout le monde pense à ça en ce moment. On évoque Armageddon, la chute de Babylone, comme si ça devait se produire demain. Difficile de pas réfléchir à sa vie quand on est là-bas. Tout le monde est tellement sérieux ; de partout fusent des pensées profondes sur le Jugement dernier, et des intellos autoproclamés du ghetto lisent à haute voix des prophéties sur le nouvel âge moral à venir. Mais tout le monde ici a pas le même respect profond pour le rasta. Il y a ceux qui portent des dreadlocks et qui pensent que ça suffit. Il y a ceux qui s'affichent comme rastas, mais qui sont juste des mecs normaux qui, sous couvert de rasta, fument des tonnes de ganja, se plaignent de la vie et de ses injustices, quand il s'agit bien d'eux et de leurs échecs. C'est les pires. Le samedi soir, ils sont tout fiers des dreads qui leur tombent aux épaules, ils fument de longs cônes et parlent d'Unité, *One Love One Destiny*, comme s'ils en étaient les prêtres. Mais croisez-les n'importe quel autre jour de la semaine, vous les trouverez en train de fumer des cigarettes. Dans un lieu comme Tosh, c'est sacrilège de faire entrer Babylone, la cigarette y est considérée comme un poison. Un autre jour, vous pouvez les surprendre avec un soda, ou même de la bière, alors qu'ils militent pour la nourriture *ital* le samedi soir. Et puis, il y a ceux qui sont là que pour la musique, le seul plaisir de la danse et de l'échange. Ils portent pas de dreads, ils prétendent pas être rastas, mais ils respectent le fait d'être dans un lieu pour les rastas, et donc ils fument pas et ils boivent pas. De toute façon, c'est le seul endroit où les gens peuvent se rassembler pour danser. Pas d'espaces communautaires ou de centres culturels dans le coin. Du coup, les rastas sont très respectés parce que ce sont des gens pacifiques, qui essaient d'amener autre chose dans cette ville *deurmekaar*, très confuse, qu'est Kaapstad. Et moi, je suis pas vraiment rasta, mais je m'y retrouve.

Là-bas, je me rends compte du peu que je sais. Je traverse la salle en saluant les anciens, les *Mamas* et l'*Umfundisi*, les mères et le Sage, qui parle avec feu de rédemption. Je me rends compte à quel point le rasta peut nous aider à mener une vie meilleure. Il y a beaucoup à dire sur Bob Marley et sur ce que sa musique représentait. Au-delà des couleurs reggae et du joint de rigueur, il portait un message très sérieux et très sincère d'une façon toute simple. Ça m'énerve que les rupins l'aient récupéré comme idole, alors qu'ils comprennent rien au rasta. Comme dire que vous habitez Mitchell's Plain quand vous y avez jamais mis les pieds mais que vous avez juste entendu des histoires. Avec le rasta, tu fais pas semblant; ce qui compte, c'est ressentir, retourner aux origines de l'homme, à ce mec que l'homme blanc appelait un sauvage. Ce qui compte, c'est retrouver la connaissance profonde que ce type avait de la nature et vivre en harmonie avec elle.

De temps en temps, quand la musique me branche pas, je sors retrouver les autres rastas, ils me parlent de leur façon de voir la vie, de ce qui se passe. Ils ont toujours envie de partager ce qu'ils savent, ce qu'ils comprennent.

À l'intérieur, ça commence à chauffer. J'enlève mon pull, je le mets dans mon sac à dos. Tshepo m'impressionne. C'est un bon danseur, il sait se laisser aller. On danse toute la nuit. On quitte la salle à temps pour choper le train du matin, celui de 6 h 30. Tshepo est épuisé, mais il est content d'être venu.

À la maison, on prend chacun un bain, on change de fringues – ils puent la ganja. On prépare un petit-déjeuner copieux, du pain, des œufs, des saucisses. Tshepo remplit un pichet de jus d'orange Oros, on pose la nourriture par terre dans ma chambre, c'est là où il y a le plus de place.

— Alors, qu'est-ce t'as pensé de cet endroit? je lui demande.

— C'était pas mal, il répond, un peu tiède, mais la musique était bonne.

— C'est tout ce que t'as à dire, la musique était bonne?

— Qu'est-ce tu veux que je te dise, Chris? il dit, en mangeant des petites bouchées, la bouche fermée. Il a vraiment des manières de rupin.

— Me raconte pas de salades. Dis-moi vraiment ce que tu penses, je le défie.

— Très bien, mais ça va pas te plaire.

Je lui décoche un regard, genre j'ai la parade à tout ce que tu pourras me sortir.

— Eh bien, je trouve qu'il y a beaucoup de n'importe quoi, à commencer par cette façon de s'affamer, il démarre. On est bien d'accord, Chris, ces gens ne mangent pas de viande pour des raisons religieuses?

Ils sont déjà bien assez pauvres comme ça, alors où vont-ils trouver leurs protéines ? Merde, tu as vu ces mères, leurs enfants malingres ? C'était affreux. Quelles chances ont ces enfants de se développer normalement, de bien démarrer dans la vie, en étant mal nourris ? Je crois que c'est une erreur. Je crois qu'ils devraient laisser leurs enfants manger de la viande jusqu'à ce qu'ils aient, mettons, douze ans, et après, libre à eux de décider ou pas de devenir rastas comme leurs parents. Et puis, amener des petits enfants dans un endroit comme celui-là, avec autant de bruit, laisse-moi rigoler, Chris, il dit en secouant la tête.

— C'est facile pour toi de dire ça, je réponds en maîtrisant ma colère. Faut pas qu'il me prenne pour un *moegoe*, je sais comment formuler ce que je ressens. Ces gens-là font quelque chose pour eux-mêmes. Tu comprends ça ? Ils demandent rien aux blancs. Cet endroit, ils se sont battus pour l'avoir. Même la police approche pas de Peter Tosh. Les gens se débrouillent.

— Tu réponds pas à ma question, Chris. Tu dis juste ce que tu veux me dire. Autre chose, si les rastas sont si près de la nature et tout ça, pourquoi est-ce qu'ils ne nettoient pas là-dedans ? Là, je parle pas de pauvreté. Je sais qu'ils ont pas d'argent pour la déco. Ça, ça me gêne pas. Mais, bon sang, Chris, ils jetaient leurs emballages, leurs épluchures partout par terre. J'ai pas vu une poubelle. Et dehors, derrière la salle, il y a une montagne d'ordures. Comment t'expliques ça ? Comment tu peux dire qu'ils veulent revenir à la nature quand ils sont même pas capables de la respecter ? S'ils étaient si sérieux sur ce chapitre, ils pourraient même démarrer un truc genre nettoyons le township, tu sais, où les rastas incitent la communauté à garder les lieux propres. Qu'est-ce que t'as à répondre à ça ?

J'ai envie de le gifler, mais je résiste. La colère brouille mes pensées. Il se prend pour qui, à critiquer les rastas comme ça ?

— Ils vivent comme ça parce que c'est tout ce qu'ils connaissent, je dis pour leur défense.

— Bien sûr, et maintenant tu vas me dire qu'à ces mêmes gens qui n'arrivent déjà pas à se sortir de leur misère, il faut donner le droit de fumer de la ganja comme des adultes responsables ? Encore autre chose, qui décide quand c'est trop ? Je veux dire, il faut une modération, même dans la culture rasta. Là-bas, les gens fumaient non-stop toute la nuit. Les enfants aussi, j'ai vu une fillette qui devait avoir dix ans sucer de la ganja sur une pomme. Comment tu justifies ça ? Et cette histoire que les rastas n'envoient pas leurs enfants dans les écoles de Babylone, c'est quoi ? Comment espèrent-ils que leurs enfants vont gagner leur vie ? Tu te rends compte combien de vies vont être foutues en l'air, parce que tout aujourd'hui passe par une meilleure éducation ? il dit en agitant les bras comme un prêtre.

— OK, ça suffit, Desmond Tutu. J'aurais peut-être pas dû te poser la question, tout ce que tu fais, c'est critiquer. T'as rien dit de positif.

— J'y venais, il ment. Je crois que c'est bien que les rastas nous parlent de gens comme Marcus Garvey et d'autres leaders noirs. On a besoin de plus de ça. Et Chris, je t'ai dit que la musique était bonne. Et puis, j'ai vu personne se battre ou s'engueuler, tu sais comme les filles peuvent être. Pardon, les « sœurs », c'est bien comme ça que vous les appelez ? En tout cas, elles se sont bien tenues. Avec autant de monde, c'est une sacrée prouesse, pas un seul acte de violence.

— Et Sélassié, t'as rien dit sur lui. Je suis sûr que tu sais quelque chose, je dis en sachant quel renard c'est. Faut pas qu'il me prenne pour un enfant, qu'il me cache des choses. Je sais qu'il a quelque chose à dire.

— On n'est pas obligés de faire ça, tu sais. T'es déjà très sensible sur ce chapitre, il dit pour s'excuser, en mangeant dans son assiette. Il a beaucoup parlé, il a quasiment rien mangé alors que mon assiette est vide. Je bois beaucoup d'Oros.

— Non, allons-y. Je veux entendre ce que t'as à dire.

— Écoute, je vais même pas entrer dans le débat sur est-ce que Sélassié était Dieu ou pas. Ça, c'est une question de foi. Mais désolé, Chris, j'ai des connaissances en histoire, et cet homme était pas aussi sage que les belles paroles qu'il a prononcées. Je veux dire, avec lui les gens ont souffert. Ils vivaient comme des chiens, ils avaient faim, comme les rastas que j'ai vus là-bas, visages émaciés, enfants chétifs. Il a été un tyran cruel, il dit en creusant les joues pour illustrer son propos. Et aussi, s'il était si africain, si pro-noirs, pourquoi il a eu un couronnement tellement européen, tellement blanc ? T'as vu les photos de son couronnement ? Il y avait rien d'africain là-dedans. Ça aurait pu aussi bien être le roi George V ou quelqu'un comme ça. Ça, j'arrive pas à le digérer. J'achète pas le mythe Sélassié. Mais ce n'est que mon opinion, il se tait, même s'il a l'air d'avoir plus à dire sur le sujet.

J'ai de plus en plus de mal à réfréner ma colère. Je la sens qui monte à la surface, comme si elle se glissait sous ma peau. Quand il a fini, je prends les assiettes, je les lave immédiatement à la cuisine. Après avoir ramassé les miettes, essuyé et rangé les assiettes, je m'assois sur mon lit, j'allume une cigarette. J'avais l'intention de prendre un joint, mais dans l'humeur où je suis, je risquerais de lui éclater la gueule après.

— Chris, t'es pas en colère contre moi, si ? il demande en se tenant près de moi.

— C'est une question ou une affirmation ? je réponds sans le regarder.

Il dit rien.

— Je suis fatigué, d'accord, j'ai besoin de dormir.

Quand il me laisse seul, je passe ma colère en écrasant ma cigarette à moitié fumée dans le cendrier. Il a réponse à tout, putain. Comment ça se fait qu'il sache tant de choses ? La vie, ça s'apprend pas dans les livres. *Naai*, sous prétexte qu'il est allé à l'école, il croit que *hy ken alles*, qu'il sait tout. Mais je connais les rastas mieux que ça. Ce sont des gens positifs. Ils ont pas envie de s'entretuer. Quelle importance si tout est pas parfait ? Et les chrétiens ? Au moins, les rastas, ils vont pas prier à l'église avant de rentrer chez eux pour s'entretuer, boire et violer des femmes. Au moins, ils disent ouvertement qu'ils aiment la ganja. Ils se cachent pas, comme le font les chrétiens avec leur alcool. C'est bien un truc de noir de débiner les siens. Il appartient à la même clique que Mandela et ses potes. *Hulle is net skelms*, rien que des escrocs. Au moins, les rastas, ils essaient d'aller quelque part. Ceux du ghetto, personne défend leurs droits. Tout le monde s'en fout qu'ils aient rien et aucun moyen de gagner de la thune. Vendre des pétards, c'est leur façon de gagner leur croûte et de faire vivre leur famille, comment il peut pas voir ça ? Comment il voit pas que ces gens sont à bout ? Après, ce trou-du-cul, avec tous ses livres, il me sort que Sélassié était un tyran. Jamais personne critique Jésus ou Mahomet comme ça. Et c'est pas le premier que j'entends parler mal de Sélassié. Pourquoi ils peuvent pas respecter ce que Sélassié représente pour les autres ? Ils ont pas besoin de sortir des saloperies comme ça. Comment les gens peuvent dire si facilement du mal de Sélassié ? Peut-être juste parce que c'est pas vrai. Peut-être que ce que Tshepo a lu, c'est juste des mensonges. Après tout, qui les écrit, ces livres ? Des blancs. Qui contrôle tout ce qu'on entend ? Les blancs.

J'aurais jamais dû l'emmener là-bas. Trop d'un coup, trop tôt. C'est juste un frimeur qui croit qu'il comprend tout. J'ai pas besoin de ces embrouilles. Cet endroit compte trop pour moi.

Je ne voulais pas le mettre en colère.

J'aurais dû la fermer, mais il a insisté. Je croyais qu'il voulait vraiment savoir ce que je pensais, alors je le lui ai dit. Il n'a pas aimé. Je pense qu'il ne me remmènera jamais là-bas.

Pourquoi m'a-t-il demandé mon avis, si c'était pour se mettre tellement en colère? Je ne le comprends pas. Je ne sais pas ce qu'il veut.

C'est compliqué. Le truc, c'est qu'il me plaît. C'est affreux. Quand je pense à ça, je ne peux plus me regarder en face.

C'est bizarre d'aimer quelqu'un, particulièrement un mec, de cette façon.

Ça ne m'est jamais arrivé. Je ne sais pas quoi faire.

Il me plaît terriblement. Ne peut-il donc pas s'en rendre compte? Quand il m'a demandé mon avis, j'ai pris ça comme une occasion de lui en dire plus sur moi-même. Je voulais lui faire plaisir. J'ai essayé de l'impressionner, de faire le malin. J'ai essayé de montrer tout ce pour quoi les gens ont l'air de m'aimer, mon étrangeté, ma singularité, mon point de vue extérieur, sous la pluie, marginal, perpétuel albatros. Je sais que je romantise mon côté solitaire. Mais c'est tout ce que je peux faire pour calmer mon désir. Peut-être que c'est handicapant de me voir sous cet angle. Je sais que j'en ai fait trop. Tout ce que j'ai réussi à faire, c'est heurter sa fierté fragile, le détourner de moi.

C'est terrible parce qu'il ne me parle plus. Tu sais quel effet ça fait? L'effet d'une condamnation à mort. Une excommunication. Je ne peux plus lui parler, plus bavarder. Il est si beau, si violemment attirant, ça me brise le cœur de ne rien pouvoir lui dire. Ses yeux, ils brillent comme du jade, ses lèvres sont roses et pleines, je pourrais passer si longtemps à les regarder, à les détailler. Ses traits sont les habits d'un dieu.

Parfois, il va courir. Il revient toujours avant le coucher du soleil, quand la lumière est orange, étrange. Je ne sais pas pourquoi il fait ça. Ça lui rappelle peut-être Pollsmoor ou quelque chose de triste comme ça. Il est si précis, il y a quelque chose d'attristant là-dedans, dans toutes ses habitudes. Il lui manque la joie de faire les choses. Je me demande souvent s'il fait tout ça parce que ça lui a été inculqué ou parce qu'il le veut. Il va se coucher à dix heures tous les soirs, même si c'est au milieu d'un bon film. Il se réveille systématiquement à six heures tous les matins et ne va nulle part sans ses pantoufles. Mais ça, ça ne m'étonne pas. Il m'a raconté que marcher pieds nus sur le ciment froid de la prison, le matin, après une douche glacée, ça l'a marqué pour toujours, c'est de là que vient son aversion pour le froid.

Je l'aperçois parfois après une de ses courses brûlantes. Je croise brièvement son regard par la fenêtre où entre la lumière. Il est là, gracieux, soufflant comme l'athlète qu'il est, la sueur luisant sur sa peau ambrée, les muscles tendus, encore tout palpitants de l'effort. Un air particulier sur le visage, est-ce de l'angoisse, de la tristesse? Difficile à dire, parce qu'il essaie de retrouver son souffle. Mais ce regard est difficile à oublier. Il y a de la résolution dans ses yeux, comme quelqu'un qui poursuivrait un soleil qui n'aspire qu'à se coucher tranquillement. Il y a cette détermination à la vie à la mort, chez lui. C'est bouleversant de le regarder. Tout ce que je veux, c'est courir vers lui, être avalé tout entier dans la sensualité de sa présence. Je veux disparaître pour toujours dans ses yeux.

Même quand il fait la vaisselle, il me fascine. Ses mains qui se déplacent avec dextérité, ses jambes solidement campées sur le sol. Les travaux de force et la discipline de la prison n'ont fait que le rendre plus beau, accentuer ses changements d'humeur et son côté taciturne. Un peu comme un artiste qui rumine une œuvre, sauf que ses œuvres, ce sont ses gestes, son sourire, son regard, ses blagues. Voilà les armes du secret qui m'ensorcelle.

C'est embarrassant de penser à un homme de cette façon. Je ne sais que faire. Il me fascine tellement. Ses bras puissants, son cou élégant et fort m'invitent à imaginer le reste de son paysage. Je me demande ce qu'il y a sous ces vêtements si seyants. Est-ce que sa peau est douce, est-ce que sa respiration est calme? Et puis ses cicatrices, quelle histoire recèle chacune d'entre elles? J'ai observé ses mouvements, son air maladroit lorsqu'il lit à son bureau, sa grâce et son aisance naturelles lorsqu'il s'allonge par terre, la manière dont il s'empoigne parfois l'entrejambe; on dirait que son rire provient de son bassin, du plus profond de son humanité, un lieu innocent et secret que je n'aperçois que rarement.

Si seulement il pouvait rire à nouveau, oublier toute cette malheureuse histoire. Je n'aime pas me battre. Je n'aime pas me disputer. J'aime être avec les gens. J'aime être avec lui. Pourquoi ne s'en rend-il pas compte? Je suis maladroit. Je tire trop fort quand quelqu'un me tend la main en signe d'amitié. Je manque de retenue. Je parle quand je ferais mieux de me taire. Je suis un imbécile indécrottable. Je ne suis pas bien dans ma peau. Je jette toujours un œil derrière moi pour voir qui se moque, qui me montre du doigt. Pourquoi ne voit-il pas ça? Les mots sont ma dernière arme, tout ce qui me reste. C'est difficile de connaître les gens. Je tente, je tâtonne. Pourquoi ne s'en rend-il pas compte?

Pourquoi ne sourit-il plus, juste un petit peu, que le soleil vienne à nouveau baigner mon cœur ?

Ça m'est arrivé brutalement, cet envahissement par lui. J'étais dans cette salle, avec tous ces rastas. Je ne les ai jamais aimés. Voilà la vérité. Ils ont l'air durs et prétentieux, pire, ils s'en foutent de leurs femmes et de leurs enfants. La façon dont ils les traitent est révoltante. Tout tourne autour des mecs, du lion, du rasta, jamais autour de la femme et de l'enfant.

Cette nuit-là, je le regardais. Je ne sais pas ce qui s'est passé. Il m'a ensorcelé. Je me suis senti happé par son charme, sa présence. Après, j'ai eu peur parce que j'ai cru qu'il y avait peut-être autre chose. Je me suis dit qu'il exerçait peut-être une forme de contrôle mental, je m'étais senti tellement possédé, si violemment épris. J'avais lu quelque chose à propos d'une ancienne société secrète islamique, les assassins, une déformation du mot *haschischin*, fumeurs de haschisch. Complètement défoncés au hasch, ces futurs assassins étaient emmenés dans un jardin aux parfums merveilleux qu'on leur présentait comme le paradis. Sous cette forte emprise spirituelle, on leur promettait un retour au ciel s'ils tuaient pour Allah. Submergés par la vision paradisiaque de cet au-delà, ils perpétraient les pires actions, tuaient sur commande, modifiant les équilibres politiques, gagnant parfois des guerres. J'ai commencé par envisager Chris de cette façon, alors que mon esprit essayait de comprendre cette attraction subite. Sa beauté déclenche en moi des émotions si profondes que je finis par me sentir incapable, pas à la hauteur, indigne de son amitié.

Il pourrait me demander n'importe quoi, je le ferais. Peut-être il ne me demandera pas de tuer ni de trahir quelqu'un ni de forger de nouvelles alliances. Mais s'il fallait sacrifier des animaux pour Chris, ce serait des colombes vivantes, des papillons de printemps, des cascades de fruits, des océans de saphir. Il y aurait des champs, des jardins suspendus dévolus à son culte, des temples construits avec la même passion, la même dévotion que pour le Taj Mahal. Sacrifier une charogne, ce serait une insulte à sa beauté. Le sang lui-même corromprait le charme qui m'ensorcelle.

C'est affreux. Comme contempler une fleur magnifique sans pouvoir parler de sa beauté lumineuse. Je frémis à l'idée de ce qu'il ferait s'il savait ce que je pense de lui.

Mais je ne peux pas m'empêcher. Quand il me regarde avec colère, j'ai l'impression qu'il coupe une fleur fragile. Ça fait mal. Je tombe en extase. Je l'aime davantage, je plonge plus profond en moi-même pour qu'il me pardonne, que je retrouve le chemin de son cœur.

Qu'y a-t-il de pire qu'aimer quelqu'un qui n'a aucune considération pour vous ? Je sens qu'il ne m'aime pas parce qu'il ne me demande jamais rien. Il ne m'emprunte jamais rien, comme font généralement les garçons, pas même des choses triviales comme du dentifrice. Même quand il n'a pas de dentifrice et que je laisse le mien en évidence dans le cabinet de toilette, comme si je l'implorais de l'utiliser. Mais non. Sa fierté, sa résolution, elles m'anéantissent. Sa rigueur le rend encore plus beau, inaccessible.

J'aimerais pouvoir retirer les paroles que j'ai eues, mais ça ne veut rien dire, ça. Ça ne m'amène nulle part. Je me sens bête, puéril. J'aimerais, j'aimerais, qu'est-ce que ça veut dire ? Il est en colère contre moi. Il faut que je fasse avec.

Je meurs d'envie qu'on fasse la paix. Qu'on soit amis. Qu'on rie de nouveau ensemble.

Mais comment communique-t-on avec quelqu'un qui vous reproche votre éducation ? Je dois faire attention à ce que je dis. Il faut que je sois prudent quand il est là.

Désormais, il ne regarde même plus la télé avec moi. Un jour, je suis rentré du boulot et je l'ai retrouvée dans ma chambre. Posée sur mon bureau, sans un mot, rien. Il avait simplement décidé que, puisque nous ne nous adressions plus la parole, il n'y avait plus de raison pour lui de regarder la télé, comme nous en avions l'habitude, ensemble, dans sa chambre. Je me sens mal, rejeté, abandonné. Je ne l'ai pas allumée depuis.

C'est un Vietnam. Beaucoup de tension, des silences lourds qui durent jusqu'à ce qu'il finisse par claquer la porte parce que j'ai oublié de nettoyer la table de la cuisine ou de sortir la poubelle. J'oublie facilement. Je fais tout mal quand on est en colère contre moi. Ça me paralyse. Ça me fait penser à mon père. À la façon dont il m'engueulait pour m'apprendre à faire quelque chose. Parfois, il en avait juste marre, il finissait ce que j'avais commencé, me laissant en larmes, écrasé par le poids de mon insuffisance. Difficile d'effacer les souvenirs d'enfance. Leur blessure dure toujours.

Je tiens à lui plaire. Je ne sais pas pourquoi c'est si important, si impératif.

Mais je continue à tout faire de travers. Il aime que les choses soient parfaites. J'essaie, Chris. Laisse-moi seulement une chance. J'essaie.

Un jour, en rentrant du boulot, je le trouve à la cuisine.

— T'en veux ? Je fais des briyani, il dit. J'en fais beaucoup pour qu'on en ait pour deux jours.

— Oui… volontiers, je réponds agréablement surpris, ravi de ne pas devoir affronter un nouveau silence pesant.

Je vais dans ma chambre en soupirant de soulagement. J'enlève mon uniforme, j'enfile un pantalon de survêtement et un tee-shirt.

— Il fait un peu froid. Tu ferais mieux de mettre des chaussures, tu vas t'enrhumer, il dit tranquillement.

Normalement, je l'aurais ignoré, comme j'aurais ignoré quiconque m'aurait dit une chose pareille, j'aurais trouvé rapidement une riposte, mais puisque c'est Chris…

— *Ja*, t'as raison, je dis, et je retourne mettre mes baskets.

Je me sens un peu bête, mais c'est sans importance. Au moins, on se parle.

— Il n'y a pas le jeu *Pirates & Chefs* à la télé ce soir ? il demande en tournant une cuillère dans la casserole.

— *Ja*, je crois, j'improvise.

Je vais dans ma chambre et je porte la télé dans la sienne.

— La réception est meilleure ici, j'invente comme excuse.

Il dispose la nourriture sur les assiettes, je remplis un pichet d'Oros. Comme d'habitude, il mange avec voracité. Quelquefois, quand je le regarde, je vois le petit garçon qui a grandi avec pas grand-chose sur la table. Il n'arrête pas de me regarder alors que je finis mon assiette avec difficulté.

— Qu'est-ce qui se passe, t'as pas faim ? il dit en regardant mon assiette à moitié pleine.

— Non, c'est juste un peu chaud, je dis, même si mon vrai problème, c'est qu'il m'en a servi pour trois. Mais on se reparle, ménage-le, je me dis.

Ça me prend un moment, mais je finis mon assiette. À ce moment-là, il est déjà absorbé par le jeu.

— Laisse, je vais faire la vaisselle, il dit en rotant, alors que je ramasse les assiettes, je sais que tu détestes faire ça.

— Non, ça va. Je vais la faire, Chris, je dis en allant à la cuisine.

L'évier est impeccable. C'est comme ça qu'il faut que tu le laisses, je me rappelle en empilant les assiettes. La table aussi est propre. Et il a essuyé la plaque chauffante après avoir cuisiné. C'est moins de boulot quand on laisse les choses propres, je l'imagine me dire. Je fais couler l'eau chaude, je commence à nettoyer.

Après, j'essuie les assiettes et je les range. Il déteste quand je lave quelque chose et que je le laisse sécher. Ça a l'air bordélique, il dit toujours. Et comment sais-tu si les mouches n'ont pas laissé leur merde dessus ? Chris chéri, il peut être si grossier. Je ne suis pas sûr de trouver ça charmant.

J'essuie l'évier, je m'assure qu'il est dans l'état dans lequel je l'ai trouvé. J'essuie aussi la table, je balaie les miettes par terre. Il laisse aussi toujours le torchon dans un petit bol avec de l'eau de Javel, je fais de même.

— J'ai soif, il dit en pénétrant dans la cuisine. C'est un prétexte pour vérifier que tout correspond à ses critères de propreté et d'hygiène. Il se sert un verre d'Oros, ses yeux courant sur le sol et la table.

— C'est une obsession chez toi, je lui dis.

— Quoi ? il répond en retournant à son jeu. Mais je sais qu'il m'a entendu.

CHRIS

Je commence à le connaître. Il est pas si mal franchement, même si je retournerai jamais à Tosh Hall avec lui. De toute façon, on en parle plus jamais. Ensemble, on va plus que chez Mash. Il me traîne plus au Lounge, sauf si j'ai envie de fumer un bon pétard.

Au boulot, ça se passe bien. Je mets de côté autant d'argent que je peux. Je sais toujours pas ce que je veux en faire, mais je sais que c'est une bonne chose. Tshepo est toujours en train d'économiser, je l'observe attentivement. Il y a des choses à apprendre de types comme ça, mais il ne faut pas qu'ils s'en rendent compte. Autrement, ils croient qu'on est un *moegoe* qui ne connaît rien à rien. Pour un garçon qui est allé à l'école des blancs, il fait drôlement gaffe à l'argent. J'ai remarqué par exemple qu'il ne laisse jamais traîner d'argent sur son bureau ou ailleurs et qu'il a toujours de la monnaie sur lui. Tu vois, comme certains types qui ont que des billets, et parfois une pièce de 5 rands. Ça veut toujours dire qu'ils sont pleins aux as, qu'ils ont jamais à s'inquiéter d'aller se coucher le ventre creux. Avoir que des billets sur soi, c'est une erreur, c'est permettre à quelqu'un de faire semblant d'être soûl et de profiter de la situation. Avec certaines personnes, dans certains milieux, il vaut mieux qu'on te voie avec des pièces, pas des gros billets. Si par exemple tu vas acheter une boisson fraîche dans une *spaza,* une épicerie pourave de Mitchell's Plain, vaut mieux donner deux pièces de 2 rands qu'un billet de 10. Même une pièce de 5 rands, ça peut être pris comme une façon de se la péter. Avec les pièces, ce qui est bien, c'est que ça te fait quelque chose pour jouer dans ta poche, quand tu te balades en te dandinant comme un caïd du ghetto. Ça fait peur aux blancs, et les gars du coin savent que t'es pas un *moegoe.* C'est des choses qu'on apprend en grandissant dans les rues. Et Tshepo les connaît, en tout cas, c'est l'impression qu'il donne.

Parfois, je parle des filles, je me vante un peu de celles que j'ai eues. Lui, il fait jamais ça, jamais d'histoires croustillantes. C'est une façon de passer le temps. Ça a pas d'importance, combien de nanas t'as baisées. On raconte tous des bobards. Ce qui compte, c'est comment tu les racontes, comment tu te débrouilles pour rendre les autres verts et leur faire un peu dresser la bite.

Mais Tshepo saisit jamais l'occasion. Il y a un peu trop du garçon de la ville chez lui, le genre trop d'éducation et ce truc des rupins sur l'intimité. Il est trop secret. Il est tellement silencieux et replié sur lui-même. Parfois, je l'espionne par le trou de sa serrure, dans l'espoir de le mater en train de se branler et puis de se lever en se marrant. Mais je le chope jamais. Là-dedans, il est toujours en train de dormir ou de lire à son bureau. Je le trouve un peu chiant, manque de niaque et d'énergie. Il y a pas assez d'aventure en lui.

Mais c'est bien, parce qu'il faut pas que je fasse trop la fête, faut que je me tienne à l'écart des emmerdes. Faut que je sois raisonnable. Mais parfois, la déconne, ça me manque. J'y peux rien, je m'ennuie vite. Il faut que je fasse des trucs, comme la fois où j'ai fraudé la compagnie de téléphone en me branchant sur leurs lignes. J'ai téléphoné en Nouvelle-Zélande et j'ai parlé à un type que je connaissais pas pendant deux heures pour 70 centimes. Et puis l'époque où on faisait des arnaques aux distributeurs de billets avec les potes pour se payer des voyages à Jo'burg. Quand je lui raconte ça, il me regarde et il se tait. Il sourit vaguement, mais je sais que derrière, il pense, espèce de *moegoe,* quand est-ce que tu vas te décider à grandir ?

Du coup, je lui raconte plus ma vie. Je fais un peu comme lui. Je garde des trucs pour moi.

J'étais irritable ces derniers temps. Mais ça a surtout à avoir avec le fait que j'ai pas de copine. Pas facile, j'ai pas rencontré de fille qui me plaise. Les salopes de Sea Point ont une grande gueule. Elles ont l'habitude de ces putain de touristes par qui elles se font pourrir et qui sont dingues de leur peau noire. Ça coûte cher de les sortir.

Une nana, ça sert qu'à une chose. C'est pas bon de trop te branler si t'es un caïd. Une fois de temps en temps, ça va, mais si tu peux, tu dois filer ta semence à une femelle. Parfois, ça me démange tellement que je vais près de Salt River, là où on trouve des putes bon marché qui sont pas trop repoussantes. On peut les baiser jusqu'à avoir mal à la bite. Les tarifs des prostituées à Sea Point sont débiles. À ce prix-là, je pourrais me payer une belle paire de baskets. Je suis pas sûr que Tshepo soit d'accord avec tout ça, alors je lui en parle pas. Il comprendrait pas. Il a trop d'idées préconçues sur les choses. Je sais pas comment il fait, comment il supporte toutes ces nuits sans femme. Moi, j'aime baiser. Des fois, je me dis qu'il ramène quelqu'un à la maison quand je suis au boulot. Mais j'y crois pas vraiment. Il a pas vraiment de raison de se cacher. Il est pas si secret, quand même. Ou bien si? Parfois je l'imagine avec cette amie qu'il a, cette femme sauvage. Comment elle s'appelle? Je me souviens plus. Je me rappelle pas bien les noms africains. *Ja*, cette fille aux cheveux courts décolorés, même si elle est pas mal dans son genre. Elle a l'air solide, l'air d'être capable de baiser jusqu'à ce qu'elle tombe. Mais je crois qu'ils font rien ensemble. Je l'emmerde toujours un peu avec elle. Je crois qu'il aime pas ça, mais il dit rien.

— C'est pas bizarre d'avoir une fille comme amie? je lui ai demandé une fois.

— Pas vraiment, il a répondu comme si j'avais posé une question stupide.

— *Ag*, tu… je te crois pas. Je suis sûr que tu l'as baisée, je continue.

— C'est pas ça, tu sais. Elle est très intéressante. Elle a beaucoup de choses à dire. On peut beaucoup apprendre des femmes, tu sais, il dit en me regardant.

— Quel genre de choses? Apprendre des trucs d'une femme. Va dire ça aux salopes de Mitchell's Plain. Elles te feront laver leurs culottes et nettoyer par terre. T'es dingue.

Il a l'air blessé, il baisse un peu les yeux.

— Chris, toutes les femmes ne sont pas des salopes, il dit en continuant à regarder la télé.

— Là, tu dis des conneries, je dis, une femme, tu peux pas lui faire confiance. Il faut toujours que tu la surveilles.

Il se tait. Il commence à faire la tête tout en zappant.

— T'es aveugle, mon gars, je continue. *Ja*, cette amie que t'as, elle t'a refilé une *korobela*, une potion d'amour, *sy het jou lekker geslaat*, elle t'a bien eu.

Je cherche peut-être juste la bagarre. Peut-être que toutes les femmes sont pas bonnes à rien, ou bonnes qu'à une seule chose. J'en ai peut-être juste marre d'avoir tort à ses yeux. Il est jamais d'accord avec ce que je dis. Moi aussi, je repère des trucs. OK, peut-être Pollsmoor a fait de moi un meilleur criminel. Peut-être que je pense toujours comme un *tsotsi*, mais je suis pas con. Moi aussi, je repère des trucs.

J'aime pas me sentir stupide à côté de lui. Il fait tout le temps ça. Avec lui, tout est bien ou mal. L'autre jour par exemple, il m'a chopé en train de piquer le lait du voisin. Ce salopard s'habille bien, il baise une fille différente toutes les semaines, je lui ai dit. Qu'est-ce qu'il en a à foutre de son lait, alors qu'il doit boire du Chivas tous les soirs? Tshepo en a fait tout un plat. Il est presque allé voir l'autre gars pour lui expliquer que c'était une erreur. Quoi! J'allais pas laisser faire ça. Je l'ai arrêté à la porte.

TSHEPO

J'en reviens pas quand ça se produit. C'est une erreur. Il voulait pas faire ça, je me dis. Il a dû glisser. Un moment, je me demande même si j'ai pas rêvé.

Mais le miroir ne ment pas.

J'ai une ecchymose sous l'œil. Je ne peux pas faire comme si elle n'était pas là.

J'étais à la porte, je m'apprêtais à aller chez monsieur Saunders. Chris – si seulement il savait la vérité... Le truc, c'est que monsieur Saunders savait que Chris lui piquait son lait deux fois par semaine. Ça, il le savait. Un jour, après le boulot, je le croise au parking, il me demande de l'aider à porter des cartons à son appartement. On commence à bavarder, mais dès qu'on est à l'intérieur, il va droit au but et m'explique la situation. Chris le vole. Alors il sort un flingue de sa ceinture et il le pose sur la table, comme si ça le gênait pour prendre le carton. Il n'a plus rien dit après ça. Il a juste dit, votre colocataire, il me vole mon lait. Après, il sort le flingue. Et après, il attrape son carton. Le message me paraît clair.

D'abord, j'ai été suffoqué en regardant l'arme posée sur la table. Je ne connais pas le modèle. Pour moi, c'est tous les mêmes, ils ont tous la même fonction. Il garde l'air serein alors qu'il porte les cartons dans sa chambre. Il me regarde comme pour dire, qu'est-ce que vous allez faire? Je suis nerveux. Qu'est-ce qu'on peut dire quand on vous montre un flingue? Je m'excuse pour Chris. Je fais des promesses idiotes. Je lui dis que je vais m'en occuper. Je dis n'importe quoi. Ne vous inquiétez pas, ça n'arrivera plus, je jure. Je m'en vais et, de retour, chez nous, j'en parle à Chris. Je veux qu'il réfléchisse une seconde. Je veux le sauver de monsieur Saunders, de son arme, de ses potes qui appellent à toutes les heures du jour ou de la nuit. Mais il ne voit pas ça. Il entend des sirènes, il voit des gyrophares.

Donc je suis à la porte. Je vais saisir la poignée quand je reçois un coup comme un éclair. Quelques secondes plus tard, je me relève, un peu assommé, une douleur vive à l'œil. Je le regarde. Le sang gicle de mon nez. Voilà le sacrifice qu'il attendait de moi, toutes les colombes et tous les papillons dans ma tête s'envolent à tire-d'aile.

Je fonce à la salle de bains et c'est lui qui vient m'aider. Il me tient la tête sous le robinet, fait couler l'eau froide. Elle est gelée, mais je ne dis rien. Et lui ne dit rien. Pendant que l'eau continue de couler, il attrape du papier toilette. D'abord, il me tend une serviette pour m'essuyer le visage et la tête, puis il me donne le papier toilette pour que j'en mette dans mes narines.

Je reste muet, comme un enfant.

Il va à la cuisine, il mouille un torchon.

— Tiens ça, il dit en couvrant mon œil, et tiens ta tête droite.

Je penche un peu la tête, mes pensées résonnent des cris silencieux de toutes les colombes assassinées.

Il me laisse assis sur la cuvette.

Je reste assis là un long moment, peut-être dix minutes, la tête vide. J'ai la gorge qui commence à se serrer, mais je suis toujours trop perturbé pour avoir les idées claires ou même être triste. Quand le saignement cesse, je jette les bouts pleins de sang et je tire la chasse.

Puis je me regarde dans la glace. J'ai une marque violacée sous l'œil, ça commence à enfler. Je tapote doucement en essayant de cerner la douleur.

Je sors, je le trouve dans sa chambre, debout à la fenêtre, portant les baskets en tissu dont il entretient la blancheur immaculée et une veste dont il relève toujours le col. Il y a chez lui une distance, un truc inamical, voire hostile dans la façon dont il se tient, les poings serrés dans ses poches, dont il se tend vers le jour. Le store vénitien découpe la lumière de fin d'après-midi en fines lames. Je reste là sans rien dire. Ses yeux se posent sur moi brièvement, mais avec tellement de colère et de violence, comme une étoile à la dérive. La beauté de son regard est glaciale. Pleine de mépris.

Je ne peux pas expliquer la nausée que je ressens quand il se détourne.

— Chris, je commence, la voix un peu rauque, peut-être un peu effrayé.

— Quoi ? Putain, tu m'as obligé, il dit en se ruant sur moi. Il colle son visage sous le mien, je crois qu'il veut me sortir une horreur, mais ça ne vient pas. Il balbutie de colère. Il sort en claquant la porte.

Je reste là un moment, confus. Comment peut-il y avoir tant de laideur dans la beauté ?

Je chancelle vers ma chambre, je m'effondre sur le lit. Ce n'est pas le sommeil que j'attends. Je pense à une autre ville, peuplée de gens meilleurs, plus amicaux, de visages familiers, un endroit lointain, à l'étranger. Je pense à Chris sous un climat différent, plus bronzé, ses colères apaisées. Je pense à une plage de sable fin, à des vagues qui roulent des galets, à la samba, à de chaudes lumières qui illuminent la nuit. C'est peut-être du Brésil que je rêve.

Il revient tard le soir. Son col est abaissé, il y a un éclat de rire dans ses yeux.

— Où étais-tu passé ? il dit lentement, son haleine empeste la liqueur bon marché.

Il titube jusqu'à moi, passe son bras autour de mes épaules.

— Pourquoi il fait si sombre ici ? Pourquoi t'as pas allumé la lumière ? il dit en allumant tout dans l'appartement.

Je me frotte les yeux, je m'acclimate à la lumière.

— Pourquoi t'es en pyjama ? il demande stupidement, son ivresse m'agace.

Il titube à nouveau vers moi, se met à rire. Je l'attrape et manque de tomber avec lui.

— Tu devrais aller te coucher, je lui dis en l'accompagnant jusqu'à son lit.

Je l'aide à enlever sa veste mais il me repousse. Il retire le reste de ses affaires. Je retourne au lit.

À peine je me suis recouché que la lumière se rallume dans ma chambre. Chris est à la porte, complètement nu, un air lubrique sur le visage.

— Faut que je pisse, il marmonne en chancelant vers la salle de bains. Comme toujours, il dirige son jet vers l'eau de la cuvette, comme si le son produit, façon pompe industrielle, était un test de virilité. Il reste là un moment. Puis je l'entends tirer la chasse.

— Tu vas attraper froid, je dis juste pour l'énerver quand il émerge.

— Jamais! il dit avec un air d'invincible conviction. Il commence à prendre des poses, bandant ses muscles comme le font les body-builders, mais il est soûl et maladroit, son pénis assez considérable vient taper sur ses cuisses sans pudeur.

Ça me fait mal de le voir comme ça.

— Chris, je me couche, je dis en tournant la tête de l'autre côté du lit.

— *Hei*. Il me pousse, son sexe à quelques centimètres de ma tête.

J'essaie de l'ignorer mais il insiste.

— Chris, va te coucher. Je me redresse, en élevant un peu la voix.

Il empoigne son sexe et ses couilles, et ricane. Un peu excité, un peu en colère, mais très confus, je le regarde. Il me pousse dans le lit et se couche avec moi. Mieux vaut le laisser faire ce qu'il veut, je me dis, à mi-chemin entre désir et crainte.

Surprise, il dort.

Quand il est confortablement installé et se met à ronfler, je me lève, la lumière est toujours allumée. Je le regarde, son expression calme, paisible. J'éteins la lumière, je vais chercher à boire à la cuisine. Je descends un quart de litre d'Oros. Je n'ai pas sommeil. Du coup, je m'aventure dans sa chambre. Même dans son état, il s'est débrouillé pour ranger ses affaires aussi soigneusement que possible sur sa chaise. Pour je ne sais quelle raison, je prends son pantalon, je l'observe attentivement comme s'il allait me révéler quelque chose sur Chris. Je le renifle, je regarde les bouts élimés. Je fais la même chose avec sa chemise, son tee-shirt, ses chaussettes. Mais je ne trouve pas son slip. Je passe attentivement ses fringues en revue. Je regarde même dans son placard bien rangé, mais je ne trouve aucun sous-vêtement. Alors, c'est un cow-boy, je me dis, excusant peut-être ainsi son comportement incohérent. Je commence à me sentir coupable de fouiller dans ses affaires, je retourne au lit.

Quand je me lève le matin, il n'est plus là. L'après-midi, quand je le croise, il fait comme s'il ne s'était rien passé. Pas même une mention à mon œil, à présent bien gonflé. Ça tombe bien que je ne travaille pas dans les jours qui viennent. On s'active comme si de rien n'était. C'est sa façon de faire. Aucune allusion à monsieur Saunders ni à son lait. Je prie pour qu'il cesse de le lui prendre et je m'occupe de mes affaires.

Il me retrouve étendu sur le lit, relisant un roman de Ayi Kwei Armah, *The Beautiful Ones Are Not Yet Born*. C'est mon roman préféré.

— Je réfléchissais, il commence.

— Ah bon? je le coupe ironiquement. Au fil des jours, la colère a commencé à monter en moi, mon œil est toujours gonflé.

— Je me disais qu'on pourrait peut-être sortir avec ta copine, Mmm… il dit, sans arriver à prononcer le nom de Mmabatho.

— Oui, Mmabatho.

— Peut-être on pourrait sortir tous les trois, il suggère.

— Bonne idée. Je suis sûr qu'on peut arranger un truc, je dis, songeant déjà à un endroit extraordinairement prétentieux pour qu'il se sente bien mal à l'aise.

MMABATHO

C'est toujours mieux d'être sincère avec ses amis.

— Ça va pas s'arrêter là, tu sais, je dis à Tshepo en parlant de Chris. On est assis dehors chez Ardi, à Sea Point. Il porte des lunettes noires pour cacher son œil.

— On devrait sortir, il dit comme s'il n'avait rien entendu, j'ai pas été chez Ganesh depuis des lustres. Il boit son café lentement.

En fait, c'est Chris qui voulait qu'on sorte, il continue. Je n'aime pas le ton de sa voix quand il parle de Chris. Il n'a pas l'air en colère contre lui. On a presque l'impression que toute cette histoire d'œil n'était qu'un petit accident.

— *Ke eng ka wena?* Qu'est-ce qui t'arrive? Qu'est-ce qu'il t'a fait, ce gars? je lui demande, un peu agacée par sa désinvolture.

— Qu'est-ce que tu veux dire? il me demande, à l'abri de ses lunettes noires.

Je les lui enlève, je le regarde durement.

— T'es pas juste tombé, OK? Ce mec t'a cassé la gueule et tu fais comme si rien ne s'était passé.

— Ne joue pas les mamans avec moi, d'accord, ça te va pas du tout, il répond en remettant ses lunettes.

On reste assis en silence, pour laisser retomber la tension. Je nous commande deux autres cafés.

— Je crois que c'est la première fois que je te vois avec ta vraie couleur de cheveux, il dit au bout d'un moment.

— Oh, ça. Je me laisse pousser les cheveux. Mon humeur s'éclaircit, mais je me sens toujours énervée contre lui.

On se tait. On regarde un dealer vendre quelque chose à un garçon à l'air pas si innocent que ça. Il doit avoir treize, quatorze ans, ses hormones viennent tout juste de s'éveiller. Ça se voit aux boutons sur son visage, à sa posture bizarrement dégingandée. Tshepo glousse.

— Tu prends toujours tes médicaments ? je lui demande.

Il prend un air méprisant.

— Ça veut dire quoi, ça ? J'ai pas besoin de ces salades venant de toi. Je vais bien, il me répond.

Je lève les yeux au ciel, je ne dis rien. Il joue avec les poils de son nez, une habitude qui m'exaspère souverainement.

— Faut que j'y aille. Je vous retrouve ce soir chez Ganesh à sept heures, je dis en me levant.

— Parfait, il dit en restant assis.

Je prends un taxi pour retourner en ville, je dois assister à une réunion au département d'art dramatique. Il y a des rumeurs de coupures dans les budgets du gouvernement, avec des licenciements possibles parmi les enseignants. Pour nous les étudiants, ça veut dire moins de spectacles, donc moins de travail expérimental, plus de Shakespeare et autres auteurs blancs et morts qui plaisent à l'establishment. Quand j'arrive là-bas, les portes sont fermées. Je regarde par la serrure, je vois un tas de gens qui écoutent les lamentations du directeur du département, Andrew Schiller. Je reste à l'extérieur, je l'écoute parler d'autres institutions qui ont du mal à maintenir leurs sections artistiques avec des budgets insuffisants. Il enchaîne sur la nouvelle politique du gouvernement en faveur des sciences et technologies, au détriment des arts. « Ils ont d'abord besoin de scientifiques et de mathématiciens », explique Andrew, un sourd grognement désapprobateur se fait entendre. « Comment peut-on construire une nation sans raconter les histoires qui l'ont fait naître ? » demande quelqu'un d'une voix poignante. Je n'attends pas la réponse d'Andrew, je m'en vais.

À la maison, je retrouve Arne qui traîne dans la cuisine avec Nadine, ma colocataire. Je les salue d'un hello moyennement enthousiaste. Sentant peut-être mon irritation, Nadine va dans sa chambre.

— On va chez Ganesh ce soir, je lui dis, j'ai croisé Tshepo aujourd'hui. J'espère que t'avais rien de prévu.

Il s'approche pour m'embrasser, je prépare un sandwich.

— Ça n'a pas l'air de t'emballer, il dit, ses bras autour de ma taille.

Je bouge doucement les hanches pour me dégager.

— De temps en temps, il me fait vraiment chier. Il vit avec ce type et merde, c'est un tel connard. Il lui a cassé la gueule – filé un coquard, plus exactement – et Tshepo fait comme si de rien n'était.

— Une petite bagarre, c'est pas la fin du monde pour des mecs, tu sais. Ça arrive.

— Tu vas pas t'y mettre, toi aussi, je dis agacée et déçue. Ça aussi, c'est un truc de garçons ?

— Non, ma chère, il répond.

Il dit toujours ça quand il essaie de faire retomber ma colère ou ma mauvaise humeur.

— Le truc avec toi, c'est que tu essaies toujours de défendre les droits des gens et que tout le monde n'aime pas ça, il dit.

— C'est juste une façon polie de dire que je me mêle des affaires des autres. Bon, peu importe. T'as raison, il est assez grand pour se défendre.

On se retrouve tous chez Ganesh à sept heures. Tshepo et Chris sont déjà là quand on arrive avec Arne. Salutations et présentations habituelles. Et toujours cette légère hostilité entre Tshepo et Arne qui n'échangent quasiment pas une parole. À part ça, Tshepo rayonne et Chris semble calme et timide.

— C'est sans doute une bonne chose qu'on soit venus tôt, quand le bar est vide. Ganesh peut être chaud, un peu intimidant quand on n'est jamais venu, dit Tshepo à Chris d'un ton condescendant.

Je souris en moi-même. Il a dit ça avec une telle autorité, comme s'il se vantait. Mis à part une autre table dans un coin, il n'y a que nous, on est à la table du canapé. C'est la bonne place pour voir tout le monde arriver.

Karuna est au bar. Elle a l'air malheureuse et fatiguée.

— Ça fait longtemps, elle dit, il y a quelque chose d'accusateur dans sa voix.

— J'étais très prise, je me défends, pas vraiment prête à encourager ses humeurs sombres. Elle me donne ma commande, trois Castle et une Savannah, avant d'aller s'occuper de quelqu'un d'autre.

— Elle est de mauvais poil, je dis à Tshepo en revenant à la table.

— Alors, tu fais quoi, toi ? Arne demande à Chris. Il y a un vent de panique dans le regard de Chris qui se tourne vers Tshepo.

— Hum, je travaille sur le front de mer, il répond.

— Il travaille à la cuisine, tu sais, à la plonge, ajoute Tshepo avec délectation. Chris se tortille.

— J'ai envie de musique ce soir, dit Arne en passant à autre chose.

— Moi aussi, ajoute Tshepo avec enthousiasme.

— J'allais proposer qu'on aille plus tard chez Angels, je dis. Un de mes amis fait une soirée pour son coming-out, je suis invitée.

— Il se passe rien ici. Autant y aller tout de suite, dit Tshepo avec empressement.

— Il est même pas sept heures et demie, mon chou, je lui rappelle.

On boit lentement, sans se dire grand-chose. Les gens commencent à arriver.

— Alors, tu viens d'où, toi ? Arne demande à Chris.

— On est au Cap, qu'est-ce que tu vas lui demander d'où il vient ? je dis pour le défendre. De toute façon, c'est une question de pure forme. Il est évident que Chris est d'ici.

— Je faisais juste la conversation, dit Arne en m'effleurant le nez.

Chris sourit poliment, comme on le fait quand on est avec des étrangers.

— Qu'est-ce que tu leur as dit au boulot ? je demande à Tshepo en lui montrant son œil.

Chris regarde la salle à la ronde.

— J'y suis allé, ils m'ont dit de revenir quand ça se verra moins, que ce sera résorbé. Tu sais comment ils sont sur le front de mer. Pas question qu'un de leurs serveurs ait l'air de se battre tous les week-ends, dit Tshepo en regardant Chris.

Ça nous fait grimacer, Arne et moi. D'accord, n'en rajoute pas, c'est le sens du regard que je lance à Tshepo.

On recommande à boire, mes amis commencent à arriver. Voilà Fiona et Jay, ils passent me dire bonjour. On s'embrasse, on discute. Je les suis à leur table, elle me parle des coupes budgétaires, des conséquences possibles à l'école Michaelis. On commence à se plaindre toutes les deux, mais on change rapidement de sujet, en constatant que Jay se tait. De temps en temps, je jette un œil à notre table, Arne a l'air malheureux avec Tshepo et Chris. Quand un de ses copains entre, il va sur le toit fumer un joint.

Un peu ivre, Tshepo n'arrête pas de saluer les uns et les autres, même ceux qui ne le connaissent que vaguement, essayant d'impressionner Chris par le nombre de ses relations. Quant à ceux qui le connaissent, ils sont un peu gênés, il s'est passé tellement de choses, et puis Tshepo n'a pas vraiment gardé le contact avec qui que ce soit. Tous évitent le sujet de Valkenberg. Ils sourient poliment, lui posent quelques questions banales, où est-ce qu'il vit maintenant, mais dès qu'il a le dos tourné, ils poussent un soupir de soulagement et font la grimace. Rien n'a changé. Il ne fait toujours pas partie du club.

Chris s'accroche à sa bière, l'air sombre. Il reste assis tout seul pendant que Tshepo sillonne la salle en se couvrant de ridicule. À neuf heures, j'appelle Tshepo et Arne pour qu'on bouge chez Angels. La vérité, c'est que je me sens gênée pour Tshepo. Les gens commencent à ricaner. Chris est juste trop content de s'en aller.

Dans la voiture, l'ambiance est bizarre. Tshepo a l'air ivre. Arne est stone. Et Chris est à l'écart, possiblement déprimé. On va d'abord à l'Insomnia, un petit bar près de chez Angels. Tshepo commande quatre cafés glacés. Ils sont délicieux et nous remettent d'aplomb.

— Alors comme ça, Fiona est mariée à Jay. J'ai toujours cru qu'elle était lesbienne, Tshepo vient me dire.

— Tu crois toujours que tout le monde est ambigu, je lui dis, il ne discute pas.

— Au Cap, c'est comme ça, ça fait partie du cadre, il affirme.

— C'est un cliché tellement éculé. Tout le monde au Cap n'est pas gay, tu sais. On finit nos verres, on traverse pour aller chez Angels.

On coche mon nom sur la liste, j'explique au videur que les autres sont avec moi. Mais il refuse de les laisser entrer parce que leurs noms ne figurent pas sur la liste. Il commence à devenir agressif et menaçant. Chris se met à s'exciter, il s'apprête à faire son numéro de macho, quand Alex, l'organisateur de la soirée, passe la porte à point nommé. Je l'appelle et tout rentre dans l'ordre, il fait entrer tout le monde.

Par la porte, on entend déjà les pulsations de la house. L'endroit grouille de mecs sublimes. Ils sont là pour s'amuser et exhiber leur corps sculpté à la salle de muscu en portant des débardeurs moulants.

— J'ai l'impression de me retrouver dans une vidéo des Village People, me dit Arne, un peu mal à l'aise. Il s'agrippe à mon bras à chaque fois qu'un mec le déshabille du regard. On perd Tshepo et Chris dans la foule, on les retrouve un peu plus tard, au bar.

— Il n'y a qu'ici qu'on peut voir ça, je dis à Tshepo en regardant ces hordes de mecs sexy tournoyer sur du disco.

On commande d'autres bières, on regarde avec bonne humeur et émerveillement la pièce se remplir de visages toujours plus avenants dans une ambiance très joviale. Portant une tiare emblématique et un boa rose fluo, Alex caracole dans la salle, parlant à tous les garçons. Ils s'embrassent sur la joue, se pincent les fesses, se murmurent des propos salaces aux oreilles les uns des autres. Certains sont torse nu et bougent leur corps lascivement comme des hédonistes bourrés.

— Ça sent comme dans un vestiaire, dit Arne, sauf que c'est pas un vestiaire habituel. Même si Arne connaît quelques gays, je ne crois pas qu'il ait déjà fait l'expérience de leur univers. Je l'embrasse de temps en temps, pour le rassurer sur sa masculinité, tandis que des garçons le frôlent, tentent de flirter. On descend encore une tournée, et puis Tshepo se lève et va vers la piste de danse. J'essaie de bavarder avec Chris, mais il ne me répond que par oui ou par non. Je ne pense pas qu'il m'aime beaucoup. Il finit lui aussi par aller danser.

— Je savais pas que ton copain était comme ça. Ils sont amants? demande Arne quand il est parti.

— Non, mais il y a quelque chose. C'est la première fois que je m'interroge sur la sexualité de Tshepo. C'est marrant, mais on n'en a jamais parlé. J'ai simplement supposé qu'il avait des copines. Il peut être si secret, difficile de savoir qui était sa dernière petite amie, s'il en avait une.

On les regarde danser. En dansant, le visage de Chris éclate de cette arrogance qu'ont les beaux mecs, d'autres yeux cherchent à croiser son regard. Il aime cette attention. Tshepo ferme les yeux et lève la tête, indifférent au reste du monde. C'est le signe qu'il ne se sent pas en confiance.

Moi aussi j'ai envie de danser mais Arne refuse de quitter son siège. J'aimerais rejoindre la piste, mais je reste avec lui. Un peu après minuit, Tshepo et Chris viennent nous annoncer qu'ils s'en vont.

— Demain, je travaille de jour, explique Chris pour s'excuser.

— Sympa de te revoir, je lui dis, même si ce n'est pas vrai.

TSHEPO

Nous sommes en train de rentrer à pied, sur Main Road, quand nous remarquons un fourgon de police de l'autre côté de la rue. Un des officiers scrute la rue d'un œil menaçant, le coude posé sur la vitre ouverte. Il me regarde brièvement, puis le fourgon fait demi-tour pour s'approcher de nous. Je commence à transpirer.

— Chris, merde. Merde! J'ai trois têtes de Malawi sur moi, je dis en l'alertant sur la voiture de police qui roule au pas derrière nous. J'ai pas pu résister, Karuna les vendait.

— Quoi! Je t'ai dit de jamais acheter la nuit, particulièrement à tes copains rupins. Est-ce que je t'ai pas dit que je me débrouillerais? il m'engueule, jette un coup d'œil en arrière. Merde!

— Peut-être qu'ils ne font que passer, j'espère, même si j'entends le moteur juste derrière. Bientôt la sirène que tous les noirs redoutent retentit, ils se garent juste devant nous, le long du trottoir.

— Bonsoir, les gars, contrôle de routine, dit un officier coloured en s'approchant.

Mon pouls s'accélère.

— Pardon, un contrôle de quoi ? demande Chris bravement.

— *Hey*, fais pas de problème, toi. On va juste vous fouiller, dit l'officier coloured, le regard furieux. L'autre, un blanc, reste un peu plus loin.

— Nous fouiller pour quoi ? se défend Chris.

Je me tais, paralysé.

— *Jy, tsek!* Toi, ferme-la ! L'officier coloured devient méchant, il lève son bras vers Chris mais ne le frappe pas. Tu caches quelque chose ?

— Vous pouvez pas nous arrêter pour rien et nous fouiller. *Ek het niks verkeerd gedoen nie*. J'ai rien fait de mal. C'est la Constitution, dit Chris nerveusement.

L'impression que je vais m'évanouir de peur.

— *Constitution se moer*, constitution mon cul, répond le coloured en attrapant Chris. Il le colle contre un mur, lui écarte les jambes tout en lui tordant le bras brutalement. Chris gémit. L'officier fouille ses poches, tout en le maintenant.

La rue est puissamment éclairée. Les prostituées ignorent cette agitation et continuent leur commerce – une expression de fatigue, de drogue et de peur sur le visage. Des voitures passent. Un groupe de jeunes en BMW décapotable ralentit et se penche par la portière pour mieux voir le spectacle.

Qu'est-ce qui se passe ? je me répète, désorienté, anesthésié par la peur. Ils ont le droit de faire ça ? C'est vraiment en train d'arriver ? C'est tout ce que je me répète, mes pensées se bousculent. Paniqué, je vois le coloured qui brutalise Chris. C'est Le Cap, mon chou, c'est tout ce que j'arrive à me dire.

— Bon, on a essayé d'être gentils. Si tu préfères, on peut faire ça au commissariat, dit l'officier blanc en s'adressant à moi. Je secoue la tête.

Chris se calme. Il laisse le coloured le fouiller à fond, mettant sa main jusque dans ses parties génitales.

— *Constitution. Constitution se moer. Julle daggamannetjies dink julle is slim, nè? Fok julle*, tu te crois malin, petit dealer ? Va te faire foutre, dit le coloured quand il ne trouve rien sur Chris.

L'autre officier me fouille, il trouve les trois têtes de Malawi.

— Qu'est-ce que nous avons là ? dit-il en souriant. La panique me tourne la tête.

— *Da's julle fokken constitution. Dis al wat julle verstaan*. Je vais t'en filer de la Constitution. Voilà qui va te faire comprendre, dit l'officier coloured en me filant soudainement une gifle qui remet tous mes sens en éveil.

Je me tiens la joue, toute chaude de sang. Je regarde le fourgon de police, sa lumière bleu électrique tourne furieusement. Une nausée qui monte. La lumière crue m'agresse, me remplit d'angoisse. Comme si elle criait d'impatience.

— *Vat hom*, on l'embarque, dit le coloured au blanc. On t'emmène en ville.

— Ça va, Chris, je dis docilement en montant à l'arrière du van.

Quand je suis à bord, ils démarrent, laissant Chris incrédule sur le trottoir. Ils m'emmènent au commissariat de police de la ville. Je lève à peine les yeux quand ils me font passer devant l'accueil, puis dans une petite pièce où ils relèvent mes empreintes. L'homme qui s'occupe de ça, un noir, est silencieux, une expression rigide comme un masque. Il grogne pour m'expliquer que je dois détendre ma main. Je voudrais lui dire quelques mots, espérant peut-être une once de sympathie, mais rien ne vient. Il me tend un torchon sale pour que je m'essuie les doigts avant qu'il ne m'emmène à nouveau. On longe un petit couloir sombre. Au bout, il ouvre une grande et lourde porte. Il m'enferme dans une cellule essentiellement remplie de rastas. On dirait le *kulukutz*, je me dis, debout, nerveux et confus. Il règne une semi-obscurité. La seule lumière provient d'une petite fenêtre en hauteur.

Il y a huit personnes dans la cellule. Cinq dorment, entortillées dans une couverture infestée de puces, le genre de couvertures sans couleur qui grattent parce qu'elles sont rêches. Je vois qu'elles sont infestées à la façon dont certains se grattent par intermittence dans leur sommeil. Je m'assois sur un banc de béton, essayant d'envisager mon sort. Trois rastas sont assis sur le sol, ils tiennent un conciliabule discret. Le plus âgé, portant de longues dreadlocks grisonnantes, m'appelle. Je vais le voir avec nervosité. Il y a une cuvette de toilette argentée dans un coin. Ça sent l'égout.

— Ça tourne, *man* ? il me dit, étonnamment joyeux.

— Pardon ? je demande en m'agenouillant à ses côtés.

— Comment va, *man* ? il répète.

— Oh, ça va.

— Viens. Assieds-toi plus près. Sommes tous frères ici. Au moins, t'ont pas enfermé avec les types d'à côté, les bouffeurs de cul, les sales bêtes. Une image de torture me revient.

Ils me font une place sur le sol, me tendent une couverture pour me réchauffer. J'ai envie de protester, la couverture est pleine de puces, mais ce serait les insulter, ce serait pas des manières.

— Moi est Ruben, lui ici est Benjamin, et là-bas est Isikare, dit l'ancien. Il est assez vieux pour être mon grand-père. Ses pupilles sont troubles avec des éclats de sagesse bleu ciel.

— Rastafari, les deux autres me saluent en levant leur main ouverte. Je fais comme eux, je me sens un peu bête. Avec eux, tout est une cérémonie, je me rappelle.

— Alors, qu'est-ce qui lui arrive au *man* ? demande Ruben.

— Ils m'ont chopé avec trois têtes de Malawi sur Main Road, je leur dis.

— Tu fais le contrôle *I n I* ? demande Isikare.

— Pardon ? je fais, à nouveau largué.

— Lion parle pas le lingo ghetto, sourit Benjamin.

— Je veux dire, *Pap*, tu vends la herbe ? Tu fais le contrôle ? répète Isikare.

— Moi ? Non, non… La dope, c'est pour ma consommation personnelle.

Leur expression change.

— Aha. C'est pour ça que *man* a des ennuis. La herbe, elle demande le *respek*, Pap. L'appelons ganja, tu vois. Jah-Jah l'a donnée à *I n I*. C'est la herbe sacrée du *I-Puissant*, dit Ruben, offensé parce que j'ai prononcé le mot dope.

— Oui, *ganja*. Je voulais dire *ganja*, je dis pour m'excuser, embarrassé.

— Ce mot *ganja*, il importe pour *I n I*, tu surprends ? recommence Benjamin. Je réalise soudain que je suis dans leur monde. Même si nous sommes tous dans la même situation, je ne suis une fois encore qu'un invité. Il y a une légère menace dans la posture de Benjamin, comme s'il était prêt à me dérouiller si besoin. Je m'assois et j'écoute.

— Vois, *Pap*, la ganja est la voix de Jah-Jah pour parler à *I'nI*. Alors faut du *respek* pour la herbe du *I-Puissant*, jamais l'appelons dope ou dagga comme l'homme blanc ou les hommes de Babylone. Quand cultive et tombe entre les murs pour ganja, c'est bonne chose pour *I n I* si son cœur est en Jah-Jah. Vois, *Pap*, *I n I* combat toujours forces de Babylone quand veulent détruire le royaume de Jéhovah. Pige, *man* ? enchaîne Ruben.

J'opine et j'écoute encore.

— Il survit où, le *man* ? demande Ruben.

— À Sea Point, je réponds. Je commence à saisir leur jargon.

— Salt Point. Babylone. Je vois pourquoi le *man* est pas clair sur la ganja. Là-bas, Salt Point, *man 'n man* contrôle la ganja avec autres drogues. Le plus grand mal survive là-bas, dit Ruben l'air songeur.

— Et où est-ce que vous survivez ? je demande.

— Survivons là-bas, Marcus Garvey Square, Nolungile, la ghettoship. *I n I* organise places de survie pour tous les enfants de Jah, comme ça, pouvons vivre comme bonnes gens de la terre. Tu captes théocratie, *man* ? dit Ruben.

— Qu'est-ce que ça veut dire ? je demande.

— Veut dire vivre avec Jah au centre de la vie de *I n I*, dit Ruben.

— Et personne ne vous embête à Marcus Garvey Square ? je continue.

— Ça, *man*. Là-bas l'homme blanc laisse *I n I* fumer la ganja sacrée. Mais moi, reste tiède, l'homme blanc il donne à *I n I* pas beaucoup de liberté. Il croit qu'il donne à *I n I* la reconnaissance, mais moi je sais non. *I n I*, à Babylone, est le criminel. *I' n I* est jugé par l'homme. Mais *man 'n man* doit pas juger *I n I*, pas avec lois de Babylone. Lois de l'homme qui boit les fruits de la vigne, qui tue nous avec le tabac, qui laisse femmes dire et faire ce que veulent. Comment *man 'n man* juge nous avec lois qu'il *respek* pas, lois qu'il viole tout temps ? dit Ruben en me regardant avec le plus grand sérieux.

— *Yeah, I*, ponctue Benjamin.

— Alors, pige, quand *I n I* transporte la ganja sacrée, *I n I* doit savoir qu'il fait travail de Jéhovah, que répand la bonne parole. La ganja, sérieux, *man*, tu surprends ? dit Ruben, ses yeux troubles pleins de secrets.

— Oui, je sais, je dis avec humilité. Mais dis-m'en plus sur le rasta *man*. Qui est-il ?

— Yeah, *Pap*. Je vois tu as soif pour les connaissances. *I n I* doit toujours poser les questions. Seul chemin par lequel *I n I* sait. Pige, rasta *man* est comme un oignon. Rasta *man*, il pousse de la terre. Toute connaissance vient de la terre. *I n I* apprend à aimer la terre, à lui donner son *respek*. Il est la racine des gens, l'origine du *man*. Il connaît des histoires, choses sur les gens, depuis longtemps il est là, avant tout le monde. Seul dans la solitude. Vrai rasta *man* vit dans l'intérieur et regarde et écoute et se souvient de tout. Est les yeux des gens, quelquefois est la langue des gens. Un rasta man connaît *man 'n man* mieux que *man 'n man* croit, connaît l'histoire de *man 'n man*, d'où viennent les gens. Connaît le pouvoir des herbes et des mals. *InI* peut aussi voir le mal, dit Ruben, qui m'émeut de plus en plus. Traverse la vie en regardant les gens dans le cœur, l'aide quand peut, comme la vérité qu'on te dit maintenant. Te dira les choses que les gens nous ont raconté en chemin.

Mais de tout plus, rasta *man* est un serviteur, est serviteur de Jéhovah. Est toujours humilité. Est là aussi pour aider *man 'n man* car Babylone, elle aveugle *man 'n man*. Même nous, quand allons à Babylone, *InI* devons ouvrir l'œil, car ont des tentations à Babylone.

— *Yeah, I,* salue Isikare. So, rasta *man* s'intéresse à la vérité en toute chose.

Ils parlent comme ça pendant des heures. Je suis frappé par leur sens inflexible du devoir, avec quelle facilité ils semblent reconnaître la vérité du mensonge, le bien du mal. Ils parlent avec une sagesse pragmatique, forts des expériences du ghetto qui les ont obligés à trop se tourner vers l'intérieur. Comme si leurs blessures étaient trop profondes. Leurs réflexions sont tachées de sang et des débuts encore purulents d'un monde dont les coutures commencent à craquer. Quand ils observent la vie, je crois qu'ils n'y voient que le tranchant de la répression. Toute leur vie semble construite autour de la souffrance, et comment en faire quelque chose de sacré.

Nous parlons de l'Afrique ancienne, comment ça se passait avant la venue de l'homme blanc, avant les forages, les armes, tout ce qui a dérangé l'harmonie, rendu l'air perméable au changement. Nous parlons de l'époque où les rois zoulous ont porté la terreur à l'intérieur des terres, pour satisfaire leur appétit d'expansion. Nous parlons des guerres sanglantes avec les Matabele et des souffrances qu'ils ont dû endurer.

— Pige, *man*, homme noir connaît la protection de la nature bien avant la venue de l'homme blanc. Dans les vieux temps, il y avait plus de lois pour protéger la nature que pour protéger les gens. Le Kruger Park est lieu sacré de la chasse pour les rois shangaans avant que l'homme blanc le fait. Les rois shangaans chassent qu'à certain temps de la lune et des étoiles. Était un lieu saint, *irie*, plein de la puissance de *I-Puissant*, avec les lions, les éléphants et les créatures sacrées de Jéhovah. Si *man 'n man* est attrapé là chassant, doit être tué dans la grande souffrance, car-car *man 'n man* irrite la terre mère. Voilà l'Afrique ancienne, *man*.

Avant la venue de l'homme blanc, *man 'n man* appelait pas la colline, les eaux, les créatures de Jéhovah « sauvages ». *Man 'n man* l'appelait *Indle*, la grande nourricière, parce vivait au milieu d'elles, se voyait pas comme différent. Il y a tribu dans les collines du pays zoulou. S'appellent les gens du peuple dube, leur symbole est Zèbre. À l'époque, zèbre et buffle, homme blanc appelle bêtes sauvages, vivent ensemble, partagent mêmes prairies, zèbre voit bien le jour, quand buffle est gêné par le soleil. Mais la nuit, buffle retrouve la vue, quand zèbre voit plus. Pige, vivent mieux ensemble, ont leurs yeux pour protection. Et puis ont les oiseaux pour les suivre, comme les aigrettes. Quand Dubes veulent protéger zèbres, pensent aussi aux buffles et aux oiseaux qui suivent. Suivent lois de la nature. *Man 'n man* sait ça tout le temps. Il y a les histoires de peuples d'Afrique, massacrés à Accra, Tombouctou, chez les Yorubas, mais rasta *man* se souvient. Les guérisseurs, les sorciers, gardent les symboles, les reliques du temps de là-bas, quand *Indle*, la grande nourricière, est la mère de *man 'n man*, avant que devenions des peuples de Babylone. Rasta *man* connaît les rites, la herbe sacrée des gens. Dois te souvenir quand tu cultives, quand tu fumes pour être *irie*, que c'est aussi la médecine du *I-Puissant*.

Je connais les différents usages de cette plante vivace mais j'évite de faire le malin en étalant mes connaissances parcellaires. Ils énumèrent les vêtements, les chaussures, les meubles, les huiles, les ingrédients et les combustibles dérivés de cette herbe aux multiples facettes, prompte à pousser. Je leur pose plein de questions, ils sont ravis de ma curiosité.

— Où est le père du lion ? Ruben finit par demander.

— Longue histoire, j'ai pas le courage de la raconter ce soir, *I n I*. Mais on n'a pas les yeux tournés dans la même direction, je propose.

— C'est une chose de Babylone. Père et fils séparés. *I-Puissant* parle de ça, à la fin du temps, le père contre le fils, le frère contre la sœur. J'ai de la peine pour ta tristesse et je prie que Jéhovah te guide sur la route, il dit avec un sourire de sage.

— Comme le voyage d'un rasta *man*, dit Benjamin, être un rasta, c'est un long voyage. Pige, *I n I* doit mériter ses locks. Quand *I n I* suit la tradition de la tribu, doit les faire pousser dans le bush, pour devenir un homme. Mais *I n I* est rasta, alors je suis pas allé au bush. *I n I* abandonne tout pour devenir rasta. Suit l'appel de Jéhovah. *I n I* est choisi. Mais comme *I n I* va pas dans le bush, son peuple se moque et il perd les femmes. Pour ça, j'ai quitté la tribu. Pour rasta, chaque homme est frère en *I n I*, même le blanc. Tous on devient *one destiny one love* avec Jéhovah et avec l'Esprit.

Alors pige, devenir un *man* est pas la couleur de la peau de *man 'n man*. C'est ouvrir les yeux en entendant Jésus fils de *I-Puissant* qui dit, « l'homme ne vient pas du Père, mais de ma parole ». *Yeah, man.* Pas d'autre chemin que celui qui passe par les yeux de Jéhovah. Jésus dit aussi, « ma parole t'apporte la résurrection du monde des choses vers la vie ».

— *Yeah I*, Rastafari, ponctue Isikare.

Je remarque qu'ils sont tous assis avec les mains étrangement croisées, formant un triangle.

— Voilà comment *I n I* vit. Cherche toujours là-haut la direction que Jah-Jah donne, *guidance*. Voilà pourquoi *I n I* disons toujours « *guidance* » quand se croisent. Le dit, parce que le vit. Sa *guidance* est suprême. Savons que l'Esprit de Jéhovah vit dans chaque *man 'n man* et si tu l'écoutes ou non, seuls toi et Jah-Jah savent. Vois, *man*, *thina siluke ngengqondo*, tu es sur la voie de la sagesse, il dit en parlant soudain xhosa.

Une chose étrange se produit. Quand j'observe leurs visages dans la faible lueur, je devine des peuples oubliés. Comme s'ils étaient les survivants de l'Afrique ancienne, qui défient le temps et refusent de mourir, des guerriers qui se sont montrés plus malins que leur ennemie de toujours, la Mort. Je vois l'âge dans leur visage, dans leurs cheveux gris et leur peau dure comme du vieux cuir, quelque chose d'ancien et de vénérable, un souffle doux, dans la façon dont ils posent leurs yeux sur le monde. Mais dans leur ombre, je vois la ténacité du lion. Leur expression éloquente évoque les expériences accumulées au fil des années, des guerres et des royaumes. Nous avons tout vu, semblent-ils dire, et c'est toujours la même chose. Dans leurs yeux, il y a quelque chose d'irréductible, peut-être une obstination qui les a vus vivre pendant des siècles. Peut-être aussi quelque chose dans leurs grandes oreilles légèrement tournées vers l'avant, leurs mâchoires de boxeurs aux dents tachées, usées sur les bords. Ils se renferment dans le silence comme s'ils avaient l'impression d'en avoir trop révélé sur eux-mêmes. Je m'allonge pour dormir. Ils restent assis en silence, dormant ou méditant comme des bouddhistes égarés, je ne saurais dire. Ils restent ainsi en triangle, tandis que l'engourdissement gagne mes paupières.

Je ne dors pas beaucoup cette nuit-là. Il n'y a pas que les morsures des puces, mon esprit dérive entre deux rêves de lieux ancestraux. Un vieux lion obstiné me suit dans ces rêves et quand je lui lance une pierre, il rit et dit : « Je t'ai dit Jah guide. » Il me suit dans un mélange de lumières citadines et de gens qui portent des lampes sur leur tête.

Nous sommes réveillés à sept heures, avec des sandwichs à la saucisse et un café lavasse. Végétariens, les rastas se plaignent de la viande, le surveillant de service leur dit qu'ils n'ont qu'à la séparer du pain, et il ressort.

— Pige, voilà comment le *man 'n man* traite le rasta man, dit Benjamin avec irritation. Je me demande s'ils se sont finalement allongés pour dormir ou s'ils sont restés assis toute la nuit. Ruben, Isikare et Benjamin refusent de manger leur sandwich souillé. Les autres rastas et les autres détenus mangent. J'hésite, je ne veux pas les offenser.

— Tu as faim, *man*. Tu dois manger, me dit Ruben. Je mange le sandwich lentement.

Vers dix heures, on m'appelle. Je m'attends à être transféré dans une cellule de détention comme les autres, je suis surpris de constater qu'on me conduit vers l'accueil. Mauvaise surprise, mon père est là. Quand j'arrive, il est en train de parler à l'officier de police.

— Qu'est-ce qui tourne pas rond chez toi ? il commence. Je t'avais dit de te tenir à carreau, non ? Je sors du bâtiment, plein d'amertume. J'aurais dû me douter.

— T'en va pas quand je te parle. Je suis toujours ton père, il hurle en me rattrapant.

— Malheureusement. Mais rassure-toi. Tu n'es pas vraiment mon père. Tu as simplement mis un spermatozoïde.

Il me balance une gifle. Je manque de tomber.

— Tu es une épine permanente dans mon flanc, je continue.

Il m'attrape par la peau du cou, m'oblige à l'écouter.

— Et c'est quoi cette histoire que tu vas dans des boîtes de pédés ? Je t'ai pas élevé pour que tu deviennes une tante. T'es pédé ?

MMABATHO

Je me laisse pousser les cheveux.

Je les lave chaque jour avec un shampoing doux au concombre, puis je les huile avec de la lavande et des herbes pour favoriser la pousse. Tous les jours, je peigne doucement mon afro et je fais des tresses, en cherchant de nouveaux motifs. J'huile ma peau et je m'allonge au soleil. Je me regarde moins dans la glace, plus dans le regard de mon homme et je me murmure des choses aimables. J'accueille la femme que je vais devenir, que je deviens. Je m'assois à son bureau, j'écris mon journal. Je note les humeurs qui me laissent songeuse, un peu effrayée, j'y cache ma peur qu'il s'en aille. Je sens ma taille s'abandonner au charme de ses bras, ses mains ouvertes – trop de femmes ont fait l'expérience du poing serré de leur amant. Je sens que je marche d'un pas plus vif quand nous allons faire des courses ensemble. Je mémorise les contours de son corps, les chemins de ses humeurs. Je me réjouis d'être une femme, je m'illumine quand il revient joyeusement dans mes bras après une dure journée de travail de recherche. Je ressemble de plus en plus à la femme que nous redoutons toutes et que nous critiquons. Je ressemble de plus en plus à ma mère et je recherche ses conseils quand je trouve sur le bureau des messages bizarres et des numéros de téléphone sur des morceaux de papier froissés. Nous sommes au lit tous les deux, nos corps comme une peinture sur cette grande toile qu'est notre chambre.

Nous avons emménagé ensemble.

C'est peut-être une décision hâtive quand on songe que ça fait moins d'un an qu'on est ensemble. Je ne compte pas en mois, c'est trop décourageant.

— C'est une dépense inutile. Je suis chez toi la moitié du temps, tu es chez moi l'autre moitié. Et nous gâchons de la nourriture qui pourrit chez nous, parce que nous ne sommes jamais vraiment là, il dit.

Il peut avoir l'esprit si pratique.

— Mais est-ce qu'on est prêts ?

— Tu comptes beaucoup pour moi, il dit en s'arrachant une peau morte sur les lèvres avec les dents. Je détesterais l'idée que je compte pas autant pour toi.

— Sois pas bête, je dis en m'approchant pour l'embrasser, alors même que mon estomac se retourne.

On a trouvé un truc à Mowbray.

C'est bizarre de vivre avec son amant, pour moi en tout cas. Je ne peux plus me cacher. Je ne peux plus attendre son départ pour manifester mes humeurs. Je ne peux plus dissimuler le fait que je peux être aussi indélicate qu'un homme ; mes fonctions corporelles sont tout aussi brutales. Je ne peux prétendre être charmante, toujours de bonne humeur. Mes manies sont plus visibles, comme mon aversion pour la vaisselle sale ou le sol qui colle. C'est affreux, je suis devenue ma mère, je l'embête pour qu'il fasse sa part du boulot. Mais parfois, il est inutile d'insister. Les tours de rôle, tous les arrangements les plus clairs, ils ne résistent pas au quotidien d'une relation saine. Je me retrouve à laver son linge plus souvent que je ne voudrais. D'un autre côté, je dépends tellement de lui pour les transports. Il passe son temps à me déposer et à me reprendre au cours de théâtre. Et il ne se plaint jamais. Ça compte. Et généralement, c'est lui qui fait la cuisine, parce que je rentre toujours plus tard que lui.

Donc je fais la lessive, la vaisselle et le ménage. Il range ses affaires quand je suis là. Quand il est seul, il est comme un gosse dans un magasin de jouets. Il ne remet jamais rien à sa place. Après, je m'énerve pour retrouver une agrafeuse pour mon essai, juste avant de partir en cours et qu'il est le dernier à avoir utilisée. Il n'est jamais là quand j'ai envie de l'engueuler.

Mais il sait comment s'excuser, comment dire « je suis désolé, mon chat », sans que ça sonne faux ni retenu. Il sait trouver les mots les jours où je me sens moche. Et les jours où je n'arrive pas à cerner un personnage, il sait comment m'encourager.

Je commence à trouver que c'est bien que les hommes et les femmes soient différents. Je ne croyais pas que c'était possible d'être en couple sans se perdre soi-même. J'ai mes propres secrets.

Arne est un bonheur étonnant et inespéré. Je ne recherchais qu'une commodité, un petit copain acceptable qui m'emmènerait dans des endroits intéressants et qu'occasionnellement je dépannerais pour le sexe. Je n'étais pas à la recherche d'un partenaire, de quelqu'un avec qui mûrir. Au bout du compte, c'est ça qui importe. Au-delà des différences de look, d'esthétique, de culture, de mode de vie, je cherche quelqu'un avec qui grandir, autrement les nuits passées seule au lit quand il sort avec ses copains seraient une torture. Alors, je suis submergée par la peur, mais il faut que je lui fasse confiance. Et ça veut dire être vulnérable, se sentir toujours un peu en danger. D'une certaine façon, je dois avoir plus confiance en lui qu'en moi-même. Il faut qu'il passe avant mes faiblesses, mes manques d'assurance. C'est un voyage dans ma nature profonde, un test de caractère. J'ai incarné un tas de filles différentes pour beaucoup d'hommes, avec Arne, je dois maintenant être moi-même, voilà ce que je me dis souvent. Plus nous sommes proches, plus je crois en lui. Je me retrouve dans ses humeurs, ses gestes et les paroles qu'il ne prononce jamais. C'est étrange, elles sont plus troublantes que les autres.

On s'écoute l'un l'autre. C'est parfois si subtil, on communique par gestes, on crée des ambiances, on se dévoile un peu par notre façon de nous habiller, par ce qu'on choisit de manger, le rythme de notre marche. Les hommes n'aiment pas qu'on leur rappelle trop souvent que leur nature est nomade. Il faut que je le laisse respirer. Il y a ainsi des moments, plusieurs journées d'affilée parfois, où je perçois une distance, où il semble prendre le large. Ces jours-là, il est silencieux, il entre et sort de la chambre la mine active, fouillant sans cesse dans ses tiroirs, cherchant des choses qu'il est seul à connaître, et ses questions pour les retrouver sonnent comme autant de petites accusations. Je suis convaincue qu'une partie de notre nature nous pousse à ébranler l'édifice, quelle que soit la solidité des fondations, la menace d'un éboulement est toujours présente. Ces jours-là, je me rappelle la valeur du silence et j'évite les disputes, même quand il me demande pour la dixième fois où il a laissé les hameçons de sa canne à pêche ou si j'ai vu son manuel de jardinage. Il a toujours quelque chose à faire, à réparer, à construire avec ses copains. Ces jours-là, il revient tard, toujours épuisé, ses vêtements sentant aussi mauvais que son humeur. Et même si ça fait des heures que je suis étendue dans le noir à l'attendre, je fais semblant de dormir et intérieurement je soupire de soulagement qu'il soit finalement rentré, qu'il n'ait pas été victime d'un drame affreux dans une ruelle sombre. Je m'inquiète beaucoup. Je le sais. Je fais des efforts. Comme je l'ai dit, je suis devenue ma mère.

Et puis il y a les autres jours. Ceux où je ressens sa chaleur, où il trouve refuge dans la sécurité de notre relation. Ces jours-là, il est partout, comme un enfant perpétuellement dans les jupes de sa mère. Lui et ses hormones, ils n'en ont jamais assez de moi. Alors on reste à l'intérieur, lundi compris parfois, après un week-end langoureux. Il me répète sans relâche ce que je représente pour lui. Il s'ouvre même sur son enfance, ce qui l'a marqué. Nous passons ainsi des heures à parler de ce qui compte pour nous. Nous nous ouvrons, risquant que l'autre ne tire des conclusions hâtives ou ne saisisse pas la portée d'un événement, le poids d'une remarque faite pendant l'enfance. Ce sont des journées lourdes, empreintes de solitude et de confinement. Nous devenons nos seuls amis dans un monde hostile. Nous ne parlons que de choses sérieuses. Les discussions légères deviennent sans importance. Il nous arrive même de passer deux jours au lit, n'en sortant que pour manger et aller aux toilettes. Il devient mon univers. Je passe des heures à interroger et répondre. Les banalités, comme les eaux peu profondes, ça peut être dangereux, il m'a dit une fois, surtout quand tu essaies de faire connaissance avec quelqu'un. Et puis il rigole. Mais j'aime qu'il n'en soit pas au point de mépriser les discussions idiotes. Ce sont ces conversations légères qui me rappellent de ne pas me prendre trop au sérieux. On peut rire de beaucoup de choses.

Mais la peur est toujours là. Je n'arrive pas à la calmer. Peut-être elle va s'amenuiser avec le temps ?

Nous sommes au lit. Il devient soudain grave, il dit :

— Il faut que je te raconte une histoire.

Il a un esprit inventif, j'aime ça.

— Il était une fois un jeune homme qui vivait dans un petit village où tout le monde se connaissait comme frères et sœurs. Un jour, un enfant des voisins, un bébé de trois semaines, disparaît alors que sa mère l'a laissé au soleil, pour rentrer un instant s'occuper du repas. Les voleurs ont laissé une demande de rançon dans le berceau. Les parents sont désespérés, ils font ce qu'ils peuvent pour récolter l'argent. Ils empruntent aux amis, à la famille, ils vendent même une partie de leurs maigres biens. Mais une fois la rançon versée, l'enfant ne leur est pas rendu. Les semaines passent, dans le chagrin pour les parents, aucune nouvelle de leur petit dernier, à qui ils n'avaient même pas encore donné de nom.

Un jour, alors qu'il est en ville sur sa bicyclette, le jeune homme entend pleurer. Des cris déchirants. Le jeune homme n'est pas sûr s'il s'agit d'un bébé ou d'un enfant, mais il n'a jamais rien entendu d'aussi triste. Il suit la plainte et se retrouve devant un lieu de culte. Il entre, il trouve un groupe d'hommes en habit de prêtre. « Père, il dit au plus âgé des hommes en train de prier, d'où vient ce cri affreux ? » Mais l'ancien, avec sa barbe impressionnante, est abîmé dans la prière et ne peut cesser cette importante activité pour répondre au jeune homme.

Il s'avance un peu plus dans l'église, la plainte résonne toujours. Il croise une femme de ménage en train de nettoyer le sol. « Excusez-moi », il commence. Mais l'autre, frottant furieusement, le regarde et dit : « Est-ce que vous avez l'heure ? J'ai rendez-vous et je suis en retard. » Le jeune homme répond qu'il n'a pas de montre, la femme poursuit son travail.

Le jeune homme continue d'avancer, suivant toujours les pleurs. Il tombe sur une femme, avec un enfant sur le dos. C'est elle qui est chargée de la lessive, elle travaille dans une petite pièce à l'arrière du bâtiment, avec une fenêtre ouverte sur la ville. Le jeune homme va vers elle et dit : « Ce bébé pleure depuis longtemps. Je l'entendais de la rue, sur mon vélo. »

Elle se retourne et lui tend l'enfant parce qu'elle continue à laver le linge.

Aussitôt que le bébé est dans les bras du jeune homme, il cesse de crier. Étrange moment de reconnaissance entre les deux. Quand le jeune homme demande à la femme à qui est cet enfant, elle raconte qu'il était perdu, qu'elle l'a retrouvé devant la porte de l'église, quelques semaines plus tôt. «Je connais les parents de cet enfant», dit alors le jeune homme. «C'est un miracle», s'exclame la femme. Le jeune homme la regarde avec méfiance et ne dit rien. Et il ramène le bébé à la maison, chez ses parents.

Je le regarde, attendant qu'il ajoute quelque chose, mais il se tait.

— C'est tout? je finis par dire. Je reste sur ma faim. Quelle est la morale de cette histoire?

— Il en faut une? J'ai lu ça dans un magazine, chez le dentiste ce matin.

— Mais c'est quoi le nœud de cette histoire?

— C'est juste une belle histoire, il dit comme pour lui-même. J'aimais bien le passage où il entend le bébé pleurer.

— J'avais pas l'intention de t'en parler, mais j'ai trois jours de retard.

— De retard sur quoi?

— Tu sais, mes règles.

— Trois jours, c'est rien du tout, non? On doit commencer à s'inquiéter au bout d'une semaine, non?

— Dans une semaine, un fœtus pourrait avoir commencé à se former.

Il me regarde un instant, perplexe.

— Mais je croyais que tu faisais attention? il dit.

— Je faisais attention. Enfin, je fais... Écoute, c'est pas à moi de faire attention à tout. Tu es aussi responsable que moi, je lui dis.

— Sois pas ridicule. On en a parlé. Tu disais que tu prenais la pilule, et tu sais que je ne baise pas à droite et à gauche, pourquoi alors mettre des préservatifs? il s'énerve.

— Le truc c'est que j'ai cette horloge biologique en moi, qui tourne, et que toi, tu entres et tu sors quand bon te semble. C'est pas ton problème, je dis un peu en colère, son insensibilité me fait monter les larmes aux yeux.

— Mais qu'est-ce que tu veux que je fasse?

— Je voudrais que tu sois compréhensif, que tu envisages les différentes possibilités. Qu'est-ce qu'on ferait, si...?

— Attends. Attends une seconde, il dit en se levant du lit. Quand tu commences à te poser ces questions, tu tentes le diable, *ja*. C'est quoi, ça? C'est à cause de cette histoire? Parce que c'était juste une histoire sans importance qui a attiré mon attention. Je veux pas faire d'enfant avec toi maintenant.

Il y a un peu de colère dans sa voix. Ça fait mal de l'entendre dire ça. Il s'en rend compte. Il se rend compte également que je commence à pleurer.

— Je suis pas prêt à être père, il dit en venant de mon côté du lit.

— C'est pas ça. Je disais juste que j'étais en retard et tu en fais tout un drame, je dis en m'essuyant les yeux avec ma manche.

— Non, mais si tu es… eh bien, enceinte… alors quoi?

— Tu espères que je vais répondre à ça maintenant? je dis agacée.

— On ferait aussi bien d'en parler maintenant.

Il revient dans le lit, l'air distant.

— Je ne sais pas ce que je suis capable de faire, je confie. Je ne sais vraiment pas si je suis capable de tuer mon propre bébé…

— Ce serait un fœtus, pas un bébé.

— *Ja*, mais quand même. Je ne sais si je pourrais faire ça, ni même le faire adopter.

— Qu'est-ce que tu es en train de me dire? il dit, paniqué.

— Simplement ça. Je ne sais pas. Qu'est-ce que tu veux que je te dise? Il faut que j'attende de voir ce qui se passe. Ça ne sert à rien de faire des suppositions. Je peux me tromper.

— Tu as raison. Il vaut mieux attendre de voir.

Nous éteignons la lumière et nous endormons loin l'un de l'autre. Je me sens malade à l'idée qu'il pourrait me plaquer si j'étais enceinte.

Quand je me lève le matin, il est déjà parti. Au cours, je suis tendue et sombre. Les autres se plaignent de mes entrées manquées, le metteur en scène me renvoie presque chez moi.

Quand je rentre, il est à son bureau, sur l'ordinateur. On se salue comme des étrangers, on vaque chacun à ses occupations. Il y a de la tension dans l'air. Je sais qu'il meurt d'envie de savoir si je suis enceinte, mais je décide de ne pas lui dire. Ce serait une mauvaise nouvelle et ça ne ferait qu'accroître la tension. Je prends un long bain où j'invite mon corps à saigner, mais rien. Je sais que je ne suis pas mon corps, il fait des choses sans que je lui aie rien demandé. Comment se souvient-il de faire battre mon cœur, même pendant mon sommeil? Si tout dépendait de moi, je serais morte depuis longtemps.

Je vais me coucher tôt, je rêve d'un million de choses qui peuvent mal tourner. Je rêve de cette peur de la solitude qui me hante. Le matin, je cherche Arne et, encore une fois, il n'est plus là.

Je reviens épuisé. De mauvaise humeur. Je trouve Chris allongé sur son lit dans sa chambre. Il me salue, me pose quelques questions anodines sur ce qui s'est passé. Ça ne l'intéresse pas vraiment, il me regarde à peine quand je réponds. Ses yeux ne quittent pas la télé. Je m'attendais à ce qu'il soit plus préoccupé, peut-être même inquiet. Ça va ? Ça s'est pas trop mal passé ? Ils t'ont battu ? N'importe quelle question m'aurait fait me sentir mieux, plus proche de lui. J'ose même dire que j'aurais aimé lui manquer – mais il semble indifférent.

— Alors, t'as mangé ce matin ? il fait, confortablement installé devant la télé, ma télé.

— Ouais, ça va. Ils nous ont filé des sandwichs dégueu à la saucisse mais… je ne termine pas ma phrase, il hurle d'excitation parce que quelqu'un vient de marquer un but.

Je vais dans ma chambre, ma peau me démange, je me sens sale, je glisse rapidement vers la déprime. Je commence à me déshabiller. Il entre soudain, alors que je vais enlever mon slip. Je suis très pudique avec les autres garçons, particulièrement avec Chris. Un bref instant, je me débats avec l'idée de continuer à me déshabiller ou pas. Non, ce serait trop évident, genre t'es pédé ou quoi, je m'engueule intérieurement. J'enlève mon slip en me mordant les joues. Il me regarde à peine et dit :

— Avant que j'oublie, Ross, je crois que c'est le chef des serveurs, il veut te voir demain.

— À propos de quoi ? je demande, nu et gêné, mais il repart comme s'il ne m'avait pas entendu.

Je mets mon linge dans le panier. Mes vêtements sentent le moisi. Je ferme la porte de la salle de bains à clé. Seul, j'examine les marques sur mon corps. Saloperie de puces. J'examine mon œil dans la glace, il y a toujours une marque violacée dessous, mais ça n'est plus enflé. Je tapote doucement, je décide de mettre un peu de fond de teint demain pour voir mon patron.

Je me mets sous l'eau, c'est parfait, juste assez chaud mais pas brûlant. Je me lave les cheveux avec le savon Lifebuoy. Sa forte odeur d'hôpital suffit à me rassurer ; si j'ai des puces dans les cheveux, elles ne survivront pas à ça. Je fais bien mousser sans rincer. Je m'allonge, je laisse la mousse agir dans mes cheveux et je reste comme ça.

Immanquablement, c'est presque une malédiction, je me mets à penser à Chris, mais pas avec cette excitation joyeuse qui vient quand on est amoureux de quelqu'un. Je suis juste déprimé, je broie du noir. Je me sens insuffisant, la solitude ressemble au long silence d'une plaine désertique qu'il me faut traverser. Je me lave le reste du corps, je me rince les cheveux en dernier. Je nettoie la baignoire soigneusement, je la sèche du mieux que je peux.

Chris entre à nouveau. Je suis déjà habillé, je me sens propre. Il passe pour aller dans la salle de bains. Il en ressort aussitôt et fonce sur moi. Sans prévenir, il m'attrape par la peau du cou et me traîne dans la salle de bains.

— J'en ai marre de cette merde, il commence. Tu laisses toujours le sol tout mouillé. Putain, qu'est-ce qui va pas chez toi ?

Je suis trop choqué pour répondre immédiatement. Il me balance à l'autre bout de la salle de bains et m'ordonne de sortir quand ce sera sec. Pendant un moment, je reste assis sur la cuvette des toilettes, la lunette fermée, comme assommé. Je tremble un peu, ma gorge se serre, mais je résiste à l'envie de pleurer. Chris, pourquoi tu fais ça ? Pourquoi t'es comme ça ? Mon cœur saigne. Je prends ma serviette humide, j'essuie par terre soigneusement. J'essaie d'ouvrir la porte, elle est fermée à clé.

— Chris, Chris, ouvre, j'appelle. Chris, je t'en prie, le sol est propre et sec. Chris. Chris, je continue mais il ne répond pas. J'entends le son de la télé. Mon cœur est lourd et douloureux. J'ai faim, je n'ai même pas la force de crier, de hurler, de protester. Chris, pourquoi tu fais ça ? je répète dans ma tête.

La lumière venant de la fenêtre diminue avec le soleil couchant. Il finit par faire noir. Je peux toujours entendre le murmure de ma télé et, de temps en temps, les pas de Chris dans le petit couloir qui mène à la cuisine.

— Chris, je répète, en tapant contre la porte. Je tape pendant cinq minutes, mais il ne répond toujours pas. Plusieurs heures passent. Il est tard, sans doute aux alentours de neuf heures. Je me résigne au fait de passer la nuit dans la salle de bains. Je sors des vêtements du panier, je les jette dans la baignoire. J'enfile un pull sale et un pantalon de survêtement sur mon tee-shirt et mon short. Mon estomac gronde, j'entre dans la baignoire, je prie pour que le sommeil vienne.

Le matin, quand je me réveille, je trouve la porte ouverte. Je sors prudemment, m'attendant à tomber sur Chris, mais il n'est pas là. Il n'est pas non plus dans sa chambre. Comme toujours, son lit est parfaitement fait, façon militaire, une touche de prison en plus. L'oreiller est posé sur le lit avec autorité, rien ne traîne sur le bureau ni sur sa chaise. Son autre paire de baskets est bien posée dans un coin. Tout est à sa place, dans un ordre impeccable, débordant d'une discipline draconienne. Un frisson me parcourt, comme si ma seule présence pouvait perturber l'air de la pièce et Chris se rendrait compte que je suis venu fureter dans sa chambre.

Je me change, je mange. Ensuite je me peigne et, devant la glace, je maquille mon œil avec un peu de fond de teint. Je marche jusqu'à Waterfront, je trouve mon patron, Ross, à l'arrière, dans la réserve. Personne d'autre dans ce bureau ridiculement petit. Il est là, jouant avec le cliquet d'un Bic.

— *Ja*, écoute, content de voir que ton œil va mieux et tout ça, mais ça a été la folie ici, tu sais comment ça peut être. Du coup, on a trouvé quelqu'un pour te remplacer. Définitivement.

— Ah, d'accord, c'est tout ce que je trouve à répondre. Il farfouille dans des papiers sur son bureau pour se donner l'air occupé et me faire sentir que je le dérange. Mais je reste là un instant, je me sens faible.

— Alors quoi, j'ai plus de boulot ici, c'est ça ? je demande en connaissant déjà la réponse.

— En gros, oui. Mais on a toujours tes coordonnées. Si on a quelque chose, on te fera signe ou on le dira à Chris, il répond.

— Chris, comment savez-vous qu'on habite ensemble ? Je l'ai dit à personne.

— Oh *ja*, eh bien, on l'a su, il dit d'un ton bizarre, comme s'il cachait quelque chose.

— Quoi, Chris vous a dit que j'habitais avec lui ?

— *Ja*, eh bien, écoute, c'est pas vraiment mes oignons. Je me mêle pas de la vie privée des serveurs et tout ça, mais Chris nous a dit ce qui est arrivé à ton œil. En fait, il l'a dit à un autre serveur et ça a circulé…

— Qu'est-ce qu'il a raconté ?

— Euh, eh bien, écoute, je vais pas te mentir, il a dit que tu avais un problème avec la drogue, que tu avais même fait un séjour à Valkenberg à cause de ça. Il a dit qu'après le service un soir, vous étiez sortis tous les deux, que vous étiez complètement défoncés, que tu avais fait un mauvais trip ou un truc du genre, et que tu avais provoqué un autre mec. Mais que c'est toi qui avais dérouillé, il dit. Je prends conscience de son jeu avec les papiers, il n'a pas du tout l'air embarrassé à l'idée de devoir virer quelqu'un, il est juste plein de mépris, il me voit comme un junkie minable.

— Écoute, il faut vraiment que je retourne bosser. Signe là, je te donne ton chèque, il dit en me tendant la feuille que j'ai déjà signée une douzaine de fois pour toucher ma paie.

Il ouvre un coffre, me tend une petite enveloppe marron avec mon nom dessus. C'est comme s'il me donnait mon extrait de casier judiciaire.

— Il a dit autre chose ? je demande.

— Il a dit que tu avais un passé d'accro, il répond avec un regard qui réduit en bouillie mon amour-propre.

Je ne prends pas la peine de compter l'argent. Je le mets dans ma poche, je me retourne pour partir.

— Pardon, une dernière chose. Qui a pris ma place ? je demande.

— Écoute, j'aime pas être au milieu des affaires des autres, il dit avec irritation, c'est Chris qui a pris ton job, OK ? Il a travaillé comme un dingue en cuisine et euh… qu'est-ce que tu veux que je te dise ? J'ai du boulot. Tu connais le chemin.

Il me passe devant et part vers les cuisines.

J'ai envie de gueuler « attends ! ». Je voudrais lui demander s'il sait que Chris sort de Pollsmoor. S'il sait qu'il a été condamné pour meurtre. Mais il est déjà parti, me laissant seul, comme un imbécile.

Je ressors, je quitte Waterfront. Je marche lentement, traînant presque les pieds, atteint, ahuri par cette trahison. Comment il a pu me faire ça ? Je croyais qu'on était amis. Qu'est-ce qui se passe ? Je marche vers la ville, l'estomac en boule. Dans un café, je prends un sandwich aux frites, je le mange dehors sur la place, en face de l'immeuble de la Standard Bank.

Les gens passent, tout le monde a l'air d'avoir quelque chose à faire, un patron à satisfaire, une dissert à écrire, un rendez-vous à honorer. Je mange le sandwich doucement, la gorge sèche. À un bout de la place, des enfants font du skate. Deux coloureds aux airs de voyous sont assis pas très loin de moi. L'un d'entre eux porte un tee-shirt sans manches, ses bras sont couverts de tatouages grossiers faits maison, ambiance malfrat. À la base de sa main droite, là où le pouce rejoint l'index, on peut lire le tristement célèbre numéro 28, avec deux bandes dessous, son rang dans la hiérarchie. L'autre aussi a des tatouages, des trucs obscènes sur le front et sur les jambes. Ils parcourent la place des yeux comme des vautours à la recherche d'un repas facile. Je les observe discrètement. De temps en temps, je jette un œil aux skaters. Ils finissent par se lever tous les deux quand un touriste, tenant maladroitement un plan flottant au vent, passe à côté.

C'est facile de repérer les touristes. Ils se promènent, les yeux grands ouverts à l'aventure, une curiosité risquée, peut-être encouragée dans les contrées froides d'où ils viennent, mais qui n'est pas vraiment adaptée au Cap. S'ils savaient seulement comme ils ont l'air bêtes avec leur sac banane, leur Nikon et leurs grands yeux voraces. S'ils savaient comme ils sont vulnérables, abrutis ambulants prêts à se faire tondre. S'ils réalisaient seulement que dans les endroits où on va, il faut parfois s'oublier soi-même pour en apprendre un peu sur les autres. S'ils cessaient d'être des touristes pour devenir des voyageurs, peut-être qu'ils se feraient moins agresser.

L'Afrique n'est pas si arriérée qu'on ne sache pas ce qu'est un voyageur, quelqu'un qui vient d'ailleurs mais avec des manières universelles. Le problème avec les touristes, c'est qu'ils sont eux-mêmes leur pire ennemi, parce qu'ils tiennent à rester eux-mêmes partout où ils vont. Ils semblent aveugles aux subtilités d'un lieu qui n'a pas tant de beautés que ça, en tout cas pas autant que certaines autres destinations exotiques. Ils semblent sourds aux signaux qu'un lieu envoie toujours : faites attention, réfléchissez deux secondes, gare à votre portefeuille, les gens ont faim ici, avez-vous remarqué ce type suspect au coin, une casquette sur les yeux, cette rue tranquille qui a l'air bourdonnante, ces enfants apparemment innocents qui font semblant de s'amuser, cet article que vous avez lu dans le journal l'autre jour, et ce collier à votre cou, faites-y attention, les gens ici sont prêts à tout, ils n'ont littéralement rien à perdre, pas même leur vie, pas même la vôtre. Ne prenez pas de risques inutiles, faites attention au vent, vous êtes en vacances. Faites attention à ce que vous dites, aux questions que vous posez, avec qui vous entrez en contact. Si c'était des caméléons, il faudrait qu'ils se noient dans le décor. Observez la diversité des couleurs de l'Afrique. Ils feraient mieux de les utiliser, de les revêtir, elles les protégeraient.

Mais ils n'écoutent pas les conseils. Ils oublient comme la vie est dangereuse, à quelle vitesse une occasion peut naître et être saisie. Ils sont insensibles aux vraies histoires autour d'eux, cette femme qui porte un lourd fardeau, son enfant attaché sur le dos, les hommes qui marchent devant, et leurs enfants qui passent leur temps à traîner, à la recherche d'attention, d'amour, de nourriture, de santé, de parents, de quoi subsister. Ils manquent ces occasions de comprendre les gens, trop occupés à traquer la prochaine exposition, le musée où il faut aller.

Le touriste reste là, à regarder autour de lui, sans se douter de la proie vulnérable qu'il est devenu pour les deux coloureds. Ils font semblant de se fondre dans la foule, mais ils l'observent. Il est grand, les cheveux blonds, une douceur charmante dans ses yeux bleus, il est probablement allemand. Comme ils aiment passer leurs vacances dans cette Afrique du Sud ensoleillée, en compagnie de leurs Deutsche Mark si obligeants. Je suis le touriste des yeux, jusqu'à ce qu'il disparaisse dans une petite rue qui ramène vers le centre. Les deux types le suivent de près. Encore un qui tombe.

Désolé, je les vois suivre leur proie. C'est un fait indéniable, le chassé est blanc et les chasseurs sont d'une autre couleur. C'est indéniable, ils ont l'air louche. C'est indéniable qu'au Cap un grand nombre de touristes et de gens en général se font agresser, dépouiller et parfois assassiner par des gens qui correspondent à la description de ces deux types. C'est indéniable, les ennuis emboîtent le pas à ce touriste inconscient. C'est indéniable, je n'ai pas bougé.

Je me sens morose et inutile, défait par les circonstances.

Je termine mon sandwich, j'ai la bouche sèche. Je marche vers la gare. Dans les toilettes publiques, je bois énormément d'eau. Je m'asperge le visage, je fais disparaître les traces de ce maquillage ridicule. Pourquoi j'ai pris cette peine? je me dis avec amertume. Je me retrouve dans la foule, sans savoir quoi faire. Je connais cette impression, assez étourdissante, qui tourne la tête jusqu'à faire vomir. J'apaise mon estomac, je reste calme. Je vais dehors, vers les marchands de fruits. Marchands de couleur. Comme ils travaillent dur, vite et bien. Un sourire ici, une remarque là, ils oublieront de vous rendre 10 centimes si vous n'êtes pas assez attentif, si vous succombez à leur charme. Les fruits sont abondants et bon marché au Cap. C'est une pensée réconfortante. J'achète un paquet-surprise chez un coloured bien habillé, dont le teint et la texture de cheveux me rappellent ceux de Chris. Je passe mon temps à comparer les gens. C'est toujours chez lui que je vais. Il me fait un clin d'œil – je suis sûr qu'il fait le même à tous ses clients réguliers. Mais ça marche, j'ai toujours l'impression d'être reconnu, un peu à part. Je le salue de la tête, je me dirige vers le parc, avec mon paquet-surprise. J'aime ces paquets, on y trouve un peu de tout : bananes, abricots, pêches, prunes, pommes, raisin et parfois un ou deux litchis.

Je remonte Adderly Street en mangeant une banane, je passe les grilles, je monte le chemin qui mène aux jardins. Les enfants des rues s'amusent en courant dans l'allée, les cheveux hirsutes. Ça gêne quelques promeneurs quand ils les frôlent, ils empestent la pauvreté et l'absence d'hygiène. Je marche vers la galerie, je m'assois dehors sur la pelouse. Le ciel est un peu nuageux mais le soleil est prometteur.

Bon, je ne peux pas déménager, je me dis, je n'ai quasiment plus d'argent. Les versements de papa sur mon compte ne sont pas réguliers. Après notre dernière rencontre, je doute qu'il me verse encore un centime. Je pense à tous les gens que je connais, ceux qui me doivent une faveur, ceux qui pourraient m'aider à trouver un job. Il y en a peu, trois pour être précis, dont l'un est à Jo'burg. Les deux autres sont encore étudiants. Je ne connais personne, je n'ai pas de relations. Je ne sais pas me débrouiller comme Mmabatho et je ne peux pas me permettre de lui demander de solliciter ses amis. Du coup, il ne me reste plus qu'à chercher un autre boulot. Heureusement, on est jeudi, le jour où sortent les annonces. Il est encore tôt, je peux tenter le coup. Je reste dix minutes de plus au soleil avant de me bouger les fesses, je vais au café le plus proche.

J'achète *Cape Ads*, le journal d'annonces du Cap, et je retourne au jardin. Je cherche, mais rien qui convienne à un type sans expérience, avec des tonnes d'enthousiasme et un brin de naïveté. Tout demande trop d'efforts, comme les travaux des champs ou de jardinage – franchement, je n'ai aucune expérience et je suis plutôt maladroit –, ou alors il y a des conditions que je ne remplis pas : avoir une voiture, le permis poids lourds, une expérience préalable, un portfolio, un CV, des références, un caractère adéquat (vente par téléphone) ou de la patience. Au bout d'un moment, me sentant nul, je passe aux annonces personnelles. C'est ce que je préfère.

HÉTÉRO BLANC 40, TRAVAILLEUR SOLITAIRE, CHERCHE QUELQU'UN POUR PARTAGER NOMBREUSES SOIRÉES AU COIN DU FEU, BLONDE DE PRÉFÉRENCE ET SANS ENFANTS.

GAY BLANC 30, TRÈS SEXY, CHERCHE QUELQU'UN À SERRER CONTRE MOI LE MATIN. EFFÉMINÉ S'ABSTENIR.

HÉTÉRO BLANCHE 19, FIN D'ÉTUDES, PRÊTE À TOUT. CHERCHE BI FILLE OU GARÇON.

GAY COLOURED, 22, BEAU À TOMBER, CHERCHE GARÇON BLANC POUR EXPLORER LE CAP ENSEMBLE.

GAY BLANC 28, 20 CM, L'AIR HÉTÉRO, AIMANT RUGBY ET SPORTS, CHERCHE GARÇON BLANC ET PROPRE.

GAY NOIR 29, SEUL MAIS PAS DÉCOURAGÉ, ADONIS ATTEND D'ÊTRE DÉCOUVERT PAR SON SUGAR DADDY.

Je réfléchis à l'annonce de l'Adonis. Seul mais pas découragé. J'aime bien ça, je me dis, avant de rentrer à la maison. J'envisage de passer devant l'école d'art dramatique pour peut-être croiser Mmabatho, mais finalement je renonce. Je n'ai pas l'énergie. À la gare, j'attrape un taxi pour Sea Point. Le chauffeur me laisse près de chez moi. J'ouvre la porte en priant pour que Chris ne soit pas là. Je ne suis pas capable de l'affronter. Je ne saurais pas quoi lui dire. C'est bizarre de me sentir gêné et nerveux alors que c'est lui qui m'a trahi.

Comme d'habitude, ma chambre est un peu en désordre. Mon désordre est un réconfort, il me rappelle que la vie n'est pas toujours parfaite, que le chaos est toujours présent, avec son ordre. Je me retrouve toujours dans mon bordel. J'envisage de lire mais je suis trop dépité. Je ne pourrais pas me concentrer.

Je décide de faire une sieste, de laisser les rêves éloigner mes humeurs et ma douleur. Je dors d'un sommeil haché, errant dans Le Cap comme un dauphin dans la mer. Je me réveille abruti, encore plus fatigué qu'auparavant. Un léger mal au crâne, les lèvres sèches et gercées. Je les lèche en allant à la salle de bains. Je les enduis de vaseline, je vais dans la chambre de Chris regarder la télé.

Il revient le soir. Je ne lui ai rien laissé à manger. Je suis assis au bureau, je ne lui jette pas un regard, l'esprit plein de tout ce que je pourrais lui dire, de ce dont je pourrais l'accuser. Mais il y a trop à dire, je n'arrive même pas à ouvrir la bouche. Et puis il y a cette histoire d'hier, quand il m'a enfermé.

— J'ai besoin de la chaise, il dit, debout, jambes nues, un tee-shirt long couvrant ses parties génitales. Il tient son pantalon sur son bras, comme un serveur.

Je m'installe par terre, je continue à me taire. La douleur d'hier revient, ajoutée aux mauvaises nouvelles du jour. Ma gorge se serre. J'ai envie de lui demander tellement de choses, tellement de choses, mais je m'y refuse. Il pourrait juste te casser la gueule, je me dis. On se regarde brièvement, je le vois qui se gratte les couilles, ses yeux sont toujours aussi beaux, son physique aussi dévastateur. Je le regarde du coin de l'œil enfiler son jean serré, moulant, vision brève de ses fesses nues et musclées. Il fredonne pour lui-même un air qui passe à la radio, une chanson simpliste qui se contente de répéter des séquences de beats.

— Je sors, il dit en prenant sa veste et ses clés. Il passe la porte avant que j'aie pu dire quoi que ce soit. Je me sens seul et désarmé.

Les jours suivants, je le vois peu. Quand il ne travaille pas, il est dehors ou il voit des gens dont je n'ai jamais entendu parler. Il devient plus sombre, plus froid, plus distant. Il ne décroche pratiquement plus une parole. Plus il gagne d'argent, plus il devient radin. Il cesse d'acheter du pain parce qu'il n'est presque plus jamais à la maison et qu'il est nourri au boulot. Le soir, je suppose qu'il dîne dehors parce qu'il n'est jamais là, en tout cas quand j'y suis. Dans les placards, il met des étiquettes sur sa nourriture. Il n'avait encore jamais fait ça.

Sa chambre rapetisse à mesure qu'il y accumule des trucs. Il s'est acheté un vélo tout-terrain d'occasion et une petite chaîne stéréo. Un jour, je reviens et je trouve ma télé à nouveau dans ma chambre. Sur le bureau de sa chambre, il y a un petit aquarium avec deux poissons rouges dans l'eau claire.

Je ne peux pas dire que je sois content pour lui, mais je ne lui souhaite pas de mal non plus. Pendant deux semaines, je fais tous les restos du Cap à la recherche d'un poste de serveur. C'est le seul job pour lequel je me sente qualifié : servir des gens pour qu'ils puissent être impolis, désagréables et radins. Soit il n'y a pas de poste disponible, soit ils cherchent une fille, à moins que ce ne soit un blanc ? Certains prennent un air excédé quand je leur demande s'ils cherchent quelqu'un. Je leur propose même de travailler à la cuisine ou de nettoyer les sols. J'avale ma fierté, je m'oblige à faire toutes les rues ingrates de Toambooerskloof, Clifton, Garden, Obs, Green Point, Sea Point, Mowbray, Claremont et Rondenbosch. Je fais tous les restos, bars, bistros et snacks de Long Street avec la constance d'un marchand ambulant. J'envisage même de proposer mes services à un colporteur. Une annonce attire finalement mon attention dans *Cape Ads*. Elle propose de gagner de l'argent immédiatement et des horaires flexibles. Quand je me rends sur place, on me dit qu'il faut que je commence par acheter les marchandises que je vendrai ensuite : des jouets, des couettes, des oreillers et autre camelote. Après que le « manager » plein d'énergie nous a fait miroiter tout l'argent qu'on va se faire une fois qu'on se sera établis, il nous offre du thé et des biscuits.

Je m'en vais, les autres tentent le coup. Je n'ai que 20 rands dans ma poche et 10 sur mon compte. Je rentre à pied, je n'ai plus les moyens de prendre un taxi. À Green Point, je passe devant Biloxi, un bar gay, il est fermé. Sur la porte, il y a un poster avec deux hommes torse nu, enlacés de façon suggestive. C'est alors qu'une idée me vient. C'est la seule possibilité apparemment. La dernière solution, quand toutes les autres ont échoué.

J'envisage de travailler pour un salon de massage.

Je vais à la cabine la plus proche, j'introduis vivement mes pièces. L'opératrice me donne le numéro de Steamy Windows, ils font souvent de la pub dans *Cape Ads*. À l'autre bout du fil, le type se présente d'une voix virile et informelle, il s'appelle Shaun. Il a l'air hétéro et étonnamment jeune. Il perçoit la nervosité dans ma voix et me pose simplement quelques questions de « base ». Je lui dis que je suis noir, bâti comme un nageur, de taille moyenne. Il me dit qu'ils n'ont qu'un seul « étalon » noir et qu'il y a toujours de la demande. Il me parle de ces Allemands curieux, toujours à la recherche de l'Africain authentique.

— Dans ce business, tu peux te faire beaucoup d'argent, il me répète. Je me représente une liasse de Deutsche Mark à dépenser sous les cieux africains, je souris. Mais tu risques ta vie, me dit une petite voix.

Nous fixons un rendez-vous à deux heures. J'arrive sur place, dans Waterkant Street. À la porte, Shaun, un type plutôt petit aux cheveux bruns, m'accueille avec un sourire automatique. Il ouvre la porte électrique, je traverse un hall d'entrée cossu, au kitsch rococo. Nous montons un escalier tournant, jusqu'au « lounge » où deux autres types sont déjà assis. Tous deux sont blancs, bien habillés et beaux mecs. Je souris nerveusement, je dis bonjour. Shaun m'invite à m'asseoir.

— Tu es mignon, dit le plus âgé des deux. Je réponds stupidement merci. Je m'appelle Storm, il dit en me tendant la main. Mais son poignet n'est pas ferme, un sourire se forme aux coins de sa bouche. L'autre type dit s'appeler West.

— West ? je répète pour m'assurer que j'ai bien compris.

— Ouais, West, il dit, sûr de lui, avec un fort accent afrikaans, envoûtant. Il sourit, révélant un espace entre ses incisives, très séduisant. Il a les cheveux foncés et courts, le teint olivâtre. Il est bâti comme un athlète, quelqu'un qui fait constamment de la musculation. Tous deux semblent soignés, mais pas tout à fait assez beaux pour réussir comme mannequins. C'est un métier tordu et compétitif, on m'explique.

— Tu as déjà fait ce genre de choses ? me demande Shaun, qui passe son temps à m'évaluer du regard.

— Non, je réponds nerveusement.

— Mais tu sais quel genre de services nous proposons ici ? il dit en me regardant intensément. Ce regard effrayé, mais qu'est-ce que je suis en train de faire, il doit déjà l'avoir vu mille fois.

— Il vaudrait peut-être mieux que vous me l'expliquiez, juste pour être sûr, je dis.

— Si je peux me permettre, tu t'exprimes très bien, il dit avec précaution. Ça compte. Dans ce métier, tout compte, tous tes atouts peuvent jouer en ta faveur. Bon, nous sommes titulaires d'une licence de salon de massage. Ça signifie qu'un client peut entrer ici et demander un massage corporel complet, professionnel, d'une heure, sans extras. Mais l'essentiel de notre business est fondé sur les extras. Ça veut dire qu'il se peut que tu offres au client, s'il le demande, un massage complet avec un heureux dénouement.

— Ça signifie quoi ? je fais d'une voix rauque, je toussote, embarrassé d'avoir l'air aussi nerveux.

— Ne prends pas cet air terrifié. Ils sont tous passés par là. Storm, occupe-toi de notre ami, donne-lui quelque chose à boire, dit Shaun. Storm se lève l'air renfrogné et sort nonchalamment. West a un grand sourire amical.

— Un heureux dénouement, ça veut dire que le type finit par jouir, reprend Shaun en faisant un geste éloquent de la main. Tu peux aussi lui faire une pipe, ou une branlette – t'inquiète pas, tu vas vite apprendre le jargon – ou alors la totale, une relation sexuelle, généralement avec pénétration. Mais ça ne dépend que de toi. Nous avons des étalons qui ne font que des massages, pas d'extras. Tu peux te faire de 180 à 500 rands, du simple massage aux extras. Je prends 90 pour la location du studio, et tes frais sont déduits toutes les semaines. Ça représente 60 rands par semaine, pour la pub dans les journaux et sur le Net. Une paille. Il y a également quelques missions, ça veut dire que tu vas chez le client. Nous avons un chauffeur qui t'amène et qui te reprend quand tu as fini. C'est 220 rands la mission, je prends la moitié, pour payer le chauffeur.

J'enregistre ces informations rapidement.

— Alors, tu te sens capable de faire ce boulot ? il dit en me regardant à nouveau avec ces yeux qui semblent avoir tout vu.

Storm revient avec un verre de Coca, il me le tend avec un sourire.

— Tu es gay ? Parce que ça aide, il dit.

— T'inquiète pas pour lui, c'est une petite salope, dit West en me souriant.

— Ferme-la, West, dit Storm en s'asseyant. Il feuillette *Femina*.

— Oui, ça va. Je peux le faire, je dis, assez excité à l'idée de tout cet argent.

— Eh bien, écoute, tu commences quand tu veux. Dès ce soir, si tu veux. Juste une chose, à quel genre de nom tu pensais ? il dit.

— Pardon ?

— West, Storm, Shaun, ce ne sont pas nos vrais noms. C'est comme ça qu'on s'appelle ici. Ça aide dans ce boulot. Comme ça, ça reste professionnel. Réfléchis à un nom, il dit en se levant pour me serrer la main.

— *Ja*, d'accord. En tout cas, c'est bon pour moi. Je ne crois pas que je puisse commencer ce soir. J'ai quelques arrangements à prendre, mais je pourrai être là demain soir. À quelle heure ?

— Cinq heures. Tous les gars doivent être ici à cinq heures. Vidé-douché-rasé, fais ce qu'il faut pour avoir une bonne tête. Et habille-toi un peu, si tu voix ce que je veux dire. On travaille en effectif minimum ces temps-ci parce qu'on vient juste de déménager. Je te raconte pas où on était avant, pfff… *Ja*, à demain cinq heures. Il y a une amende de 10 rands par demi-heure de retard. C'est comme ça. C'est un business, pas un bar de drague, il dit en me raccompagnant à la porte.

Je salue les deux autres, je sors. En descendant les escaliers face au lustre imposant, j'ai l'impression d'être habillé comme un péquenot. À la porte, Shaun me serre la main, il me dit qu'il est impatient de me voir demain. Je sors avec le sourire, la tête pleine de promesses.

MMABATHO

C'est officiel, je suis enceinte. Au bout de cinq jours, ne supportant plus le suspense, je suis allée voir un médecin. J'ai payé cash. Il a fait les tests qu'il fallait, m'a posé des questions et m'a examinée.

Je suis toujours sous le choc, déboussolée. Qu'est-ce qu'il faut que je fasse ? Un bébé ?

Ce soir-là, après le médecin, j'attends Arne. Il est rentré tard ces derniers jours. Lui aussi est tendu.

Il rentre vers onze heures. Je suis devant la télé, sur le canapé, les jambes repliées sous moi, les lumières tamisées.

— Pourquoi tu restes dans le noir ? il demande avec irritation, en allumant tout.

— D'où tu viens ?

— Dehors, le boulot, après je suis passé chez Ganesh prendre un verre. Je ne sais pas s'il veut me blesser, d'habitude on sort toujours ensemble, ou au moins, il me demande si je veux l'accompagner. Il va dans la chambre déposer sa veste et revient à l'autre bout de la pièce, devant la cuisine.

— Est-ce qu'on est en train de se séparer ? je demande, terrifiée.

— Quoi ?

— Tu m'as entendue. On est en train de se quitter ?

— Non. Tu dis des bêtises. J'ai pas envie de rompre avec toi, il dit en s'approchant de moi, un verre d'eau à la main. C'est juste que je sais pas quoi faire. J'ai beaucoup réfléchi. Ce que tu m'as dit l'autre jour, ça m'a secoué, *ja*.

— Je sais, je dis l'estomac noué. Tu dois lui dire la vérité. Il doit savoir, je me dis.

— Vraiment, ça m'a sidéré, il dit en s'asseyant à côté de moi sur le canapé. L'idée d'un bébé, c'est trop pour moi. Vraiment trop. Je suis pas prêt.

— Eh bien, je commence, le cœur battant, je suis allée chez le médecin aujourd'hui, je suis enceinte.

J'énonce ça d'une voix claire, pour qu'il ne me demande pas de répéter. Il se tait, il soupire sans rien dire. Si la vérité avait un visage, ce serait le silence qui s'installe entre nous.

— Je suis pas surpris. Je me doutais un peu que ça tournerait ainsi. C'était trop beau pour être vrai, tout allait trop bien.

Il finit son verre, il prend la télécommande, son joujou, il zappe. D'habitude, ça m'énerve. Là, je comprends. C'est sa façon d'encaisser.

Au bout d'un moment, il dit :

— Tu t'es déjà décidée, n'est-ce pas ? Tu veux avoir ce bébé, c'est ça ?

— Oui... oui, je dis avec confiance, mais doucement. Tu n'as aucune obligation envers moi. Je comprendrais si tu veux partir, si tu veux qu'on se sépare.

Je dis ça mais mon cœur bat la chamade.

— Comment peux-tu dire ça ? Je t'aime, je peux pas m'en aller comme ça. C'est tout le problème. C'est pour ça que je sais plus où j'en suis ces jours-ci. Tu comprends pas, je suis coincé, on est coincés. Je peux pas partir comme ça, il dit. Il passe sa main dans ses cheveux, soupire, joue avec la télécommande.

Je reste sans voix. Il ne m'a jamais dit qu'il m'aimait. Je ne le lui ai jamais dit non plus. Mais c'est une évidence. L'amour a fait son chemin, il a fomenté son coup pendant qu'on apprenait à se connaître, pendant qu'on dormait. Et maintenant, on ne peut plus lui échapper.

Je pose ma main sur sa cuisse, ma tête sur son épaule.

— Qu'est-ce qu'on va faire ? il soupire. Ma thèse ne sera finie que l'année prochaine. D'accord, toi tu termines cette année, mais quand même. Comment on va faire face ? On est tous les deux étudiants, on s'en sort déjà tout juste.

— On va se débrouiller, je lui dis. On va s'organiser. Ça va marcher. Je vais trouver un boulot.

— Bon Dieu, je peux pas croire que je vais être le père de quelqu'un, il dit avec plus de crainte que d'émerveillement.

— Il… le bébé devrait être là en juin.

— Je vais prendre un bain, il dit en se levant.

Il va à la salle de bains, je reste seule devant un documentaire sur les tatouages.

Bon, il a dit qu'il restait, je réfléchis, pas très sûre de devoir me réjouir ou pas. J'éteins la télé, je vais me coucher.

Les jours suivants, il y a une sorte de mélancolie pensive dans ses yeux. Je me rends compte qu'il se met à m'avancer une chaise, à m'ouvrir la porte, à porter mes sacs, se tracassant pour des choses qui allaient d'elles-mêmes jusque-là. Je suis une femme indépendante, je me suis toujours débrouillée seule. Mais ça va au-delà. Ça nous dépasse désormais. Je vais être mère. C'est pour ça qu'il me tient la porte.

Il passe beaucoup de temps avec moi, ne sort presque plus jamais avec ses copains, même si j'insiste pour qu'il le fasse. Ensemble, nous restons tranquilles, on regarde la télé, on lit, il travaille à son bureau. Je l'entends presque penser, son stylo grattant furieusement, son esprit faisant des calculs, jonglant, jetant des ponts sur des terrains accidentés. Il s'organise. Il trouve un moyen pour qu'on s'en sorte, pour qu'on passe les temps difficiles qui s'annoncent. Chaque jour, il s'installe à son bureau, il écrit des chiffres, combien on a, combien on dépense, combien on met de côté, combien on peut mettre pour telle ou telle chose, qu'est-ce qu'on peut sacrifier. On a même fait un budget. Désormais, on ne fait plus les courses chez Spar. On va chez Checkers et, une fois par semaine, on achète des légumes frais bon marché, cultivés par les malades de Valkenberg. Il faut qu'on commence à songer aux soins prénataux, il dit. Il faut que tu me dises ce dont tu as besoin, il me dit avec tout le sérieux d'un homme. Je veux que mon enfant commence bien dans la vie, il dit avec une légère excitation. Mais il fait très attention. Je ne sais même pas s'il est impatient ou s'il fait tout ça comme avec une épée de Damoclès au-dessus de la tête. Je suppose que c'est sa façon de réagir à cette immense responsabilité. Ça explique sa prudence. L'enthousiasme n'est peut-être pas approprié à toutes les situations. Le fait d'être parent n'est peut-être pas une raison de se réjouir mais de réfléchir.

Chaque jour, il réfléchit aux arrangements, aux décisions qu'il lui faudra prendre. Il m'interroge en permanence. Peux-tu, crois-tu, est-ce que je dois, faut-il ? Chaque jour, je lui donne mon avis. Mais la question tant redoutée de ce qu'on devrait faire après l'arrivée du bébé reste en suspens. Il n'a pas parlé de mariage. Il n'a pas parlé de sa chère Allemagne, s'il pourrait vivre loin d'elle. Il ne m'a pas demandé si je voudrais émigrer là-bas. Mais je pense sans cesse à ça ; et je suis sûre que lui aussi.

— Je pourrais finir ma thèse en janvier, il dit. En travaillant en décembre, sans rentrer à la maison.

Il me regarde avec une inquiétude soudaine. Je me sens coupable de l'obliger à prendre des décisions qu'il ne prendrait peut-être pas sinon. Mais je ne sais pas quoi dire. Pour moi aussi, c'est un voyage vers une décision à prendre.

— Tu sais que je suis supposé rentrer à la fin du trimestre ? il dit. Pour le mariage de ma sœur.

— Tu en as parlé, je dis vaguement.

— Je crois que je devrais y aller. Ça va m'éclaircir les idées de mettre un peu de distance. Je vais mieux y voir, il dit, et je ne sais pas quoi penser de ça. Est-ce que ça veut dire que je l'empêche d'y voir clair ? Qu'est-ce qu'il veut dire par là ?

— Ça t'arrive d'avoir l'impression de te précipiter dans la vie ? il demande.

— Parfois, je dis. Généralement quand je ne sais pas quoi faire, comme maintenant.

— Pareil, il dit en se renversant dans le canapé avec moi.

Mon ventre est toujours plat. Quand je l'observe, je m'interroge sur cette vie qui grandit en moi, qui se nourrit de moi, qui trouve son chemin. Difficile d'imaginer ce que je vais ressentir, comment je vais marcher, quand ma grossesse va commencer à se voir. Je ne peux pas imaginer quelle image je vais avoir de moi. Je ne sais même pas si Arne sera dans les parages à ce moment-là. Je ne sais pas comment ce sera. Je ne sais pas si je pourrai ignorer les vergetures. Et les changements d'humeur ? Et les envies soudaines ? Et tout ce qui va avec le fait d'être enceinte ? Je vais devenir cette femme-là aux yeux des autres. Cette fille, avec un bébé coloured, la honte, elle voulait devenir actrice, ils diront. Elle avait tant d'énergie, ils continueront. Les gens sont comme ça.

Alors, chaque jour, quand je m'huile la peau, je regarde mon ventre dans la glace et je l'enduis de lotion au beurre de coco. Je peigne mon afro, je me fais des tresses jusqu'aux racines. Je souhaite de belles choses à mon bébé. Et je porte son père dans mes pensées partout où je vais, en me rappelant que l'amour m'a trouvée en Arne.

Il pense plus que c'est lui le meilleur, pas depuis qu'il a plus de boulot. Ce sourire sur son visage, il est parti. Je l'ai enlevé. Et tu sais quoi ? J'ai pas de remords. Pourquoi j'en aurais ? J'ai tué personne. J'ai fait ce que j'avais à faire. Personne s'occupe de moi. Pourquoi les gens comme lui devraient toujours avoir la part belle, avoir tout ? Moi aussi, je veux un peu de soleil. Je veux pas lutter en permanence. J'en ai marre d'être pauvre, dans le besoin. Je suis pas un *moegoe*. Je peux penser par moi-même. Je peux faire des choses pour moi. Donc, j'ai eu une idée.

Je l'ai bien calmé. Il m'embête plus désormais. Et il garde la maison propre, comme j'aime. Il peut partir s'il veut, ça n'a plus d'importance. Je gagne plus d'argent, plus d'argent que lui. Je peux trouver un autre appart, un autre locataire. Mais je sais qu'il partira pas. Il a pas de thune. Il a personne. Personne pour l'aider. Même avec tous ses bouquins, je suis plus fort que lui. Je me débrouille mieux. Il a même plus les moyens de s'acheter du dentifrice.

Mais j'en ai marre de lui. Je peux plus l'encadrer. Il me fout en boule. Il m'oblige à me rappeler que pour arriver là, j'ai dû passer par-derrière. Il est si gentil, putain, si gentil, ça me rend malade. Ça me donne envie de lui casser la gueule. Pour qui il se prend ? Il est au bout du rouleau, il bouffe que du pain et des frites, mais il garde toujours ses bonnes manières, même quand je le traite comme un *moegoe*. Il s'effondre pas. Ça me rend dingue. Pour qui il se prend ? Tout le monde se met un peu en colère, jure un peu, se bat un peu, vole un peu. Qu'est-ce qui va pas chez lui ? Peut-être que je le pousse à bout parce que je veux voir ce qu'il va faire. Je veux voir s'il va s'en sortir ou continuer à galérer. J'ai peut-être envie de voir qu'il est pas aussi fort qu'il croit, pas aussi bon qu'il prétend.

— *Hei, tsek jou naai*, tire-toi, j'ai besoin des chiottes, je dis en le foutant dehors de la salle de bains. Et ce minable dit rien. Il reste dehors avec sa serviette, du savon sur le visage, pendant que je chie. Après, je me lave les mains, je me pschitte un coup d'Adrenalin Ego sur le corps. Je vaporise, toute la pièce embaume.

— Si je te prends à utiliser mes affaires, je te défonce, *gemors*, espèce de merde ! je dis en le poussant pour passer.

Il continue à se taire.

Il retourne dans la salle de bains qui sent si bon et se rince le visage avec l'eau que j'ai utilisée pour me laver les mains. L'eau avec laquelle il était en train de se laver.

J'allume ma chaîne, je mets O'Da Meesta. Je pousse le volume et je nourris mon poisson. Il sait qu'il a plus le droit d'entrer dans ma chambre. J'ai plus besoin de sa putain de télé. Quand je veux regarder un match de foot ou de rugby, je vais au Sports Café sur le front de mer. Quel besoin de sa putain de télé ? En noir et blanc, en plus. Je sais que le bureau et la chaise sont à lui, mais qu'il aille se faire foutre, je lui rendrai pas. Il a qu'à se débrouiller.

— *Hei*, espèce de merde, est-ce que quelqu'un m'a appelé aujourd'hui ? je lui demande.

Il est sur son lit, à lire un de ses bouquins à la con, comme toujours. Mais je sais bien qu'il a faim. Il a pas mangé depuis que je suis là. Il mange jamais quand je suis là. Il attend toujours que je parte. Quand je reviens, ça sent l'huile et les frites, mais la vaisselle n'est plus là. Il a tout rangé, bien propre et tout, comme j'aime.

On doit payer le loyer dans deux semaines. Comment il va faire ? Comment il va payer ? Il me prend pour un con ou quoi ? Je vais pas tout payer tout seul. Et je sais que personne peut l'aider. Sa copine, elle lui prêtera pas d'argent. Elle a l'air dure là-dessus, fine question pognon.

Je vais lui régler son compte.

Un jour, je suis à la maison quand il revient de je ne sais où, après avoir cherché du boulot. Brendan et Virgil sont là eux aussi. Il a l'air excité mais il dit rien. Tous les trois, on va dans sa chambre et on ferme la porte. Il est là, l'air effrayé.

— *Hei*, tas de merde, comment tu vas payer le loyer ce mois-ci ? je commence.

— J'ai eu un boulot. Je commence demain. T'auras ton argent, il me dit.

— Où t'as eu un boulot ? Où est-ce que tu vas bosser ? je lui demande.

— Hmm, je peux pas vraiment te dire.

— Tu peux pas vraiment me dire. C'est quoi cette réponse, tas de merde ? je dis en lui donnant une bonne gifle. Il tombe sur son lit, avec toujours cet air de péter de trouille. Hé les mecs, il me prend vraiment pour un *moegoe*, je dis en roulant des épaules.

— Vas-y, vieux. Le salut ! Le salut ! Baise-lui la gueule, me dit Virgil.

— Tu sais qui je suis, tas de merde ? je lui demande.

— Non, il dit, sa voix tremble comme une femmelette.

— Voilà qui je suis, merdeux, je dis en lui montrant le numéro 28 sur ma main gauche. Je crois pas qu'il l'a déjà remarqué. Tu sais pourquoi c'est sur ma gauche, merdeux ? je lui demande.

Il secoue la tête.

— Attends un peu. Je vais t'expliquer. Je vais te montrer, je dis en allant à la salle de bains. Je reviens avec le pot de vaseline.

— *Hei*, toi, connard. Déshabille-toi, dit Brendan en le giflant.

— Non, non, il commence à dire, mais Virgil l'attrape fermement et lui arrache son tee-shirt.

— T'as compris, ça c'est mes frères, je dis, et ils lui montrent leur nombre 28. Mais c'est sur leur main droite. Le numéro de Virgil est souligné trois fois. Chaque fois qu'il essaie d'ouvrir la bouche pour crier, ils lui balancent une beigne ou un coup de poing à l'estomac.

— Lui cognez pas sur la gueule. Faut pas que ça lui donne des idées pour les flics, je leur dis. Ils finissent par le déshabiller entièrement. Maintenant, il est allongé sur son lit, couvrant sa petite bite avec sa main, de l'autre il se protège le visage.

Virgil se recule et me donne le signal. J'enlève mon pantalon. Virgil et Brendan le maintiennent et lui écartent les jambes. Ils rapprochent ses fesses. Je commence à bander, je me mets plein de vaseline sur la bite. J'essaie de rentrer en force, mais il est trop serré.

— *Hei*, vas-y, vas-y, baise ! dit Virgil, il commence à lui donner des grands coups sur le dos. Relax, baise.

Il s'ouvre finalement, je m'enfonce. Je l'entends grogner, gémir, gargouiller.

— T'aimes ça, hein ? T'aimes ça, hein ? Maintenant tu sais ce que j'avais à faire pendant toutes ces années à Pollsmoor, tu vois, allez, baise, tas de merde, je dis en continuant mes allées et venues, en lui claquant les fesses. Je fais durer ça longtemps, avec des poussées bien profondes.

— *Ek gaan water breek* ! Je vais jouir ! je crie avant d'éjaculer partout sur son dos.

— OK, Brendan, dit Virgil, et j'échange avec lui.

— Pitié, mettez une capote, il bave, la bouche en sang.

— Ta gueule, *jou poes*, ma salope ! Virgil le frappe à nouveau, il lui enfonce la tête dans l'oreiller pour étouffer ses pleurs et ses gémissements.

Brendan perd pas de temps. Il fait des drôles de grimaces en le labourant.

— *Ja*, tu l'as bien fait mouiller, dit Brendan en parlant du sang et de la sueur qui dégoulinent de ses fesses sur ses cuisses.

Il va et vient pendant longtemps, peut-être un quart d'heure. Au point que Virgil s'impatiente et lui demande d'en finir. Il se retire juste avant, il nous fait retourner Tshepo avant de lui défourailler sur la poitrine.

Je remets mon pantalon, je l'attrape par le cou et je le balance dans la salle de bains.

— Lave-toi, tas de merde, je dis en l'enfermant à l'intérieur. T'inquiète pas, il sait ce qu'il a à faire. Il déconnera pas avec moi.

Mais on entend rien à l'intérieur.

— *Hei*, merdeux, faut qu'on vienne t'aider ou quoi ? je dis en tapant sur la porte.

Juste après, j'entends l'eau couler dans la baignoire.

Pendant ce temps, on fait le tour de ses affaires.

— Il a pas de blé. Faut que je voie comment je vais faire pour le loyer. On prend tout ce qui peut valoir quelque chose, je dis, et on met sa chambre à sac.

Je prends sa pile de neuf CD. Non, ses bouquins valent rien, on les laisse, je dis aux autres. On prend des tee-shirts sympas, deux paires de Levi's, une veste Soviet, des Chinos, une paire de Nike, des chaussures de ville Crockett & Jones, deux chemises blanches, ces trucs qu'on met aux poignets avec les chemises, une Swatch, une Gameboy avec trois jeux, un collier en argent, deux bermudas, trois shorts chouettes, deux ceintures en cuir, un blazer, une écharpe, un radio-réveil, une machine à écrire Casio, une casquette Fubu, trois vidéos de Spike Lee, deux maillots de bain Speedo et un tee-shirt, une boîte de préservatifs, un chapeau de Malcolm X, une veste en cuir, une en daim, un sac Dolce & Gabbana, un autre Benetton, et tous ses mouchoirs.

— Et cette télé, *vat dit*, on la prend, je leur dis. On embarque tout ça dans un de ces grands sacs en tissu dont se servent les colporteurs, en particulier les immigrants illégaux, les *Makwere-kwere*. On met tout dans la voiture, mais on lui laisse quelques vêtements.

Virgil démarre sa Granada blanche, on va à Woodstock où je peux fourguer le tout à un mec que je connais. Il connaît des gens qui achètent ce genre de trucs, en général des magasins de fripes en ville, mais parfois il les fourgue lui-même. Il est chez lui, seul avec sa copine. On amène le sac, on le déballe dans le salon. Il me dit qu'il peut se débrouiller avec ça. Mais je suis pas idiot, je lui fais pas confiance au lascar. Je m'assois et je fais la liste de tout ce qu'il y a. Je mets tout, c'est long.

Il me dit de revenir le lendemain, qu'il aura mon argent, mais qu'il prend une com' de dix pour cent. Je lui demande combien il peut tirer des CD.

— C'est tous des imports, je dis. Ce type aime les trucs chers. Il me regarde, il voit bien que la prison m'a pas changé, que je suis toujours le même, têtu, rapiat.

— OK, tu peux te faire au moins 700 rands rien qu'avec les CD, il dit.

— Bon, ça couvre déjà la moitié du loyer, je dis avec soulagement. Et le reste ?

— Chris, tu veux que je te rende service ou pas ?

— Quel genre, mon frère, il veut juste pas se faire niquer, dit Virgil, une ride se forme entre ses yeux. Il peut foutre les jetons. On était à Pollsmoor ensemble. Je sais comment il peut être.

— OK, très bien, je te retrouve demain vers midi, je lui dis.

TSHEPO

C'est comme si ma mère était morte une deuxième fois.

Quand Chris revient, je suis en train de mettre le reste de mes affaires dans une valise. Heureusement, il n'a pas pensé à regarder dans le panier de linge sale. Au moins, il me reste un jean Diesel noir et une chemise pas mal. Je pense déjà au boulot. Ils veulent que j'aie un bon look, je me dis en fouillant dans le panier, soulagé de trouver un truc élégant que je pourrai mettre pour travailler.

Je porte un bas de survêtement et un vieux tee-shirt. Je ne le regarde même pas quand il passe pour aller dans la salle de bains. Par l'ouverture de la porte, je peux voir son ombre, qui examine la propreté du lieu. Il sort sans rien dire, parce que j'ai tout laissé dans un état impeccable.

Je vais à la cuisine, je prends mes casseroles.

— Lâche ça, *jou poes*, salope, où est-ce que tu crois que t'emportes ça ? il dit en me les arrachant. Il me repousse, lève la main comme s'il allait me frapper. Mais non. Je retourne dans ma chambre. Tout ce qui me reste à prendre, c'est mes draps. J'enlève la housse de couette et l'alèze. Même si elles sont mauves, je peux voir les traces de sang, je sens encore l'odeur âcre du sexe et de la violence. Je les plie sur mes vêtements et mes livres. J'arrive même à mettre l'oreiller. Mais impossible de prendre la couette avec moi.

Quand tout est emballé, je me dirige vers la porte avec ma valise. Il y a des crochets au mur, où on laisse les clés. J'accroche les miennes. Chris me regarde depuis sa chambre, l'œil féroce. Le simple fait de croiser son regard me donne la nausée.

— T'avise pas de revenir ici, salope ! il dit en marchant vers moi.

Je ferme la porte derrière moi, portant ma valise. Elle est pas lourde du tout. Mais à l'intérieur, je me sens lourd. Je marche jusqu'à Main Road, j'attends un taxi, les entrailles en feu. Une voiture klaxonne, il me faut un petit moment pour reconnaître monsieur Saunders dans sa Golf GTI. La vitre s'abaisse comme par magie.

— Je peux te déposer, tu as l'air chargé, il dit en souriant.

— Je vais à Obs, je lui dis.

— Monte, il dit en pressant un bouton pour ouvrir le coffre. J'y mets mon barda. Il n'y a que deux petites boîtes dans son coffre.

Il m'ouvre la porte. Je serre les dents, je monte doucement. Je prends une inspiration, je m'assois avec précaution. Le contact avec le siège est douloureux. Je serre les dents pour ne pas grimacer.

Il allume la radio doucement. La voiture ronronne quand il reprend la route.

— On dirait que tu nous quittes, il dit ; à la radio, on entend « Venus » par Franky Avalon. J'adore cette chanson. Je crois que c'était dans *Le Lauréat*.

— *Ja*, Sea Point est un peu cher pour moi, je dis.

On passe Green Point, on se dirige vers le centre-ville. Cette chanson est si douce, on dirait une berceuse. J'essaie d'en profiter, sans penser à la douleur qui me déchire.

— Tu sais, les choses ont une façon bien étrange de s'assembler, il me dit d'un air mystérieux. Je le regarde, il me fait un large sourire. Je ne dis rien. J'écoute ma chanson qui se termine.

On passe Woodstock, on se rapproche de Obs.

— Vous n'avez qu'à me laisser au garage, je dis alors qu'on approche de la station Shell dans Obs.

— Non, j'insiste. Je te dépose là où tu as besoin d'aller, il dit.

On va au 5 Milne Road. Mais Mmabatho n'habite plus ici, m'explique Nadine, une Française. Elle a toujours été sympa. Elle me donne sa nouvelle adresse, à Mowbray.

Monsieur Saunders attend patiemment pendant que je note les coordonnées. Nous roulons jusqu'à Mowbray. Il sort de la voiture et attrape mon sac.

— Merci, je commence.

— Vérifie d'abord si elle est là, il dit. Comme s'il se sentait obligé de veiller sur moi. Son regard est doux, gentil, amical, presque maternel, très inhabituel chez un homme.

Je marche avec ma valise jusqu'à la porte, je frappe. Au bout d'un moment, j'entends des pantoufles qui claquent sur le sol. Heureusement, c'est Mmabatho qui m'ouvre.

— Salut, je dis rapidement, attends une seconde. Je laisse la valise à la porte, je retourne vers monsieur Saunders. La fenêtre s'ouvre côté passager.

— Merci, elle est là.

— Bon. Prends soin de toi, il me fait un clin d'œil, un bref éclair de reconnaissance dans son regard. Je regarde la voiture s'éloigner, essayant de ne pas penser à Sea Point.

Mmabatho attend à la porte. Elle est en peignoir et pantoufles, ses cheveux en tresses.

— Tshepo, que se passe-t-il ? elle dit, je me rends compte qu'elle fait comme si elle n'avait pas vu ma valise par terre.

— J'ai des ennuis. Le type avec qui je partageais l'appartement a décampé sans prévenir, je me suis fait expulser, je pouvais pas payer le loyer. J'ai juste besoin que tu me dépannes quelques jours, je suis sur un plan, je demande, embarrassé, humilié qu'elle me voie comme ça. Je déteste être une charge.

Elle décroise les bras et me précède dans la maison. Je la suis jusqu'à sa petite cuisine.

— On n'a pas beaucoup de place, elle dit avec l'air de se plaindre. Il va falloir que tu dormes sur le canapé ou par terre, comme tu veux – mais mets tes affaires dans la chambre.

Je la suis, nerveux, mal à l'aise. Je me sens de trop. Il y a un bol de céréales sur la table. Je pose ma valise près de la porte, mais pas dans le passage.

— Je t'ai dit que ce type était un bon à rien, elle dit, fidèle à elle-même, toujours un avis sur tout. On revient dans le salon-cuisine. J'étais juste en train de prendre mon petit-déjeuner, enfin, petit-déjeuner tardif, je sais bien qu'il est quatre heures de l'après-midi, mais tu n'imagines pas la semaine que j'ai eue. Bref, t'en veux ? elle propose. Assieds-toi, mets-toi à l'aise.

Je regarde autour de moi, un peu paniqué. Elle est affalée sur le sofa, en train de manger ses céréales, pas de place à côté d'elle. Il n'y a que deux autres chaises, en bois. Je ne survivrai pas à ça, trop douloureux, je me dis en estimant leur dureté.

— En fait, je voulais sortir chercher le journal, si tu veux bien, c'est tout ce que je trouve comme excuse.

— Oui, pas de problème. C'est plus bas dans la rue. Un petit quart d'heure aller-retour. Ça me laissera le temps de faire ma toilette, elle dit.

— Un quart d'heure, c'est tout ce qu'il te faut, je veux dire, pour une fille ? je plaisante.

Elle grimace un sourire et me dit de fermer la porte en sortant.

— Tu n'as qu'à libérer le loquet, elle dit. Je la regarde disparaître dans la pièce la plus reculée de la petite maison. C'est difficile avec Mmabatho. Je ne sais jamais si je suis le bienvenu. Toujours cette impression de mettre notre amitié à l'épreuve. Jamais l'évidence de se dire que « *ag*, ça la gênera pas ».

Je descends la rue, le corps toujours en feu. Je me sens anesthésié, la faim me fait tourner la tête. Je n'ai rien mangé depuis ce matin. Je décide de ne manger que liquide dans les jours qui viennent, mon corps ne supporterait pas la moindre activité intestinale. Je trouve le magasin, une petite épicerie. J'achète le journal, même s'il ne me reste que 15 rands. Mon estomac gargouille, j'ai de la salive plein la bouche. Quand je respire, j'expire par la bouche pour que mon anus rompu se détende. Quand je reviens chez elle, une voiture est garée devant. Arne est là.

Je frappe à la porte, c'est lui qui ouvre. Il me salue froidement, il ferme la porte derrière moi. Mmabatho est déjà habillée, assise devant la télé. Arne va dans la chambre, l'air énervé. Il ne m'a jamais aimé.

— Je peux utiliser la salle de bains ? je lui dis.

— Bien sûr, c'est juste là.

Je pose le journal sur la table du salon, je me rends à la salle de bains. Une fois à l'intérieur, je déboutonne mon pantalon, je soupire de soulagement. Je baisse ensuite mon slip pour enlever le tampon de papier toilette que j'ai mis entre les jambes. Il est plein de sang et je saigne toujours. Je jette le papier dans les toilettes, je tends le bras pour en prendre d'autre quand je remarque un carton pour les serviettes hygiéniques par terre. Je récupère mon tampon, je le jette là où il faut. C'est alors que j'ai une idée. Je vais dans l'armoire à pharmacie. En haut, je trouve une boîte de serviettes hygiéniques, des Freedom, celles avec les ailes, qui font toujours rigoler les mecs quand ils voient les pubs à la télé. Mais je sais qu'elles vont m'apporter le soulagement et la confiance dont j'ai besoin. Je vole une serviette dans le paquet, je la mets là où il faut. C'est la bonne taille et c'est doux. Je tire ensuite la chasse, je me lave les mains à fond, comme si elles avaient été en contact avec le diable. J'ai déjà vécu cet enfer une fois, je peux y survivre à nouveau, je me dis, la gorge contractée. Chris, comment as-tu pu me faire ça ?

Quand je reviens, Arne est toujours dans la chambre. Je m'assois à côté de Mmabatho sur le sofa, avec précaution. Elle a commencé à lire une section du journal.

— Ça l'embête pas, si ? je lui chuchote. Je devrais rester ici que quatre jours maximum.

— T'inquiète pas pour lui, elle dit, mais ce n'est pas ce que j'ai envie d'entendre.

Je reste assis comme ça, mal à l'aise, à regarder la télé.

— En fait, on sort pour le dîner. Ça t'ennuie pas si on te laisse, si ? On va rencontrer le directeur du département d'art dramatique. C'est un dîner formel et…

— Non, bien sûr, je t'en prie.

— Il se pourrait que je trouve un boulot là-bas, à la fin de l'année. Longue histoire, je te raconterai plus tard, elle dit en se remettant à lire le journal.

Arne revient, il s'agenouille près de Mmabatho, ils se câlinent, s'embrassent.

— Je vais au fitness, il lui dit, à quelle heure il faut qu'on soit là-bas ?

— Je voudrais y être à huit heures moins dix, elle répond.

Ils s'embrassent rapidement, il me fait un signe. Je me demande pourquoi il ne me dit pas juste « salut ».

— Alors, dis-moi, me fais pas languir, je lui dis quand on entend la voiture s'éloigner. On ne s'est pas vraiment parlé depuis un bon moment.

— D'abord, les choses vont super bien entre nous, elle dit.

— J'ai été surpris quand Nadine m'a annoncé que vous aviez emménagé ensemble. Toi, vivre avec un mec ? *Ke mohlolo. O jele eng?* C'est un miracle ? je plaisante.

— Ça m'a fait du bien. Mais maintenant, je suis enceinte, elle soupire.

— Vraiment ?

— Vraiment, *ha ke bapale*, pas pour rire, elle dit avec sérieux.

— C'est un problème ?

— Plutôt, *ja*. On l'a pas vraiment décidé. Mais je vais avoir cet enfant, même si je milite pour l'avortement et tout ça. Je garde le bébé.

— Alors c'est pour ça, cette histoire de département d'art dramatique ?

— *Ja*, mais c'est pas fait. J'en ai parlé à Andrew, le directeur, je lui ai dit que ça m'intéresserait d'enseigner et de travailler là. J'ai rien dit de ma grossesse. Du coup, il m'a demandé de venir dîner pour en parler. Il m'a dit que j'avais de bonnes chances, malgré les récents licenciements dus aux coupes budgétaires. Mais avec la loi sur l'équité qui se profile, j'aurai une bonne chance d'obtenir un boulot l'année prochaine. Alors, je tente le coup.

J'aimerais lui demander ce qu'il en est de ses rêves de devenir actrice, de faire ses propres trucs, mais ça aurait l'air puéril et immature.

— C'est génial, je dis.

— Pas vraiment. Je sais toujours pas où j'en suis avec lui. On a pas parlé de se marier, ou de pas se marier, est-ce qu'il va rester ici ou est-ce qu'on va en Allemagne ? Mais je sais qu'il veut être avec moi. Il a fait tellement de projets pour ce bébé. Il espère finir sa thèse plus tôt que prévu. D'une façon générale, on est obligés de tout planifier. On est un peu devenus des adultes, un couple normal. Je sais que ça a l'air ennuyeux, mais ça l'est pas en fait. C'est plutôt bien, elle dit avec un regard doux, un peu nostalgique.

— La sécurité, l'amitié, c'est pas du tout ennuyeux de mon point de vue, je lui dis.

— Et toi alors ? Quoi de neuf ? elle se détend un peu, elle sourit.

— Pas grand-chose. Je suis toujours serveur sur le front de mer, ça se passe bien. Je suis *off* les quatre prochains jours pour trouver où emménager, mais à part ça, tout va bien. Je veux dire, à part être expulsé, j'arrive à faire un sourire pour lui signifier que cette histoire ne sera pas un problème.

— Où est-ce que tu penses t'installer ? elle demande.

— Je pensais Woodstock. C'est près du centre, j'ai pas de voiture. Je travaille parfois la nuit. C'est vraiment pénible de dépendre des autres ou des taxis – trop cher. Mais je peux plus rester à Sea Point, trop cher aussi.

— Tu devrais essayer le centre-ville, City Bowl, ou un quartier comme Tamboerskloof ; bon, Gardens c'est exclu, trop cher, mais essaye en ville, elle m'encourage.

— Vous, vous sortez beaucoup ? je lui demande.

— Pas vraiment, on a tellement de trucs en tête. En fait, le dîner de ce soir, c'est notre première sortie depuis deux semaines.

— Tu l'aimes, n'est-ce pas ?

— Ça se voit tant que ça ? elle demande, légèrement sur la défensive.

— Non, mais je sais que tu dois l'aimer pour avoir accepté d'emménager avec lui.

— Bon, je ferais mieux de te préparer quelque chose à manger, elle dit en se levant.

— Non, ça va, t'inquiète pas. J'ai déjeuné tard. Ça ira, je dis.

— Il y a du pain et du beurre. Je crois qu'on n'a plus de confiture ni de Marmite, mais jette un œil.

— Vraiment, tout va bien, mais merci.

— T'es sûr que tu vas bien ?

— Évidemment, je dis avec un peu trop d'ardeur. Pourquoi ?

— Je sais pas. T'as l'air un peu nerveux. Tu tiens pas en place, elle dit.

— Tu me connais. Je sais pas rester assis très longtemps. En fait, je me suis fait mal au dos au boulot, je suis un peu coincé, je dis, pas très sûr d'être convaincant. N'oublie pas que c'est une actrice, je me rappelle.

— Passons, elle dit. Je ne crois pas qu'elle soit convaincue, mais elle n'insiste pas. Je vais te sortir des couvertures et un oreiller.

— T'inquiète pas pour l'oreiller. J'en ai un dans mes affaires, je dis. Uniquement les couvertures, s'il te plaît.

Elle revient avec deux sacs de couchage que je peux dérouler pour en faire un matelas fin. Il y a une couette et une couverture marron. Elle les pose en dehors du passage, près du bureau où il y a l'ordi.

On s'assoit pour regarder la télé jusqu'au retour d'Arne. Il a l'air plus détendu. Il m'adresse même un sourire et me demande si j'ai ce qu'il faut à manger. Il va à la salle de bains. Je reste seul dans le salon, je les entends parler. J'entends la chasse d'eau, le bruit d'un rasoir électrique, des toussotements, des paroles, des baisers. J'écoute leurs accents, leurs voix se mélangent, leurs vies intimement imbriquées. J'entends le martèlement staccato des talons de Mmabatho sur le sol en bois. En me retournant, je l'aperçois qui rentre dans la salle de bains, occupée à enfiler une boucle d'oreille récalcitrante.

— Je vais t'aider, il lui dit. Bientôt je les entends s'embrasser bruyamment. Il retourne dans la chambre pour s'habiller. De la vapeur sort de la salle de bains, une agréable odeur d'after-shave. Je pense qu'il porte Kouros, la fraîcheur de ce parfum me fait toujours penser à la mer, plus particulièrement à une eau claire azur. Ils rient, ils gloussent mais je n'entends pas ce qu'ils se disent à travers la porte fermée. La facilité avec laquelle ils ont l'air de vivre me détend.

Mais je me sens toujours de trop, un peu seul et pitoyable.

Ils finissent par ressortir. Il porte un élégant pantalon kaki avec une chemise bleu pastel à fines rayures et un blazer simple, bleu foncé. Mmabatho est éblouissante avec sa jupe jusqu'aux genoux. Une fente suggestive laisse entrevoir sa cuisse ferme. Elle porte elle aussi une chemise élégante et elle a mis sur ses cheveux un turban de reine. L'étoffe est épaisse et colorée. Ses chaussures la grandissent. Elles sont chic mais sans ostentation.

— T'inquiète pas, j'ai pas les moyens de me payer des chaussures de chez Socrati. C'est mon père qui me les a offertes pour mon anniversaire, elle dit. Ils sont debout devant moi, à moitié conscients de poser pour moi. Arne se peigne et retourne dans la salle de bains.

— Tu es prête ? il dit en sortant.

— *Ja*, prête, elle tient un petit sac à main.

Arne attrape ses clés.

— Ne nous attends pas pour te coucher, elle dit en blaguant, comme si j'étais leur fils.

— Vous inquiétez pas, je les rassure.

— On essaiera de pas faire de bruit, dit Arne, faisant preuve d'une attention surprenante.

— *Ag*, vous en faites pas. Même un tremblement de terre ne me réveillerait pas.

— Sers-toi dans la cuisine si tu as faim, elle continue.

— Tout va bien. Allez-y maintenant, vous allez être en retard.

Resté seul, j'hésite entre me coucher et regarder la télé, mais je vais essayer de ne pas penser à Sea Point. Sea Point, c'est Chris, c'est Ross, c'est le boulot, tout ce qui a mal tourné là-bas. La douleur est suffisamment présente pour m'aider à me concentrer uniquement sur mon confort. Je gigote sur le sofa jusqu'à trouver une bonne position. Heureusement, je n'ai pas besoin d'aller aux toilettes. Mon estomac gronde, je l'ignore. Je ne peux pas prendre le risque d'ingérer quoi que ce soit de solide. Dans le réfrigérateur, il y a de l'Oros. J'ai soif, mais je me refuse à en boire. Ça me rappelle trop Sea Point, Salt Point comme l'appellent les rastas.

J'ai envie de jus de pomme mais ils n'en ont pas. Du coup, je fais chauffer de l'eau pour faire du thé. Je bois deux tasses et je me sens mieux. Dans un placard, il y a une demi-bouteille de whisky. Mon visage s'éclaire. Je sais maintenant ce que je vais faire pour la douleur. Plus tôt, dans la salle de bains, j'avais cherché de l'aspirine, ou n'importe quoi qui soulage, mais il n'y avait rien. Et je ne suis pas prêt à aller farfouiller dans leur chambre.

Je regarde la télé jusqu'à peu près onze heures. Après ça m'ennuie, je vais dans la cuisine. Je me verse un quart de verre de whisky, je rajoute de l'eau jusqu'à la moitié et je mets des glaçons. Pour être soûl vite, il faut boire vite, je me dis. Je me souviens d'une phrase d'Oscar Wilde sur l'alcool. Il se trouve que l'alcool pris en quantité suffisante m'apporte tous les effets de l'ivresse, il a dit – ou quelque chose comme ça. Je descends le verre en cinq minutes. L'effet ne tarde pas à se faire sentir. Un sourire naît sur mon visage, je sens mes épaules tomber, le bas de mon dos se relâcher. J'étais tendu toute la soirée. Le souvenir de cette nuit terrible où ma mère m'a quitté me traverse. Et puis Chris. Je les chasse une fois encore. Je vais survivre. Je ne retournerai pas à l'asile.

Je pousse la table du salon pour m'étendre sur les sacs de couchage. Ils sont froids et glissants. Je vais prendre mon oreiller, je déplie les couvertures. Je titube un peu à cause de l'ivresse mais je réussis à trouver l'interrupteur et j'éteins. Je titube à nouveau vers mon lit. Une fois dans les couvertures, je me dis que plus jamais, je n'aurai à voir Chris.

Le sommeil vient d'un coup, il s'empare de moi comme une drogue.

MMABATHO

Tshepo est silencieux, il ne mange presque rien. Quand je lui demande pourquoi, il me dit qu'il ne se sent pas très bien. Je n'insiste pas, j'ai mes propres soucis. Mais le troisième jour, je le trouve assis le matin devant la télé. Il est encore tôt, à peine sept heures. Je sors du lit, laissant Arne qui ronfle doucement.

— Pardon, je croyais que le son était assez bas, il s'excuse en me voyant.

— C'est pas fort. Je pouvais plus dormir, je dis, même si c'est la télé qui m'a réveillée. Il baisse quand même.

Je m'assois à côté de lui sur le canapé.

— Alors, qu'est-ce qui se passe ? Je sais qu'il y a quelque chose. Tu aimes dormir autant que moi.

— C'est rien, il répond.

— T'as rien mangé depuis que t'es arrivé ici. Regarde-toi, tu as les traits complètement tirés. Qu'est-ce qui va pas ? T'as une mine affreuse.

— Rien, ça va, il dit avec un sourire faux.

— Tu sais, je te l'ai jamais dit, mais tu es un très mauvais acteur. Bon, dis-moi, qu'est-ce qui va pas ?

— OK, d'accord. J'ai pas fait attention, il y a quelque temps. Du coup, j'ai fait le test du sida hier. Je saurai les résultats dans une semaine, il dit d'une traite.

— Comment tu as pu être aussi bête?

Il me lance un regard sévère.

— Désolée, c'est sorti comme ça. Mais qu'est-ce qui s'est passé? j'essaie encore.

— J'ai rencontré cette fille, il commence.

— Une fille. Toi?... Tu vois, avec Arne, on commençait à croire que Chris et toi, vous étiez amants. Je croyais que vous étiez gay, je dis avec un petit rire, espérant peut-être qu'il me dise une fois pour toutes s'il l'est ou pas.

— *Ja*, bon, il dit sans répondre, j'ai rencontré cette fille et on s'est très bien entendus.

— Comment elle s'appelle?

— Euh... c'est sans importance.

— On sait jamais, je pourrais la connaître.

— Bon, d'accord, elle s'appelle Lerato, il dit, mais ça ne sonne pas très juste.

— Te fous pas de moi, je lui dis.

— Elle s'appelle Lerato. Ça te pose un problème?

— Désolée. Je suis comme ça. Continue.

— Bon, on a eu une aventure, si on peut appeler comme ça cinq nuits passées ensemble. Et je n'ai jamais utilisé de capote. Je sais pas pourquoi, me demande pas. Après ça, elle disparaît et j'apprends qu'elle est retournée à Jo'burg. Du coup, ça m'a inquiété, je me suis dit que je ferais mieux de faire le test. On sait jamais, il dit, les yeux rouges, le teint plus sombre que d'habitude.

— Qu'est-ce qui se passe si tu es positif? je lâche.

Il soupire et se met à jouer avec les poils de son nez. Est-ce qu'il sait comme c'est énervant?

— Je vais t'acheter une pince pour ça. Il arrête.

— Je sais pas ce que je ferai. J'espère que le résultat sera négatif. Tout ce que je peux faire, c'est attendre.

— Je sais ce que tu ressens. Je le serre vaguement dans mes bras, mais il a l'air distant. Ce n'est plus le même que quand nous nous sommes rencontrés, et moi non plus. Vieillir vous prend en traître. On ne voit rien venir.

— Bon, tu vas manger quelque chose, pour changer? Tes joues sont en train de disparaître, je fais en lui donnant une chiquenaude.

— Ça dépend de ce qu'on mange, il répond.

— Je fais une omelette au fromage et aux épinards, je dis pour l'amadouer.

Il hoche la tête doucement.

— *Ja*, ce serait bien, il dit.

On s'assoit, on boit un thé. À huit heures, je commence à découper et faire frire. Quand c'est prêt, Arne est déjà debout. On mange ensemble. Tshepo ne prend que de l'omelette. Pas de toasts, ni de fruits. Tout en mangeant avec appétit, Arne ne le quitte pas de l'œil. Je vois qu'il s'interroge sur l'appétit d'oiseau de Tshepo. Quelque chose ne va pas. J'en suis sûre. Peut-être il y a autre chose que l'attente des résultats. En fait, je ne suis même pas sûre de croire à cette histoire. Il est si attentif, si méticuleux. Je l'imagine mal être si impétueux qu'il en oublie ses préservatifs, qu'il risque ainsi sa vie. Il prend sa vie au sérieux, peut-être trop au sérieux. Mais je ne vois pas de quoi il s'agit. Je ne connais personne à Sea Point qui pourrait me mettre au courant des rumeurs à son sujet. Il est trop secret.

À la fin du repas, Arne m'oblige à me dépêcher. Je n'ai rien fait ces trois derniers jours, j'avais besoin de repos. J'avais besoin de réfléchir.

— Je vais au cours aujourd'hui, je dis à Tshepo, du coup, tu seras tout seul.

— À propos, je m'en vais demain, il répond, j'ai trouvé un truc à Woodstock. Ne me demande pas l'adresse, c'est près du petit commissariat sur la rue principale.

TSHEPO

Quand ils sont partis, je vais à la salle de bains. Je ferme la porte, je fais couler un bain. Avant que trop de vapeur ne se condense sur la longue glace, je me déshabille pour m'examiner. Mes jambes, mes côtes et ma poitrine sont couvertes d'ecchymoses, mais elles s'effacent rapidement. Je guéris vite. J'irai travailler demain, je me dis en touchant les blessures sans ressentir la même douleur qu'auparavant. J'examine aussi la serviette, il n'y a que deux petites taches de sang. Je l'enveloppe dans du papier toilette, je la jette à la poubelle. Je commence à faire couler l'eau froide dans le bain. Quand la température est bonne, j'entre.

Je ne reste pas longtemps dedans. Il y a quelque chose dans la détente que procure le bain qui m'incite à penser. J'évite ça. Je me lave rapidement, je me sèche vite. Je me change, je m'assois sur le canapé, une serviette sur la tête parce que mes cheveux sont humides et qu'il fait froid dehors.

Dans quelques mois, il faudra que je fasse un test pour le sida. Mais il ne faut pas que je pense à ça.

Maintenant, la question est : où je vais demain? Je leur ai promis que je ne restais que quatre jours. Je ne connais personne au Cap qui serait prêt à m'héberger pour quelques jours. Je pense à tous les gens que je connais, je réalise qu'ils ne sont que des figures que je salue et avec qui j'échange des banalités.

Que faire? La question me taraude. Je n'ai même pas assez d'argent pour rester dans une auberge de jeunesse. La rue semble la seule possibilité. Réfléchis, réfléchis, je me dis, en tournant dans le petit salon. Je ne sais pas où sont les refuges pour les sans-abri mais je pourrais me renseigner. Tout ce que je sais, c'est qu'il faut en être reparti à six heures du matin. Je peux encaisser ça. Mais où est-ce que je mettrais ma valise? Je ne peux même pas emporter les habits dont j'aurai besoin pour la journée parce que les voyous m'ont pris tous mes sacs. Quand bien même, qu'est-ce que je dirais à Mmabatho? Non, je ne peux pas laisser ma valise chez elle.

Je réfléchis à tous les endroits où je pourrais aller avec ma valise. Je rêve même de ces consignes bon marché qu'on voit toujours dans les films américains. Celles qu'on trouve dans les lieux publics, gares routières ou aéroports. Comme celle où Madonna met sa valise ronde, dans *Recherche Susan désespérément*, ou dans *Get Shorty*, celle où les flics tendent un piège. Ça a l'air tellement pratique. J'imagine bien qu'elles servent surtout aux gens dans des situations difficiles, comme dans les films. Des gens comme moi, toujours entre deux, jamais chez eux, mais toujours dans l'espoir, dans la survie, se débrouillant pour aller quelque part, par tous les moyens. Je m'énerve contre moi-même, ce fantasme ne mène à rien. C'est pas ça qui va me sortir de là.

Je passe la journée à m'inquiéter de ce que je vais faire, je ne mange à peu près rien. Je ne suis toujours pas allé aux toilettes. Ça fait trois jours.

En fin d'après-midi, Arne me trouve devant la télé. Il me salue et disparaît dans sa chambre. Je me sens mal à l'aise. Du coup, je lui dis que je vais passer un coup de fil dehors, puisqu'ils n'ont pas le téléphone.

J'erre dans le quartier. Les maisons sont petites, les gens ne sont pas aussi amicaux qu'à Obs. Ça n'a pas d'importance, puisque tu ne vivras pas ici, je me dis. Je vois quelqu'un que je connais venir à ma rencontre.

Je tourne dans une rue. J'aurais pas été capable de croiser quelqu'un juste maintenant. Je marche pendant une heure jusqu'à me retrouver au lac devant Valkenberg. Je reste là, à regarder des oies égyptiennes étendre élégamment leurs ailes, mais elles ne s'envolent pas. Je commence à me sentir triste, vraiment triste. Dépression résiduelle. Ça revient parce que toute ma vie j'ai toujours eu une raison d'être triste. Être devant Valkenberg me rend triste. Je m'assois sur l'herbe sous un saule pleureur, je laisse la tristesse m'envahir. Chris, espèce de salopard, je t'aimais.

C'est comme au début. Avant Dieu et la lumière, il y avait le Rien. Simplement Rien. Et Rien est resté là pour toujours. Il a toujours été là. Toujours seul. Sans connaître autre chose. Et comme il était toujours seul, il était très triste. Toujours, toujours déprimé. Toujours froid. Vivant dans l'abstraction la plus totale.

Un jour, la souffrance de cette solitude fut si forte que Rien commença à saigner. La douleur renversa Rien. Et Rien devint souffrance. Puis une chose étrange se produisit. Rien fut saisi par la foi. Il crut qu'il saignait pour quelque chose. Il se fit alors l'amour à lui-même.

C'est ainsi que tout commença, l'origine de Dieu, le point de départ de la vie. Rien se mit à croire en quelque chose plus fort qu'en sa souffrance. Il regarda à l'intérieur de lui-même assez profondément pour trouver l'amour, pour faire l'amour à lui-même. C'est pour ça qu'on dit toujours que l'Amour n'a pas de parents. Il est sorti dans le froid et il s'est trouvé lui-même.

Et comme tout vient de Rien, nous sommes parfois tristes. Tristes et silencieux parce que nous aussi, nous venons de Rien. Un spermatozoïde curieux et un ovule patient sont les vestiges du Rien. C'est dans cette solitude atroce que tout naît. Les pleurs et les colères qui nous empêchent de dormir proviennent d'un puits plus ancien et plus profond que le Temps. Quand nous nous autorisons à être tristes, nous rendons hommage au courage de Rien, qui a passé une éternité seul, sans amour, invisible, méconnu, introuvé. Ce fut une souffrance terrible à porter si longtemps, si seul. Pour toujours, c'est long quand on attend d'être aimé.

Je pense à Rien. Et je pense à Chris. Je pense à la chance que j'ai. Je suis en vie, j'ai toute ma tête. Ma santé s'améliore et j'ai l'occasion de faire quelque chose de moi-même.

Je rentre à la maison, dans le calme de Mowbray. Mmabatho est revenue. Elle a l'air maussade sur le sofa. Je la salue, elle me regarde avec mauvaise humeur. Arne est occupé dans la chambre. Je l'entends s'activer avec énergie. Je m'assois à côté de Mmabatho sur le canapé, sans rien dire. Mal à l'aise. Je ne l'aime pas quand elle fait la tête. Elle peut être très dure. On regarde en silence un documentaire sur les enfants sans-abri au Brésil.

Au bout d'un moment, elle me regarde et grimace.

— Il part pour l'Allemagne demain, elle dit ça comme si elle était en colère contre lui.

— Oh, je dis, pas très sûr de quoi répondre.

— En fait, il devait partir de toute façon, à la fin du trimestre. Mais seulement pour deux semaines, avant de revenir pour le dernier semestre, elle dit avec morosité.

— Mais tu es contrariée, je dis.

— Bien sûr que je suis contrariée. Qui ne le serait pas ? La vérité, c'est que je ne sais pas s'il reviendra.

Je jette un œil derrière, je déteste parler des gens qui ne sont pas loin.

— Je m'en fiche s'il m'entend, elle dit durement.

On se tait à nouveau.

Elle se lève pour faire le dîner, un truc simple et rapide, mais que je peux manger : macaronis au fromage. Nous mangeons vite, l'humeur sombre.

— Tu m'amènes à l'aéroport demain ou est-ce qu'il faut que je demande à Andile ? il dit en la regardant.

— Il vaut mieux que tu demandes à Andile. J'ai une journée chargée.

Après le dîner, il sort seul. Elle se retire dans sa chambre où je la soupçonne de pleurer toutes les larmes de son corps. Elle est comme ça, Mmabatho, un peu trop fière. Elle ne versera jamais une larme devant quelqu'un.

À nouveau seul, je m'interroge sur le lendemain. Je ne sais pas vraiment quoi faire. J'espère être frappé par une inspiration qui me sauvera. Mais il ne faut pas que j'y pense trop.

Arne revient tard. Il s'effondre sur le canapé à côté de moi et soupire bruyamment. Je me sens un peu nerveux. On n'a jamais eu de conversation seul à seul. Il reste assis, à jouer avec la télécommande. Je regarde passivement.

— Tu dois être impatient de revoir ta famille, je dis juste pour relâcher la tension. Son petit jeu avec la télécommande m'énerve aussi un peu. Je déteste quand quelqu'un zappe sans s'excuser.

— *Ja*, il dit, pas particulièrement enthousiaste, et il se gratte le cou.

J'ai envie de dire quelque chose pour Mmabatho, mais je décide que non. Je n'ai pas vraiment besoin de me faire jeter dehors ce soir.

On reste assis longtemps en silence, peut-être une heure. Pour moi, c'est un supplice. Je ne suis pas à l'aise avec lui. Je ne suis pas à l'aise quand je ne connais pas bien les gens. Ça n'a pas l'air de l'ennuyer. Je ne crois même pas qu'il pense à moi. Il est sans doute ailleurs, dans un autre hémisphère, dans la lointaine Allemagne, à songer à tous ces gens qu'il va revoir, les embrassades, les étreintes, les questions inévitables. Je ne peux même pas aller dans une autre pièce ou prétexter que je vais me coucher.

À minuit passé, il me tend la télécommande, il dit qu'il va se coucher. Il ouvre la porte de la chambre, la lumière est toujours allumée. Bientôt, j'entends Mmabatho qui pleure, il lui demande :

— Mais qu'est-ce que tu veux que je fasse ? Elle pleure longtemps, comme les femmes en sont capables. Il ferme la porte, je n'entends plus que des sons étouffés. Ils parlent longtemps dans la nuit, Mmabatho pleure par intermittence. Plusieurs fois, elle se mouche.

Le matin, je me réveille tôt. La première chose que me réclame mon corps, c'est d'aller aux toilettes. J'y vais, je me débarrasse de ça rapidement. Ça ne fait presque pas mal. Dans deux jours, ce sera fini.

Arne part en cours sans petit-déjeuner. Mmabatho est à la maison. Elle me dit qu'elle reste au lit. C'est le dernier jeudi du trimestre, elle dit en haussant les épaules. On prend le petit-déjeuner, on regarde les infos. Le silence est oppressant. J'aimerais être ailleurs.

— Je sais que ça a l'air idiot, mais est-ce que tu peux rester jusqu'à la fin du week-end ? Je n'ai… Tu peux ? elle dit, l'air désespéré. Je ne l'ai jamais vue comme ça. Personne n'a jamais eu besoin de moi, surtout pas elle.

— Bien sûr, je réponds en souriant intérieurement. Mais il faut que j'aille travailler ce soir, et les trois nuits suivantes.

— Tu pourrais pas rester quelques jours de plus ? Je suis sûre que ton propriétaire… Où est-ce que tu vas habiter encore ? elle demande.

— Hmm, Woodstock, je répète au hasard.

— Dis-lui simplement que tu es toujours intéressé. Tu as bien versé la caution et un mois de loyer ?

— *Ja, ja*, je mens avec enthousiasme.

— Alors, s'il te plaît, est-ce que tu peux ?

Je prends mon temps pour répondre. Mmabatho veut toujours que les choses se passent comme elle l'entend. Elle les veut tout de suite et elle sait s'y prendre. Je ne vais pas être son toutou. Tant pis si je n'ai pas le choix.

— Je resterai jusqu'à lundi, je lui dis. J'ai vraiment besoin de m'organiser.

— Très bien. Elle boude avec un air d'enfant gâté.

On regarde la fin des infos.

Elle passe la matinée à traîner. Juste avant le déjeuner, alors qu'Arne doit rentrer, tout d'un coup elle se lave, se change et sort sans me dire où elle va. Je ne prends pas la peine de lui demander. Vers une heure, Arne revient avec un dénommé Andile. Il fait les présentations, on se sourit en se reconnaissant vaguement. Je l'ai vu quelques fois chez Ganesh, c'est un des copains brillants de Mmabatho. Arne me demande où elle est, je hausse les épaules. Je ne sais pas où elle est partie, j'explique. Il claque sa langue et maudit la gent féminine en allant dans sa chambre. Andile et moi, même si on se connaît à peine, on rigole discrètement, le geste était tellement sud-africain, tellement typique d'un noir, on aurait dit un mec des townships. Il revient avec une veste et un petit sac. J'ai entendu parler de ça, une sorte de sac à main pour hommes, un truc européen.

— C'est quoi ça ? se moque Andile.

— C'est là-dedans que je garde mes affaires. Tu sais, portefeuille, passeport, papiers, billet d'avion, il répond, sans la moindre honte pour cet accessoire qu'Andile juge féminin. Bon, allons-y. J'ai un avion à prendre.

— Content d'avoir fait ta connaissance, me dit Andile poliment, peut-être comme une blague.

Je hoche la tête, je le regarde aider Arne à porter une grosse valise et deux sacs dans la voiture. Quand tout est chargé, Arne revient et me tend ses clés.

— Dis-lui que je suis venu et qu'elle n'était pas là pour moi, c'est tout ce qu'il dit, l'air malheureux.

— Bien sûr, je dis. En tout cas, bon vol et à bientôt.

Il me regarde comme si j'avais dit une obscénité. Puis il me regarde à nouveau, ricane et grogne un peu.

— *Ja*, c'est ça, à la prochaine, *nè*? il dit, encore une fois très sud-africain.

Ça va lui manquer ici, je me dis en fermant la porte. J'entends la voiture démarrer.

Dans l'après-midi, je commence à penser à mon travail. Je vais à la salle de bains, je me douche rapidement. Vidé-douché-rasé, je me rappelle les paroles de Shaun. Devant la glace, avec mon rasoir électrique, je fais très attention à ne laisser aucun poil sur mes joues, mon menton et mon cou. Je mets une tonne d'after-shave et d'eau de toilette. Dans l'armoire à pharmacie, je trouve de la teinture, celle qu'utilisait Mmabatho pour se teindre en blond platine, avant Arne. Souviens-toi, tout ce que tu peux utiliser à ton avantage est un atout dans ce business, encore les paroles de Shaun. Pourquoi pas ? je me dis en lisant les instructions, imaginant déjà le look exotique que j'espère obtenir. Il me faut une demi-heure pour me teindre les cheveux, mais la couleur obtenue est loin du blond platine. C'est plutôt cuivre, mais ça a son charme. Je me peigne, je souris et j'essaie de penser à un nom pour le visage qui me regarde dans la glace. J'ai toujours aimé le nom Michelangelo, et puis son œuvre évidemment. Je me décide pour une partie de son nom, Angelo. Je le répète encore et encore devant la glace jusqu'à me sentir à l'aise, jusqu'à commencer à y croire.

Je passe au salon, plein d'excitation. Je sors mon jean noir et une chemise Guess, noire elle aussi. Je vais à la cuisine, je prends le fer. J'utilise la petite table comme planche à repasser, j'entreprends d'effacer les plis. Quand j'ai fini, je range le fer. Je n'ai pas de ceinture mais ça n'a pas d'importance, le pantalon me va à la perfection. Le seul problème, c'est mes pieds. J'ai une paire de Nike, mais elles sont vieilles et fatiguées. C'est celles dont je me sers pour aller courir ou marcher, tout ce qui ressemble à du sport. Je les ai lavées hier. Elles sont un peu mieux. J'enfile cet uniforme, je me sens bien dedans. Dans une des poches du jean, je trouve un collier de perles, noir et blanc. Je le mets aussitôt, c'est la touche finale du look que je vise. Je retourne dans la salle de bains, je me regarde dans le miroir en hauteur. Je me peigne à nouveau, j'arrange parfaitement mes cheveux. Puis j'arrange mon col et je brosse les petits fils qui dépassent de mon jean.

Mmabatho revient. Elle me trouve en train de ranger mes autres affaires dans ma valise.

— Je me suis dit que tu ne m'en voudrais pas puisque tu as les cheveux naturels maintenant.

— Pas du tout. Ça te va bien en fait, elle sourit légèrement en regardant mes cheveux. J'imagine que tu pars au travail ?

— *Ja*, je dois y être à cinq heures moins dix.

— Tu ferais mieux d'y aller.

Je prends mon portefeuille, mes 10 derniers rands, un peu de monnaie.

— Ne m'attends pas, surtout, je dis. C'est à mon tour de me moquer.

— Sûrement pas, elle répond, soudain boudeuse à nouveau.

— Je devrais revenir vers deux heures.

— Il n'a rien dit en partant ?

— Il a dit qu'il était venu mais que tu n'étais pas là. Et puis, il est parti. Andile l'a emmené à l'aéroport.

— Bon. Tiens, prends ses clés, elle dit en me tendant le jeu qui était posé sur la table.

Je prends un taxi pour aller au centre-ville. À la gare, je prends un autre taxi pour Sea Point, mais je descends à Green Point. Il est cinq heures moins le quart, le soleil est encore haut dans le ciel, se souriant à lui-même. Je me dirige à pied vers Steamy Windows, nerveux mais excité tout de même. Arrivé à la porte, j'appuie sur l'interphone.

— Qui est-ce ? fait la voix de Shaun.

— Angelo… de l'autre jour, je réponds.

— Je descends tout de suite, il dit en m'ouvrant la porte.

À l'entrée, je suis accueilli par un type, l'hôte je suppose. Il me sourit, il est vêtu d'un smoking impeccable.

— Shaun m'a dit qu'il descendait, j'explique. Il a un sourire en coin. Du coup, je me sens gêné d'être là.

— Ah, il dit en retournant à son bureau, sur lequel il y a un ordinateur et une télé. Je ne les ai pas remarqués la première fois. J'attends debout patiemment, parcourant des yeux le hall d'entrée, du lustre tombe une forme d'invite régalienne, comme un diadème de lumière au-dessus de ma tête. Les lumières sont brillantes. J'essaie de dissimuler ma nervosité. Un miroir au large cadre doré occupe la majeure partie du mur. Il y a aussi une chaise longue cossue en velours perlé d'un marron clair subtil. La pièce est très décorée. Je ne sais pas si le sol est en marbre véritable ou si c'est un trompe-l'œil.

Shaun descend l'escalier, à l'aise, dans une tenue décontractée. Il porte une chemise Versace en soie, très reconnaissable, avec un motif très riche qui fait fureur ce printemps. Je l'ai vu à la télé une fois.

— Salut, désolé, j'ai pas saisi ton nom, il dit en me serrant la main.

— Angelo.

— Angelo. Ça me plaît, il dit en acquiesçant de la tête.

— *Ja*, désolé, je n'ai pas pu venir plus tôt, j'avais des trucs à régler.

— Ravi de te revoir, il dit en me détaillant rapidement des pieds à la tête. En voyant mes chaussures, il a un sourire.

— J'y travaille. On s'est fait cambrioler, ils ont tout emporté, j'explique.

— Tu es parfait. Les autres sont déjà là. Content de voir que tu es ponctuel. C'est plus facile pour tout le monde, il dit.

Je souris pour masquer ma nervosité.

— Voilà François, notre hôte. Et non, il ne fait pas la même chose que vous autres, me dit Shaun avec un sourire coquin.

Je serre la main de François. Il sourit en permanence. J'imagine que c'est pour ça qu'il est à l'accueil.

— *Ja*, toutes nos réservations passent par François, toutes les annulations, en gros il reçoit tous les appels. L'interphone est en haut, comme ça je peux vous prévenir quand un client arrive. Il vous arrive parfois d'être un peu bruyants et j'imagine que ça peut faire mauvaise impression quand un client arrive, d'entendre tout ça. Il te faudra parfois répondre à l'interphone, rien de bien compliqué, il dit avec un sourire triomphant.

Il me conduit en haut de l'escalier. Je le suis nerveusement. François m'observe. Dans le salon, il y a cinq autres types. J'en reconnais deux, Storm et West.

— Ça roule, vieux ? me dit West, fumant une cigarette. Lui aussi porte un jean noir. Il vient me serrer la main. Il sent bon, sa chemise blanche à manches courtes semble raffinée et hors de prix. Il a les cheveux ondulés, parfaitement coiffés.

— West, présente donc Angelo aux autres et montre-lui ce dont nous parlions tout à l'heure, dit Shaun.

West me présente à Cole, un grand type noir, beau garçon. Il a l'air de venir du Nigeria ou quelque part là-haut. Il me serre la main en souriant largement.

— Et bien sûr, tu reconnais cette salope, me dit West en désignant Storm.

— Tu es superbe. J'adore tes perles, dit Storm en jouant avec.

Il me présente ensuite à un autre gars, Carrington, qui grimace plus qu'il ne sourit. Il est plutôt beau garçon, un petit air enfantin.

— Salut, mec, il dit, son regard bleu papillonnant.

Le dernier garçon s'appelle Sebastian. Il a de longs cheveux noirs, je vois tout de suite qu'il est efféminé. Il porte un tee-shirt plutôt féminin, mais la mode est tellement unisexe aujourd'hui, difficile d'être certain. Il me tend la main comme s'il s'attendait à ce que je la baise. Je la lui serre.

— Angelo, sympa comme nom, il sourit en croisant les jambes. Il y a quelque chose de séduisant dans sa façon d'être aussi à l'aise. Pendant un moment, je reste fasciné par la manière dont il se lime les ongles.

— Bon, les gars, surveillez l'interphone. Je fais faire le tour à Angelo, dit West.

Je le suis nerveusement, mais il s'arrête à la porte.

— Tu vois cette glace, là ? il dit en désignant une grande glace sur le côté. Je vais te montrer un secret, il dit en me faisant signe de le suivre. On se dirige vers une porte, à côté du salon. Elle ouvre sur une petite pièce aux lumières tamisées. Sur le mur, une vitre légèrement teintée à travers laquelle je vois les autres, en train de discuter et de regarder la télé. Il ferme la porte et me regarde, s'attendant à ce que je sois surpris ou émerveillé, comme s'il m'avait montré un tour de magie. Un grand sourire sur le visage.

— *Ja*, c'est vraiment malin, je dis en feignant l'enthousiasme.

— Faut pas que tu t'inquiètes. C'est un boulot facile, il dit en marchant fièrement dans le couloir. Est-ce qu'il marche toujours comme ça ? je me demande, en le regardant se déplacer avec l'agilité et la confiance d'un chat. Nous entrons dans la première pièce.

— Studio numéro un, il annonce. C'est une chambre aux lumières tamisées. Il y a un lit double avec une tête de lit en bois, richement décorée, un petit canapé, une penderie, deux tables de chevet et un long lit étroit pour les massages.

— C'est mon studio. Regarde dans la penderie, il dit en l'ouvrant, voilà mes vêtements. J'ai mon propre studio parce que je travaille ici depuis longtemps. Storm et moi, on est les anciens. Lui aussi a son propre studio à côté, le numéro deux. On reste là, on dort là. Il y a trois autres studios dans le couloir. Vous vous les partagez. Mais t'inquiète pas, si, par exemple, les trois sont pris et que tu as un client, tu peux utiliser le mien ou celui de Storm, pas de problème.

— OK.

— Bon, maintenant Shaun m'a dit qu'il fallait que je t'explique un peu le métier. T'as bien dit que t'avais jamais fait ce genre de boulot ?

— *Ja*, jamais.

— C'est facile, mec, il sourit. Il bouge son bras musclé d'une façon plutôt efféminée – ou bien est-ce que je fais trop attention ? J'imagine la folle en lui, qui se dévoile après quelques verres de vin.

On s'approche de la couchette pour les massages, on dirait plutôt une longue table étroite et rembourrée. Il y a un panier sur la table.

— Quand tu reçois un client, vérifie d'abord que tu as tout ce qu'il faut dans le studio. Certains jours, il faudra venir plus tôt pour nous aider à tout arranger. D'abord tu t'assures que tu as des capotes, il dit en tirant une bande de préservatifs du panier, après, tu vérifies qu'il y a assez d'huile dans cette bouteille. Sinon, tu en trouveras dans la remise. Je te montrerai où c'est. Il faut aussi que tu aies assez de crème, certains clients préfèrent qu'on les masse avec ça plutôt qu'à l'huile. Vérifie aussi que tu as bien trois feuilles de ce papier.

Il tire trois grandes feuilles d'un rouleau de papier sanitaire, on dirait du papier toilette géant.

— Pour essuyer le sperme du type, il dit. S'il veut, le client peut garder le magazine. *Gay SA* nous l'envoie gratuitement, on prend de la pub chez eux. Enfin, il te faut deux serviettes. Juste là.

Il déplie une des serviettes, il y a une savonnette à l'intérieur.

— Pour les clients, ils aiment parfois prendre un bain ou une douche après, il dit en repliant adroitement la serviette avec la savonnette à l'intérieur. Il pose le panier à une extrémité de la table de massage, le magazine *Gay SA* dessous. À l'autre bout, il place les deux serviettes bleues.

— D'abord, je te montre tout, après on discute massage et sexe, il dit sans aucune gêne. Il ouvre la couette, sur un côté du lit. Il faut aussi que tu vérifies la propreté des draps, ils peuvent être tachés si le trou-du-cul d'avant a eu la flemme de les changer. Vérifie systématiquement. Souviens-toi, reste toujours pro, c'est comme ça que tu gagnes ton argent, il dit en remettant la couette en ordre.

Il y a une télé à côté du lit.

— Ça, c'est pour toi, parce que le client n'a pas toujours un visage des plus agréable. Parfois, il est vieux, ou gros, ou il a l'air bizarre avec tous ses boutons. Cette télé, c'est pour toi. Tu mets une vidéo, ça t'aide à bander. Ils attendent toujours de toi que tu bandes et que tu jouisses, aussi immondes soient-ils. Il dit ça imperturbable, mais ça me donne envie de rire. Je jette un œil sur les cassettes. *Garçons du Brésil*, *California Beef*, *Affamé à Seattle*, *Avant le matin*, etc., les titres absurdes et crus s'égrènent. Un mélange de porno hétéro, gay, lesbien et bi.

— Bon, je t'ai montré le studio. Ils sont tous à peu près pareils, il dit, alors que nous ressortons dans le couloir. On passe devant d'autres portes. Je jette un œil au passage, chaque chambre a son style de déco. Le studio de Storm a l'air très japonais. Il y a deux salles de bains, nous entrons dans l'une d'elles.

— Vérifie également que les deux salles de bains sont propres pour tes clients, tu ne sais jamais laquelle va être disponible. Nous avons Samuel qui vient les nettoyer tous les jours à trois heures, donc pas trop d'inquiétude, mais vérifie bien qu'il y a du papier toilette, que le lavabo et la baignoire sont séchés, et qu'il y a du savon. Et ces parfums Aramis, ils sont seulement pour les clients. Shaun va te dérouiller s'il voit que tu t'en sers.

Il ouvre grand les yeux, l'air sérieux.

— Je plaisante, mec. Il te taperait jamais dessus, mais tu dois pas t'en servir, il ajoute en souriant. Cet espace entre ses dents…

Des yeux, je fais le tour de la salle de bains rose, avec ses robinets dorés et un bidet.

— Tu sais ce que c'est, n'est-ce pas? C'est pour te laver le cul en vitesse entre deux clients. Ça arrive. Hier, j'ai eu quatre clients en trois heures. Après ça, j'en avais ma claque de voir des bites.

Je souris, mais sa franchise me hérisse intérieurement.

— L'autre salle de bains est identique, la seule différence, c'est qu'elle est bleue, il dit.

On marche jusqu'à la pièce la plus loin dans le couloir.

— Voilà la remise, il dit en me montrant les étagères où je peux trouver des préservatifs, des draps propres, de l'huile, de la crème, du papier sanitaire, du savon et des serviettes. De temps en temps, il faut qu'on les emporte à la laverie, il dit. Oh, et quand tu as fini avec un client, tu jettes le savon ici, il dit en me montrant une boîte avec une pile de savons usagés. Tout doit toujours, toujours être propre et neuf. Un client ne doit jamais te voir utiliser une serviette sale ou un vieux savon, tu comprends? Reste toujours pro.

Je hoche la tête.

— Retournons à mon studio, il dit. Il faut qu'on parle du boulot et comment on bosse.

Storm nous attrape juste avant qu'on entre dans le studio un.

— West, on a un client, il dit en afrikaans en me regardant. François est en train de le faire monter.

— Les autres peuvent utiliser les studios trois, quatre et cinq, ils sont prêts, répond West.

— *Ja*, donc mets la sourdine avec Angelo, je suis juste à côté. J'espère que c'est pour moi. J'ai rien fait ce matin, il dit en retournant vers le salon pour le « casting ».

On ferme la porte.

— Alors qu'est-ce qu'on fait ? je demande nerveusement.

— Détends-toi, c'est facile, tu vas voir. Première chose, le client va te choisir au salon, ensuite c'est François qui l'amène dans le studio. Il en parle d'abord à Shaun, donc t'as pas à t'inquiéter de quel studio est libre, tu suis simplement François quand il t'appelle. Sur le chemin, il te donne quelques détails sur le client, pour que tu sois pas surpris. Parfois le type n'a qu'une jambe, ou bien il est sourd, ou bien il est venu avec son amant, mais il veut que mater. Ou alors il est nerveux, parce que c'est sa première fois. Ou parfois c'est une femme, ça arrive pas souvent, mais ça arrive. Ça dépend. C'est simplement pour éviter que tu entres là-dedans comme un idiot et que tu prennes un air abasourdi. Tu comprends ?

Je hoche la tête.

— Bon, François t'amène ici, d'accord ? Et puis, il s'en va. Tu fermes la porte. D'habitude, le client te serre la main ou dit « hello ». Le mieux, c'est d'attendre de voir. Parfois, ils préfèrent ne pas serrer la main parce qu'ils se sentiraient obligés d'ajouter « Je m'appelle Gary » ou je ne sais qui, et qu'ils n'ont pas envie de donner leur nom. OK ? Bon, vous vous saluez d'une façon ou d'une autre. Ensuite tu enlèves tes vêtements. C'est aussi simple que ça. Tu te déshabilles.

Sur le lit, sous l'oreiller, il attrape un string avec écrit « Steamy Windows » sur le devant.

— Pendant que tu te déshabilles, tu lui demandes s'il préfère que tu portes ce string ou que tu sois nu. La plupart du temps, ils préfèrent que tu sois complètement nu. Mais tu peux tomber sur quelqu'un qui ne veut qu'un massage et qui veut que tu restes habillé, ou que tu portes au moins un string. Mais ceux-là, tu ne les auras pas parce que tu es nouveau. C'est généralement Shaun qui s'en occupe. Il est aussi masseur, tu sais. Il est très bon, mais il ne fait pas d'extras. Il a une femme et un enfant. Bon, qu'est-ce que je disais ? *Ja*, à présent vous êtes nus tous les deux. C'est là qu'il faut que tu te mettes à la place du client. Parfois, ils veulent un massage pour se détendre un peu, du coup ils vont se mettre sur la table. Mais ils peuvent être aussi trop excités, tu vois qu'ils ont envie de jouir. Alors, tu vas te mettre sur le lit, ils te suivront. Si tu te trompes, c'est pas grave. Tu vas à la table et tu les masses d'abord. Facile, non ? il dit en attendant ma réaction.

Je ne suis plus très sûr d'être capable de faire ça. Est-ce que j'ai le courage de montrer mes fesses à un inconnu avant de lui faire un massage, d'être courtois tout en ayant une érection ? Des angoisses de performance traînent dans un coin de ma tête.

— T'inquiète pas, je te montrerai comment on masse, je te fais d'abord la présentation globale. Après le massage, environ quinze minutes, le client va commencer à te toucher, à te toucher la bite. Ensuite, vous passez au lit. Là, il faut que tu prennes une serviette et que tu l'étendes comme ça, il dit en ouvrant une grande serviette de bain. Pour que le client puisse jouir sur la serviette. Après tu fais ce que tu veux, il dit en souriant.

Je le regarde, l'air vide, muet de terreur.

— Il faut aussi que tu t'amuses, mec, il dit légèrement. Quand vous allez sur le lit, c'est là que le client te dit ce qu'il veut, qu'il va te demander ce que tu es prêt à faire. Par exemple, il va te demander s'il peut te baiser, ou si tu peux le sucer, tu vois le genre. Je demande 450 rands pour la totale, ça veut dire baiser. Chacun a son prix. Storm demande 500. Mais ne sois pas trop gourmand, hein ? Ou tu risques de tout foutre en l'air. C'est généralement le client qui baise, mais il arrive qu'il paie pour être baisé, ça c'est facile. S'il veut plutôt que je le suce, j'ajoute 70 à mon tarif de base, ça fait 250 rands, tu vois. Maintenant, si je lui fais juste une branlette, je demande rien de plus, c'est juste un heureux dénouement, ça fait partie du tarif de base. Les seuls extras pour lesquels tu peux demander une rallonge, c'est quand il y a une séance de sexe active à la clé, tu vois ce que je veux dire. Si le client veut se frotter contre toi jusqu'à ce qu'il jouisse, pas d'extra. Tu les embrasses jamais, tu te laisses jamais embrasser. Comme ça, ça reste professionnel. Crois-moi, et mets toujours un préservatif, t'entends ? Ne joue pas avec ta vie.

J'écoute attentivement, le cœur battant, l'esprit en fuite, cherchant furieusement en moi le courage dont j'aurai besoin.

— Bon, maintenant, t'as réussi à faire jouir le client sur ta poitrine. Tu t'essuies avec la serviette, même si parfois j'utilise le papier du panier. Puis vous vous rhabillez ou bien le client dit qu'il veut prendre un bain. Tu prends alors une serviette propre et vous allez tous les deux à la salle de bains. Tu ne dois jamais laisser le client tout seul. Là aussi tu peux te faire de l'argent. Oh, et souviens-toi, ferme toujours, toujours la porte à clé. Les clients n'aiment pas les surprises. Après, tu lui fais couler un bon bain. Si tu veux vraiment te faire de l'argent, donne-lui toi-même son bain, tu sais, traite-le bien, parle-lui, qu'il se sente spécial, et là je te dis, mec, tu te feras des tonnes de blé. Après le bain, tu ramènes le client dans la chambre. Il se rhabille et tu te rhabilles. Mais avant que le client ne quitte la chambre, tu dois conclure l'affaire. Il faut qu'il te donne ton argent avant de partir, sinon gare aux problèmes, compris ? Mais il t'embêtera pas. Et ne sois pas timide. C'est ton argent. Tu l'as gagné.

Bon, disons que tu lui as fait une pipe, et souviens-toi, mets toujours une capote, même si c'est qu'une pipe. Le client te doit donc 250 rands, mais il va peut-être te donner un pourboire de 50, donc t'as gagné 300 pour une heure de boulot. Et parfois c'est dix minutes. C'est dingue. Tu peux te faire plein de fric. Je me suis fait 12 000 rands le mois dernier, des clopinettes. C'était un petit mois, j'ai déconné sur des petits trucs, il dit et je le crois parce que sa chemise a l'air incroyablement chère.

Bon, après tu ranges la chambre, tu changes tout comme je t'ai montré, tu nettoies aussi la salle de bains et tu changes tout. Essuie bien la table si tu t'en sers pour un massage, cette huile va se mettre partout. Quand tu as fini, tu vas dans le bureau de Shaun. Tu lui payes 90 rands pour le studio et tu gardes le reste. Et tu retournes au salon pour attendre le prochain client. C'est aussi simple que ça.

La panique est en train de prendre le pas sur mon excitation de départ.

— T'inquiète pas, maintenant je te montre le massage. C'est facile, comme si tu faisais du pain, tu sais quand tu pétris la pâte, il dit en faisant le geste de malaxer le lit avec ses mains, mais ses doigts bougent d'une façon que je n'ai jamais vue. Ses mouvements sont adroits, je remarque que ses doigts et ses poignets démontrent une grande force, des heures de pratique. Il me montre une autre technique, où je bouge en cercle les paumes de mes mains ouvertes, et puis une autre, toujours circulaire, mais avec les poings. Encore une autre, où là, en gros, je roule la peau, mais avec des petits mouvements attentifs.

Il faut que tu demandes au type si c'est trop dur ou trop doux, ils ont tous des goûts différents. Certains l'aiment dur, d'autres doux. Demande-leur toujours pendant que tu le fais. Et puis toi, tu dois prendre du bon temps, hein ? Bavarde avec eux. Ils sont parfois silencieux et timides, ils disent rien, c'est bon, tu leur donnes ce qu'ils attendent. Le plus vite, le mieux. Ça veut dire que tu pourras prendre un autre client plus tôt. Souviens-toi juste, vas-y mollo. Masse l'ensemble du corps. Commence avec le cou et les épaules, et descends jusqu'en bas du dos. Puis commence avec les pieds et remonte jusqu'aux fesses. On t'a déjà massé les pieds ? Les clients sont fous de ça. Travaille toujours vers les reins et vers les fesses. Toute cette énergie, cette excitation, c'est là qu'on la veut. Comme ça, il suffit parfois que tu touches le type pour qu'il jouisse. Je te montrerai les endroits chauds plus tard, il dit pendant que je fais comme lui, roulant doucement les poignets sur la couette.

Je l'interroge sur quand il faut mettre l'huile, quand il ne faut pas. Et la crème, et qu'est-ce qui est mieux. Je le questionne sur les massages de face, il sourit mais il m'aide, toujours droit au but.

— Quand ils sont sur le ventre, tu peux leur toucher les couilles entre les jambes, très doucement, ça les excite à mort, ça les rend dingues. Et si tu veux vraiment les faire décoller, tu dois jouer avec leurs doigts et leurs orteils comme ça, il dit en me massant l'index de façon suggestive. La connexion est immédiate. Je commence à me sentir excité, je me retire. Il sourit avec délices.

Alors qu'est-ce que tu veux savoir d'autre? *Ag*, faut pas trop penser, mec. C'est facile. Tu verras, dès que tu commenceras, tu pourras plus t'arrêter, il dit en se levant. Il met son bras autour de mes épaules. Il sent divinement bon.

Il ouvre la porte avec précaution, vérifie qu'il n'y a personne dans le couloir. Puis il me fait signe, nous revenons sur la pointe des pieds vers le salon. Il me montre du doigt le bureau de Shaun, de l'autre côté de l'escalier. Les autres sont en train de regarder un porno, une orgie bisexuelle où Sebastian fait des grimaces de dégoût à chaque gros plan sur un vagin. C'est comme ça qu'ils se préparent, je me dis, la nervosité et la folie se bousculent dans ma tête, le film me distrait momentanément.

On regarde environ une demi-heure. Cole n'est pas dans la pièce. Il doit être dans un des studios. Les autres commentent et critiquent les acteurs quand ils échangent de partenaires et prennent des positions bizarres. «Il faut être contorsionniste pour faire ça. Je refuse de regarder ça», dit Sebastian dégoûté, regardant ailleurs au moment où la femme est prise par les deux hommes. Ils commencent à s'amuser, font des suggestions, discutent de savoir si c'est efficace ou si c'est vraiment excitant. Je regarde, j'écoute, je retiens tout.

Shaun revient avec deux grands sacs plastique pleins de serviettes.

— Angelo, tu es prêt? il sourit. François vient de me dire qu'un client avait téléphoné à propos d'un étalon noir. Il est en route.

Je marque le coup, la gorge sèche.

— Détends-toi, mec. Ça va bien se passer. Je suis sûr que West t'a tout montré. J'ai un bouquin sur les massages dans mon bureau. Je te le passerai plus tard, tu regarderas. C'est très simple.

Il s'assoit avec nous dans le salon jusqu'au retour de Cole et au départ du client. Shaun se lève pour aller avec Cole dans son bureau.

— Angelo, tu peux venir, il dit. Je les suis.

Shaun sort un livre, où il note les heures auxquelles Cole est entré et sorti, le nom du client ou son pseudonyme, et le loyer du studio.

— Alors, bonne pioche ? il demande à Cole.

— *Ja*, c'était un Canadien français. On a bavardé en français. Il m'a laissé un pourboire de 200 rands, j'ai même pas eu à lui sucer la bite, il dit avec plaisir. Shaun hoche la tête, ravi pour Cole.

Après le départ de Cole, Shaun fouille dans les tiroirs d'une de ses armoires. Il trouve le livre sur les massages et me le tend.

— Regarde-le. Ça te donnera des idées. Mais ne t'inquiète pas trop. Tu apprendras en le faisant, il dit avec confiance. Ça fait au moins une personne qui a confiance en moi, je me dis avec ironie.

— Super, retournons au salon, le client va arriver, il dit avec de grands yeux pleins d'espoir et en tapant des mains. Il passe d'abord à la remise pour ranger le tas de nouvelles serviettes.

L'interphone. Shaun répond, il demande le calme, un client arrive. Shaun quitte la pièce en fermant la porte. Après quelques minutes d'attente et de tension, il revient et me fait signe.

— Tu dois y aller, le client t'a choisi, dit West. Les autres me regardent et se mettent à chanter la musique des *Dents de la mer*, quand on voit un aileron de requin et qu'une victime va se faire dévorer.

Je prends une grande inspiration et je sors.

— Je te vois après, reste juste détendu, me dit Shaun. François me conduit dans le couloir. Il me dit que c'est un homme d'âge moyen, sud-africain, légèrement enrobé. Il n'a pas l'air méchant. Il ouvre la porte du studio trois et s'en va. Le client est assis sur le lit. Je reste debout devant lui, me rappelant ce que m'a dit West sur les poignées de main.

— Hello, je m'appelle Bill, il dit, mais je suppose que ce n'est pas son vrai nom.

— Et moi Angelo, je dis de ma meilleure voix.

— Génial, il dit en commençant à déboutonner sa chemise.

Il a l'air plutôt rond que « légèrement enrobé » mais il a un visage chaleureux et des yeux marron gentils. Ces cheveux sont très gris pour son âge mais très abondants. Je me déshabille aussi. Je le regarde mettre soigneusement ses vêtements sur la chaise.

— Veux-tu que je mette le string ? je demande en espérant qu'il dise oui.

— Non, ce n'est pas la peine. Je veux profiter pleinement de toi, il dit poliment. Mon cœur bat la chamade. J'entends des tambours, des montagnes qui s'effondrent, des torrents d'eau qui transpercent des murs.

— Quelle journée, je suis épuisé au-delà de… Pfff, je peux même pas dire… il soupire.

Il a l'air instruit, quelque chose dans le soin avec lequel il se déshabille, ses mouvements mesurés.

Il se tient debout, nu, son modeste pénis inerte. Je me tiens là également. Il s'approche de la table de massage. J'enlève le panier, je le mets près de moi sur le lit.

— *Ja*, je sors juste du bureau, il dit en s'allongeant sur la table, découvrant ses fesses plates, couvertes de cellulite. Sa peau est pâle. Il n'a même pas de marque de bronzage à la taille. Je considère cette imposante masse de chair et de peau avec effroi. Un instant, je la regarde seulement, me demandant si je ne rêve pas. Son visage est à moitié enfoui dans les serviettes. Mais il sent bon, propre.

— Et qu'est-ce que tu fais ? je demande en commençant à transpirer, je me demande ce qu'il faut que je fasse ensuite.

Huile ou crème, décide-toi, putain, je m'encourage. J'opte pour l'huile.

— Je m'occupe d'une banque d'investissement, il répond, j'écoute à moitié ce qu'il raconte, j'essaie de me concentrer sur ce que je fais. Il parle de travailler souvent avec des étrangers, quelque chose sur les taux de refinancement et le nouveau gouverneur de la Réserve. Ça n'aide pas vraiment que sa tête soit enfoncée dans les serviettes, je n'entends pas la moitié de ce qu'il raconte.

— Mes mains sont un peu froides, je dis pour m'excuser, je me verse un peu d'huile dans les paumes pour lui masser doucement le cou.

— Tu serais un chou si tu commençais par mes jambes. J'ai été debout toute la journée, il dit avec douceur.

— Bien sûr, je dis immédiatement, je passe à ses jambes.

Mes mains sont assez grasses, je me concentre sur son pied, en faisant profondément rouler mon pouce sur sa plante boudinée. Il gémit et grogne de soulagement. Je travaille chaque orteil.

— Tu as donc des journées très longues, je dis pour essayer de maintenir une conversation. Ce sera plus facile comme ça, je me dis en regardant l'horloge de la chambre. Cinq minutes se sont déjà écoulées.

— J'ai même pas eu le temps de m'inscrire sur les listes. Si ça continue, je pourrai pas voter. J'ai une entreprise à faire marcher, il dit avec une touche d'arrogance.

Je lui masse l'autre pied.

— J'ai demandé à mon compagnon de s'en occuper, mais ils n'ont pas accepté. Apparemment, il faut le faire en personne. Je peux pas, j'ai juste trop de boulot, il se plaint.

Je passe au mollet, cherchant un rythme et une technique qui me semblent bons.

— J'appuie trop fort? je demande.

— C'est parfait, mon chou.

— Tu fais quoi alors, quand tu travailles pas? je demande.

Je passe à l'autre jambe. J'espère que je ne vais pas trop vite. Je ne veux pas me presser, il reste encore beaucoup de temps, je me dis en regardant l'heure. Il ne se plaint pas.

— On essaie d'aller dans notre villa de Palerme au moins deux fois par an, une fois en juin, une fois en décembre, il dit sans fierté particulière. Juste comme ça. J'imagine que quand tu es vraiment riche, tu n'as pas besoin de frimer.

— L'Italie, ce doit être chouette, je dis en effleurant ses testicules comme West me l'a dit. Je les caresse plusieurs fois, très doucement, de façon aguichante. Il glousse.

— Vilain garçon, il dit. Je m'occupe maintenant du bas de son dos.

— Viens ici, mon chou, il dit en s'asseyant. Son pénis flasque est en train de se réveiller. Il va vers le lit. Je prends une serviette, je l'étends sur le lit.

On s'allonge sur le lit, on commence à se peloter. Il est en érection, j'ai du mal avec la mienne.

— Qu'est-ce qui ne va pas, un peu de trac?

— En fait, c'est mon premier jour, je confesse, légèrement en sueur.

— Tu te débrouilles très bien. Je le dirai à ton patron.

Je me dis de me détendre.

— Tu sais, je pourrais te montrer deux, trois trucs, il dit en me demandant de m'allonger sur le ventre. Il prend de l'huile et la passe sur mes pieds. Il attrape mes deux pieds d'une façon experte et commence à les masser. Sa poitrine est grande, ses mains aussi. Ses doigts glissent entre mes orteils avec facilité. Je gémis de plaisir, je commence à me détendre.

— J'aurais dû me douter que tu étais bon à ça, je dis un peu gêné.

— Je m'y connais juste un peu, il dit modestement, mais il fait des miracles sur mes pieds et mes jambes. Il me masse maintenant les mollets.

— Qui est l'invité à présent ? je dis avec précaution. J'évite le mot client, trop impersonnel.

— J'ai aussi envie que tu t'amuses. Et puis, j'ai l'habitude. Je suis une sorte de mentor. C'est toujours moi qui initie les jeunes, il dit, et je l'imagine au bureau, entouré d'une équipe impressionnante. Il me masse les jambes, joue aussi avec mes testicules.

Je me retourne quand je suis en érection. Il sourit de plaisir.

— Ah, c'est ce que j'attendais, il dit en touchant mon sexe tendu.

On tourne un moment, parlant de choses et d'autres, surfant sur cette vague d'excitation. Il me montre quelques trucs, comme la facilité et l'intimité de la position lovée, en cuillère. Au bout d'un moment, je me sens étrangement détendu, on commence à communiquer avec nos corps. Il réagit bien quand je le touche ou le caresse. Son petit pénis plat glisse entre mes cuisses, mes jambes serrées. Tandis qu'il souffle doucement à mon oreille. C'est la chose la plus érotique qu'on m'ait jamais faite.

Au bout d'environ une demi-heure, nous parvenons tous les deux au plaisir. On reste assis un moment, il me parle de comment apprendre à se retenir aussi longtemps que possible. Il me dit d'utiliser les muscles du « siège ».

— De quoi s'agit-il ? je demande avec confusion.

— Ton anus. Serre ton anus et relâche, mon chou, tu verras, c'est miraculeux. Il pense probablement que je suis inexpérimenté, que je n'ai jamais été avec un garçon.

— Bon sang, j'ai tellement transpiré, il dit. Est-ce qu'on peut prendre une douche ? J'essuie le sperme avec le papier, je lui donne l'autre serviette propre sur la table. Il s'entoure la taille. Je prends l'autre serviette sur le lit et nous nous rendons à la douche. L'eau est froide, il reste debout, la sueur ruisselant sur son dos. Bientôt l'eau se réchauffe agréablement. Je fais mousser le savon sur son dos, je le frotte avec un gant propre et rêche sous l'eau. Il se lave les cheveux au shampoing. Je me lave rapidement pendant qu'il se rince. Un peu plus tard, on sort de la douche, on se sèche. Je lui propose les produits Aramis, il refuse, quelque chose à propos de son compagnon.

— Ce qu'il ignore ne lui fera pas de peine, mon chou. Et puis, je ne fais pas ça souvent.

Je hoche la tête comme il faut.

— Angelo, c'est ça ? il dit quand nous sortons de la salle de bains.

Il me regarde. Ça me fait un bien étrange de croiser quelqu'un qui désire être avec moi, même si l'attention qu'il me porte semblerait peu orthodoxe à beaucoup de gens. Je sens ses yeux sur mon dos, je souris secrètement.

On se rhabille dans la chambre.

— Tu me plais, il me dit. Mais qu'est-ce que tu fais ? Un type intelligent comme toi ne peut pas envisager ça comme carrière.

Son regard se fait sérieux, alors qu'il boutonne sa chemise.

— En fait, je suis étudiant. J'ai juste pris une année sabbatique pour vivre quelques aventures.

— C'est très bien. C'est toujours bon d'avoir une idée derrière la tête, il me dit à la manière d'un oncle. Je m'habille rapidement et je l'attends.

— Combien je te dois ? il demande.

— 180 rands, je réponds en me souvenant du conseil de West, pas être trop gourmand.

Il me tend cinq billets roses de 50 rands.

— Tu l'as bien mérité, il sourit et me touche légèrement le menton. Je lui ouvre la porte, je le raccompagne dans le couloir, jusqu'à l'escalier. Peut-être qu'on se reverra, il dit en disparaissant dans l'escalier, marchant bien droit. Je retourne à la chambre, les billets roses à la main. Il y a quelque chose d'important dans le fait que cet argent soit rose. Le pouvoir rose. Le pouvoir gay, l'énergie gay, l'énergie des hommes, mes pensées fusent dans l'exaltation du moment. L'argent rose va prendre soin de toi, je me réjouis en fourrant les billets dans ma poche. J'arrange la chambre. Les draps sont propres, je n'ai pas besoin de les changer. J'essuie la table de massage et j'emporte les deux serviettes dans la remise. Je les jette dans la corbeille de linge sale, j'en prends deux propres et trois feuilles de papier, comme me l'a dit West. J'essuie le sol de la salle de bains avec une serpillière que j'ai trouvée dans la remise. Quand tout est impeccable – depuis Chris, je sais ce qu'impeccable veut dire –, je vais au salon. Les autres attendent mon verdict. J'entre l'air de rien. Je ne suis pas un *moegoe.*

— Comment ça s'est passé ? demande West. *Ag*, sans problème, je dis l'air blasé. Shaun sourit. On va dans son bureau. Je paie les frais de studio, il note les détails dans son livre noir.

— Alors, tu as gagné de l'argent ? il demande sans lever les yeux de son livre.

— Il m'a laissé un pourboire de 90 rands, j'exagère légèrement les soixante-dix qu'il m'a laissés.

— Pas mal. Tu vas bientôt être un habitué, il dit. Je commencerai à te décompter les frais d'annonce la semaine prochaine. C'est seulement 60 par semaine.

Je retourne au salon, je vais voir Cole.

— Écoute, je savais pas qu'il fallait apporter ses affaires de toilette. Tu pourrais me dépanner en me prêtant ton peigne et ton déodorant ? je lui dis à l'oreille.

— Bien sûr, mec, quand tu veux, il dit en sortant une petite trousse de toilette en cuir. Un C y est brodé en lettres d'or. Je vais à la salle de bains. Je ferme la porte à clé et je m'observe dans la glace. Putain, on n'a pas une minute, je me dis en rigolant, mais je me contrôle. J'ouvre la trousse de Cole, pleine de produits pour hommes. Je sors un peigne en bois, finement ciselé. Je peigne mes cheveux crépus, je les arrange bien. J'enlève les cheveux avant de remettre le peigne dans la trousse. Je me mets ensuite du déodorant sous les aisselles. Je me vaporise un peu d'eau de Cologne, je referme le zip.

Puis je reste là à me regarder. Un sentiment affreux me submerge. C'est officiel. Je suis une salope, une grosse pute, me crie une voix intérieure. Je n'avais pas le choix, je me dis, pas la peine de me sentir coupable. L'excitation fait place au sentiment dégrisant de ce que j'ai fait pour de l'argent. J'ai même une pensée pour ma mère, et pour le curé de mon enfance, tous les Ave Maria que j'aurais dû réciter pour un tel forfait.

On frappe à la porte. J'ouvre, c'est West. Il entre et ferme la porte. Là, il fait une chose étrange. Il m'attrape le cou et approche mon visage du sien. Je sens sa langue dans ma bouche et le parfum de son eau de toilette. Je reste là, je le laisse m'embrasser. Peut-être je le désirais moi aussi.

— Bienvenu, il me dit ensuite. Ne te méprends pas. J'aime pas les hommes. Je préfère les femmes, mais *omstandighede*, à la guerre comme à la guerre, tu comprends ?

Il recule, s'assoit sur le bord de la baignoire. Je le regarde, confus, une forte érection dans mon jean serré.

— Le truc, c'est de jamais embrasser les clients. Au bout d'un moment, les saluer et être intimes avec eux, ça n'a plus aucune importance. C'est pour ça que je t'ai embrassé, ça a plus de signification, c'est plus intime que de se serrer la main. J'ai serré tellement de mains et de pénis, il rigole, mais tu vois, il fallait que je te fasse comprendre que tu es l'un d'entre nous à présent. On est comme des frères ici. Tu verras des choses que peu de gens voient dans toute leur vie. Tu feras des choses dont tu ne te serais jamais cru capable. C'est comme ça. C'est le métier. Les gens nous regardent et pensent qu'on ne fait que ça – baiser. Mais moi je te dis qu'avec tout ce qu'on fait et tout ce qu'on voit, on est capables de tout après. Je pourrais être président un jour, il dit, l'air soudainement sérieux.

Je m'assois sur la cuvette fermée des toilettes, je l'écoute. Son sourire pourrait illuminer un lustre.

— C'est le dernier refuge des hommes. Comment je pourrais appeler ça ? Un bastion, il dit en me regardant avec un peu de tristesse. Nos pères n'ont plus de lieu où se réfugier, tu sais, un endroit sans femmes. Ici, c'est comme un club, un club exclusivement réservé aux hommes. Ce client, c'est un habitué. Shaun le connaît. Nous le connaissons tous. C'était une façon de te tester. On recherche pas tellement des mecs beaux ou bien bâtis. Ça, c'est à la portée de tout le monde. On recherche quelqu'un de plus profond, authentique, une personne qui veut faire quelque chose de sa vie. Tu as réussi l'examen. J'ai un diplôme en biochimie de Stellenbosch. Sans déconner, ici on est dans la réalité, dans le vrai.

Il reste là, les bras croisés. Un instant, j'ai l'impression de participer à un truc que je ne comprends pas complètement, ésotérique peut-être, une société secrète ou quelque chose du genre.

— Ce qu'on fait, c'est très sérieux. On ne fait pas que baiser ces mecs pour l'argent. C'est ça que je voulais te dire. Notre travail ici est important. Tu verras. Ils nous montrent des choses, ils nous disent des choses qui seront utiles dans le futur.

Ses yeux étincellent.

— Je crois que tu as compris que rien ne sera plus jamais comme avant. Le monde change, il se passe des choses. La Nature nous parle, mais peu de gens écoutent. *Ja*, eh bien, ici on sait ça. Et je crois que toi aussi, tu le sais. C'est pour ça que ce travail est aussi important, tu comprends ? Ces gens qui viennent ici, tu crois que c'est un hasard si Bill possède une banque ? Tu vas croiser des tas d'hommes de tous horizons. Il faut pas que les histoires de sexe te perturbent, hein ? Le sexe, c'est toujours la même chose, que ce soit avec un homme ou une femme, c'est juste une question de choix. Comment on dit déjà ? De préférence. Peut-être que tu aimes pas les hommes. Peut-être que tu penses les aimer, mais que c'est pas le cas, il dit en observant la confusion dans mon regard.

— Qu'est-ce que tu es en train de me dire ? je finis par articuler.

— Ce que je dis, c'est que c'est pas un hasard si tu es là. Je dis que notre travail est important. N'y réfléchis pas trop, tu verras avec le temps. Mais souviens-toi que nous sommes tous frères.

Je marque le coup.

— Tu lis dans mes pensées. Comment tu fais ça ? je dis, émerveillé, nerveux et confus.

— On est tous frères. On s'occupe les uns des autres. On se connaît tous bien. Tu verras. Je sais que tu veux coucher avec moi. Et ça se fera, ce soir, après le service, reviens me voir dans mon studio. Tu verras qu'une fois que tu dépasses le sexe, c'est pas grand-chose. Si tu atteins l'orgasme et que tu te sens bien, tu comprendras que c'est une façon de communiquer, une façon de dire les choses. Je sais que tu ne comprends pas, mais ça viendra. Tu vas tout comprendre, il dit en s'approchant de moi.

Je ne dis rien. Il est près de moi mais il ne m'embrasse pas.

— Il faut qu'on y retourne. Une dernière chose avant. Tu as le choix, tu peux partir maintenant pour toujours. Si tu en parles à quiconque, personne te croira. Ou alors tu peux rester. C'est toi qui vois, il dit en sortant.

Je me regarde à nouveau dans la glace, la tête pleine d'un million de questions, de théories, me demandant qui se cache derrière ça. Est-ce qu'il s'agit d'une escroquerie très élaborée ? Mais il faut que tu saches, me dit ma raison. Je retourne au salon, j'y retrouve Shaun assis dans le fauteuil. Les autres me regardent comme s'ils savaient ce que West vient de me dire. Je m'assois dans le canapé, entre West et Carrington.

— Alors tu restes ? me demande Shaun.

— *Ja*, je dis rapidement. Je n'aime pas être au centre de l'attention. Leurs regards retournent à ce qu'ils faisaient avant que je n'entre.

— Bien.

Quand les autres ne regardent pas, je les épie en cachette, j'essaie de voir ce qui se cache derrière ces apparences, ces tenues impeccables. Je regarde Sebastian, bichonné des pieds à la tête comme un caniche. Il est assis seul, absorbé par ses écouteurs. Il n'a soudain plus l'air aussi superficiel que je le croyais. Il y a de la dignité dans ses manières efféminées, dans la façon dont il est assis, les jambes croisées de façon suggestive. Il y a un esprit derrière cette façade, ses yeux courant sereinement à la ronde tandis que sa tête bat le rythme de la musique. Il me voit le regarder, il sourit. Gêné, je détourne les yeux. Cole et West discutent d'un truc à la télé. Storm et Carrington parlent d'une fête, la veille. Je continue à penser à West, qui est allé à Stellenbosch, je m'interroge sur les autres. Se pourrait-il que Carrington soit un scientifique, Sebastian un analyste politique, Storm un psychologue clinicien ? Ou bien est-ce que West m'a juste fait marcher ?

Vers neuf heures, on me rappelle. Cette fois, je suis un peu plus détendu en remontant le couloir avec François. Il m'explique qu'il s'agit d'un Anglais chic, dans les trente ans. Je le trouve assis sur le bord du lit. Il a les cheveux châtain clair, un air concupiscent.

— Hello, Angelo, c'est bien ça ? il dit en me serrant la main.

— C'est ça. Il est déjà plus qu'un client. J'imagine mille possibilités sur ses intentions réelles.

— Alors, qu'est-ce que tu fais ? Je veux dire, qu'est-ce que tu proposes ? il demande avec un regard évocateur. Il a une intonation d'école privée.

— Hum… je commence, déconcerté. Je propose tout sauf une relation sexuelle.

— Pas la peine de t'inquiéter alors. Je n'avais pas l'intention d'aller si loin, il dit en commençant à enlever ses bottines. Je me déshabille également. Je le fais vite, efficacement.

Il est debout, nu. Son corps est tonique, musclé. Il a une cicatrice qui descend sur le côté de la cuisse. Bizarrement, je trouve ça attirant, je la fixe. Il s'approche de moi, son sexe grossissant déjà entre ses jambes poilues. Il m'embrasse le cou.

— Désolé, j'ai pas pu résister, il dit.

Instinctivement, j'attrape une serviette et je vais sur le lit.

— C'est ça, oublions les préliminaires, il dit.

Il s'approche du lit vivement, son corps impressionnant est légèrement bronzé. Un Anglais aventureux, je soupire en moi-même.

— Tu es ici en vacances ? je commence.

Il ne répond pas. Il couvre mon corps de baisers tendres et doux. Il en attend autant de moi. Je ne me plains pas. Sa peau est râpeuse mais c'est surtout parce qu'il est tellement poilu. Dans ses cheveux, je sens un léger parfum d'eau de mer, comme s'il était allé nager avant de venir. Mais sa peau ne sent pas la mer. Elle est propre, un peu sèche. On se caresse et on s'embrasse environ dix minutes avant qu'il ne jouisse. Mais je ne parviens pas à le faire avec lui.

— Pas de problème, il dit. Il se lève, enfile ses sous-vêtements, rangeant adroitement son matériel dans son slip kangourou.

Il s'habille rapidement et laisse 300 rands sur la table de nuit. Une serviette autour de la taille, je le raccompagne jusqu'au couloir.

Je retourne mettre de l'ordre dans la chambre. Pas grand-chose à faire puisque nous n'avons pas fait grand-chose. Je m'habille, j'arrange mes cheveux avec mes doigts. À son bureau, Shaun note à nouveau les renseignements.

— Je t'avais bien dit que tu aurais un succès fou, il dit à mon plus grand embarras.

— Je n'ai jamais gagné autant d'argent aussi vite. On y a passé à peine quinze minutes, je dis. Est-ce que c'est du vol ?

— Que ça te prenne quinze minutes ou une heure pour satisfaire le client, ça n'a pas d'importance. Ce que tu dois te rappeler, c'est que tu lui as fourni un service professionnel. Ça leur évite d'aller se perdre dans des coins sombres où ils pourraient attraper le sida ou une MST. Pour ce travail, il faut que tu ailles puiser en toi-même. C'est pour ça que certains craquent, ils supportent pas la pression, ou plutôt ils supportent pas de gagner de l'argent comme ça. Tu vois ce que je veux dire ?

West aussi dit ça tout le temps, « tu vois ce que je veux dire ? ».

— Des étalons, je m'en suis enfilé, il dit en riant, excuse le mauvais jeu de mots. Tu verras que tu finiras par parler comme ça. En tout cas, ceux qui restent et qui se débrouillent bien, ceux qui ont la capacité de rester sont ceux qui se laissent pas trop atteindre. Il faut que tu préserves une partie de toi-même. Ne laisse pas ces conneries d'argent te posséder complètement. Certains gars, ceux qui restent pas longtemps, ils croient que l'argent, c'est le pouvoir. Ils confondent l'argent et certains des types riches et puissants qu'ils croisent ici. Mais il y a des périodes, des jours entiers sans clients. C'est comme ça. Tout le monde connaît des passages à vide, même les meilleurs. Faut pas le prendre personnellement. Certains gars, ça les atteint, ils se sentent rejetés. C'est pour ça que je dis que ce business est pas fait pour tout le monde. Il faut avoir le cœur solide. Ça peut faire ressortir le meilleur en toi, comme le pire, il dit en se reposant en arrière sur sa chaise.

— Bon, je ferais mieux d'y aller, je dis.

Au fil des heures, chacun est appelé. Mais c'est West qui a le plus de clients. Cinq dans la soirée.

— C'est pour ça qu'on m'appelle Kalahari West, parce que je suis le meilleur, il plaisante. Vers une heure du matin, Carrington et Cole rentrent chez eux. Storm est parti en mission à l'extérieur. Il ne reste que West, Sebastian et moi dans le salon. C'est calme, le temps passe lentement. On baisse le son de la télé. Shaun est dans son bureau. West somnole dans le fauteuil, les jambes posées sur un petit tabouret. Même endormi, il est sexy.

Je suis assis à côté de Sebastian dans le canapé deux places en cuir crème. Il m'est de plus en plus sympathique.

— Ça fait combien de temps que tu fais ça ? je lance.

— Pas longtemps, environ six mois, de façon discontinue.

— Je suis pas encore convaincu d'être à la hauteur, je dis.

— Ça va venir, il dit avec un sourire un peu blasé. Il en a trop vu, trop fait.

Il me surprend à regarder West.

— Ah oui, notre cher West. N'est-il pas délicieux ? il dit, tout un éventail d'expressions sur le visage. Un coup d'œil rapide en levant un sourcil, une légère fossette dans le sourire, une ride entre les yeux en écoutant, un regard sombre plein d'intelligence rentrée, et puis des moues suggestives sur les lèvres. Mais toujours une touche d'ironie.

Je me sens gêné, je grimace.

— Tu sais, un des trucs de ce métier, c'est que tu dois aller au fond de tes faiblesses, des idées que tu te fais de toi-même, il dit.

Il se tait en regardant West. Son regard est concupiscent, possessif. Ou est-ce moi qui suis jaloux ?

— Il faut faire très attention à tes émotions. On couche tous les uns avec les autres, sans arrêt, excepté Shaun, il est marié. Je pourrais même coucher avec toi, il lance avec audace.

Mais il n'est pas mon genre.

— West m'a dit que vous étiez tous frères ici, je dis franchement.

Il a un petit rire. Je comprends d'où vient son charme. Ses yeux sont sans arrêt en action : captivants, séduisants, hypnotiques, ils font oublier, ils font sourire, ils vous emmènent là où vous ne seriez jamais allé.

— C'est parce que nous sommes si clairs sur ce que nous faisons. C'est le sexe sous sa forme la plus libérée, sans avoir à répondre à une femme, un mari ou un partenaire. Ce que le client vient faire ici, ce que tu fais toi, c'est fugace. Pas de restriction, pas d'emploi du temps. On peut trouver ça égoïste mais parfois, quand l'ambiance est bonne, quand le client est ouvert, c'est un abandon de soi.

Son regard se pose à nouveau sur West. Une pointe de jalousie me transperce.

— Les hommes n'ont pas l'occasion d'explorer leur sexualité. Soit ils sont mariés, soit ils sont supposés l'être. Il n'y a pas d'entre-deux. Du coup, les hommes n'ont jamais commencé à explorer ce que c'est qu'être un homme. Il n'y a pas de place pour eux. Dans les sociétés dites primitives, les hommes sont plus conscients d'eux-mêmes. Je ne parle pas de statut ou de pouvoir. Je parle de conscience de soi. Dans les sociétés soi-disant primitives, un homme, même jeune, sait ce qu'il fait quand il introduit son pénis dans une femme. Il sait qu'elle peut tomber enceinte.

Il n'y a pas cette ignorance aveugle, stupide qu'on trouve dans les zones urbaines où des filles de treize, quatorze ans se retrouvent enceintes parce qu'elles tentent des expériences sexuelles. Ce genre de chose n'arrive jamais. Les femmes aussi sont conscientes d'elles-mêmes, de leur faiblesse face à la puissance d'un homme, et comment elles peuvent transformer le sexe en atout. C'est provocateur, je sais, peut-être même choquant. Il est peut-être vrai que les peuples dits primitifs sont davantage axés sur la sexualité. Moi je le serais. Ça me semble plus naturel. La civilisation occidentale édulcore le sexe et ses besoins sous la politesse, les bonnes manières, mais d'une façon rigide. Je ne suis pas en train de dire que les peuples dits primitifs...

— Tu parles des peuples soi-disant primitifs, mais de qui parles-tu au juste ? je le coupe.

— Ça dépend de ce que l'Occident appelle primitif. Il rougit. Ce peut être les Indiens d'Amazonie, les Xhosa du Transkei. En gros, tous ceux qui ne fonctionnent pas selon les mêmes codes qu'à l'Ouest. Bien sûr, eux aussi ont des valeurs sociales. La politesse et les bonnes manières interviennent là aussi. Je ne dis pas qu'ils feraient l'amour aveuglément n'importe où, avec n'importe qui. Mais il me semble qu'ils sont plus ouverts sur ce plan. Ça se voit beaucoup dans leur humour.

— L'humour de qui ? je commence à me sentir mal à l'aise. Qu'est-ce qu'il sous-entend ?

— Eh bien, j'ai passé plusieurs vacances à Port St John, au Transkei, il dit. Et tu crois que ça te donne le droit de sortir des généralités comme ça ? je me demande.

— Et ? je dis, avec peut-être trop d'agressivité.

— J'ai trouvé les gens très chaleureux et ouverts en matière de sexe. Ils voyaient que je préférais les garçons, ils n'en faisaient pas tout un plat. Ça les faisait plutôt rire. C'est assez difficile à expliquer, c'était pas comme s'ils me disaient « Ahhh, pédale », c'était plutôt, lui, il aime les garçons, il dit en reconstituant la scène avec de grands gestes, ses bras ont la grâce d'un danseur. Ses mains sont très fines, elles peuvent être très subtiles quand il cherche à convaincre.

— Qu'est-ce que ça a à voir avec tout le reste ?

— Ce que je cherche à dire, c'est que les peuples dits primitifs comprennent le rôle des sexes et les ambiguïtés de la sexualité mieux qu'on ne le croit en Occident.

— C'est vrai, je dis en osant exprimer mon avis. Les gens disent toujours que la culture noire est rigide, qu'elle n'accepte pas les homosexuels et les lesbiennes. Tu connais le débat – c'est pas du tout africain. C'est des conneries. Dans mon expérience, ça vient des noirs urbanisés, qui ont oublié les origines de notre culture en la mélangeant avec les principes bibliques anglo-saxons. C'est idiot de suggérer que l'homosexualité n'existe pas dans la culture noire. Il y a longtemps, bien avant les blancs, les gens étaient conscients des zones troubles. Forcément.

— Exactement ce que je voulais dire, il reprend, la pire déformation, c'est celle de la femme noire toujours dépeinte en mégère sexuelle, tu sais, genre Grace Jones dans *Conan Le Barbare*. Ou encore ces stéréotypes débiles à la télé dans les clips de rap ou de R&B où les filles noires sont toujours disponibles, toute leur vie tournant autour de mecs qui passent leur temps à les tromper. Ça me trouble un peu qu'il soit aussi perspicace, mais j'écoute.

— Désormais, ça s'étend de plus en plus aux blanches. Elles sont présentées à travers le même prisme *gangsta*. C'est vraiment comique. Comme s'ils singeaient la culture black, les stéréotypes, le mec cool, la copine facile. Tu as vu tous ces boys bands blancs? Ils marchent tous comme s'ils avaient grandi dans le ghetto. C'est comique parce qu'ils n'y arrivent pas vraiment. Mais ça donne une idée d'où les jeunes vont chercher leurs modèles aujourd'hui. Demande à n'importe quel marchand de disques qui est-ce qui achète super cher ses imports de rap hardcore, il te dira que c'est généralement des jeunes blancs aisés dont la vie n'a rien à voir avec celle des ghettos.

Tu sais à quoi ça me fait penser? Quand je regarde la télé, ou même les gens dans la rue, je crois que nous commençons à revenir à ce que ça signifie vraiment, être une fille ou un garçon. Tu vois ce que je veux dire? D'accord, le truc des années 1990, c'était l'ambiguïté, l'unisexe. Elle et lui pareils, CK One, tu vois le topo. Mais la mode semble aller vers des mecs qui ont l'air de mecs, et les filles, de filles. Versace en est l'illustration. Avec tous les progrès qu'ont fait les femmes, on pourrait croire que les talons aiguilles, ça n'est plus qu'un fétiche de sexiste, mais non. Ils ont plus de succès aujourd'hui que jamais. Les femmes libérées en portent par choix. Tu vois ce que veux dire?

— Hmm.

— Mais les cultures dites primitives sont bien en avance là-dessus sur l'homme occidental. Ils appréhendent leur sexualité et la vivent d'une façon que nous ne comprenons pas. Comme par exemple dans une tribu du Pacifique Sud dont j'ai oublié le nom, quand les hommes s'en vont pour s'entraîner avant une bataille, ils séjournent dans un camp où il n'y a pas de femmes. En fait, les femmes sont exclues parce qu'elles représentent la vie, la paix, leurs hormones sont pacificatrices. Et voilà le truc intéressant. La façon dont ils s'organisent, c'est que les jeunes garçons font la cuisine pour les hommes, ils nettoient et, en gros, ils leur rendent un service sexuel en leur faisant des fellations. Pour moi, ça veut dire beaucoup. Ça veut dire que ces gens comprennent la puissance – et je fais attention au mot – qu'il y a à être un homme. Ils comprennent ce qu'est le sperme, ce que ça fait, ce que ça signifie. Pour ces jeunes garçons, ingérer ce sperme, c'est peut-être ingérer quelque chose de leurs aînés, les guerriers. C'est peut-être ainsi que l'information se transmet. C'est tellement rituel, comme une célébration du phallus. Réciproquement, les jeunes donnent peut-être ainsi de la force aux hommes, en honorant ce phallus, qui n'est après tout qu'un point central d'énergie. Pour moi, c'est simplement un moyen d'activer cette énergie. Oh, et ça me rappelle ce tableau que j'ai vu une fois, fondé sur un mythe grec. Je me souviens pas des personnages, mais je me souviens que le père avait été capturé et que ses bras étaient attachés. Il était dans un genre de caverne avec sa fille. La seule façon qu'elle avait de le sauver, c'était de le laisser téter ses seins. J'aimerais pouvoir me souvenir du tableau ou du mythe. En tout cas, ça me laissait penser que les gens ont toujours été conscients de ce que ça signifiait que de se nourrir les uns les autres. Pour dire ça crûment, ils connaissaient le pouvoir des liquides et des sécrétions corporels. Même le cannibalisme est une forme extrême de cette appropriation de l'énergie.

C'est un érudit, mais ça m'agace qu'il reste vague sur certains détails.

— C'est le même genre de relation qui unissait, dans la Grèce antique, un pédéraste et son protégé, généralement un jeune garçon. Tellement fasciné par sa beauté, Zeus a transformé Ganymède en aigle pour le prendre sous sa coupe, l'aimer en esprit et en chair. Il est tombé amoureux de lui, et n'oublie pas que Zeus avait des femmes et des enfants, hein ? Les Grecs, ils comprenaient cela, c'était acceptable. La relation était toujours entre un adolescent et un homme mûr. Les Grecs ont exploré la dichotomie entre l'âge mûr et la jeunesse. Peut-être qu'ils comprenaient mieux les relations humaines parce qu'ils ne voyaient pas tout en noir et blanc. Il y avait beaucoup de zones grises. Le plus drôle, enfin ce que nous on trouve drôle, c'est que ces garçons grandissaient pour devenir des hommes normaux, qui finissaient par se marier, mais qui, plus tard, avaient à leur tour des relations sexuelles avec de jeunes garçons.

Je crois que les hommes ont toujours été davantage portés sur la sexualité que les femmes, et que les femmes le savent. C'est peut-être pour ça que les mythes grecs sont si ouverts, si enclins à explorer la sexualité pour y faire entrer les différents sexes. On sait tous que si les hommes mariés faisaient ce qu'ils voulaient, ils auraient beaucoup plus de relations sexuelles avec leur épouse. Mais les femmes ne sont pas comme ça. Leur sexualité est bien plus tournée vers l'intérieur. Je ne crois pas que les lesbiennes soient aussi portées sur le sexe que les mecs gay, je sais pas. Ça n'a pas l'air. Il y aurait davantage de lieux de rencontre, de bars, de films porno, de magazines cochons, il dit.

L'audace de ses idées m'impressionne.

— Qu'est-ce qui arrive si on ne comprend pas ce qui se passe vraiment ? Tout au long de l'histoire, la semence, sa préservation par l'abstinence ont toujours été encouragées par les sages. On raconte que Goethe restait célibataire pendant les périodes où il écrivait, et une quantité innombrable d'artistes s'enfermaient pour puiser leur force en eux, en leur semence. Pour parler d'une autre culture soi-disant primitive, on a suggéré que si les Vikings ont remporté tant de victoires dans leurs conquêtes, c'est peut-être parce qu'ils étaient plus gentils les uns avec les autres qu'on ne le pense généralement. Loin de leur maison, de leur famille, de leur femme, de leurs enfants, avec la mer pour tout compagnon, ils trouvaient force et réconfort les uns dans les autres en se faisant des fellations. Être un homme, ça signifiait peut-être chercher au-delà de l'évidence.

— Où est-ce que tu lis tout ça ? C'est quand même un peu gros, je lui dis franchement.

— Un peu gros, parce que c'est déstabilisant de penser que ces pillards, ces guerriers braves et valeureux pouvaient aussi avoir des moments d'intimité, pouvaient se permettre de se montrer aussi vulnérables. Écoute, ce que j'essaie de dire, c'est que quand deux mecs se rencontrent, il se passe plus de choses qu'on croit, aussi déplaisant que ça paraisse à certaines personnes. Les anciens ne prêchaient pas sans raison l'abstinence comme façon d'accéder à la sagesse, tu vois, la préservation de la semence comme moyen de révéler les mystères de la vie. Pas plus que les mystiques qui essayaient de voir au-delà, qui considéraient la semence comme d'essence divine. Il faut croire à l'intelligence de la vie.

— Qu'est-ce que tu veux dire ?

— L'ambiguïté sexuelle, l'attirance pour le même sexe, ou pour les deux, peut-être que comprendre cela, ça nous dépasse. Peut-être que c'est la vie qui se charge de répondre elle-même. Tu connais cette théorie sur les grenouilles, que s'il n'y a que des mâles dans un groupe, la nature trouve une solution et quelques-uns s'adaptent et changent ?

Je hoche la tête.

— Pourquoi serions-nous différents ? Nous pourrions nous aussi être régis par les mêmes forces supérieures, il dit.

— Mais qu'est-ce que ça a à voir avec nous, en tant qu'espèce ?

— Ce que je suggère, c'est que notre ambiguïté sexuelle, c'est peut-être la nature qui réagit. Être gay, ça vient peut-être d'un rééquilibrage par la nature. En tant qu'espèce, on est en train de perdre le nord, nous sommes la plus grande menace à notre propre survie. Et ça ne peut plus durer très longtemps comme ça. Peut-être qu'être gay, c'est une décision divine, il dit, son visage, variant sans cesse entre une multitude d'expressions, devient soudain pieux, les mains placées en signe d'humilité. Il ferait un excellent orateur. Non mais vraiment. Pense à tous les gays que tu as croisés, il dit.

Je souris intérieurement.

— Tu vois ce que je veux dire ? J'ai même pas eu besoin de le dire. C'est au-delà des mots. Maintenant pense à ceux du Cap. Je vais t'en parler, d'eux. OK, en dehors d'être un peu superficiels et voyants, ils sont aussi bourrés de fric, très qualifiés, ouverts, cultivés. Là, je parle essentiellement des blancs. Les townships, je peux pas en parler. Ils ont des revenus très confortables. Vraiment pétés aux as. Le genre de business qu'on fait ici…

— Attends, tu vas où là ? je dis avec un peu d'impatience.

— En fait, c'est comme si la vie avait sélectionné un groupe de gens qui ont triomphé des pires difficultés, des pires préjugés, du pire sectarisme, à tous les niveaux de la société. Peut-être les prépare-t-elle à quelque chose d'autre, à de plus grands défis. C'est l'un des préjugés qui traversent toutes les frontières, raciales, sociales et culturelles. Certains de ceux qui ont le mieux réussi, parmi les gens que je connais, sont gays, et puis des gens que j'admire, des modèles. Oscar Wilde, James Baldwin, Navratilova, George Michael, il est si mignon. Et regarde, comment il s'appelle, David Geffen ? Un nabab des médias, il dirige ce truc avec Spielberg et l'autre type.

— *Ja*, et alors ?

— C'est l'exemple classique de ce dont un gay est capable quand il décide de s'y mettre. Malheureusement, il n'y a pas beaucoup de gens dans les hautes sphères de la société qui acceptent de sortir du placard. La société les a toujours opprimés. Imagine toute cette énergie refoulée, cherchant à s'exprimer. Je pense à Michel-Ange, Alexandre le Grand, et même Léonard de Vinci, certains ont dit. Et bien sûr tous les couturiers, les chefs, la plupart ont l'air gay. Et dans les arts. Beaucoup de gays sont attirés par les arts. C'est pas une coïncidence. Il y a une intelligence plus grande derrière cela. La Vie. Dieu. Appelle-ça comme tu veux. On avance vers la fin de notre histoire, de notre apprentissage. L'humanité, c'est un jeune de dix-huit ans qui se jette dans le monde. Deux possibilités. Certains vont survivre, d'autres vont mourir. Il suffit de regarder les infos et la météo pour savoir ça. Les Américains pètent les plombs. Ils s'entretuent un jour sur deux. Ils disent merde à la famille nucléaire. Qu'est-ce qu'on en a à foutre ? File-moi une arme automatique, un excitant et des tas de gens à dézinguer. C'est dingue. Tous. Partout. C'est réel. La tension, les gens sont en colère. Comme si toute la planète n'était qu'un bouton gonflé de pus, au bord de l'éruption. Et ce pus va en mettre partout. Ça a déjà commencé, il dit avec des gestes plus larges.

West marmonne quelque chose dans sa barbe. On le regarde se gratter brièvement l'entrejambe. Mais Sebastian est sur sa lancée.

— Je crois que les gays vont jouer un rôle plus important dans le futur. Tu sais pourquoi ? Parce qu'ils n'ont pas de femme. Ils n'ont pas d'enfants, du moins en théorie. Les hétéros s'épuisent, se carbonisent à élever des enfants sans arriver à leur donner tout ce qu'ils voudraient. Ils veulent quitter le navire, ils veulent plus de sexe, ils cherchent toujours mieux, regarde Clinton. Ils sont insatisfaits. Alors que les gays ont toujours été plus libérés sur le plan sexuel parce qu'ils savent mieux ce que veut leur partenaire, mieux qu'une femme. Du coup, ils ont l'énergie, le temps et les moyens de se réinvestir à fond dans une civilisation qui a du mal. On est au bord de l'implosion quand même. T'as pas cette impression ? Dans le futur, les gays vont prendre leur place dans l'arène du monde, et je ne parle pas de la mafia gay. Je parle de quelque chose de beau, de pur, d'une bonne nouvelle pour le monde, parce que c'est honnête, il dit avec ferveur.

— Les gays, les gays. Tu ne dis rien des lesbiennes. Si une femme t'entendait, elle te traiterait de misogyne, tout pour le mâle, j'interviens.

— J'y venais. Dans le nouvel ordre mondial, les lesbiennes seront les femmes sages de la communauté, les mères avisées, les Anciennes. Elles seront ces sages qui conduisent la communauté parce qu'elles connaissent la force des femmes, elles savent qu'il y a de la force dans la faiblesse, de la force dans le fait d'être une femme, une force spirituelle, intuitive. Les femmes font marcher les choses d'une façon dont les hommes sont incapables, même les lesbiennes. Les femmes agissent à un niveau différent parce qu'elles sont tellement introspectives. Le rôle des femmes sera plus important que celui des hommes, parce que la société va se tourner vers le respect de la Terre-Mère. C'est déjà en train de se produire, tout ce truc autour de Gaïa. Les hommes seront peut-être aux commandes, mais ce seront les femmes qui domineront, si tu vois ce que je veux dire. L'influence des femmes se fera sentir partout, elle se fait déjà sentir. Les femmes font généralement de meilleures patronnes, du moins quand elles ne se prennent pas pour des hommes, leur méthode n'est pas l'agression. Les civilisations se sont construites sur l'agression, et donc elles s'écrouleront à cause de ça. Certaines sociétés ont compris qu'une femme pouvait faire un chef excellent et efficace.

Assez logiquement, ce pouvoir des femmes en effraie certains. À quoi crois-tu que servent ces pratiques de mutilations génitales ? Tous les hommes vont pas accepter comme ça que les femmes prennent la place qui leur est due. Il y a beaucoup de résistance. Les femmes travaillent deux fois plus dur que les hommes dans les sociétés. C'est vrai aussi chez les gays. Les gays doivent sans cesse prouver leur valeur, travailler plus dur, réussir, réussir, réussir, il dit en frappant une main sur l'autre.

— Je t'entends mais pourquoi tu es si réticent à dire nous ? Tu parles des gays comme si tu n'en faisais pas partie.

— J'accepte la possibilité de me tromper. J'ai dit aussi que je croyais par-dessus tout à l'intelligence de la vie. Je ne sais pas tout. Je suis prêt à risquer de me tromper sur ma préférence pour les hommes, sur qui je pense être. Et si les informations que je possède sur moi-même étaient tout ce que la vie est prête à me communiquer pour le moment ? Et s'il y avait encore autre chose, mais que nous n'ayons pas encore traversé ce pont ? Cette notion de gay, c'est nous qui l'avons créée. C'est là depuis toujours. Je dis pas qu'on l'avait pas remarquée, mais on la laissait se développer par elle-même. Comme les Indiens d'Amérique avec leur berdache, généralement un gay qui était élevé au rang de chaman du village, quelqu'un qui veillait sur les enfants, qui donnait des conseils, voyait des choses que les autres ne voyaient pas parce qu'ils les considéraient comme acquises. Maintenant, il me semble qu'on va vers ça, il dit en soupirant.

— Pffou, sacrée théorie. Je suis pas sûr que beaucoup de gens soient d'accord, je dis.

— Je suis pas sûr que beaucoup de gens voudraient être dans mes baskets, ni dans les tiennes d'ailleurs, il dit avec ironie.

Il y a des gens comme ça ; ils ont un impact sur les autres. Sebastian était probablement un solitaire à l'école, un anticonformiste.

Probablement un de ces enfants considérés comme bizarres, excentriques, une façon de se coiffer pas commune, d'arranger son uniforme sans se faire prendre. Un peu en avance, ses essais et dissertations sans doute un peu obscurs. Les professeurs le prennent toujours à part pour qu'il puisse expliquer ses idées originales. Les filles les plus cool l'ont probablement nommé membre honoraire de leur club pour ses avis sur ce qui est branché ou pas. Et les garçons le détestent parce qu'il en sait tellement sur les filles. Ils le détestent aussi parce qu'ils pensent que c'est un pédé, même les plus machos, troublés parce que secrètement ils le trouvent attirant – et aimeraient faire avec lui des choses inavouables dans le noir. Le principal non plus, il ne l'aime pas, parce qu'il initie des modes qui menacent la discipline. Il n'est pas conscient de son charme secret, de son intelligence intérieure. Il sait toujours ce qui se passe, ce qui est attendu, mais il a toujours son idée sur la façon dont ça doit se passer. Toujours un temps d'avance. Mais il a sans doute aussi envie d'entendre d'autres voix, d'autres idées. C'est ce qui me plaît chez lui. Ça le rend accessible.

Mon esprit est empli d'idées vertigineuses. Je suis parfaitement réveillé même s'il est tard. West commence à ronfler légèrement. Son bras, les veines apparentes, repose mollement sur la chaise.

— Alors, cette fraternité entre vous, vous la prenez vraiment au sérieux?

— *Ja*, il répond avec un air contrarié, comme si je prenais ça trop à la légère. La proximité, l'ouverture, c'est notre *modus operandi*.

Il a vraiment besoin de parler comme ça? je me dis.

— Je comptais pas te dire ça, mais autant le faire, puisque tu es tellement ardent. West était supposé te montrer comment ça marche. Le truc c'est… Peut-être je devrais te demander. As-tu remarqué quelque chose ici depuis que tu es arrivé? Quelque chose d'inhabituel dans le décor?

Je réfléchis un moment, mais je ne trouve pas. Je secoue la tête.

— Cette peinture, là-bas, il dit en montrant le mur en face de nous.

Je vais la voir. C'est une copie. Une femme portant une robe traditionnelle avec une longue chevelure ondulée domine la scène. À l'arrière-plan, au-dessus de sa tête, deux anges dans un halo de lumière semblent prier. L'essentiel de la lumière du tableau vient de la peau de la femme. Les autres zones du tableau sont obscures et sombres.

— C'est une peinture très sombre, je dis.

— *Ja*, mais qu'est-ce que ça dit? il m'encourage.

Je regarde de plus près et je lis à haute voix.

— *Astarte Syriaca, huile de Dante Gabriel Rossetti, membre de la Confrérie préraphaélite, 1877, Galeries d'art de la cité de Manchester.*

— Ça te rappelle quelque chose ? il demande.

— Pas vraiment, je dis piètrement.

— Si tu fais attention, tu constateras qu'il y a plusieurs copies de peintures de la Confrérie préraphaélite un peu partout dans la maison. Nous nous en inspirons, il dit en me regardant, attendant une réponse. Mais je ne sais rien d'eux. Je le regarde en retour, l'ignorance peinte sur mon visage. Hmm, les préraphaélites. Par où commencer ? il dit un peu hautain. Tu vois, à leur époque, les préraphaélites étaient des précurseurs, en réaction contre la peinture sans imagination de leur temps. Ils voulaient lancer de nouvelles idées, donner de nouveaux horizons à leur travail en exprimant des idées véritables et en peignant directement d'après nature. C'était trois garçons, Hunt, Millais et Rossetti. Ils avaient tous moins de vingt-cinq ans. À mon avis, ils étaient tous assez portés sur le sexe et ambigus. Ils se prenaient pour des révolutionnaires artistiques, s'attaquaient aux injustices sociales, célébraient les valeurs et la qualité de vie du passé. Ils exposaient toujours sous les initiales PRB, *Pre-Raphaelite Brotherhood*, pour montrer qu'ils étaient unis. Ils croyaient à leur travail, à la pureté de la création dans la liberté.

Tu comprends d'où ça vient maintenant quand nous parlons de fraternité ? Tu mesures un peu plus pourquoi c'est si important pour nous ?

— Quelqu'un a drôlement réfléchi à ça, je dis platement. Je ne sais pas quoi dire d'autre. Trop d'informations d'un seul coup.

Il se tait brutalement.

— Tout ça me paraît un immense exercice intellectuel, je dis, épuisé par tout ce que j'ai déjà entendu sur Steamy Windows. Moi qui croyais que j'allais simplement faire des massages et me branler à côté.

— Ça ressemble à ça au départ. Mais tu comprendras pourquoi ça prend une telle dimension. L'inspiration des préraphaélites, ça représente en quelque sorte nos fondations. Notre devise, notre lettre de mission, c'est très important. Ça nous donne une direction, un horizon, quelque part où aller, quelque chose vers lequel tendre. Sans ça, ce ne serait qu'un salon de massage comme un autre. Le sexe est tellement laid aujourd'hui, si basique, tellement dépourvu de beauté, de transcendance, de toute esthétique. Ça ne m'intéresse pas, ça. On essaie d'aller au-delà. Nous aussi, nous sommes des artistes révolutionnaires mais d'un autre genre. C'est pour ça qu'on se distingue des autres salons. Nous offrons un service différent. Et on ne fait pas tant de pub que ça. Pas autant que certains autres. Les gens viennent ici sur recommandation, une sorte de bouche à oreille, qui nous amène l'essentiel de notre clientèle, par ceux qui savent ce qu'on fait vraiment ici. Il pose sa main sur la mienne. Je sens sa chaleur.

Allez, je me tire. Je me vois pas prendre d'autre client ce soir. Je te vois demain soir, il dit en se levant. Il range ses écouteurs dans un sac en cuir.

— *Ja*, super de parler avec toi. Quelle nuit je dis en le raccompagnant. François est déjà parti. J'entends Shaun dans son bureau. Il est au téléphone. Je retourne au salon.

Seul avec West, je le regarde dormir. Je m'accroupis à côté de lui. Il ouvre les yeux comme s'il sentait que je suis en train de le regarder.

— Où sont les autres ? il demande en bâillant, les yeux vagues.

— Rentrés chez eux, et Storm est en mission, je lui dis.

— Tu dois être fatigué, il me dit en me massant doucement le cou. Mes épaules se relâchent. Tu veux aller te coucher ? Je ne pense pas qu'on ait d'autres clients ce soir.

— *Ja*, je suis un peu fatigué, je dis, même si je me sens parfaitement réveillé.

— Laisse-moi juste dire à Shaun qu'on va se coucher, il dit en sortant.

Il revient vite, je suis assis dans le fauteuil, les jambes étendues sur le tabouret. Viens, allons-y, il dit en me tendant la main.

Je viens à lui.

Il met nonchalamment son bras autour de mon cou, on va dans son studio. Autour de ses yeux, je vois de fines rides, il doit approcher des trente ans, ses os craquent légèrement. Nous marchons comme des compagnons, des camarades, nos corps se parlent simplement.

Il ferme la porte à clé. Au-dessus de la tête de lit, il y a un tableau. C'est la même femme que dans le salon mais là, elle flotte dans l'eau. Une rousse aux cheveux ondulés. Le réalisme est saisissant. Il y a quelque chose de religieux dans son expression, alors qu'elle est étendue là, dans sa robe traditionnelle, sa chevelure fine et fragile dans l'eau.

West commence à se déshabiller. Je fais de même. Nous nous mettons au lit ensemble, nus tous les deux. Il m'ouvre ses bras, m'invite à retrouver la chaleur de son corps.

— Je suis si fatigué, il dit en me serrant légèrement. C'est bon d'être étendu contre lui, de se sentir au chaud, désiré. Je repense à ce que m'a dit Sebastian, j'essaie d'imaginer les Vikings, seuls, échoués sur une côte inhospitalière, n'ayant qu'eux-mêmes pour tout réconfort contre le froid scandinave. J'absorbe ses odeurs, sa fatigue, sa douce peau souple, ses bourses velues, son cou musclé, les fines veines de ses grandes mains.

Nous restons étendus comme ça, remuant doucement de temps en temps. Nous sommes étendus là, pas comme des amants mais comme des hommes qui cherchent en l'autre un peu de réconfort.

MMABATHO

Tshepo revient tard dans la matinée. Je lui demande pourquoi il n'est pas revenu la nuit dernière, il me répond qu'ils sont sortis prendre un verre après le travail. On a trop bu, on s'est écroulés chez Simon, il dit en allant à la salle de bains. Il fait couler un bain, il y reste longtemps, peut-être une heure.

Quand il ressort, je suis sur le canapé, jouant avec un coupe-ongles, regardant à moitié la télé.

— J'étais inquiète. Tu es trop impulsif, je dis aigrement, en me triturant les ongles.

— Désolé. En fait, l'autre raison pour laquelle je ne suis pas revenu, c'est que j'ai fini tard, vers trois heures, et les taxis sont chers. Je ne m'inquiétais pas de ça quand j'étais à Sea Point. C'est pour ça que Simon est bien tombé, autrement je dépenserais la moitié de ce que je gagne en taxi. En fait, Simon m'a proposé de dormir chez lui cette semaine, pendant que je suis de service de nuit, du coup je reviendrai toujours le lendemain, il dit.

— Ouais, enfin je suis pas une station-service, je dis, exprimant ma mauvaise humeur.

— Tu veux que je m'en aille? il dit, comme s'il était prêt à partir dans la minute.

— Je suis juste grincheuse, je bougonne.

Il ouvre sa valise pour se changer.

— Alors, tu as gagné de l'argent hier soir? je reprends.

— *Ja*, pas mal, il dit. Il ne me dira jamais combien. Même pas la peine de lui poser la question.

Je change les chaînes sur la télé.

— A-t-il appelé pour dire qu'il était bien arrivé? il demande.

— Non, on n'a pas le téléphone, je réponds, mais il aurait pu appeler quelqu'un d'autre pour me le faire dire.

— Je suis sûr qu'il est bien arrivé. Après tout, qu'est-ce qu'il y a à dire ?

Il y a beaucoup à dire, je réponds intérieurement.

— On devrait sortir. Il fait beau dehors. Je pensais aller à la gare pour m'acheter un sac ou un sac à dos, et deux ou trois autres trucs. Ça te dit ? il me demande.

— Tout est mieux que de rester ici à bouder, je dis.

— Le soleil te fera du bien, tu as une mine affreuse. *O tshwana le Lesilo*, tu ressembles à Lesilo, il se moque.

Avant de partir, on se prépare à manger, un petit sandwich. Avant de prendre un taxi, il va au distributeur et dépose de l'argent. Je jette un œil discrètement, je vois qu'il dépose une petite liasse de billets dans une enveloppe avant que la machine ne la dévore, il chantonne doucement. Nous hélons ensuite un taxi qui nous amène au centre-ville. On descend à la gare. Je n'aime pas la gare. Là-bas, les hommes regardent toujours les femmes comme si elles leur appartenaient. Ils me déshabillent du regard, toujours à l'affût, ils sifflent, m'appellent « bébé », « ma belle », ou d'autres noms idiots. Heureusement qu'Arne ne m'a jamais appelée autrement que par mon nom. Je marche près de Tshepo, presque agrippée à son bras, pour éviter qu'ils me harcèlent. Mais ça ne manque pas. *Hey, Big Mama*, me lance l'un d'eux en m'envoyant un baiser dans l'air. Je le regarde durement, mais immédiatement après je me sens mal à l'aise. Est-ce que ça se voit ? Est-ce qu'on peut déjà dire que je suis enceinte ? Tshepo me dit d'ignorer cet imbécile, nous nous enfonçons dans les tréfonds de la gare. On descend l'escalier, ça pue l'urine.

Il y a toujours du monde, des gens qui se croisent dans une cacophonie de conversations discordantes, d'annonces au haut-parleur, de musiques qui sortent des arcades de jeux vidéo. Je n'aime pas la foule. Je n'aime pas les gens qui se frottent contre moi. Tout le monde est pressé, semble impatient. Et les *tsotsis* ne sont jamais loin. Bonne chose que je n'aie pas pris mon sac.

On va à l'extérieur, vers un groupe de colporteurs et de stands informels chargés d'accessoires divers. La plupart sont étrangers, noirs et grands, leurs traits sortent de l'ordinaire.

— Qu'est-ce que tu cherches exactement ? je lui demande avec un peu d'impatience. Il regarde tout, il touche, demande les prix, mais n'achète rien.

— Je cherche un sac à dos pour le boulot. Un truc dans lequel je peux mettre mes affaires, il dit à une femme à la peau sombre, un tchador sur la tête. Mais il n'achète pas le sac en tissu qu'elle lui montre. On continue à déambuler.

— Fais attention aux *Makwere-kwere*, aux sans-papiers, je le préviens. *Dintho tsa bona,* attention à leur camelote...

— Sois pas ridicule, aucun problème avec leur matos. En fait, je les trouve très chaleureux, il dit tranquillement.

— Tu es si naïf. Évidemment qu'ils sont amicaux, ils veulent ton argent, que tu leur achètes une camelote qui se pétera à peine rentré à la maison, je lui dis.

Il me regarde, incrédule.

— Je peux pas croire que tu sois xénophobe.

— Ne me dis pas ça.

— Oui, toi, la fille qui a un copain allemand. Oh, désolé, il est allemand, pas africain, il dit en continuant à marcher.

— Tu achètes ton sac, oui ou non ? je dis énervée.

— Je cherche toujours. Tu veux rentrer ?

Je veux lui dire de la fermer. Je veux lui dire, je suis juste de mauvais poil aujourd'hui, OK, fais pas attention, mais il n'est pas Arne, il ne comprendrait pas.

— OK, comme tu veux, je dis en le suivant.

On passe environ un quart d'heure à la gare. Tshepo continue avec eux. Eux, avec leurs drôles d'odeurs, leurs drôles d'accents. Je ne les aime pas. Une de mes copines qui vit dans un immeuble où ils sont en majorité m'a dit qu'ils amènent des maladies inconnues dans le pays parce qu'ils continuent à pratiquer leurs rituels bizarres, même si on n'est plus dans l'Afrique du tiers monde ici, au moins selon les critères africains. Ça ne me gênerait pas s'ils ne vendaient pas ces imitations, s'ils n'étaient pas toujours en groupe, comme une bande de voyous qui préparent un sale coup.

Avec eux, Tshepo est amical, patient. J'ai l'impression qu'il les aime bien. Il aime tous les gens qui sont gentils avec lui, qui lui accordent un peu d'attention, même deux minutes. Il est tellement crédule. Pour vendre n'importe quelle babiole, ils en font toujours des caisses, ils montrent un truc, en sortent un autre. Ils seraient prêts à vendre leur mère. Au bout d'un moment, il s'aperçoit que je bous, nous quittons la gare. Il n'a toujours rien acheté.

— À quoi ça a servi tout ça? je lui demande, alors que nous allons à Greenmarket Square.

— Ils vendent de jolies choses, c'est tout ce qu'il répond.

À Greenmarket Square, il se dirige vers un stand tenu par encore un de ces gens-là. Il lui dit que c'est Philippe, à la gare, qui l'envoie, il paraît qu'il trouvera un sac ici. Le type, grand, très noir – leur teint ne me gêne pas –, le regarde à travers ses lunettes. Il porte leur costume traditionnel, une de ces longues tuniques amples que les hommes mettent avec un petit chapeau. Autour du cou, il porte aussi un petit sac suspect. Probablement plein de *muti*, l'herbe médicinale avec laquelle ils nous droguent pour fourguer leurs saletés. Ma copine m'a également dit que ces gens-là étaient eux-mêmes pleins de *muti*. Je regarde le type fouiller dans un grand sac en tissu multicolore. Il finit par en sortir un sac en cuir brun qu'il donne à Tshepo. Tshepo l'étudie un moment. Il l'ouvre, teste le fermoir et les zips.

— Il est chouette, tu trouves pas ? il me montre en l'inspectant.

— *Ja*, je dis sèchement. Mais il est vraiment chouette, ce sac, finement ouvragé, sans aucun des marqueurs ostentatoires typiques des contrefaçons. En général, tous leurs articles sont de pâles imitations de grandes marques à la mode.

— Combien ? Tshepo finit par demander.

— Pour toi, 120, il dit et il sourit.

Tshepo sourit également. Ça m'ennuie, je regarde le stand d'à côté. Je les entends marchander, Tshepo garde une attitude toujours polie. L'autre type baisse un peu, enlevant un rand par-ci par-là, mais il ne se laisse pas faire. Finalement, Tshepo revient vers moi, brandissant fièrement son sac en cuir brun.

— Il t'a eu ? je lui demande.

— Qu'est-ce que tu racontes ? Dans une boutique normale, j'en aurais eu pour 250 rands, là je m'en sors pour 110. Bon, il est pas très grand, mais ça suffira, il dit en retirant les feuilles de papier journal dont le sac est bourré pour lui conserver sa forme.

— Il te fallait autre chose ? Ma question est involontairement sarcastique.

— Tu as tes règles ou quoi ?

On va chez Clicks où il achète des produits de toilette. Chez Edgars, il s'achète une serviette, il s'arrête devant un luxueux ensemble après-rasage & eau de toilette pour hommes, mais il ne le prend pas. Je vois qu'il note ça dans un coin de sa tête. Après, on va dans une cafétéria de Long Street. Il se tait. Je crois qu'il m'en veut.

— Alors, quoi de neuf ? je le sonde.

— Je pense au boulot, il répond.

— Tu travailles trop, je dis.

— J'ai pas un père ou une mère qui paie pour moi, il répond. Ça m'atteint.

— T'as changé, je dis en sirotant ma tisane.

— Et toi, tu es toujours la même.

— Tu comprends pas. Ma vie est compliquée.

— Oh, il dit d'un air légèrement sarcastique. Je continue quand même.

— Tshepo, je suis enceinte et je ne sais pas si ce type va revenir.

— Tu vas trouver la solution, il dit froidement.

— Qu'est-ce que ça veut dire, ça ? *Ke eng ka wena ?* Qu'est-ce qui t'arrive ?

— Mmabatho, le problème avec toi, c'est que tu adores le drame, même quand tu es pas sur scène. Tu aimes fabriquer du stress et toutes ces inquiétudes à la con. Je sais pas si ça te donne l'impression de faire quelque chose de ta vie d'avoir des soucis ou quoi, mais putain, il y a toujours pire. Je pourrais te raconter des trucs, tu n'y croirais même pas, mais à quoi bon ?

— Depuis quand tu es devenu un tel enfoiré ? je dis.

— Tu ramènes toujours tout à toi. Tu sais ça ? J'en sais plus sur toi que t'en sauras jamais sur moi, il dit en suçant la crème sur sa cuillère.

— C'est pas mon problème, je me défends.

— *Ja*, mais c'est fatigant, *e a halefisa*, c'est exaspérant. Les gens changent. On est plus des enfants. Je dois pas faire semblant de t'apprécier juste pour être populaire, il continue.

— Parce que tu fais semblant de m'apprécier ? je dis.

— Ça m'arrive. Comme tout à l'heure, à la gare. Tu étais tellement emmerdante, sans raison. *Makwere-kwere*, comment t'as pu dire ça ? Elle pouvait t'entendre, mais tu t'en foutais. J'ai jamais pensé que t'étais une hypocrite. Peut-être que ce que tu as dit est vrai. Peut-être que je suis naïf, c'est vrai que je t'avais jamais rangée parmi les esprits étroits, il dit.

Étroite, moi ? Juste à cause de *Makwere-kwere*.

— *Ke batho*, ce sont des êtres humains, tu sais ? Je travaille avec un type qui vient du Sénégal, il dit comme pour m'impressionner.

— Oh, c'est bon, faut que j'applaudisse, là ? Me fais pas la leçon à propos des étrangers. Je sais tout d'eux.

— Les blancs.

— Ne me cherche pas, je le préviens. Les étrangers sont comme tout le monde. Bons et mauvais. Il y a des salopards partout.

— Et toi, tu as choisi les noirs pour ce rôle, c'est ça ?

Je lui souris. Je vois bien qu'il cherche la bagarre.

— Ce qui me fout en rogne, c'est qu'en fait, tu sais absolument rien d'eux, il dit.

— Va te faire foutre. Nthabiseng dit qu'ils…

— Nthabiseng ? Tu vas me parler de Nthabiseng, celle que tu traitais de pute et de salope parce qu'elle avait couché avec Arne ? il dit en élevant légèrement la voix, un sourire moqueur plaqué sur le visage.

— Tu ne sais pas tout, c'est tout ce que j'arrive à articuler.

— *Ja*, mais au moins je suis pas raciste, il dit.

— Raciste, tu me traites de raciste maintenant ? Je suis profondément vexée à présent.

— *Ja*. Avec les Allemands, les Français ou tous les autres blancs qui viennent ici se mêler au paysage, je t'entends pas te plaindre. Au Cap, il y a un flot de gens qui viennent des anciens pays de l'Est. Beaucoup de Russes, des Tchèques. Je suis sûr que tu les croises, que tu les entends au moins. En matière d'entourloupe, ils n'ont rien à envier au type qui a des faux papiers ou un business douteux, il dit.

— Tu transformes ça en une histoire de noirs et de blancs, mais c'est pas ça. Ces types, ils viennent chez nous et, OK, je vais pas te sortir le cliché qu'ils nous piquent des jobs. Mais ils viennent ici avec leurs coutumes bizarres. Quand même, les Somaliens pratiquent toujours l'excision, même si c'est interdit. Tu savais ça ? je lui demande.

— Tu savais que certaines tribus ndebele et nguni la pratiquent toujours en Afrique du Sud ? il rétorque.

— Et puis, ils restent toujours entre eux. Je les vois jamais se mêler aux autres.

— Peut-être parce que les gens comme toi veulent pas se mélanger avec eux, il dit.

— Je suis pas obligée de subir ça. Tout le monde sait que les étrangers sont des emmerdeurs, ça n'a rien à voir avec la race. Tu dis juste n'importe quoi. Les crimes, en col blanc ou dans les rues, ça tombe pas du ciel. Faut pas être un génie pour comprendre que la police ferme les yeux. Les gens paieraient n'importe quoi pour avoir une chance de réussir, je dis rapidement.

— Mais en quoi ça t'affecte personnellement ? Qu'est-ce qu'ils t'ont fait pour mériter un tel mépris ?

— Tu te crois malin, c'est ça ? Mais c'est pas une question d'esprit.

— Tu sais ce que ça signifie d'être prêt à tout, d'avoir faim, de dépendre totalement de quelqu'un d'autre ? il dit, les yeux assombris par la colère.

— Tu le sais, toi ? Depuis quand tu es devenu l'ONU ?

— Inutile. Laisse tomber. C'est une belle journée. Ne la gâchons pas avec une engueulade qu'on finira par regretter, il dit en finissant son chocolat chaud.

— Espèce de bouffon. Maintenant, faut arrêter parce que monsieur l'a décidé ? je dis.

— Bon, qu'est-ce que tu veux me dire, alors, Mmabatho ? il dit, exaspéré.

— Rien. Partons, je dis en me levant.

On va payer à la caisse.

Il passe chez Checkers faire des courses pour le dîner. On prend un taxi pour rentrer. On n'échange pas un mot de tout le trajet. Une fois rentrés, je vais dans ma chambre et je n'en sors plus. Vers quatre heures et demie, il vient frapper à la porte.

— Écoute, je m'en vais. Peut-être on peut aller voir un film demain.

— *Ja*, ce serait bien, je dis, moyennement emballée.

Je l'entends fermer la porte d'entrée à clé.

TSHEPO

J'arrive à l'heure. C'est François qui m'ouvre. Dans le hall d'entrée, je remarque un des tableaux préraphaélites dont Sebastian parlait. Il montre un homme grand portant une robe blanche. Il est dans la forêt, la nuit, une lanterne à la main. Il porte une couronne sur la tête. C'est lui qui domine dans le tableau. Il y a quelque chose d'altier dans son humilité, dans la façon dont il tient sa lanterne, dont il éclaire la nuit. Il est calme, vigilant. Pas de peur dans ses yeux, juste de la beauté, une beauté sereine.

Je vais dans le salon, les autres sont déjà là. Certains depuis deux heures de l'après-midi. Shaun me demande de vérifier qu'il y a bien deux serviettes dans chaque studio. Après ça, il me fait venir dans son bureau.

— Il faut qu'on s'occupe de ton profil. C'est juste une brève description de toi, pour que François puisse te vendre quand des clients veulent faire une réservation, il dit.

— OK, je dis.

— Tu as de la chance de travailler pour nous. Ailleurs, avant de t'embaucher, on te fait te déshabiller, c'est comme ça qu'on écrit ton profil, il dit. Il sort un bloc, me demande ma taille et mon poids. Il étudie la couleur de mes yeux, marron foncé, il note toutes ces informations.

— Alors quoi, silhouette de nageur? il me demande, surtout pour savoir si je suis d'accord avec la description. Bon, l'autre partie maintenant. Combien de centimètres en érection, et est-ce que tu es coupé?

Il demande ça, imperturbable. Je suppose que c'est à ce moment-là, qu'ailleurs on vous demande de vous déshabiller.

— Je me suis jamais posé la question, je dis avec embarras.

— Bon, vingt-cinq centimètres, ça fait à peu près ça, il dit en écartant les mains. Ça m'a l'air incroyablement long. Dis-moi quand je m'arrête, il dit en commençant à réduire la distance entre ses index. Je l'arrête avant que ses doigts ne soient trop proches. OK, ça fait dans les quinze centimètres. On va arrondir à dix-sept, j'en rajoute toujours un peu, il dit, toujours sans sourire. Et donc, tu es coupé?

— Si ça veut dire circoncis, alors oui, je réponds très gêné.

— Super. Dis-moi comment ça sonne. Angelo : silhouette de nageur, environ 65 kg, 1,69 m, yeux marron foncé, beau gosse mais pas efféminé. Parfois le client insiste pour avoir quelqu'un de très féminin, aussi sexy que tu sois, il enchaîne, 17 cm, circoncis. *Ja*, je crois que ça marche. Bien sûr, c'est qu'une ébauche. Quand François te vendra, il te décrira mieux.

— Ça a l'air bien, je dis platement. Beau gosse? Personne ne m'a jamais décrit comme ça.

Il amène le portrait à François. Je retourne au salon. Il y a un autre type que je n'ai jamais vu. Il s'appelle Adrian, il est grand et bien bâti. On se serre la main, on se dit « ça roule » à la manière sud-africaine. Vers six heures, j'ai un client, un Français en vacances au Cap. Il est agité. Je ne crois pas qu'il ait déjà fait ça. Mais dès qu'il me voit nu, il se détend. Je ne prends pas la peine de lui faire un massage. On va au lit. Nous passons une heure émoustillante mais il ne jouit pas. Il me paie 400 rands, même s'il n'y a pas eu de pénétration. Je ne crois pas que je pourrais aller aussi loin avec un client. Mais on ne sait jamais, comme dit West. Attendons que le bon se présente. Vers huit heures, je reçois un autre client, un Sud-Africain. Il ne porte pas d'alliance, mais quelque chose me dit qu'il est marié. Peut-être sa façon de s'asseoir sur un côté du lit en se déshabillant, sans doute le sien chez lui. La façon dont il ouvre le lit aussi, on sent une habitude. Généralement, ils se tiennent à côté pour m'attendre. Je prends une serviette, je le rejoins. C'est combien pour t'embrasser? il demande, son engin gonflant rapidement.

— J'embrasse pas, je dis fermement.

Il a l'air vexé, mais n'insiste pas.

— Est-ce que tu peux t'asseoir sur moi au moins? il implore presque.

— Je fais pas de pénétration non plus, je dis.

— Je sais, assieds-toi seulement sur mon bassin, il dit.

La chambre est faiblement éclairée. Je m'assois sur lui, j'essaie de me forcer à avoir une érection, sans succès. J'envisage de mettre une vidéo, mais ça le gênerait, alors j'évite. Au bout d'un moment, il me fait basculer avec douceur et, sans prévenir, il me serre contre lui. Je suis surpris, je redoute un instant que ce soit un truc pour me piéger, il me tient vraiment très serré contre lui.

— Je peux pas respirer, je chuchote, il relâche sa pression.

Soudain, mon épaule est mouillée. Je me retourne sur le lit, il est en train de pleurer. Je ne parle pas tout de suite.

— Tu es si beau, il dit à travers ses pleurs. Il est toujours en érection.

— Tu es marié?

Il essuie ses larmes.

— J'ai trois enfants. Je ne crois même pas que j'aime les garçons, il dit, pourtant, je continue à venir ici.

Je lui chatouille le dos alors que nous sommes allongés face à face. De mon autre main, je lui masse doucement le sexe.

— Tu as un beau corps, je souris, ta peau est douce. Je dirais n'importe quoi pour être gentil avec eux.

Il renforce mon emprise sur son sexe.

— Quand j'avais ton âge, je pensais que je ne me marierais jamais, il dit. Ses yeux sont secs à présent.

— Alors pourquoi est-ce que tu l'as fait?

— Les parents. La respectabilité. Le truc habituel. J'ai composé. Quelqu'un comme moi ne devrait jamais se marier. Je ne crois même pas que je sois un bon père. Je subviens à leurs besoins, c'est tout. J'accélère mon mouvement du poignet. Il gémit légèrement.

— Pourquoi est-ce que tu ne t'en vas pas, si tu es si malheureux?

— C'est pas si facile. Dans la vraie vie, c'est pas si facile de partir, il dit. J'ai vraiment envie de t'embrasser.

Ses yeux implorent à nouveau. Je me demande si c'est comme ça qu'il implore sa femme aussi.

— Pourquoi tu m'as choisi ? Tu aurais pu choisir un des garçons blancs, je dis pour faire diversion.

Il réfléchit un peu.

— Parce que tu es plus anonyme. Ta couleur te rend anonyme, un gars comme un autre. La vérité c'est qu'en dehors du boulot, je croise peu de noirs. C'est plus facile de me distancier de ces petites excursions si je fais ça avec un noir, il dit.

— Tu préfères les garçons ? je demande.

— Non, il répond sans hésiter.

— Mais tu as envie de me baiser. Tu as envie de m'embrasser, je continue.

— À mon âge, on apprend à s'adapter, il dit.

— Je comprends pas. Tu pourrais aller voir une femme.

— J'aurais davantage l'impression de tromper ma femme.

Les hommes mariés semblent trimballer une sacrée culpabilité sexuelle, je me dis en l'amenant à la jouissance. Il décharge une quantité invraisemblable de sperme sur moi. Je trouve ça excitant, ça me donne une légère érection. Je m'essuie avec le papier.

— J'ai toujours envie de t'embrasser. Je te paierai bien, il dit, le regard servile, pitoyable.

— Combien ?

— 500. Si tu me laisses t'embrasser le reste de l'heure.

— Pourquoi est-ce si important pour toi ?

— Comme ça, j'aurai pas l'impression d'une relation sexuelle de bas étage, il dit.

— Comme ça, tu auras l'impression d'une relation très chère ?

— Je peux avoir un rapport tarifé n'importe où. Je veux partir d'ici après avoir senti un peu de chaleur, il dit.

— Très bien.

Il met ses doigts sur mes lèvres, en dessine doucement le contour. Je reste immobile, je le regarde. Ses yeux disent un désespoir silencieux. En lui, il y a une volonté réprimée. Il commence à m'embrasser le cou, très tendrement. Je songe à Mmabatho pour ne pas me laisser envahir par l'intimité. Il finit par atteindre ma bouche, il la lèche d'abord. Ça me dégoûte légèrement. Bientôt je sens sa langue dans ma bouche.

À quoi songe-t-il en faisant ça, je me demande. À sa femme ? À ses enfants ? Ou bien arrive-t-il juste à s'abstraire ?

Il m'embrasse environ vingt minutes. Je me sens bizarre, mal à l'aise quand c'est fini. Comme s'il avait été en moi et moi en lui. J'ai soudain conscience d'être nu. Je me sens vulnérable, gauche, et je me rhabille. Il se rhabille rapidement. On s'assoit ensemble sur le bord du lit. Il sort son portefeuille, en extrait 500 rands en six billets.

— Je pourrais être ton client régulier, il dit. Au moins, une fois par semaine, ça t'assurerait le minimum.

— Comment t'appelles-tu ? je lui demande.

Il hésite.

— Ton vrai nom.

Il me regarde tendrement, pose ma main sur son entrejambe. Il est toujours en érection.

— Peter, il dit, ne me demande pas mon nom de famille, je ne te le donnerai pas, Angelo. C'est quoi ton vrai nom ?

— Angelo, je mens avec aplomb.

Je ne sais pas s'il me croit. Il se lève pour rentrer sa chemise dans son pantalon. Je le raccompagne à la porte, puis dans le couloir jusqu'à l'escalier. Je reviens mettre la chambre en ordre. Dans le salon, les autres sont en train de regarder un autre porno bi. Sebastian lit une bande dessinée, en écoutant sa musique. À neuf heures, Shaun nous accorde toujours une pause. On prend un quart d'heure, on sort par deux, soit pour boire un coup au café du coin, soit dehors pour fumer une cigarette. Je sors avec Sebastian. On reste dans un coin sombre. Sebastian allume un joint.

— Poison de Durban, mon chou, sois prudent. C'est comme un pic à glace. Ça t'ouvre carrément la tête. Tu as déjà fait une passe perché ? il demande.

— Non, et toi ?

— *Ja*. Si tu es dans la bonne vibration, c'est divin. Sinon, ça peut vraiment foutre les jetons, il dit. Dans la pénombre, je peux voir le blanc de ses yeux qui ressort. Il rejette en arrière ses longs cheveux noirs.

— J'aimerais que cette soirée passe vite, il se plaint, je meurs d'envie de m'amuser. Ça fait des siècles que j'ai pas été en mission.

Il tire fort sur le joint.

Je commence à avoir les yeux secs. C'est le signe que je suis stone. Je me tais, j'écoute passer une petite brise. Sebastian termine le joint, on rentre. À la porte, François me dit que j'ai une réservation pour une mission, à une heure. Ne laisse pas ce requin profiter de toi, il me prévient à propos de Sebastian. Je suis trop déchiré pour savoir s'il est sérieux ou s'il plaisante. Je me contente de sourire.

— *Jy's gerook, nè ?* T'as fumé, hein ? dit François. Je réalise seulement maintenant qu'il est peut-être afrikaner. Avec Sebastian, on monte. Ses chaussures à semelles compensées claquent sur les marches en bois. À notre retour, West et Cole se lèvent pour prendre leur pause.

Une fois assis, le trip s'intensifie. Je deviens hyper réceptif aux autres. J'ai l'impression que Carrington me sourit à chaque fois que je le regarde.

— Une réservation aussi tard, m'explique Sebastian, ça vient probablement de chez Angels ou Biloxi. Ça veut dire soit que le type a une sale gueule, soit qu'il est vieux et dégoûtant et qu'il n'arrive à lever aucun mec, du coup il appelle ici pour faire une réservation. Mais il se peut qu'il trouve quelqu'un d'ici la fin de la soirée. Dans ces cas-là, en général, il annule, ou bien, si c'est vraiment un trou-du-cul, il se pointe pas, et tu es bon pour attendre jusqu'à quatre heures du mat'. Ce qui arrive aussi parfois, c'est qu'il débarque avec l'autre mec et tu te tapes les deux. Toute la nuit, si tu as vraiment de la chance. Ça, c'est 1000 direct dans ta poche. Le studio prend 200.

Je hoche la tête lentement.

— Bois un peu d'eau, mon chou. Ton corps est en train de se déshydrater. C'est pour ça que tu as les yeux si rouges. Eux aussi ils sont à sec, il ajoute.

Je me lève pour aller à la salle de bains. J'ai l'impression de flotter. J'ai un choc en me voyant dans la glace, mes yeux sont vraiment rouges. Je m'asperge le visage d'eau, un frisson me parcourt depuis les terminaisons nerveuses de mon visage. Je bois énormément d'eau, je me sens mieux quand je reviens. Mais là, je suis saisi d'une fringale. Mon estomac grogne. Heureusement, j'ai quelque chose dans mon sac. Je prends un morceau de tarte. Sebastian regarde mon sac, il me dit :

— Pas mal pour une imitation des Puces.

Ils sont tous comme ça, très vigilants aux étiquettes et aux marques.

— Mon chou, s'il y a une chose pour laquelle les gays ont vraiment un sixième sens, c'est reconnaître un original d'une copie, il me dit avec un petit rire sardonique.

— C'est temporaire, je m'excuse, embarrassé.

— Bien sûr. Tu devrais aller sur le front de mer. Tu vas trouver des sacs Gucci qui vont te coûter les yeux de la tête mais qui durent l'éternité et tu n'auras plus à t'en faire, il dit.

Je cache mon sac dans un coin.

— Tu sais combien j'ai payé pour ces semelles compensées ? il dit.

— 600 ?

— Essaye encore. 900, mon chou, italien. Prada. La qualité, le savoir-faire, y a pas mieux, il dit, avec une attention démesurée pour les détails, il me montre les coutures. Fait main, chéri.

Je me sens mal avec mes baskets.

— Si tu veux, je te filerai quelques tuyaux.

J'ai d'autres idées pour cet argent, j'ai envie de lui dire, mais non. Il faut que je fasse des économies. L'année prochaine, je veux reprendre mes études. L'année prochaine, il faut absolument que je devienne quelqu'un. L'année prochaine, il faut que je me projette dans l'avenir, j'ai envie de lui dire. Mais il ne comprendra pas. Et puis ça aurait l'air ridicule, pas cool. Je n'ai pas envie non plus qu'ils en sachent trop.

— Ce serait sympa, je dis en détaillant sa tenue.

Il porte un haut en lycra métallisé qui fait ressortir ses yeux sombres. Il l'a probablement trouvé au rayon femmes. Je n'ai jamais rien vu de semblable dans les magasins pour hommes. Ses cheveux sont propres, ils sentent toujours bon. Il porte une fine montre Raymond Weil au poignet. Elle aussi a plutôt l'air destinée aux femmes. Aux jambes, il porte un pantalon brillant et soyeux de chez Levi's, et aux pieds, bien sûr, ses semelles compensées.

Au bout d'un moment, Shaun entre pour dire à Sebastian qu'il doit être prêt dans cinq minutes. Un client l'a réservé pour une mission à Llandudno. Son visage s'éclaire.

— C'est comme si on me demandait de faire une passe à Beverly Hills ou Saint-Tropez, mon chou. Plein de pognon et l'occasion de se marrer un peu à leurs frais, il dit en fourrant sa bande dessinée et ses écouteurs dans un sac en perles Fendi. Il passe du baume sur ses lèvres et sourit. Il sort une brosse, coiffe sa longue chevelure. Il termine en se vaporisant de l'eau de Cologne Jean-Paul Gaultier.

— J'aime pas vraiment, il dit après, en me demandant mon avis, un peu trop agressif. J'ai essayé parce que c'était en promo. Shaun revient, le chauffeur est là. Bisou bisou, il dit en me serrant dans ses bras, amuse-toi bien. Il se lève avec élégance, assurance, lance le sac sur son épaule et disparaît, son parfum derrière lui.

Storm et Carrington sont avec des clients dans les studios. West et Cole regardent la télé pendant qu'Adrian, le nouveau, rumine dans le fauteuil. Je ne crois pas qu'il ait eu un seul client de la soirée. On dirait un peu un joueur de rugby. Sa tenue aussi, des jeans bleus passe-partout avec des baskets et une chemise simple, achetée probablement chez Jet ou Mr Price. Shaun l'a probablement regardé de travers quand il s'est présenté comme ça, je me dis en l'observant silencieusement.

Je reste assis là jusque vers deux heures du matin. Juste quand je vais m'en aller, Shaun m'annonce que ma réservation est confirmée.

— Le type est en chemin, il me dit. Il se peut que ce soit pour la nuit. En général, le chauffeur t'amène là-bas, mais pas cette fois. Là, c'est le client qui vient te chercher. Quand tu arrives là-bas, tu nous appelles pour nous dire que tout va bien. Il arrive que ce ne soit pas le cas. Parfois, ils viennent te chercher mais quand tu arrives, tu découvres qu'il y a plusieurs types qui attendent. Je veux pas te faire peur, mais ça arrive, pas ici, mais ça peut tourner mal.

Il dit tout ça très vite. Je me sens encore un peu stone. Comme Sebastian, je m'arrange un peu, je mets de l'eau de toilette.

Shaun revient me dire que le client m'attend en bas. Je prends mon sac.

— Souviens-toi que c'est l'occasion de te faire un bon paquet. Si tu peux passer la nuit, n'hésite pas, il dit.

Je descends l'escalier avec nervosité. Un homme mûr de taille moyenne, le crâne parfaitement rasé, est en train de s'admirer dans le grand miroir doré.

— Ah, voilà Angelo, il prononce en m'évaluant rapidement. Vous n'aviez pas un autre noir ?

Mon sourire s'efface.

— Non, je crains que Cole, notre autre étalon noir, ne soit occupé avec un client, répond Shaun poliment.

— Mmmh, il dit en restant là. J'ai envie de mourir. Jamais je ne me suis senti aussi humilié.

Shaun ne dit rien. Il attend le verdict du client.

— Non, ça va aller, il dit un peu froidement. Ici, vous faites les nuits, n'est-ce pas ?

— Oui, c'est 1000 rands pour la nuit.

— 1000 rands, c'est pas donné, il dit en me regardant comme pour vérifier que je les vaux. Il n'a pas l'air convaincu.

— Les autres ne réclament pas autant…

— Oui, mais nous ne sommes pas les autres. Nous proposons un service respectable. Si vous me permettez, Angelo est un de nos étalons les plus demandés. Pour tout vous dire, un autre client était intéressé. Shaun vient au secours de ma fierté.

— Vous êtes un âpre négociateur, il dit en m'ouvrant la porte.

— À bientôt, dit Shaun, à la porte. Angelo, appelle demain, nous enverrons le chauffeur te chercher.

— Comment vous appelez-vous ? je demande, une fois dehors.

Il hésite un instant.

— Alex.

Je marche en silence jusqu'à la voiture. Il appuie sur un bouton pour déverrouiller sa Mercedes SLK. Je m'assois devant, la voiture ronronne, il démarre. Il met un CD de musique classique. Une diva chante des notes très aiguës. Je ne sais pas de qui il s'agit, mais c'est assez beau. Il ne parle pas. Il ne me regarde pas. Il conduit en écoutant la musique, sa tête suivant les inflexions de la mélodie. Je me sens mal à l'aise, je me résous à rester silencieux comme lui. La voiture sent encore le neuf. Le tableau de bord ressemble à un petit cirque de lumières et de gadgets. Je ne dis rien quand nous nous dirigeons vers Sea Point, qu'on dépasse. On passe aussi Clifton et Camps Bay. Il conduit un bon moment avant que je ne réalise que nous sommes dans le quartier tranquille de Hout Bay. Il descend le long d'une route sinueuse. Les arbres forment comme un tunnel au-dessus de la route. Nous arrivons à une maison, perchée en haut de la falaise. Il range la voiture dans un garage situé sous la maison. Depuis le garage, nous montons un escalier et débouchons dans un salon. Il presse un bouton sur le mur, toutes les lumières de la maison semblent s'allumer. Une large baie vitrée, de l'autre côté de cette pièce luxueuse, offre une vue impressionnante sur la mer et une partie de la plage.

— Mets-toi à l'aise, il dit en disparaissant en haut d'un autre escalier. J'entends faiblement le bruit de ses pas. Le parquet est en pin, mais brut, non traité, presque crème ou jaune pâle tellement il est blanchi. Il me donne envie d'enlever mes chaussures. La pièce est presque monochrome. Sur les sofas blancs rebondis et les fauteuils, des coussins épars, tellement épais qu'on dirait des petits nuages. Beaucoup d'espace entre les canapés et les fauteuils. Au centre, une petite table basse en bois, un objet décoratif dessus. Un vase crème, avec des roseaux séchés brun foncé qui ont l'air exotiques, posé sur un plateau en céramique. À la fenêtre, une chaise longue bleu pastel aux pieds chromés. Le contraste de couleurs avec la dominante crème est intéressant. Je m'assois sur une ottomane crème avec des boutons en losange, je pose mon sac à côté. Le marron clair de mon sac se marie bien avec le plancher.

— Tu veux boire quelque chose ? il demande, près d'une lampe art déco derrière moi. Je me retourne.

— Volontiers, je dis poliment, nerveusement. Il est debout, pieds nus, portant un pantalon noir et une chemise, que j'ai déjà repérée quelque part. Elle est longue, fendue sur les côtés, d'inspiration vaguement chinoise. La texture en paraît grossière, mais non. C'est très doux.

— Je fais du jus, il dit en remontant les escaliers. Je n'entends plus le son de ses pieds nus. J'admire une aquarelle simple, représentant une pousse de bambou. Peu de meubles dans la pièce, l'ambiance est cosy. Devant la cheminée, un panier est rempli de grands galets clairs de la plage. Je me conseille de ne pas y toucher même si je suis curieux. Des mannes en osier cylindriques au vernis usé sont posées dans un coin.

Il revient bientôt avec deux verres de jus d'orange fraîchement pressé. Il me tend un verre, m'invite à m'asseoir avec lui sur le sofa.

— Tu es muet ? il dit après un long silence.

— J'apprécie le jus, je réponds.

— Enlève donc tes chaussures, il dit.

Je défais attentivement mes lacets, j'enlève mes baskets. Mes chaussettes sont propres, je n'ai pas à m'inquiéter.

— Qui est-ce qui t'habille ? il demande avec mépris.

— C'est moi, je réponds.

Il lève ses sourcils et boit. Il me regarde, me scrute.

— Fais-moi voir tes pieds, il dit.

Je les approche de lui.

— Eh bien, ils compensent tes autres défauts, il dit.

Je me sens bizarre.

— Tu es toujours aussi silencieux ? il dit avec énervement.

— Tu me rends nerveux, je réponds.

Il boit rapidement.

— Tu as envie de te baigner ? il demande, mais son regard ne me laisse pas vraiment le choix.

— Bien sûr, mais elle n'est pas un peu froide ? je dis, en regardant la mer par la fenêtre. Mon cœur bat un peu plus vite. Je n'ai jamais pris de bain de mer la nuit. La mer est une personne, on dit chez moi. Je n'ai pas envie de mettre cette personne à l'épreuve ce soir.

— Pas là, nigaud. J'ai une piscine intérieure.

— Je n'ai pas pris mon maillot, je dis.

— Tu n'en auras pas besoin, il répond. Nous finissons nos verres. Je le suis en haut de l'escalier. La maison est en *open space*. J'imagine des enfants qui courraient ici s'il n'était pas gay. Un homme aussi pointilleux, aussi maniaque est forcément gay. Nous passons un petit couloir, quelques aquarelles sombres y sont accrochées. Des toilettes pour les invités sur la gauche. Nous traversons une salle à manger au mobilier rustique, puis une cuisine qui ressemble à une station spatiale, tout en chrome et argent. Il y a également une salle équipée d'un home-cinéma dernier cri, très en vogue chez les gens riches. L'écran est gigantesque, j'aperçois une chaîne hi-fi et de nombreuses enceintes. Tout au bout, nous pénétrons dans une autre pièce. J'y découvre un ruban d'eau bleutée, illuminé par plusieurs spots. L'odeur trop propre du chlore flotte lourdement. Je prends une inspiration, je souris. J'adore l'eau. Le sol est carrelé. À l'autre bout, des portes coulissantes ouvrent sur une pagode. On trouve aussi trois chaises de piscine, avec des coussins bleu pâle. Sur le fond de la piscine, une mosaïque géante représentant un dauphin. Il ôte ses vêtements, les pose sur une chaise. Je me déshabille également, bientôt nous sommes nus.

Il va au bout de la longue piscine, vers le court plongeoir. Il monte dessus avec confiance et rebondit une fois avant de plonger dans l'eau, comme une flèche. Presque aucune éclaboussure. Il nage sous l'eau. Je suis impressionné quand il ressort enfin, à l'autre bout. La piscine doit faire au moins vingt-cinq mètres de long.

— La note parfaite? il demande en se frottant les yeux. Je plonge à mon tour, mais pas depuis la planche. Un plongeon acceptable. Je nage vers lui. Quand j'arrive, il est déjà de l'autre côté. Il fait quelques longueurs en papillon, ses muscles compacts travaillent efficacement. Il éclabousse les carreaux de son eau. Je fais quelques allers-retours en brasse, mais ça m'ennuie rapidement. Je joue sous l'eau. Il fait cela comme si c'était son exercice quotidien. Au bout d'un moment, je sors. Il y a une rangée de serviettes sur le mur. J'en prends une, je m'entortille dans cette somptueuse douceur rose. Je me dirige vers les chaises, je me frotte vigoureusement jusqu'à être sec. Ensuite, je m'allonge sur une chaise et je le regarde. Il continue environ vingt minutes. Il sort, dégoulinant d'eau, le sexe étonnamment tonique, le sang y afflue. Il commence à se dresser à mesure qu'il s'approche de moi. Il ôte la serviette de ma taille et s'en sert pour se sécher, me taquinant avec son sexe. Il n'est pas mon genre. C'est juste un client. Je le regarde, je joue le jeu.

— Montée d'endorphines. Ça me fait toujours bander, il dit en se frottant. Je me lève, moi aussi avec une érection naissante.

— Viens, il me dit doucement à l'oreille. Il prend ma main. Je le suis, regardant l'eau bleue faire d'amusants effets de lumière sur le plafond blanc. Je ne suis pas tranquille avec ce type. Il est peut-être SM ou un truc bizarre dans le genre. Il a un tempérament à faire des trucs louches. Nous allons dans une chambre au style japonais. La simplicité de la tête de lit en hêtre et de l'intérieur me rassure. Des objets d'art naturel de toutes formes sont posés le long du mur du fond, presque blanc. Des panneaux en hêtre semi-ouverts laissent entrevoir des penderies, en hêtre elles aussi. Entre les deux penderies, un autre panneau. Il mène probablement à la salle de bains. Par terre, dans un coin, un plateau en bambou, portant un brûleur d'encens. Il allume un bâtonnet. En dehors des penderies légèrement dissimulées par les panneaux, une autre zone de dressing est constituée par des placards bas et profonds qui servent aussi de tête de lit. Des caractères japonais descendent le long de la couette. Il ouvre les couvertures.

Je me réveille vers huit heures. C'est assez tôt pour moi. Il m'a tenu dans ses bras toute la nuit. J'essaie de me dégager discrètement mais il se réveille.

— Désolé, j'ai besoin de faire pipi, je dis en me levant. Il se tourne sans rien dire. Complètement nu, je passe de l'autre côté du panneau, j'en fais glisser un autre. Les murs et le sol de la salle de bains sont en ardoise verte. Le plafond est dans les tons crème, éclairé par des spots encastrés. C'est une grande pièce. Je la parcours avec curiosité. Une douche à l'italienne, éclairée par un velux. La douche donne une étrange impression de dortoir. Mais l'ardoise verte et le velux lui donnent du style et tout son sens. Deux lavabos argentés sont posés sur du granite noir poli. Un petit meuble africain en teck et des robinets arrondis au design aquilin. La baignoire est profonde et longue, on peut s'y mettre à deux. Sur le mur, deux affiches de kangourous magnifiquement encadrées. Je pisse dans une cuvette stylée. Je tire la chasse, l'habituel vacarme de l'évacuation est étouffé.

Je ressors, je retrouve ma route vers le salon, où est resté mon sac. La lumière entre généreusement par la baie vitrée. Je reste là, seul et nu. Personne pour me voir. Juste beaucoup d'eau en dessous, des vagues qui se brisent à l'infini, les contours d'une plage. Je vais près de l'ottomane chercher mon sac. Je retourne à la salle de bains, je fais glisser les panneaux pour m'enfermer. Seul à l'intérieur, je prends un linge et du savon. Mais d'abord je me lave les dents dans le lavabo. Il entre quand je me rince la bouche.

— Tu me plais. Tu es un lève-tôt. Pas de raison de gâcher la journée, il dit, en pissant à son tour. D'habitude, il faut que je les mette dehors. C'est la première phrase agréable qu'il me dit.

Debout sous le velux, je joue avec le grand robinet qui commande à la fois l'eau chaude et l'eau froide.

— Ta maison est charmante, Alex, je dis quand l'eau commence à couler. Très éclectique, chaque pièce a sa propre ambiance. Je trouve la bonne température.

— C'est très bien observé, il dit. Je me rends compte qu'il est à l'aise en initiateur, en position dominante, le plus vieux des deux. Il y a quelque chose de professoral dans son attitude, sa façon de parler. Je le trouve un peu condescendant, mais je ne pense pas qu'il s'en rende compte. Il va lui aussi se brosser les dents. Puis il me rejoint sous la douche. La pomme de douche est grande, son jet est large. Je lui laisse le jet pendant que je me savonne. Il attrape un savon sur une petite étagère qui dépasse de l'ardoise. Il se savonne à son tour pendant que je me rince.

— Toi aussi, il s'amuse en voyant que je me lave le visage en dernier, je croyais être le seul à faire ça. Tiens, utilise ça. C'est cher mais c'est bien pour ton visage. Il me tend un savon vert qui sent les herbes. Je n'en utilise pas trop pour ne pas gaspiller. Je le lui rends. On fait tous les deux mousser vigoureusement, avant de rincer. Mon visage sent le propre. Je rince mon gant de toilette, je sors de la douche. Il y reste encore une minute et règle la pomme de douche jusqu'à ce qu'en sorte un jet puissant, qui vient lui masser le dos. Finalement, il sort à son tour. Je sors un peigne de ma trousse, mes cheveux sont un peu aplatis. Je les relève attentivement, pour obtenir une afro régulière. Il me regarde faire en se séchant. En fait, il ne se sèche pas vraiment. Il tapote délicatement sa peau fragile. Son crâne est toujours parfaitement chauve. Il l'a probablement fait traiter au laser pour un effet permanent.

— Où est-ce que tu dois aller aujourd'hui ? il demande.

— Nulle part en particulier. C'est dimanche. Je pensais faire un peu de shopping, et peut-être aller voir un film avec une amie, avant de retourner au travail, je réponds. Je me mets de la lotion sur le corps.

— Pourquoi est-ce que les noirs aiment tant se mettre de la crème partout sur le corps ? il demande brutalement. J'ai déjà vu un autre gars faire ça.

— Parce que notre peau devient facilement grise, je dis en mettant de la crème sur mon dos. C'est pas sexy. Mais c'est bon pour la peau.

Il m'observe.

— Qu'est-ce que tu fais aujourd'hui ? je demande à mon tour.

— Rien. J'étais supposé aller quelque part avec mon ami. Mais nous avons rompu hier soir, il dit, toujours tapotant sa peau.

Ça explique son humeur, je me dis.

— L'idée d'être seul aujourd'hui m'est insupportable, il confesse, une serviette autour de la taille.

— Je peux rester, sans supplément, en tout cas jusqu'à ce que je doive retourner au travail cet après-midi, je propose. Je n'ai rien de mieux à faire.

Il a l'air surpris.

— C'est gentil de ta part, il dit.

Je hausse les épaules.

— Comme tu veux.

Je prends mon sac, nous retournons dans sa chambre. Le lit est déjà fait. Je vais à la piscine où sont restés nos vêtements, je les ramène. Je m'allonge sur le lit. Il va vers les longues penderies, je l'entends les ouvrir. Il revient avec des sous-vêtements CK, un pantalon de lin crème et un haut assorti à col mao. J'enfile un slip propre et je remets mon jean noir. Je mets un tee-shirt et des chaussettes propres. Nous sortons ensemble, mon sac sur l'épaule.

— Laisse-moi le prendre, il dit en le mettant dans un placard dissimulé près du salon télé. Dans cette maison, tout est à sa place. Rien ne traîne. Il s'entendrait parfaitement avec Chris, je me dis. Il allume la télé, sur MTV. Je m'assois sur un canapé noir, un clip très rythmé me scotche à l'écran géant. La qualité du son est impressionnante.

— Tu manges du son ? il demande.

— Je mange de tout.

— Les cochons mangent de tout et tu es loin d'en être un. Sérieusement, est-ce que tu manges du son, sinon j'ai des coco pops et des corn flakes, il dit, en hôte courtois.

— Va pour le son, je dis.

Je l'entends ouvrir des placards.

— Viens. On mange pas dans le salon, il dit au bout d'un moment. Je laisse la télé allumée. Je ne saurais pas l'éteindre de toute façon.

On s'assoit sur des chaises hautes, nos bols de son sur une petite table qui ressemble à un comptoir. Je mange proprement, en faisant des petites bouchées. Je ferme la bouche en mâchant, je parle quand j'ai fini.

— Qu'est-ce que c'est que ça ? je dis en désignant un curieux objet en métal, on dirait une fusée.

— C'est un presse-agrumes, il répond comme si c'était aussi courant qu'un couteau de cuisine. Tu mets une moitié d'orange dessus et tu tournes. Tu vois ces stries ? C'est par là que passe le jus. C'est de Starck.

Je continue à manger.

— Qu'est-ce que tu fais ?

— Je suis architecte de formation mais récemment je me suis tourné vers d'autres choses, décoration d'intérieur, meubles design. J'ai ma propre entreprise, il dit avec assurance, sans arrogance.

— Wow, ça ne m'étonne pas que ta maison soit si magnifique.

— Et toi ? il demande.

— J'ai passé une licence de journalisme à Rhodes, mais je ne suis pas vraiment journaliste. Puis je suis allé à l'université en ville, mais ça n'a pas marché. Du coup, je passe une année à l'aventure. J'espère que quelque chose va se présenter. L'année se termine bientôt.

On finit les céréales. Du café coule dans une machine. Quand il est fait, il en verse une tasse pour moi et une pour lui.

— Je ne sais toujours pas quoi faire. J'espère qu'un de ces jours, l'un d'entre vous va me donner l'inspiration. Jusqu'ici, j'ai croisé un banquier d'affaires, mais c'est pas pour moi ; un Anglais intrépide, c'est un métier en soi, et quelques types avec des boulots réguliers, neuf heures, six heures. Et bien sûr, il y a toi. Mais l'idée de faire des études pendant sept ans me refroidit sacrément, je dis.

— Pourquoi pas continuer dans le massage ? Tu pourrais finir par ouvrir ton propre studio.

— Et me battre pour trouver des clients, devoir supporter des merdeux de vingt ans ? Non merci. C'est juste un boulot en passant. Qui sait, peut-être que je reprendrai le journalisme après tout.

— J'ai un ami qui travaille à l'*Argus*. Je pourrais tirer quelques sonnettes si tu veux, il propose.

— Non, merci. Ça ne vaut pas le coup. Tu sais ce que j'ai vraiment envie de faire ? Ça va peut-être paraître idiot, j'ai envie de peindre. Je ne veux pas être artiste, ça c'est comme docteur, ça va avec le titre. J'ai simplement envie de peindre, je lui dis. Je n'ai jamais dit ça à personne. Ça fait des années que je nourris ce fantasme.

— Tu devrais le faire. Tu sais peindre ?

— Pendant ma première année à Rhodes, j'ai pris histoire de l'art et j'ai passé un crédit d'art. J'ai appris à dessiner. C'est tout ce qu'on a fait pendant la première année, fusain et crayon uniquement. C'était génial. Ma meilleure année à Rhodes. Et j'ai tellement appris en art. En deuxième année, j'ai dû arrêter parce que l'emploi du temps était incompatible avec ma majeure en journalisme. Les horaires étaient trop lourds en peinture I. Du coup, j'ai pris journalisme II et psycho II. Je l'ai joué prudent. J'aurais dû tenter le coup. En tout cas, pendant ces trois années à Rhodes, j'ai peint comme un fou à côté. Aquarelle, même si j'aime pas trop, et huile, mon médium préféré. Il faut être clair avec l'acrylique. Ça sèche trop vite pour moi, je n'aime pas trop. Mais depuis que je suis parti, je n'ai pas repris le pinceau, je dis.

— Peindre. C'est un noble appel à suivre, tu sais. Tu devrais te lancer si c'est ce que tu veux vraiment, il conseille. Ça reviendra toujours te hanter. On dit que les dieux ne sourient pas à ceux qui utilisent mal ou gâchent leur talent. Qui sait, tu pourrais être bon si tu essayais.

— En fait, je pensais retourner à l'université l'an prochain… Mais tu as raison, je devrais tenter le coup. C'est la seule chose que j'aie jamais voulu faire de tout mon cœur, je dis. Je continue à ressentir ce désir brûlant de peindre.

— Et tu es au Cap. Il y a plein de galeries et de gens dans le coup ici. Je pourrais même te donner un coup de main. J'ai quelques contacts, il dit. C'est un homme d'action. Je m'en rends compte, chaque décision est suivie, il n'hésite jamais. Quand il veut faire quelque chose, il s'y met simplement. Pas de temps à perdre. Mais je n'ai pas d'appartement. Pas d'argent. J'ai encore besoin de m'organiser.

— Dans quelques mois, un an peut-être, je me souviendrai de ta proposition. Mais j'ai encore besoin de mettre mes affaires en ordre pour commencer à peindre, je dis.

On finit notre café. Il met les bols et les tasses dans le lave-vaisselle. On retourne au salon télé.

— Qu'est-ce que tu as envie de faire ? il demande.

— On peut se balader si tu veux, ou je peux rentrer.

— J'aimerais que tu restes, il dit.

— Comme tu veux, je dis, peut-être trop accommodant. Je peux passer la journée ici. Tu as des livres. Je montre le mur, une impressionnante bibliothèque bourrée de livres.

— J'ai pas vraiment envie de sortir, il dit, mais on pourrait descendre passer un moment sur la plage. Il fait beau. Tu as envie de nager ?

J'opine de la tête. Il prend ses clés et m'emmène à la piscine intérieure. Il déverrouille les portes coulissantes et nous entrons dans une pagode, le sol est en dalles polies. La mer est calme, il n'y a pratiquement pas de vent. Des meubles en rotin et une table rustique sur tréteaux sont posés devant la mer. Nous allons au balcon. Sur l'un des côtés, un escalier. Il mène à la plage en une courbe douce et sinueuse. Nous y descendons, le sable est doux et clair. D'un côté, quelques rochers proposent une escalade amusante. De l'autre, la plage s'étend au loin. Nous marchons vers le sable. On distingue quelques personnes au loin.

— Tes voisins ? je demande, il acquiesce. Il n'a pas l'air content de parler d'eux, je n'insiste pas. Un grand chien aboie près d'eux au loin. Il fait beaucoup de bruit.

— On ferait mieux de rentrer, il dit soudain. Je n'aime pas les chiens et celui-là est une teigne.

— Mais ils ne vont pas le lâcher…

— Rentrons. J'ai changé d'avis, OK ? il dit, buté.

Nous rentrons, même si nous avons à peine dépassé les limites de sa propriété. Son humeur s'est assombrie.

Une fois à l'intérieur, il me laisse dans le salon télé avec la télécommande du système. Il va dans son bureau, il dit qu'il a des dessins à étudier, qui attendent son accord. Je l'entends fermer une porte dans les profondeurs de la maison.

La télé ne m'intéresse pas. Je vais voir les livres de sa bibliothèque. La plupart portent sur l'architecture et le design. Ils sont grands, colorés, probablement chers, et bien rangés par ordre alphabétique. Je parcours les titres, rien n'attire vraiment mon attention. Sur une autre étagère, les livres d'art. Il y a de tout, de l'histoire de l'art à des biographies individuelles d'artistes. Il semble avoir un intérêt particulier pour Picasso, beaucoup de livres sur lui. Picasso, je soupire en me souvenant de ce qu'en disait ma prof. Elle le critiquait sévèrement, le traitant d'escroc, de corrompu, qui avait arnaqué le monde de l'art, et ils avaient marché. Elle lui reprochait de s'être approprié l'imagerie sacrée africaine, de l'avoir réinterprétée en douce comme une preuve de son génie, sans jamais vraiment faire crédit aux vrais artistes à qui il avait volé ses images « brillantes ». Le cubisme n'était pas tant, selon elle, une invention, une avancée artistique naturelle, qu'une manifestation éhontée de plagiat, dont l'inspiration étaient les masques rituels et la sculpture de fétiches sacrificiels en Afrique de l'Ouest précoloniale. Les objets que Picasso avait étudiés circulaient en Europe à cette époque, souvent présentés de façon approximative comme appartenant à l'art primitif, un truc à regarder avec la distance qui convenait à la culture occidentale. Il s'agissait de reliques des sauvages que l'Europe s'efforçait de civiliser. Issu du pillage des despotes coloniaux, au cours de la ruée vers l'Afrique, ce butin constituait le privilège de tout conquérant digne de ce nom. Dire qu'elle ne l'aimait pas était une litote, elle entrait souvent dans de violentes disputes avec certains étudiants qui voyaient en Picasso une sorte de messie artistique. Je parcours un autre rayon, beaucoup de livres sur la mythologie. L'un d'entre eux, sur la mythologie sud-américaine, attire mon attention. Les autres livres sont surtout des romans – avec un fort contingent de littérature gay.

Je m'allonge sur le tapis d'angora aux motifs angulaires simples et j'ouvre le livre. Il est vieux et fragile mais semble en bon état. Les photos d'anciens temples et terrasses incas sont en noir et blanc, c'est pour dire.

Je tourne les pages avec soin. Je déniche une histoire enchanteresse de jaguar.

Finalement, je repose le livre et m'endors profondément.

Alex me tire d'un long rêve contradictoire.

— Qu'est-ce que tu veux pour le déjeuner ? Généralement, le dimanche, je mange dehors, il dit.

Encore endormi, je le regarde avec confusion.

— Oh, ce que tu veux, je dis en bâillant, et je me lève. Mes yeux s'accoutument à la lumière.

— Je pensais aller sur le front de mer, il dit.

Je mets mes chaussures pendant qu'il prend ses clés. Avant de partir, je lui demande mon sac.

— Nous n'avons pas parlé de l'autre affaire, je tente.

— Quelle autre affaire ? il dit, alors que nous nous dirigeons vers la voiture.

— L'argent. Je préférerais qu'on n'attende pas le dernier moment. Tu comprends ? Étonnamment, je ne ressens aucune culpabilité.

— Non, bien sûr, il dit un peu gêné. De la boîte à gants de sa voiture féline, il sort un portefeuille.

— J'imagine que tu ne prends pas les chèques, il dit avec une pointe d'irritation, c'est peut-être une blague.

Je hoche la tête sans sourire.

Il sort cinq billets tout neufs de 200 rands.

— Et celui-là, c'est pour être resté avec moi quand j'en avais besoin, il dit en sortant un sixième billet. Il me les tend. J'ouvre le zip de mon sac, je mets l'argent à l'intérieur.

— Tu n'as pas de portefeuille ? il demande alors que la porte du garage s'ouvre.

— Je l'ai oublié à la maison. La vérité, c'est que Chris et ses copains l'ont pris.

Il n'a pas l'air de me croire, mais il en reste là. Il appuie sur un bouton, le toit s'ouvre lentement et se replie derrière nous. Comme il accélère, le vent s'engouffre dans la voiture et nous nous taisons. Je profite de la vue sur la route sinueuse qui nous ramène vers Sea Point. On tourne vers le front de mer, bientôt nous sommes garés dans le parking souterrain. Il fait une chaleur agréable.

Ce n'est qu'en arrivant au restaurant que je réalise que nous allons là où je travaillais. Je ne dis rien, même si je préférerais aller ailleurs. Et puis, ce serait impoli, c'est lui qui a proposé de m'emmener déjeuner. Un type terne appelé Andrew, c'est l'un des managers, nous conduit à une table. Il ne semble pas me reconnaître, ou alors il a décidé de ne pas le montrer. Nous nous asseyons à une table près du mur. La vue sur le port est agréable. Je fouille dans mon sac à la recherche de baume pour les lèvres.

— Que désirez-vous boire, monsieur ? lui demande un serveur à l'accent coloured.

Je lève les yeux, c'est Chris.

Il me regarde, la surprise se peint sur son visage, mais il ne dit rien.

— Je vais prendre un Appletiser, mais sans glace s'il vous plaît, je déteste la glace, dit Alex expressément. Qu'est-ce que tu prends ?

— La même chose, je dis pour me débarrasser de Chris et pouvoir réfléchir.

Il essaie de me faire signe des yeux, mais je l'ignore. Il part immédiatement.

— Tu viens souvent ici ? je demande, en songeant à ce que je dois faire avec Chris.

— De temps en temps. C'est pas vraiment un restaurant de première classe, mais ils font de bonnes salades et des repas légers si tu es pressé. Je n'aime pas vraiment la bouffe rapide, mais ici c'est mangeable, il dit en posant ses clés et son portefeuille sur la table contre le mur.

Je décide de ne pas lui dire que j'ai travaillé ici.

Chris revient avec nos verres sur un plateau. Il pose le plateau sur la table et tend à Alex sa boisson sans glace. Il sourit de façon agaçante, peu naturelle. C'est le sourire servile de la plupart des garçons quand ils veulent inciter les clients à être généreux. Je l'observe attentivement. Ses gestes sont précis, ses mains propres.

— Et pour vous, monsieur, il dit en souriant. Il pose le verre près de moi. Je le regarde à peine. Je me concentre sur le port.

— Êtes-vous prêts à commander ? demande Chris.

— Prêts à commander ? On n'a même pas eu le foutu menu, j'explose sans prévenir. Chris a un petit mouvement de recul.

Alex me regarde avec surprise mais ne dit rien.

— Désolé, monsieur, bredouille Chris. Je vous les apporte tout de suite.

Il bat en retraite vers la cuisine. Du coin de l'œil, je vois Andrew, le manager mollasson, jeter à Chris un regard dur. Il a dû entendre ce que j'ai dit. Et puis une pensée terrible me traverse. Silencieusement, je décide de me venger. Je me suis vraiment trompé sur Chris. Il n'est pas si beau que ça.

Il revient avec les menus en disant :

— Je repasse dans cinq minutes.

Je le regarde se diriger vers la zone où les serveurs peuvent se tenir quand ils n'ont pas à s'occuper de leurs tables. Il marmonne quelque chose à Lance, l'un des autres serveurs. Je les regarde discuter en regardant dans ma direction. Un démon s'éveille en moi.

Quand Chris revient, Alex commande des frites sans sauce et une salade grecque avec la vinaigrette à part. Chris note fiévreusement. Je pensais pas que tu savais écrire, je dis intérieurement. Je commande un repas impossible. Un cheese-burger, mais si possible une pomme de terre en chemise plutôt que des frites. Et est-ce qu'il pourrait apporter un peu de beurre aillé dans une coupe à part ? Je demande aussi un peu plus de sauce piquante mélangée à de la sauce au poivre pour mon burger. Je fais ça parce que je ne suis pas certain que Chris sache lire et écrire correctement.

Il griffonne sur son petit calepin en hochant la tête. Mais il tient le calepin près de lui pour que je ne puisse pas voir s'il a effectivement écrit quelque chose. Entre autres choses, Chris est un prince de l'arnaque.

— Ce sera tout ?

— Pour moi, oui. Et toi ? me demande Alex.

J'opine. Chris a l'air un peu hésitant, mais il ne relit pas les commandes pour vérifier. Il est trop fier pour ça.

— Alors, qu'est-ce que tu vas faire avec tout cet argent ? demande Alex en sirotant son verre avec une paille. Il ne doit pas faire confiance à qui que ce soit en matière d'hygiène. Je le regarde faire une boulette de l'enveloppe de la paille, il cherche un cendrier où la jeter mais n'en trouve pas. Il la pose délicatement dans un coin près du mur.

— Il faut que je m'achète des chaussures et quelques affaires, je dis en regardant à la ronde pour voir ce que fait Chris. Je le vois s'activer autour d'une autre table. Il prend leur commande.

— Ne dépense pas tout d'un coup.

— Je suis pas si bête.

Il y a une grande télé en haut du bar. Nous regardons un match de tennis. Au bout d'un quart d'heure, Chris revient avec notre commande.

Je grimace, c'est n'importe quoi.

— Je n'ai pas commandé de frites, c'est lui. La pomme de terre en chemise sur son assiette devrait être sur la mienne. Et je vous ai demandé du beurre aillé à part. On dirait de la crème fraîche. Et où est mon mélange de sauce piquante et de sauce au poivre ? On dirait du peri-peri.

Et ça en a le goût. Alex semble agacé. Qu'est-ce que c'est que ce service? J'ai demandé une tranche d'ananas. J'ai pas demandé la moitié de l'ananas.

Il se trouble.

L'incapable Andrew se pointe. Il m'ignore. Je crois qu'il me reconnaît.

— Y a-t-il un problème, monsieur? il demande à Alex, avec cet exaspérant air penaud que lui seul est capable de prendre. Il fait un truc avec ses sourcils quand il parle. Il les lève pour former un triangle. J'ai toujours trouvé que ça lui donnait un air idiot de petit morveux, genre écolier timide, rien d'un manager respectable.

— Ce n'est pas du tout ce que nous avions commandé. Vous n'écoutiez pas?

— Nous nous excusons pour le désagrément. Puis-je reprendre votre commande exacte?

— Je voulais juste une salade grecque avec des frites, il dit sèchement.

— Et vous, monsieur?

— La même chose. Je n'ai plus envie de burger, je dis en repoussant mon assiette sur le côté.

Andrew note la commande. Chris s'excuse abondamment mais Alex n'a pas vraiment envie d'entendre ça. En regardant Chris, je ressens toujours une tendresse malvenue, ça me rend malade parce que j'espérais ressentir de la rage. Je le regarde emporter notre commande, abattu par l'injure, piteux. Sa tête légèrement inclinée, le regard éteint. Cette étincelle qu'il faut pour être serveur vient d'être soufflée.

J'espérais me sentir vengé, mais non. Au lieu de ça, je me sens creux, superficiel. C'est à moi que j'ai fait du mal, pas à Chris. Un sentiment de culpabilité et de honte m'envahit. La vengeance est une espèce d'automutilation. Ça me ronge d'avoir fomenté ce coup contre Chris, de l'avoir piégé. Je ne m'en sens pas meilleur ni mieux.

Bientôt, revoilà nos commandes. Je ne suis pas surpris, je connais la procédure. En cas de plainte sérieuse, la commande des clients mécontents devient prioritaire.

Nous mangeons en silence, sans vraiment en profiter. Andrew repasse pour vérifier que tout va bien, mais Alex est de mauvaise humeur. Il ignore Andrew, je ne lui décroche pas un mot non plus. Je me sens mal, une certaine tristesse en songeant à ce que Chris a été à mes yeux, à quel point j'ai été transporté, la pâmoison qui était la mienne.

Nous terminons notre repas, il paie pour nous deux.

— Merci pour le déjeuner.

— Je t'en prie, il dit en revenant vers la voiture. Où est-ce que je te dépose ?

— En fait, c'est parfait ici. J'aimerais passer à la librairie, je réponds, mais ce dont j'ai vraiment envie, c'est d'être seul.

— Bon. Très bien. C'était bon de te connaître, Angelo, il dit en me serrant la main. J'aimerais te dire qu'on se reverra, mais la nuit dernière était une exception. Je ne fais pas ça normalement. J'étais bouleversé. Mon petit ami s'est barré avec un trou-du-cul dans un bar gay.

Je chope la blague, je souris.

Il a lui aussi un léger sourire, il monte dans sa voiture. Je le regarde partir. Immédiatement après, je me sens à nouveau déprimé. Calme-toi, je me dis, c'est à cause de Chris. Je vais au distributeur le plus proche. Pense toujours à tes économies, je m'encourage, en déposant 700 rands sur mon compte en banque. J'en garde 500. Je m'achète un élégant portefeuille Fossil et un bracelet de perles.

Il est trois heures passé. Je prends un taxi pour Mowbray. Personne à la maison.

La salle de bains est en désordre. Une serviette par terre, l'intérieur d'un rouleau de papier toilette traîne près de la baignoire. Le sol est mouillé, des cheveux de Mmabatho dans le lavabo. Je ferme la porte, je maugrée sur l'état de la salle de bains. Et puis vidé-douché-rasé, comme il se doit. Je ressors une demi-heure plus tard, bien soigné, peigné, les dents propres, l'haleine fraîche, la peau douce, assouplie par la lotion au beurre de coco. Je m'habille, j'enfile une nouvelle fois mon jean noir et mon dernier haut mettable, un tee-shirt crème sans manches en viscose, qui me colle à la peau et met en valeur mon physique. Demain, il faut que je m'occupe de ma garde-robe, je me dis en laçant mes baskets. Je change les sous-vêtements de mon sac de voyage, mais je n'ai pas d'autre haut à prendre. Je n'ai qu'à espérer ne pas partir en mission.

Je prends un taxi pour Green Point.

Je commence par régler ma dette à Shaun. Je lui verse les 200 rands d'honoraires.

— Alors, comment était ce type ? Il avait l'air d'un bel enfoiré, il demande en notant les renseignements.

— En fait, ça allait. Il avait rompu avec son copain hier soir, j'explique.

— Ça explique son attitude. Un moment, j'ai cru qu'il allait nous faire un coup de *kaffir*, il dit, avant de relever rapidement la tête. Désolé, simple façon de parler.

Ça me choque, je me sens offensé. Ce mot me fait toujours mal, mais je souris pour laisser filer le commentaire. Fallait que ça sorte à un moment donné, je me dis, l'esprit toujours en émoi.

— Angelo, désolé, *hey*. Sincère. Juste une expression à la con. J'ai pas fait attention. Tu sais que je pense pas ça de vous, hein ? Cole travaille ici depuis des années, il dit, très gêné que ses paroles l'aient trahi.

— Tout va bien, vraiment. Je comprends.

Je n'ai pas envie d'en parler davantage.

— Tu sais ce que ça veut dire en fait. C'est pas ce qu'on croit, il dit en cherchant quelque chose sur son bureau. Bon, où est ce foutu dictionnaire, que je puisse te montrer.

Ça commence à m'énerver, à me vexer pour de bon.

— Shaun, ça n'a pas d'importance, je lui dis. Il cherche maintenant sur un autre bureau.

— Non, je veux juste te montrer quelque chose, il dit, désireux de se faire pardonner.

— Ça servirait à rien de toute façon. La plupart des gens n'utilisent ce mot que dans un seul but.

— Angelo. Tu sais que je pense pas ça, mon pote.

— Bien sûr. Bon, au boulot maintenant. Je suis venu tôt pour vous donner un coup de main.

Il me dit que les serviettes propres viennent de revenir de la laverie.

— Il faut juste les plier et les ranger. Tu les trouveras dans un panier à la remise. Et n'oublie pas de mettre une savonnette dans une serviette sur deux. Tu les trouveras aussi à la remise. Mais ne prends pas celles du seau, elles ont été utilisées. Merci, *hey*, il dit quand je m'en vais.

Un coup de *kaffir* ? Qu'est-ce que ça veut dire ? Je n'ai jamais entendu cette expression. Probablement un truc de blancs. On ne sait jamais avec eux.

Je passe d'abord au salon où sont les autres. West fait la sieste dans le fauteuil. Il n'a pas l'air douché ni habillé. Cole fume une cigarette, Storm parle avec Sebastian. Carrington et Adrian, le nouveau, ne sont pas encore arrivés. Je les salue, je leur dis que je vais ranger les serviettes. Sebastian me dit de les apporter au salon, ils vont m'aider à les plier. Je passe à la remise, je prends les savonnettes et les serviettes.

Storm, Sebastian et moi, on s'installe ensemble dans le canapé pour les plier convenablement, en faisant deux piles, une avec savonnette, l'autre sans. Je n'arrive pas à oublier la maladresse débile de Shaun. Je suis atterré, je les ai si vite adoptés comme mes frères, au moins dans cet esprit préraphaélite. Mais Shaun est le patron, et invariablement les patrons sont des cons, je me console. Et puis, il ne fait pas vraiment partie de la conférie, justement parce qu'il ne fait que masser, pas d'extras, pas de risques. Or ce sont ces extras, les risques encourus qui font la particularité de notre travail. Notre engagement à être des visionnaires de la sexualité, cette ferveur d'artiste, c'est notre signe de reconnaissance, le sésame secret qui nous inscrit dans quelque chose qui nous dépasse. En regardant les autres, je me demande si Shaun n'aurait pas oublié le projet qui a présidé à la naissance de Steamy Windows. Il pensait peut-être que cette idée de confrérie était un gadget malin, lui ou qui que ce fût à l'origine. Aucune importance, car c'est nous, les étalons, qui avons traduit cette idée dans les faits…

Quand les serviettes sont prêtes, Sebastian m'aide à en porter une de chaque pile dans chacun des studios. On range le reste dans la remise. Rien d'autre à faire, me dit-on. West revient, douché et rasé.

— Quand est-ce que vous prenez une journée de repos, les gars ? je demande à la cantonade.

— Il faut s'arranger avec Shaun, mon chat, dit Storm. Il aime bien ce nom, mon chat.

— Tu lui demandes une semaine à l'avance, en général il te donne le vendredi. Il peut aussi ajouter le samedi, dit Sebastian, ça dépend.

— De quoi ? je demande, soudain un peu inquiet par rapport à Shaun.

— Si tu as travaillé dur, quand tu as pris une journée pour la dernière fois, ce genre de choses.

C'est dur, mais je ne dis rien. Il y a un truc avec ces types, ils ne se plaignent jamais. J'admire cette force et souhaite m'en inspirer.

— En tout cas, les dimanches sont des grosses journées, me dit Storm, il y a toujours quelqu'un qui se sent seul et excité comme un cochon. Dommage qu'il fasse beau. Ça veut dire qu'ils sortent ou qu'ils vont à la plage, les appels ne commenceront qu'après le coucher du soleil. Mais les dimanches où il pleut, tu te croirais dans un centre de secours.

Vers cinq heures, Carrington se pointe. Sebastian se moque du côté lascif de son pantalon en cuir moulant.

— Tu trouves pas que ça fait très SM ? il me dit en riant. Il a un rire très contagieux.

Les clients commencent à arriver après sept heures. Deux d'entre eux réservent Carrington coup sur coup. Il grimace plus qu'il ne sourit, content de lui. Carrington a l'air différent des autres. Il est parfaitement intégré, mais quelque chose dans sa personnalité le met à part. Ça a peut-être à voir avec ses manières distantes, et même s'il se débrouille pour rendre charmante son arrogance, il y a quelque chose qui ne me plaît pas chez lui. Rien de vraiment défini. C'est peut-être sa confiance débordante qui me met mal à l'aise. On voit que sa beauté d'éphèbe l'a aidé à se sortir de mauvais coups. En grandissant, il n'a probablement jamais douté de lui-même, son physique lui servant de passeport partout où il voulait aller. Les gens comme lui grandissent avec le privilège trompeur de pouvoir choisir leurs amis. J'imagine qu'il n'hésitait pas à être désagréable, voire cruel, s'il n'aimait pas quelqu'un.

En fait, plus je le regarde, plus il me rappelle Chris. Même caractère changeant, même intensité tragique dans ses airs de beau garçon incompris. Heureusement qu'il ne m'attire pas. Mais du coup je me demande ce qui m'a séduit chez Chris. Pourquoi m'attirait-il tellement, alors qu'il n'était qu'un trou noir dévorant, qui ne donnait rien en retour et me laissait lourd de silence et de désir inassouvi ? Je crois que ce n'est pas tellement son apparence qui m'a attiré. Son physique enchanteur n'était qu'un panneau signalant quelque chose de plus profond, peut-être une vérité plus ancienne. En Chris, j'ai cru voir quelqu'un d'un peu brisé, un peu effrayé, mais qui osait sortir seul dans la nuit, aussi froid qu'il fasse. Je croyais qu'il était capable de comprendre la beauté, la tristesse du soleil couchant, de me voir tel que j'étais. Peut-être que sa beauté n'était qu'une coïncidence : j'ai souvent surpris ce beau visage empli de tristesse, signe de toute la laideur qu'il avait croisée mais dont il n'osait jamais parler ; et la vie, avec une drôle d'ironie, l'avait doté d'une beauté étrange, inhabituelle. À mes yeux, il était une fleur qui avait poussé avec obstination dans un bouquet de chardons hostiles. Je sens la tristesse m'envahir quand je songe ainsi à Chris. Je me mets à écouter West. Il parle d'une mission à Kuils River qui n'a pas l'air de l'enchanter.

— C'est mon régulier, il dit. Il va me demander de le baiser et j'ai pas envie. Je suis fatigué, mec. Ou pire, il va me demander s'il peut me faire une feuille de rose.

— C'est quoi, ça ?

— Lécher la rondelle, mon chou, tu sais ce que c'est, n'est-ce pas ?

— Oh, ça, je dis, embarrassé.

Dans une pile disposée dans un coin, West choisit une élégante mallette d'homme d'affaires, tous les produits de massage soigneusement rangés à l'intérieur. Il m'explique que je dois prendre une mallette à chaque fois que je pars en mission, car parfois on nous demande d'aller dans des droits exclusifs, réservés à l'élite, comme l'hôtel Mount Nelson. Il m'explique que ces mallettes nous confèrent un air discret et professionnel. Il dit ça avec son charmant accent afrikaans.

De mon côté, c'est une soirée calme. Les types qui viennent veulent un grand noir sans poils sur la poitrine, comme Cole. Je ne peux pas croire que les gens soient si pointilleux sur les poils. Mais Storm me dit qu'il s'épile la poitrine, les clients le préfèrent ainsi. En fait, très peu de gens aiment les poitrines velues, il dit. Pas question que je me rase la poitrine pour quiconque, je lui rétorque. Il a un petit rire, comme pour dire, attends un peu.

Vers dix heures, j'ai un Afrikaner gentil. Il me raconte qu'il vient de Pretoria, mais ne dit pas ce qu'il fait. C'est une heure assez facile, plutôt occupée à jouer qu'à passer aux choses sérieuses. Je crois que tout ce qu'il veut, c'est se vider les couilles avant le lundi. Il me donne un petit pourboire, mais pour lui c'est beaucoup, je m'en rends compte au sourire et à la confiance qu'il affiche en me donnant deux cents rands pour une séance à 180. J'ai un autre client plus tard, encore un petit budget. Ça ne me perturbe pas. Il ne faut pas être trop gourmand à ce jeu-là.

À la fin de la soirée, quand tous les clients sont partis, je reste avec Sebastian et on dort dans un des studios. Même si nous dormons nus, nous ne faisons rien, à part nous masturber. Dans le noir, il m'apprend quelques trucs pour pimenter la chose. On retarde la jouissance pendant longtemps et quand ça vient, c'est l'extase. On parle de tout, loin dans la nuit. Sebastian a une prédilection pour l'inhabituel et l'ésotérique. On parle des sociétés secrètes et des gadgets bizarres, à la pointe de la technologie, dont ils se servent pour espionner un monde qui ne se doute de rien. Comme toujours, ses théories sont très imaginatives et provocatrices.

— Je suis certain qu'ils ont mis au point une technique de métamorphose. C'est un fait, il dit mystérieusement.

— Qu'est-ce qui te fait dire ça ?

— Parfois, quand j'observe certains animaux, je pourrais jurer qu'en me regardant, ils sont en train de réfléchir. Tu vois ce que je veux dire ? Ils analysent, ils se forgent une opinion. Autre chose que cette passivité qu'on admet communément.

— C'est comme, il paraît… écoute, j'ai un ami qui explique qu'apparemment, il y a un genre de fréquence que tu peux atteindre, au-dessus des ondes radio et autres interférences, et que si tu y accèdes, tu peux tout entendre. Tu peux entendre tout le monde. Une sorte de super-fréquence, cette super-autoroute dont tout le monde parle mais que très peu connaissent. Ceux qui ont la technologie pour se balader dans cette super-fréquence, ils peuvent récolter des informations, même des façons de penser, c'est pour te dire comme cette fréquence est fine, subtile. T'imagines ça ? il dit, émerveillé par ses propres idées.

— Les gouvernements tueraient pour ce genre de chose, j'interviens.

— C'est pour ça qu'il y a ces réseaux d'espionnage partout, quelqu'un doit savoir ce qui se passe. Il y a des gens qui pourraient manipuler l'humanité sans qu'on s'en rende compte. Mais parfois, je m'interroge. Tiens, l'autre jour, je me disais justement qu'il devait y avoir autre chose dans ces questions de couleurs. D'un point de vue scientifique, la couleur, c'est de la lumière à une certaine fréquence. Si c'est une fréquence, et ça l'est, alors on peut la manipuler, comme on manipule des fréquences électriques, si je dis pas de bêtises, il me dit dans la chambre plongée dans l'obscurité.

— *Ja*, je te suis.

— Si c'est vrai, alors tout ce que nous considérons comme acquis pourrait n'être qu'un système complexe, très sophistiqué, il dit vaguement.

— Comme quoi ?

— Les bandes routières par exemple. Les marques jaunes et blanches sur la route, il dit.

— Eh bien ?

— Peut-être c'est un système complexe, un genre d'ordinateur. Réfléchis. Toutes ces lignes sur les routes, rouges, blanches, jaunes, elles pourraient appartenir à un système complexe qui permettrait à quiconque en est capable de s'y connecter – le système étant la route et tous les panneaux. En conséquence, plus personne ne serait jamais vraiment seul ou perdu dans la masse. Où que tu sois, à condition que ça corresponde à une certaine fréquence, on pourrait te suivre, te connaître, lire tes pensées, tout ça, il dit.

— C'est un truc de dingue, je dis, mesurant aussitôt mon indélicatesse. Il a dû réfléchir à tout ça.

— On n'aurait pas cette technologie en Afrique du Sud.

— Qui sait ? Peut-être que si. Est-ce que tu t'es déjà demandé pourquoi le système routier était le même partout, dans tous les pays ? C'est quasiment un langage international. Un immense système universel, l'Internet ultime, l'hypertexte. Je crois que ça a quelque chose à voir avec le système complexe, cette autoroute de l'information qui doit fonctionner à un niveau frénétique. Mais peut-être tu as raison, ce genre de technologie serait dangereux. Je ne crois pas qu'on l'ait. Les Américains peut-être. La télépathie existe, tu sais. C'est seulement que le monde n'est pas encore prêt, il dit.

Le sommeil commence à me gagner.

— Je crois que je vais dormir un peu.

— Bonne nuit, il dit.

Je me retourne, j'attends le sommeil. Même si je ne peux pas le voir, je sens qu'il est toujours en éveil, son esprit triant les idées, les théories. J'aime bien Sebastian. Il est comme une peinture complexe qui demande du temps et de l'espace pour être appréciée.

MMABATHO

Après lundi, Tshepo s'en va. Il me dit qu'il a trouvé une piaule dans Lower Gardens au centre-ville, que ça n'a pas marché à Woodstock où il était supposé rester au départ. Il y a quelque chose de bizarre dans la façon dont il dit ça. Mais je ne l'embête pas avec mes questions. À son départ, mardi matin, je l'accompagne visiter l'appart. C'est un petit appartement de deux chambres qu'il partage avec un type qui s'appelle Jacques. D'emblée, il ne me plaît pas ; il ne m'a pas dit bonjour quand on est arrivés. Je n'aime pas son attitude. C'est peut-être dû à sa façon de s'habiller. Il porte un jean blanc avec un haut gothique noir, ses cheveux sont teints en noir opaque. Je remarque aussi un pentagramme argenté pendu à son cou pâle. Son visage et ses mains aussi sont pâles, il évite le soleil. Il erre dans l'appartement pendant que nous sommes là.

— Où est le reste de tes affaires ? je demande à Tshepo. Il n'y a qu'un vieux matelas sur le sol, il a l'air sale, probablement infesté de puces.

— Hum, il commence, mais Jacques entre.

— Pour le moment, tu peux utiliser le matelas, il dit. Le dernier gars est parti sans payer son loyer. Je pense pas qu'il revienne le chercher. Mais je vais te trouver un lit d'occasion avec le montant de la caution.

Il y a aussi une commode défoncée, dont l'un des quatre tiroirs en bois est cassé. Le parquet porte des taches de peinture blanche. Dans sa chambre, une porte-fenêtre donne sur un petit balcon. Le modeste salon est à peine meublé. Un vieux canapé crème est recouvert d'un rideau jaune. La chaise à bascule qui pourrait accueillir au moins trois personnes n'a rien à faire là. Elle devrait être dehors sur le balcon, mais pas beaucoup de place là-bas non plus. Un vieux fauteuil salement effiloché repose dans un coin où les chats ont l'air chez eux. La pièce est sombre. De lourds rideaux épais bloquent la lumière, ça sent le renfermé et le chat.

Dans la chambre de Tshepo, une petite fenêtre avec une vue plaisante sur la ville en contrebas déverse une belle lumière d'après-midi. Il pose sa valise debout dans un coin. Le sol est encore poussiéreux.

— Qu'est-ce que t'as fait de tes casseroles, ta télé et tout le reste ? je lui demande, alors que Jacques nous tend un balai.

— Quelqu'un les garde pour moi, dit Tshepo. Il commence à balayer. Un nuage de poussière s'élève. On ouvre la fenêtre.

— Et tu n'as pas de penderie à part ce truc, je dis en montrant un portant métallique poussé dans un coin. Quelques cintres y sont accrochés.

— Tu peux le couvrir simplement avec du tissu ou un sarong, dit Jacques en se mêlant à la conversation. C'est plutôt joli, en fait. J'ai pas de penderie non plus.

Tshepo n'écoute pas. Je vois l'excitation sur son visage, à moins que ce ne soit la perspective d'être chez lui ? Jamais il ne l'aurait laissé paraître, s'il n'avait pas été content chez moi. Je vais prendre un verre d'eau à la cuisine. Dans l'évier, je trouve un gros chat paresseux qui dort dans le bac en métal froid. Il fait chaud. Le spectacle me refroidit, je décide de ne pas boire. Je n'aime pas les chats. Je vais m'asseoir dans le salon pendant que Jacques et Tshepo discutent du loyer, 650 rands, raisonnable dans ce quartier. Jacques lui parle de la femme de ménage et de la lessive dont il peut s'occuper pour la somme de 20 rands par semaine. Mais ça n'inclut pas le repassage. Il dit également à Tshepo que personne à part lui ne peut toucher à la machine à laver dans la salle de bains.

— Je l'ai achetée assez cher et elle a duré jusque-là parce que je laisse personne jouer avec.

— Et tes chats ? demande Tshepo prudemment, je suis allergique.

— Si tu veux les garder au large, ferme ta porte.

Mais l'odeur des deux animaux remplit l'appartement. Leurs poils aussi. Je vais sur le balcon, à la recherche un peu d'air frais. Peine perdue, c'est une journée chaude, sans la moindre brise. Dans un coin par terre, une boîte en carton avec de la litière pour chat. De longues entailles sur un des côtés, là où les chats font leurs griffes. Je rentre pour voir Jacques donner ses clés à Tshepo et lui expliquer comment utiliser l'interphone en bas. Il y a quelque chose de condescendant dans sa façon de lui parler, mais je me rends compte que Tshepo s'en moque. Il est juste content d'avoir trouvé un endroit à lui. Dans l'intervalle, Jacques lui passe une couette. Il lui dit qu'il regardera les annonces dans *Cape Ads* pour un lit d'occasion.

Quand il a fini de tout expliquer, nous partons.

— Tu crois que ça va aller avec ce type ?

— *Ja*, pourquoi ?

— Rien. J'interprète probablement trop les détails, mais tu as remarqué la chaîne autour de son cou ? je dis, essayant peut-être de sonner l'alarme sur ce visage ravi. Peut-être que je ne peux pas me réjouir pour lui. Peut-être que je suis un peu garce.

— Pourquoi faut-il que tu gâches tout ? il dit agacé.

Ça, je l'ai peut-être mérité.

— C'est convenable. C'est près du boulot et ça ne coûte pas les yeux de la tête, il dit.

Il me raccompagne à la gare, à la station de taxis.

— Merci de m'avoir hébergé chez toi, il dit, sa bonne humeur disparue. Il me serre dans ses bras à l'arrêt du bus. Porte-toi bien. Je sais pas quand on va se revoir. Je vais être occupé à m'installer les prochains jours et, bien sûr, je suis toujours au boulot.

— C'était bien de t'avoir à la maison. Ne disparais pas de ma vie. Alors, à la prochaine.

Je rentre avec appréhension, vers une maison désormais vide. Je prends un taxi pour Mowbray. J'achète une bouteille de blanc chez Checkers. Elle me tiendra compagnie cette nuit. J'arrive même à me convaincre que je ne suis pas si enceinte, je peux me permettre ce petit plaisir. Karuna, de chez Ganesh, me fait signe depuis une autre queue, alors que je suis en train de payer. Je lui fais signe à mon tour, mais je m'en vais dès que la caissière me tend mon reçu. Je n'ai envie de voir personne.

La première semaine paraît longue, la solitude est insupportable. Je n'arrête pas de penser à Arne. Il me manque. Son souffle contre mon cou quand nous faisons l'amour. Son caractère qui s'échauffe facilement, sa façon de dire *ja*. Son énergie, sa méticulosité. J'ai lutté contre ce sentiment au début, mais je l'aime. Je l'aime.

Je ne sais comment c'est arrivé mais je l'aime. Et je suis malheureuse qu'il soit parti.

WEST

Kalahari West, cheveux noirs, yeux bleus, loup de mer, 1,75 m, 85 kg, 20 cm non circoncis – voilà comment ils me décrivent. Je vais au club de gym au moins une fois par jour pour préserver ces statistiques vitales. Les gens qui veulent de moi ne sont pas toujours des hommes. Une à deux fois par mois, j'ai une cliente. En général, elles veulent un vrai cavalier pour les emmener dans un endroit bien, pendant que leurs riches maris sont en voyage d'affaires à l'étranger, ou bien elles ont désespérément besoin de se faire baiser. Des riches salopes qui sont fougueuses au lit, qui savent toujours ce qu'elles veulent et où elles le veulent. Ça ne me gêne pas, j'aime les femmes. À la différence des autres, je les préfère aux hommes. Je ne suis même pas bisexuel. Je n'aime pas les hommes de cette façon.

Les femmes qui viennent à moi sont généralement tristes, un peu amères. Elles peuvent être mariées à un homme plus vieux qui n'arrive plus à assurer. Ou bien elles ont un affreux mari qui les trompe et les affame sur le plan sexuel. Même si leur relation n'est pas heureuse, elles ne savent pas comment s'en aller. Je ne leur pose pas de questions. Généralement, je les baise jusqu'à ce qu'elles fondent en larmes, me racontant parfois les choses terribles que leur font les hommes de leur vie. Quand je ne joue pas au psychologue, c'est l'occasion pour moi de briller un peu, d'étaler mes prouesses sexuelles.

Difficile d'expliquer à un hétéro ordinaire, qui n'oserait jamais coucher avec un autre mec, pourquoi je fais ce boulot. Les hommes que je rencontre ne sont pas ordinaires. Ce sont des hommes d'affaires, avocats, banquiers, analystes financiers, experts comptables, pharmaciens, ingénieurs, médecins, chirurgiens, éditeurs, journalistes, écrivains, poètes, artistes, universitaires – généralement, des gens très instruits, aisés et influents. J'ai même croisé des personnalités du sport, des rugbymen célèbres. Des hommes qui ont travaillé dur pour parvenir au succès. Je crois qu'ils viennent ici parce qu'ils savent qu'ils seront appréciés à leur juste valeur. À la maison, avec leur épouse, j'imagine qu'ils sont insatisfaits. Ils n'ont pas l'air de comprendre les femmes, ce qu'elles veulent vraiment, et s'ils le savent, ça ne les intéresse pas. Voilà ce que je vois quand je regarde ces hommes. Ils m'impressionnent toujours et ma relation avec eux est loin d'être uniquement sexuelle. Le sexe, c'est juste le début. C'est le véhicule improbable que nous devons emprunter pour rejoindre une certaine destination. Ma relation avec eux s'apparente davantage à celle d'un professeur bienveillant avec un élève motivé.

Mon père a quitté ma mère quand j'avais douze ans. Je commençais juste à me branler. Ils n'étaient pas gentils l'un avec l'autre à la fin, ils s'engueulaient trop. Il est parti à l'aventure, pour voyager à travers l'Afrique et d'autres latitudes lointaines. Je n'ai plus jamais entendu parler de lui. J'ai grandi avec ma mère et son frère aveugle, bien plus âgé, mon oncle, *oom* Sarel. Il avait été blessé dans un accident de mine quand il était jeune. C'est marrant, parce que moi, je m'appelle Karel. Pendant mes premières années d'école, j'étais tranquille. Je faisais mon travail. À la maison aussi. Je faisais les tâches qu'on me confiait. Mais c'est difficile de grandir sans père, particulièrement pour un jeune Afrikaner comme moi, dans une petite ville tranquille comme Hermanus où tout le monde sait qui vous êtes. À l'école, les garçons se moquaient de moi et me harcelaient, ils se vantaient d'avoir un père qui venait les voir jouer au rugby. Je détestais ces matchs, c'est là où mon père me manquait le plus, où je ressentais son absence. Les autres racontaient fièrement qu'ils allaient à la pêche avec leur père, qu'ils allaient en vacances au Transvaal où ils pouvaient voir Naas Botha passer des drops au stade Loftus Versfeld devant des foules en délire. Ils ne manquaient jamais de me rappeler que c'était cet homme qui était supposé m'apprendre à faire du vélo, m'acheter un pistolet à air comprimé ou me donner une fessée quand j'étais insupportable. Mais je n'embêtais pas ma mère et elle ne m'a jamais battu. Elle venait toujours me voir aux matchs, espérant silencieusement que je marque un essai, que je prenne ma revanche, pendant qu'*oom* Sarel écoutait avec attention. Il était très malin, mon oncle, il ne se faisait jamais avoir. Vers la fin de l'école, l'année de mon brevet, j'ai commencé à me battre. J'en avais marre de devoir défendre l'absence de mon père, marre des coups bas et des moqueries. Je revenais avec des coupures, des bleus, des cocards. Ma mère ne disait rien. Elle avait assez à faire comme ça avec les racontars sur notre compte. *Mevrou* De Villiers. Madame De Villiers et son pauvre fils.

C'est une tigresse, ma mère. Pendant ma première année à Stellenbosch, j'ai rencontré un Anglais, en master de quelque chose. Chaque fois qu'il parlait de sa mère, il y avait de la tristesse et du regret dans son regard, mais pas l'affection que j'avais pour la mienne. Ma mère aurait déplacé des montagnes pour moi, elle était comme toutes les mères afrikaners. Elle aurait tué pour moi. Chaque fois qu'elle m'appelait *seun*, fils, mon cœur s'emplissait de tendresse ; et même maintenant du haut de mes vingt-huit ans. Ça a été difficile quand j'ai commencé à vaquer de job en job après ma licence en biochimie. Elle ne comprenait pas pourquoi je n'arrivais pas à trouver un boulot stable, comme un bon *seun*, pourquoi je n'étais pas heureux. Ce fut une période sombre, pleine de disputes, alors qu'elle avait toujours été mon alliée jusque-là. *Oom* Sarel ne s'en est jamais mêlé, il n'a jamais tenté de remplacer mon père.

Je savais pourquoi je partais à la dérive. Je me sentais incomplet, pas vraiment un homme. On peut ressentir ça quand on grandit sans la présence forte d'un homme dans sa vie. Même un diplôme de Stellenbosch ne remplace pas ça. Ce vide, ce manque de confiance. Il me manquait l'amour-propre fondamental que seul un homme aurait pu m'enseigner. Je ne me souviens plus exactement comment j'ai fini par appeler Shaun mais c'était au cours d'une période intensément malheureuse de ma vie. Je venais juste d'être viré. Je vivais d'un chèque à l'autre, je buvais, je couchais à droite et à gauche, comme un lapin. Comme cette chanson de Sting, *too proud to beg and to dumb to steal*, trop fier pour mendier et trop bête pour voler. J'avais toujours cet emprunt étudiant à rembourser. C'est aussi pour ça que ce boulot m'a séduit. On gagnait tellement que je pouvais rembourser mon emprunt en quelques mois. Et c'est ce que j'ai fait.

Mais n'importe quel hétéro se poserait la question : pourquoi les hommes ? C'est simple. Je connais les hommes. Je les comprends. Je suis l'un d'entre eux. Plus important encore, je sais comment ça fonctionne, comment les pièces s'assemblent. Je sais ce qui les excite. Je trouve ça plus facile que de travailler avec des femmes. J'ai encore trop de problèmes personnels à régler avant de pouvoir faire face aux femmes, avant de pouvoir être avec elles. Ma mère m'a appris à être ouvert et fidèle, et je n'aimerais pas être comme ces hommes que je rencontre à Steamy Windows. Mais je les comprends. Ce n'est pas tant qu'ils soient soudain attirés par les hommes, ils cherchent une certaine forme de tendresse et de compréhension qu'une femme n'est pas capable de leur donner. C'est difficile à expliquer, mais quand vous croisez un homme au regard brisé, qu'il vous demande de le toucher d'une certaine façon, vous mettez de côté vos opinions sur la vie. Vous vous ouvrez. C'est ce que j'aime dans ce boulot. Je cherche profondément en moi-même.

Les hommes que j'ai croisés m'ont beaucoup appris. Comment se raser, comment aller dans le sens du poil et pas le contraire. Mon père n'était pas là pour m'apprendre, et *oom* Sarel… bon, il était aveugle. Je ne lui reproche rien. Je ne lui en veux pas. J'ai appris à m'habiller correctement, à mettre du déodorant plutôt que des litres d'eau de toilette sans rien sous les bras. J'ai appris à tenir convenablement un magnum de champagne, à servir le vin, à découper un canard, à manger du homard, à être un invité prévenant, à démarrer une batterie à plat, à me présenter d'une poignée de main franche, ferme mais pas trop, des petites choses qu'une mère ne sait pas. Des choses que seul un autre homme peut vous enseigner. J'ai appris à me servir de l'argent, à faire une demande de carte de crédit, à faire mes comptes, à tenter ma chance à la Bourse. Tout ça n'est pas difficile quand quelqu'un prend le temps de vous montrer. J'ai appris à organiser mon emploi du temps, à respecter mes engagements, à être professionnel, à me souvenir d'être toujours courtois, toujours reconnaissant. Je gagne bien ma vie, ça je le sais. Au mois de mars, je me suis fait 20 000 rands, c'est la haute saison, ça correspond au printemps en Europe. J'ai placé intelligemment cet argent. J'ai investi dans des entreprises *off-shore* sur les conseils d'un analyste fiable. Plusieurs fois, mes clients se sont montrés généreux, ils m'ont demandé de les accompagner en vacances. J'ai fait du snow-board en Suisse, de l'escalade au Pérou, du jet-ski à Cannes, du rafting en eaux vives dans le Colorado. De quelle autre façon un jeune type paumé et inexpérimenté comme moi aurait pu apprendre tout ce qu'il faut pour être un homme aujourd'hui ?

De toute façon, les gens de mon âge, ils font quoi ? Ils se précipitent sur le marché de l'emploi au moment où ils devraient se demander ce qu'ils veulent faire de leur vie. Ils se plaignent de la discrimination positive, ils s'effraient de la loi sur l'égalité des chances, indifférents aux opportunités offertes aux indépendants, à l'idée de dépendre de ses propres ressources plutôt que d'un boulot stable mais sans avenir, où on leur offrira une montre après vingt-cinq ans de bons et loyaux services. Ils font des bébés trop tôt, et c'est le début des échéances mensuelles d'emprunt. Ils doivent s'occuper de leurs enfants alors qu'ils sont eux-mêmes encore des enfants à de nombreux égards. Ils se marient jeunes et divorcent quelques années plus tard parce qu'ils n'ont pas pris le temps de se demander ce que ça signifie d'être un homme et ce qu'est une femme, ce dont elle a besoin, ce qu'elle désire et comment il faut la traiter. Je n'étais pas prêt à être une autre victime de la médiocrité. Moi aussi j'ai des rêves. L'argent que je gagne, ce n'est pas que pour m'amuser. Je m'achète du temps, ma personnalité mûrit en attendant la belle saison, je suis convaincu que c'est le caractère qui fait l'homme, plus que le savoir. Comment tu es parvenu de l'autre côté de ce long tunnel obscur.

Ce n'est pas une affaire de sexe. Il faut une autre sorte d'homme pour comprendre ça. Ça demande un mélange différent, plus mûr, de courage et de faiblesse, pour se mettre dans cette situation. C'est pour ça que je ne fréquente pas d'autres garçons. Je n'ai gardé aucun contact avec les gens que je connaissais avant d'entrer à Steamy Windows, ils ne comprendraient pas. Leurs principes moraux sont autant d'obstacles. Comme s'ils ne donnaient pas la priorité à leur humanité, à leur propre cause. À quoi ça rime d'adhérer à une valeur qui ne vous aide pas à grandir, ou au moins à regarder les choses sous un autre angle ?

C'est un travail intense parce qu'il vous oblige à réfléchir, à examiner votre système de valeurs, à mettre votre tolérance à l'épreuve. C'est sûrement préférable à la frustration, à ces types qui recourent à la violence quand ils se sentent coincés. Le truc, avec ces hommes qu'on croise et les nombreux privilèges qu'ils nous accordent, c'est de ne pas s'endormir dans le siège du passager, comme le fait Storm.

Ça fait des années qu'il fait ça. Il doit avoir trente-trois ans aujourd'hui. Personne ne sait vraiment quel âge il a. Mais il n'a pas l'air de vouloir arrêter. C'est triste parce que bientôt son physique va le trahir. Et alors quoi ? Je ne crois pas qu'il ait l'ambition d'être autre chose. Je ne crois pas qu'il mette d'argent de côté, il est trop extravagant. Je sais qu'il est accro à la coke. Si vous n'êtes pas assez fort, la drogue finit par vous avoir. C'est moche quand la drogue finit par tout détruire. J'ai vu trop de gars avoir leur heure de gloire avant de sombrer dans la nuit. Un jour, je suis tombé sur un type que je connaissais, c'était devenu un clochard qui importunait les gens dans la rue, mendiant les quelques centimes qui lui permettraient sans doute de s'acheter son shit. L'angoisse est toujours présente. Personne n'est invincible. J'ai aussi eu une période où j'étais fasciné par la drogue. Mais même si on est capable d'en prendre sans sombrer dedans, on n'est qu'un minable qui se ment à soi-même. Si on est si bien dans sa peau, alors pourquoi en prendre ? Chaque fois que je lui pose cette question, Storm se fâche. L'autre jour, je l'ai surpris en train de dissimuler avec du fond de teint une tache suspecte sur sa poitrine. Il m'a fermé la porte au nez. Le sida est une réalité. Deux fois par an, Shaun nous fait passer le test. Jusque-là, Storm était clean. À présent, je me demande… Depuis cet incident, il reste distant.

C'est pénible parce que nous sommes si proches. Même si une loi non écrite nous oblige à ne jamais poser de questions sur notre passé, nous partageons tout. Il arrive que ce travail devienne trop personnel, qu'on ait envie de demander au client un peu de tendresse ; tout est si stérile, si brut, si éphémère. Quand ça arrive, je me renferme sur moi-même et je me tais. Je trouve parfois du réconfort dans les bras de Cole. Je suppose que Cole est mon meilleur ami, même si je ne sais rien de lui, en dehors du fait qu'il parle français, qu'il a étudié la médecine au

Nigeria et qu'il veut devenir chirurgien. Je ne sais pas pourquoi je dors avec lui de temps en temps. Je ne sais pas tout de la vie. Débarquer à Steamy Windows m'a peut-être sauvé de l'autodestruction. J'errais sans but. Je buvais. J'étais paumé. J'aimerais croire que j'ai changé, que j'ai mûri. Ma vision du monde s'est certainement élargie. La vie est pleine de possibilités. De nouveaux choix se présentent sans cesse, de nouvelles façons d'être, de vivre, de survivre.

TSHEPO

Je suis content d'avoir finalement retrouvé un appart. Mmabatho commençait à me fatiguer. Je ne voulais pas m'éterniser chez elle. Dans un coin, sur le sol, mes livres sont à l'abri. La vue sur Le Cap, par ma petite fenêtre, est merveilleuse. Jacques m'a acheté un lit d'occasion et un petit matelas. C'est un honnête lit en pin, mais je n'imagine pas qu'on y tienne à deux. Trop petit. Quant à Jacques, je le trouve un peu bizarre, secret. La porte de sa chambre reste toujours fermée. On parle peu, je le vois rarement. Il est toujours occupé. Il travaille dans un sex-shop en ville, les journées sont longues. Il suit une formation à mi-temps en informatique, il m'a expliqué.

Comme j'ai un peu d'argent, je décide d'aller faire du shopping, je demande à Sebastian de m'accompagner. Il m'emmène à Waterfront, j'achète des chaussures en cuir noir, un pantalon élégant pour le quotidien et quelques chemises. Sebastian est également expert en accessoires : chaînes, écharpes, bracelets de coude, boucles d'oreilles, ceintures, anneaux d'orteils, lunettes de soleil, portefeuilles, sandales, montres – tout ce qui façonne une personnalité unique. Il a beaucoup de goût. Je lui fais confiance même si c'est un peu cher pour moi.

— Ça fait partie de ta préparation, fais-moi confiance, mon chou, il dit. Il m'aide à choisir un costume brun clair en coton, que je peux porter avec un tee-shirt blanc et des chaussures noires. Pour un usage plus quotidien, j'achète un jean blanc Guess, un haut noir en tricot et des sandales noires élégamment tenues par des lanières fines. Je dépense une fortune pour peu d'affaires mais je sais qu'elles vont me donner le surcroît de confiance dont j'ai besoin pour bien tenir mon rôle.

J'ai également commencé à fréquenter le club de gym. West dit que ça ne fait pas de mal d'entretenir son physique. Et puis, ça fait de la pub à tes fesses en même temps, il ajoute. Du coup, je me suis inscrit dans un club chic de Sea Point, la plupart des membres sont gays mais la jouent hétéros. Dans les douches, j'ai vu plusieurs fois des mecs arborer fièrement leur érection. Personne n'a bronché. Parfois, en début d'après-midi, je vais faire un tour sur la promenade de Sea Point. Il y a un lieu de rencontre pour les gays, une courte jetée, sauf que ce n'est pas pour les bateaux. Là, contre les murs blanchis à la chaux, des hommes aux corps superbement sculptés prennent le soleil, absorbant sa chaleur comme au bain turc. Parfois, ils ne portent absolument rien. On peut trouver jusqu'à une dizaine d'hommes, de tous horizons et couleurs, une forte tension sexuelle émanant de leurs corps robustes. Quand le temps est moins clément, il n'y a que quelques personnes. J'aime aller là-bas. Me tenir au bord de l'eau, écouter les vagues s'apaiser l'une l'autre. À Sea Point, on assiste aux couchers de soleil les plus spectaculaires.

Un vendredi, au boulot, Shaun nous dit que nous pouvons tous prendre notre soirée. West m'explique qu'il fait ça une fois par mois et qu'on sort tous ensemble pour évacuer la pression. On entame la soirée chez Biloxi. Tout le monde est là : West, Cole, Storm, Carrington, Sebastian, Adrian et un autre type, qui s'appelle Martin. Shaun ne nous accompagne pas. Il dit que c'est la seule soirée qu'il peut passer avec sa femme et leur bébé de six mois.

C'est une soirée chaude de fin septembre. Je porte mon jean blanc, mon haut noir en tricot et mes chaussures noires. Je suis bien rasé, l'haleine fraîche, la peau douce, parfumée. On arrive chez Biloxi vers neuf heures. C'est un bar-discothèque pas mal, au cœur du quartier gay. Les hommes sont généralement un peu plus âgés, l'air parfois fatigué, désabusé. West me montre le manager. Il a l'air bizarre avec ses cheveux décolorés et sa drôle de démarche. West dit qu'il marche comme s'il avait un balai dans le cul. Le style et les couleurs de ses vêtements se veulent trop jeunes, ils ne correspondent pas vraiment à son physique. Son accoutrement trahit son âge, ridiculisant ses efforts pour combattre le passage des années. Son pantalon bouffant souligne sa démarche bizarre et ça n'aide pas que son tee-shirt assez moulant fasse ressortir sa bedaine. Il discute avec quelqu'un en jetant de brefs regards vers la porte. Comme tous les autres types de Biloxi, c'est un prédateur. Ils nous regardent entrer. Ce n'est pas plein. On s'installe dans un coin, près d'une grosse ancre rouillée, un épais cordage enroulé autour. Des photos de beaux mecs costauds sont fixées autour de cette ancre phallique.

— Angelo et moi, on prend la première tournée, annonce West. Je le suis au bar sans protester. Il avance avec une arrogance débridée.

— Tu sais, je me suis fait quelques-uns de ces trous-du-cul, il me chuchote à l'oreille. Il sent Old Spice. Les mecs nous regardent aller vers le bar.

Le bar lui-même est grand, un peu tape-à-l'œil. Deux pélicans en cuivre excessivement poli, le bec pointé, sont posés à chaque extrémité du comptoir. Plus j'observe la myriade de lumières qui éclairent le bar, plus je réalise qu'on dirait un autel étrange, attirant tous les regards. Tout pousse vers lui. Les plus beaux types de la pièce y sont rassemblés, autour de la meilleure lumière. Il y a une cloche reliée à une longue corde, entrelacée de petites ampoules. Les barmen la sonnent par intermittence, elle se balance alors avec éclat. Je ne saisis pas très bien pourquoi ils la sonnent, à cause d'un gros pourboire, ou bien parce qu'il s'est passé quelque chose de spécial? Mais le barman responsable a toujours l'air ravi. Au-dessus, un mannequin nu, auquel il manque les bras, est lui aussi illuminé. Suspendu dans les airs, il n'a pas l'air de ce monde. Trois dauphins bleu métallisé gonflés à l'hélium flottent dans un coin, près du plafond. Il y a une petite cabine de DJ en hauteur. Le DJ, lourdement maquillé, croise mon regard alors que je détaille la pièce avec étonnement. Je n'ai jamais vu autant de lumières dans un seul espace, et pourtant elle reste étrangement sombre. West commande des cocktails flambés, des Lamborghinis particulièrement spectaculaires, pour tout le monde, une note de 200 rands à la clé.

— T'inquiète pas, Angelo. Celle-là est pour moi, il dit en me pinçant légèrement les fesses. Il faut que tu viennes à la gym avec moi un jour. Je te ferai travailler si dur que tu pourras plus t'asseoir. Il sourit, une fossette apparaît sur sa joue.

Je l'aide à apporter les cocktails aux autres. On porte un bref toast, on boit rapidement, impatients d'être soûls. Storm et Carrington nous demandent ce qu'on veut ensuite. On se met d'accord sur de la bière et du cidre.

Le DJ passe des chansons pop faciles mais il les mixe avec de la house. J'ai envie de danser mais il n'y a personne sur la piste. Je me sens excité à chaque fois qu'un homme me regarde. C'est encore nouveau pour moi. La façon dont les gays communiquent m'intrigue. De l'autre côté de la pièce, près du distributeur de cigarettes, un type blond de corpulence moyenne me fixe. Il me regarde longtemps mais je suis trop intimidé pour soutenir son regard, son désir. Quand je me décide à le faire, le contact entre nos yeux me fait l'effet d'une décharge. Pourtant, je ne prends pas ça au sérieux. La nuit est encore jeune, il est probablement juste en train de flirter, de s'échauffer pour la nuit qui vient. Il bouge sa tête, un léger salut. Puis il passe à côté de nous, alors que nous sommes installés autour d'un grand tonneau vide qui fait office de table. Je le suis des yeux. Il sort vers l'arrière, un espace ouvert où l'air est frais. Je ne sais pas s'il s'attend à ce que je le suive. Mais je ne le fais pas. Je suis trop nerveux. Et puis je suis avec les autres, c'est notre sortie. Au bout d'un moment, le type revient, l'air dépité. Il passe à nouveau près de moi en évitant mon regard. Je le regarde s'asseoir à un autre endroit de la pièce, à la recherche d'une proie plus consentante.

Progressivement, la pièce se remplit d'une foule d'hommes. Vers onze heures, la musique bat son plein, nous sommes tous légèrement ivres. Je reste avec Sebastian alors que les autres se dispersent. On sort à l'arrière un moment. On voit les étoiles dans le ciel clair.

— J'ai jamais vu autant de gays à la fois, je dis avec excitation, électrisé.

— Tu veux dire que t'es jamais allé dans un bar gay? il dit, incrédule.

— Non, j'avoue.

— Eh bien, fais gaffe. Mon conseil, ne sors avec personne, il y a toutes les chances que tu les croises au boulot de toute façon, il dit. Moi, je le fais jamais. En tout cas pas au Cap.

Un type noir portant une ample chemise blanche me déshabille du regard en passant à côté. Sebastian sourit et le suit des yeux. Il rejoint un groupe d'hommes non loin de nous.

— Tu sais qui c'est? demande Sebastian.

— Je devrais? je demande en regardant l'inconnu. Son teint est sombre comme la nuit, il est grand, athlétique.

— Ça, mon chou, c'est le doyen de notre industrie. Le meilleur dans le métier. On l'appelle Andromède, ou le prince. Il est supposé être nubien, un véritable prince de sang. Mais qui sait… En tout cas, c'est une sorte de grand frère pour nous tous. Tout le monde vante son professionnalisme. Il est supposé s'être beaucoup enrichi grâce à son activité et ses voyages. La plupart de ses réservations émanent de gens fortunés, étrangers, aristocrates, riches salopards qui n'hésitent pas à dépenser 10 000 dollars pour une nuit. On le traite quasiment comme une altesse royale. Par exemple, si tu vas à l'intérieur, sur un des murs, tu trouveras sa photo. Je n'ai jamais entendu Sebastian parler de quiconque avec révérence. Il est généralement très ironique à propos des gens.

Je regarde Andromède parler à un groupe d'hommes.

— L'amusant dans cette histoire, c'est que personne ne connaît son âge ni comment il tient aussi longtemps. Si tu l'observes, tu dirais qu'il a dans les trente ans. Mais c'est impossible. Ça fait vingt ans qu'il fait ça, il ajoute.

— Ça fait beaucoup de temps passé à coucher avec des hommes.

— Angelo, je suis surpris. Je pensais que t'avais compris à présent que ce travail n'était pas tant une affaire de sexe, il dit, un peu déçu.

— Qu'est-ce que tu veux dire ?

— Qu'est-ce que tu fais avec tes clients, une fois qu'ils ont joui ? il demande.

— Le truc habituel. On discute un peu et ils s'en vont.

Il me regarde et sourit.

— Tu loupes l'essentiel, mon chou. Tu devrais bavarder avec eux un peu plus. Faire connaissance. Tu serais surpris par ce qu'ils te raconteraient. Tu sais, on dit qu'Andromède maîtrise si bien son corps qu'il arrive à contrôler la quantité de sperme quand il éjacule. Tu peux croire ça ? Je ne peux pas imaginer un numéro plus impressionnant en société, dit Sebastian en rigolant.

— Il nous regarde, je lui dis.

— Il te regarde, mon chou. Tu es le petit nouveau, il me vanne.

— Mais pourquoi il est tellement spécial ? C'est quoi cette histoire de grand frère ?

— Les principes, mon chou, les principes. Au bout d'un moment, c'est tout ce qui te reste. C'est ce qui tient la confrérie. Andromède représente l'archétype du mâle, l'homme original. Adam, si tu veux taper dans le registre biblique. Ses prouesses sexuelles, sa négritude, nous les célébrons de façon très explicite. De l'extérieur, on pourrait croire à un stéréotype racial, tu vois ce que je veux dire ? Il me regarde. Je parle du mythe des noirs, du grand pénis, etc. Eh bien, nous le célébrons, lui, et le phallus, ouvertement, il dit.

Sebastian est parfois trop obscur pour moi.

— Tu veux dire que c'est un modèle pour vous.

— Quelque chose comme ça. Sauf qu'il y a des implications profondes à choisir un noir comme archétype masculin. Nous affirmons que quelque chose doit être dit sur l'expérience de la masculinité quand on a le teint foncé, parce que pour des raisons historiques, sociétales, on est automatiquement considéré comme une menace, un marginal. Et comme on t'oblige à être dans cette situation, tu vois les choses d'une façon inaccessible aux autres. Ton expérience d'homme est plus profonde, plus inscrite dans la masculinité. Je ne voudrais pas sembler condescendant mais je suis sûr que tu peux personnellement confirmer que l'expérience d'un noir est différente de la mienne.

— Sûr. Mais est-ce que tu es en train de dire qu'Andromède est juste un sex-symbol que vous cherchez à imiter ?

— Je dis qu'il est encore plus que cela. Il représente l'homme idéal en matière d'harmonie avec soi-même, de connaissance de soi, de compréhension de ce qu'on a entre les jambes. N'oublie pas qu'il ne fait pas que baiser des hommes. Certains de ses clients sont des femmes, et je suis sûr que ce sera le cas pour toi aussi un jour. Il faut que tu essaies de voir au-delà du sexe. Autrement, tu rates les subtilités. Notre métier est aussi un jeu de pouvoir. Entrer en contact sexuel avec un autre homme, c'est un rejet assez brutal des femmes. J'ai toujours eu l'impression qu'à certains égards un homme soi-disant gay pouvait être plus masculin, plus macho qu'un hétéro lambda. Comme tout son monde tourne autour des hommes et de la façon de les avoir, c'est une célébration plus manifeste du phallus. Les femmes, d'une certaine façon, nous tiennent sous la menace, parce qu'elles peuvent procréer, avoir des enfants. Elles ont un réceptacle dont nous ne disposons pas, leur utérus. Jadis, les Anciens entretenaient de nombreux mythes sur ce réceptacle. On apprenait aux hommes à le craindre parce qu'il avait cette capacité incroyable de donner la vie. C'est pourquoi on redoutait tellement les sorcières, elles pouvaient mettre leur réceptacle au service du mal. Et la simple connaissance de ce pouvoir des femmes suffisait à émasculer les hommes. À mon avis, la montée du patriarcat, l'asservissement des femmes, les mutilations génitales sont des tentatives masculines pour limiter le pouvoir de l'utérus. Mais ils en ont oublié le phallus et sa propre magie. OK, ça a aussi peut-être à voir avec l'Église. Mais toutes les sociétés préchrétiennes rendaient hommage au phallus. C'est là d'où nous venons. C'est ce qu'Andromède représente. Il représente cette époque où le phallus aussi était célébré. Les hommes mariés d'aujourd'hui ne peuvent plus le faire. Seuls nous, nous le pouvons. Si tu regardes les types qui accompagnent Andromède, ils ne sont pas tous gays. C'est pour ça que je te répète de regarder au-delà du sexe.

Est-ce que tout avec lui doit devenir un exercice intellectuel ? je me demande.

— Donc, pour vous, c'est un Ancien ?

— Pour nous célébrer nous-mêmes, c'est important d'avoir les bons modèles, les bons symboles. Quel bien peut nous faire un universitaire ?

Ou un artiste accompli, ou que sais-je encore ? Nous disons ne vous excusez pas pour votre masculinité. Célébrez-la, et pour ce faire, il faut des figures adéquates. Et merde, il semblerait qu'il en ait une grosse, ce qui ne fait pas de tort à notre cause. C'est pas la peine d'être un abruti avec un flingue pour célébrer la masculinité. La violence n'est pas une solution. La confrérie y renonce parce que c'est une régression. Pour être un homme, tu dois être pleinement conscient et c'est impossible si tu es dans la violence. Associer violence et masculinité, c'est une illusion que les hétéros ont acceptée stupidement, c'est très néandertalien. Une part de la philosophie de la confrérie, c'est le rejet de la violence. Qui a dit que la violence devait être synonyme de virilité ? Qui a dit que les hommes ne pouvaient pas être tendres ? Qui a dit que les hommes ne pouvaient se tourner les uns vers les autres pour obtenir de l'amour et du réconfort, au-delà des préférences sexuelles ? Qui a dit que les femmes étaient les seules à comprendre la tendresse et ce que ça signifiait d'élever quelqu'un ? Je ne prétends pas être une femme. Je sais que je suis une folle et tout ça. D'une foule de manières, je célèbre les femmes, dans ma façon de m'habiller, les choses que je fais. Mais je me sens toujours masculin. J'ai les mêmes impulsions que n'importe quel mec. La meilleure façon de comprendre ça, c'est simplement de faire confiance à ses instincts.

— Je suis en train de dessoûler, je lui dis. Andromède nous regarde retourner à l'intérieur. De la lumière semble irradier de sa peau noire, scintillant comme une perle noire. Il me sourit. À l'intérieur, la pièce est chaude de l'haleine concupiscente des hommes en chaleur.

Le DJ est efficace, c'est la fête. Bientôt une foule d'hommes envahissent la piste, tournant avec énergie, comme des galaxies miniatures. Un mix hypnotique, fusion parfaite de violons, de guitares slide et de poésie émouvante, provoque les acclamations. La musique est sombre mais magnifiquement structurée par des paroles récitées avec dextérité, évoquant le métal tordu et le cauchemar d'être « coincé dans le ventre d'une horrible machine, alors que la machine saigne à mort ». Le mix se transforme en un passage instrumental rythmé par des sons d'électrochocs. Les basses vibrent dans ma poitrine. Tous les hommes exultent et dansent, boivent et rient, chacun profitant de chaque instant de cette bacchanale.

La musique, sur laquelle vient s'ajouter une boucle funk de hip-hop salace, devient toujours plus atmosphérique, mystérieuse, envoûtante. Chacun est comme hypnotisé, esclave du rythme. Dans un autre morceau, un piano mécanique vient se fondre dans les parfums indiens de bongos aux rythmes brillants. Le son distordu des percussions mélangé à celui du piano ravit l'auditoire. Alors que nous crions notre ravissement, la sueur dégoulinant sur nos corps comme des hédonistes fous, le DJ nous pousse davantage avec toujours plus de gros son. Un rythme associant chocs métalliques et contrebasse fait dresser de plaisir les bras des danseurs comme pour adorer un dieu ancien, le dieu de la danse et de l'art. Ce même dieu qui terrifiait les hommes quand ils marchaient dans les ténèbres mais leur donnait également le courage d'aller plus loin, de chercher en eux. Synthés analogiques et xylophone, le DJ crée une cacophonie de tourbillons électroniques. Le rythme haché tombe, les saxos rocailleux soufflent et la contrebasse arrache la plus solennelle des mélodies pour cordes. La musique passe d'un sample d'une ligne de basse bien connue à un chaos féerique de breakbeat.

Ce n'est pas le répertoire gay habituel, genre *I will survive* de Gloria Gaynor. Le DJ, innovant jusqu'à l'obsession, nous touche dans les zones les plus profondes de notre être. Nous sommes absorbés par la musique. Un morceau avec pour refrain *Music is my life* nous fait presque tous chanter en chœur. Une ligne de basse entêtante progresse sans effort sous les répétitions. Les percussions emballées, combinées à des parasites haute fréquence, nous rappellent combien le rythme est une émotion profonde. Comme si la musique nous implorait, nous asservissait à ses battements hip hop, sublimes et hypnotiques. Des riffs sauvages de reggae vont et viennent. Le DJ nous envoie au sommet de la béatitude. Nous dansons, dansons. Sur l'un des murs, je remarque une grande photo d'Andromède, torse nu, un sourire libertin sur le visage.

Je regarde autour, la plupart des hommes sont torse nu, la lumière rebondit en brillant sur eux. Je me sens étrangement relié à eux, l'esprit intensément serein. On danse, on sourit, on rit. J'entrevois Andromède qui danse seul avec son ombre sur une table près du mur. Lui aussi est torse nu. Sa beauté ravirait un dieu. Je le regarde danser. Je regarde les autres le désirer, se nourrissant de sa magnifique énergie. Un sentiment étrange m'envahit alors que je regarde son torse. Sa poitrine est peut-être le visage secret d'un dieu. Les bouts de ses seins en seraient les yeux, son nombril le nez, et sous sa braguette, se trouve une drôle de bouche avec moustache. Je regarde les autres hommes, je le reconnais aussi sur eux. Les deux types à côté de moi sniffent des poppers, ils sourient bientôt de plaisir. Quand je les regarde, je vois le même visage sur leur poitrine. Il est partout dans la pièce, et partout le même. Voilà peut-être le vrai visage de l'humanité.

Écoutant le vent hurler à mes fenêtres, je ne fais rien d'autre qu'attendre. Je compte les jours qui gagnent du terrain. Dans trois jours, il doit revenir. Mais s'il n'arrive pas ? Où en serai-je ? J'ai peur de devenir folle. C'est idiot. Je n'aurais jamais cru pouvoir dire ça à propos d'un homme. Mais je suis devenue une de ces névrosées, obsédées par leur homme.

Vivre est peut-être plus proche de la mort que nous le croyons. Cette incertitude, c'est l'enfer. Je mange mal, je dors mal. J'ai l'impression d'être une épave. Toutes ces simagrées à propos d'un homme, Mmabatho ! je passe mon temps à me reprocher. L'amour me rend malade. Je ne sais plus qui je suis. Où est-il ? Pourquoi il n'écrit pas ? Pourquoi il ne demande pas à quelqu'un de me dire que tout va bien, qu'il revient bientôt ? Pourquoi il ne s'inquiète pas de moi ? Je passe mon temps à penser à lui, comme nous étions heureux. Pourquoi a-t-il fallu que je tombe enceinte ? Pourquoi l'amour est si difficile, son chemin si tortueux, si plein d'épines ?

L'amour est peut-être la rencontre de la lumière et des ténèbres. Il s'agit peut-être d'apprendre à voir au-delà de la lumière et des ténèbres. Comme marcher sur un mince filin d'acier. Je suis parfois si déprimée en pensant à lui que j'entends la lumière et les ténèbres m'inviter à les rejoindre immédiatement. C'est violent. L'amour exige tout ce que j'ai gardé dans le secret de mon cœur. J'ai grandi en apprenant qu'il n'est pas sage de donner trop, trop tôt. J'ai déjà tellement capitulé. Je ne pourrais donner davantage à quiconque. À aucun autre homme. Je ne sais pas si je survivrais à un nouveau chagrin.

C'est ce que je ne comprends pas qui me tient éveillée la nuit. Comme être folle et saine d'esprit en même temps. Mes humeurs sont si violentes. J'ai renoncé à tout pour lui, mes désirs, mes espoirs, mes peurs. Moi. C'est une folie, je ne sais pas s'il en ferait autant pour moi. Je continue à penser au passé, à la façon dont il est allé avec Nthabiseng. J'ai peur qu'il ne revienne pas, qu'une fois en Allemagne, il trouve une excuse pour y rester. Se fixer sur un mauvais souvenir, c'est comme choisir la seule pomme gâtée dans un verger. Il y a d'autres souvenirs, meilleurs, mais ils ne trouvent pas de place dans mes pensées. Je suis trop déprimée. Je me sens si affreusement seule. Personne pour entendre l'écho de mes pensées. Pour je ne sais quelle raison, j'ai l'impression de l'avoir mérité. D'avoir provoqué cela. S'aimer soi-même est peut-être plus difficile qu'être aimé. Tous les jours, je masse mon ventre avec des huiles, je tresse mes cheveux de plus en plus longs. Je pense à ce bébé qui grandit en moi. Je lui souhaite toujours de belles choses, un père, un toit solide sur sa tête. Je souhaite que les cieux lui soient toujours cléments. Je ne sais pas pourquoi, je crois que mon enfant est un garçon.

TSHEPO

Il y a quelque chose d'obscur en Jacques.

Dans la salle de bains, il y a une grande armoire à pharmacie. Remplie pour l'essentiel de lames, de vieilles lames rouillées empilées les unes sur les autres dans une petite boîte. Je me demande pourquoi il ne les jette pas, mais je ne lui poserai pas la question. Il y a également, posée contre le mur, une porte en plus. Je ne sais pas pourquoi il ne s'en débarrasse pas, toutes les pièces en ont déjà une. J'ai trouvé d'étranges inscriptions sur cette porte, des marques minuscules, presque indécelables si on ne regarde pas de près. Et puis la baignoire a été rayée par un objet métallique. Il y a de profondes stries sur toute la longueur, à l'intérieur. Une fois par semaine, la femme de ménage vient. Je paye une partie de son salaire. Elle nettoie l'appartement à fond, sauf la salle de bains. Je ne sais pas pourquoi. Il lui a peut-être dit de ne pas s'en approcher. Il y a des toiles d'araignées dans tous les coins, les carreaux des murs sont gris et crasseux..

J'ai parfois l'impression qu'avec Jacques, nous disputons une drôle de partie d'échecs. Il passe son temps à faire des choses qui m'obligent à m'interroger sur ses motivations, à relever le défi. Au début de mon emménagement, il était très poli, très amical. Progressivement, j'ai découvert un aspect plus sombre de sa personnalité. L'autre jour par exemple, en allant aux toilettes, j'ai vu qu'il n'avait pas tiré la chasse. D'habitude, Jacques est très méticuleux. Ses pantalons, ses jeans sont toujours impeccablement repassés. Comment a-t-il pu oublier cette politesse élémentaire ? Comment suis-je supposé réagir à ça ? Évidemment, je ne chasse pas l'eau. Le lendemain matin, je le croise avant qu'il parte au boulot. Je ne dis rien. Il ne dit rien. Quand je vais aux toilettes, je constate que la chasse a été tirée.

Il ne prend pas non plus la peine de rincer la baignoire. Au début, je la nettoie avant de prendre mon bain – je préfère les bains aux douches – avant de réaliser qu'il s'agit d'une nouvelle provocation de sa part. Du coup, j'arrête de prendre des bains, je commence à me doucher dans la baignoire et j'y laisse mes cheveux. Quelques jours plus tard, je trouve une petite brosse et une bouteille de détergent Handy Andy sur un coin de la baignoire. Mais la baignoire est toujours sale. Et la femme de ménage ne fait toujours pas la salle de bains. Je continue à me doucher sans rincer.

Je finis par me lasser de cette impasse, je vais passer quelques jours avec West à Steamy Windows. À mon retour, je trouve la baignoire propre. La petite brosse et la bouteille de Handy Andy sont posées de façon ostentatoire près de mes affaires de toilette.

Le lavabo est généralement propre puisque nous nous rasons tous les deux. Nous rangeons nos tubes de savon à barbe séparément. Mais les siens sont de moins bonne qualité, il faut les jeter plus souvent. Et puis, il utilise des after-shave génériques. Il est plutôt pingre en ce qui concerne sa toilette. Dans le panier de linge sale, j'ai constaté plusieurs fois que ses sous-vêtements étaient effilochés, en mauvais état. Il fait plus attention à ce qui se voit, dépensant plus volontiers pour ses chaussures et ses vêtements que pour des articles moins apparents.

Je décide de lancer une nouvelle offensive. Je dispose d'un petit flacon d'eau de toilette Aramis qu'un client m'a donné après une nuit passée ensemble. Il est presque vide. Je le remplis avec de la paraffine et un peu d'urine pour conserver la couleur jaune. Je souris, je range mon piège dans la pharmacie. Je sais qu'il n'y résistera pas. Au fil des jours, je constate qu'il s'en sert. Il s'imagine probablement que je ne m'en rendrai pas compte, mais si c'est le cas, il s'attend probablement à ce que je lui en parle. Je me marre intérieurement en le voyant partir au travail tous les matins, un sourire niais sur le visage.

Plusieurs fois, je remarque que quand il fait ma lessive, mes chaussettes ressortent trouées. Pour je ne sais quelle raison, il se met à laver ses vieux vêtements avec mes affaires. Des tee-shirts un peu déchirés, des chemises avec des taches de peinture. Je ne proteste jamais mais je laisse ses affaires sur la machine à laver. Finalement, je lui dis que je vais m'occuper de mon linge moi-même. Il ne fait pas de commentaires, mais je commence à remarquer des choses de plus en plus bizarres.

Un jour, je reviens du travail épuisé. Dans ma chambre, je me mets à éternuer violemment. Ça ne peut signifier qu'une chose : les chats sont venus dans ma chambre. J'inspecte les couvertures, pas de trace de poils. J'inspecte aussi le bureau que je me suis acheté, et même le sol. Pas de poils. Ensuite je regarde sous mon lit, là où je range ma valise. Je la sors, je trouve des poils dessus. Le matin suivant, la moitié de ma bouteille d'Aramis a été vidée. Je le croise alors qu'il se rend à la salle de bains. Il a une petite rougeur sur le cou. J'ai envie de rire, mais je me retiens. Après ça, je retire la bouteille.

Tout ça est étrange parce que nous ne parlons jamais. Il ne m'adresse pratiquement pas la parole. Et je ne lui dis pas grand-chose non plus.

Il reste toujours un petit morceau de viande congelé dans le réfrigérateur. C'est toujours là, dans le bac à glace. Mais il ne le jette pas. Et dans l'autre compartiment, une vieille tarte moisie dont il ne se débarrasse pas non plus. On fait la cuisine séparément, on n'a jamais discuté de la possibilité de mettre en commun la nourriture. C'est toujours moi qui achète le pain. À plusieurs reprises, j'ai trouvé des tranches de pain frais dans la poubelle. C'est sans doute ce qu'il a fait de plus agressif jusqu'à présent, gaspiller ma nourriture. Et je ne peux pas me plaindre parce qu'il n'est jamais là. Je lui fais le coup de la psychologie inversée.

Il y a deux plantes vertes en pot dans l'appartement, des oreilles d'éléphant, très mal entretenues. Des restes de bâtons d'encens sont plantés dans la terre. Et il se sert des grandes feuilles comme cendrier. Je retire les bâtons, j'achète un peu d'engrais bon marché pour les plantes. Les feuilles sont flétries, leur vert est blafard, je les arrose, je leur fais prendre le soleil sur le balcon. Mais il continue à les utiliser comme cendrier et à y brûler de l'encens. À chaque occasion, je les nettoie. Je ne sais pas quoi faire d'autre. Ça fait tellement longtemps qu'on ne se parle pas, qu'on ne se plaint pas des habitudes de l'autre que ce serait une forme de défaite si je lui demandais pourquoi il traite ainsi ses plantes. Un jour, je trouve l'inspiration.

Je pose un livre près de la plante, en choisissant un titre provocateur : *La Maison de la faim* de Dambudzo Marechera. Quand je retourne sur le balcon le jour suivant, pour arroser les plantes, le livre est retourné, les plantes propres. La victoire est douce.

Dans le journal, je tombe sur un article à propos des enfants sans-abri. Je le découpe et je le colle sur l'intérieur de la corbeille à pain. Le jour suivant, je retrouve ouverte l'enveloppe plastique du pain entamé, alors que je l'avais pourtant bien fermée. L'article est chiffonné en boule dans la corbeille. À partir de ce moment-là, je range le pain dans mon placard, avec mes autres aliments. Il n'y touche plus jamais. Il se met à acheter lui-même son pain. Il ne pouvait pas juste me demander de le mettre ailleurs, au lieu de tout ce bordel ?

Je retrouve mes livres dans un ordre différent de celui dans lequel je les ai laissés. Et un de mes tiroirs est resté entrouvert. Une chaussette blanche en dépasse. Je retire la chaussette, je constate qu'elle est à lui. Pendant qu'il est à son travail, je vais dans sa chambre. Elle reste toujours fermée, mais je n'éprouve aucun scrupule. Un de ses chats, celui qui est fauve et gras, est royalement installé sur le lit. Je le considère avec mépris. Il me renvoie un regard indifférent. Sur son bureau, quelques papiers, un livre au titre apparent : *To Kill A Mockingbird*. Je me retourne, je réalise qu'il m'a piégé. Sur le sol, un petit fil de laine cassé, attaché à la porte. Je referme la porte, j'admets ma défaite.

Le jour d'après, je balaie ma chambre, je me suis fait piquer par des puces pendant la nuit. J'ai entendu quelque part qu'elles se cachaient entre les lattes du parquet. Avant de partir au travail, je répands du gros sel sur le plancher. Mais juste avant, je laisse un livre sur mon bureau : *Le Malaise*, de Chinua Achebe.

Quand je reviens le lendemain, je trouve une empreinte de pied dans le sel. Je vais immédiatement à la quincaillerie acheter une nouvelle poignée de porte. Pour une somme modeste, je demande à un type du magasin de la poser. Je ferme la porte à clé quand je pars au travail. Mais le jour suivant, je trouve une nouvelle empreinte dans le sel, près de la porte-fenêtre. Je balaie le sel, je m'étends sur mon lit pour réfléchir. Je réfléchis longtemps sans trouver de nouvelle stratégie. Je vais à sa chambre, mais sa porte aussi est fermée à clé. Je me rends en centre-ville, je fais tous les grands magasins. Je ramasse une quantité de brochures publicitaires de mode : collections printemps-été. D'autres encore sur les sous-vêtements masculins, les parfums, les produits de soin. Je range mon bureau et je dispose les brochures de façon visible, comme des magazines. Au travail, je prends plusieurs petits « servez-vous ». On utilise ces petites étiquettes cartonnées sur la table du hall d'accueil, sur la pile de magazines *Gay SA*. Je pose le message près des brochures, joliment disposées en éventail.

Le lendemain, je retrouve un de mes tiroirs ouvert. Une agrafeuse posée sur les brochures. Après ça, il ne revient plus dans ma chambre, mais la tension entre nous continue de monter. Mais chaque fois que nous nous croisons, nous sommes toujours polis, un sourire factice de part et d'autre.

La nuit précédant le retour prévu d'Arne, je fais un cauchemar.

Je rêve que je suis seule à la maison. Il pleut. Dehors, il fait sombre. Je n'entends que le vent qui souffle. Il y a une coupure d'électricité. Des éclairs intermittents illuminent la pièce. Je cherche fiévreusement des bougies, je n'en trouve pas. Au lieu de ça, je trouve une lampe à huile. Je l'apporte au salon, la pose sur la télé. La lumière est suffisante. J'entends un grattement derrière moi, provenant de la cuisine. Je me retourne, je vois une ombre qui s'agite derrière moi. Je pousse un hurlement.

— *O jele eng?* dit l'ombre. Qu'est-ce que tu as mangé? Elle se rapproche de moi, tenant quelque chose serré dans sa main. Je m'éloigne de la lampe pour voir de qui il s'agit. *Kere o jele eng?* Vraiment, qu'est-ce que tu as mangé? continue l'ombre.

À la lumière, je reconnais soudain cette ombre. C'est ma grand-mère, qui est morte quand j'étais toute petite. Je me souviens d'elle. Elle marche toujours avec un balancement, pour trimballer sa large carrure. La pluie redouble.

— Grand-ma, tu m'as fait peur, je lui dis, maintenant rassurée. Elle tient un morceau de pain dans sa main. On s'assoit ensemble sur le sofa. Elle grignote son pain. On regarde la lampe, des moucherons volent autour de nous.

— J'espérais que tu saurais quoi faire à propos de ça, elle dit en montrant sa tête du doigt.

— C'est quoi? Je vois pas bien.

On s'approche de la télé. Elle s'accroupit sous la lumière pendant que j'inspecte son crâne. Elle est presque entièrement chauve. Plusieurs plaques de teigne. Certaines vraiment affreuses, suintant un liquide clair, et puis des croûtes repoussantes. Vers l'arrière de son cou, une violente éruption, des boutons à tête blanche, pleins de pus. Son cuir chevelu a l'air dur, légèrement enflé. Elle bouge la nuque avec raideur pour atténuer la douleur.

— Grand-ma, qu'est-ce qui t'est arrivé? je demande, dégoûtée. Je n'ose pas toucher, pas même effleurer.

Nous retournons dans le canapé. Elle se tourne vers moi, avec la raideur d'un robot.

— Je voulais faire quelque chose de bien avec mes cheveux. Mais tout est tombé, elle dit simplement. Je m'attendrais à ce qu'elle soit bouleversée, mais non.

— Ça ne te gêne pas ? Qui t'a fait ça ?
— Ça n'a pas d'importance, ça guérira, elle dit stoïquement.
— Ça va prendre longtemps, Grand-ma.
Elle grignote le pain sec.
— Je voulais te dire quelque chose, elle dit, soudain triste.
— Oui, Grand-ma, je t'écoute.
— Je voulais te dire d'arrêter d'utiliser ces produits chimiques. Voilà ce qui a détruit mes cheveux, elle dit en posant délicatement un doigt sur un point de son crâne où continue de pousser une touffe de cheveux fins. Ça m'attriste de la voir faire ça.
— Mais, Grand-ma, je n'utilise pas de produits chimiques pour mes cheveux. Regarde. Je prends sa main, je la pose sur mon crâne. Mais quand elle la retire, je vois qu'elle est toute grasse. Je cours à la salle de bains chercher un petit miroir. Je reviens avec, je me mets près de la lampe à huile. Je frémis d'horreur en constatant que mes cheveux ont été lissés et bouclés. Je suis méconnaissable. Même mon air de surprise est différent.
— Mais, Grand-ma…
— Il faut que tu arrêtes de mettre ces produits sur ta tête. Tu ne peux pas savoir ce qu'ils nous font, elle dit avec colère. T'es-tu jamais demandé pourquoi les petites putes comme toi n'arrêtent pas de faire des fausses couches ou d'attraper le cancer ? elle dit en me pointant du doigt.
Ma gorge se serre, la culpabilité m'envahit. J'ai envie de pleurer.
— Tes cheveux, à quoi tu crois que ça sert ? elle demande en tapant du poing sur la table. Son morceau de pain lui échappe. Elle se lève pour le ramasser. Je reste assise, légèrement tremblante de froid et de peur.
— À être jolie ?
— À ce que Dieu puisse voir ce que tu fais avec ce qu'il t'a donné, elle dit d'une voix perçante et rauque.
Elle prend la lampe sur la télé, la rapproche sur la table.
— Alors voilà ce que tu fais avec le jardin de Dieu ? elle prononce avec mépris. Elle inspecte mes cheveux lissés.
— Son jardin ?
— Qu'est-ce que tu crois que c'était ? Tu ne vois pas que tes cheveux sont comme des végétaux, qu'ils poussent comme une plante, comme ils aiment le soleil ?

Je n'ai jamais vu ma grand-mère en colère. Je me souviens d'elle douce et bonne. Et aussi qu'elle avait plein de cheveux sur la tête. Elle me faisait des tresses quand j'étais petite.

— C'est toi qui as pris la décision de mettre dans ce jardin des poisons qui le consument la nuit. Regarde-moi. On dirait un vautour chauve!

Elle avale la dernière miette de son pain sec.

— Et tu te demandes pourquoi les forêts tropicales disparaissent, les ghettos s'étendent, les rivières meurent et les déserts gagnent, elle dit en crachant quelque chose. Un crachat vert atterrit sur la table. Une fumée s'en échappe quand il se met à grésiller, attaquant le bois. J'observe avec horreur.

— Les enfants affamés courent dans les ghettos, les égouts, *masepa*, la merde dans les rues.

Elle crache à nouveau un épais mollard. Cette fois c'est jaune. L'odeur est familière. C'est l'odeur toxique d'un défrisant que j'utilise, une odeur qui vous envahit les narines, qui pique au fond de la gorge. Je touche mes cheveux, ils sont lisses et gras.

— Qu'est-ce qui ne va pas avec tes cheveux de négresse? Tu as honte? Il y a de la force dans une spirale. Dieu a planté des secrets dans tes cheveux et tu les empoisonnes.

Elle crache de la salive rouge. C'est du sang. Sa tête est toute humide du liquide clair qui suinte de ses blessures.

— Tu m'assassines! elle hurle dans un cri perçant.

— Es-tu jalouse des femmes blanches? Pourquoi ne leur laisses-tu pas porter les cheveux longs? Pourquoi désires-tu ce qui dénature ta beauté? La rédemption commence avec soi-même.

Elle touche doucement sa tête. Une blessure s'ouvre, une croûte tombe. Un liquide sébacé s'en écoule.

— Autrefois, j'étais une reine, elle dit.

Je songe à toutes les femmes de couleur que je connais, notre combat permanent avec nos cheveux. C'est nous qui luttons, personne d'autre. Nous avons gobé trop de mensonges sur les vertus des cheveux longs et lisses. Nous nous sommes délibérément asservies. Nous nous plaignons du racisme quand nous sommes fascistes avec nos cheveux. Je ne peux pas reporter cette faute sur les médias, les blancs ou les hommes. C'est à ma propre cupidité que je dois m'en prendre.

Je reste assise, hébétée, tandis que Grand-ma arrache ses croûtes. Il y en a bientôt une pile par terre, elles se mettent à détaler comme des araignées. Je saute sur le sofa, je hurle devant les araignées qui continuent à se multiplier. Grand-ma se tait. Son agonie est sereine, elle continue de décortiquer ses plaies.

Je me réveille quand elle-même se transforme en une araignée énorme.

Je me touche les cheveux. Je soupire de soulagement, c'était seulement un rêve. Mais qu'est-ce que ça voulait dire ? Mes cheveux ne sont pas lisses.

TSHEPO

Peter est devenu mon régulier. Il vient au moins une fois par semaine. Chaque fois il me persuade davantage d'être un peu plus intime avec lui. Et ce n'est pas à cause de l'argent qu'il me verse que j'accepte. Je ne supporte pas de voir le désespoir dans ses yeux chaque fois qu'il me supplie de l'embrasser, de le toucher, de le caresser d'une certaine façon.

— Tu devrais vraiment partir si tu es si malheureux, je lui dis.

— Tu n'as jamais été marié. Tu n'as jamais eu d'enfants. On ne peut pas partir comme ça, il répond.

Je suis étendu, la tête sur sa poitrine. Il caresse ma joue.

— Je vois juste pas comment tu peux rester aussi malheureux toute ta vie.

— Je pourrais dire que je reste pour les enfants. Mais ce ne serait pas vrai. La vérité, c'est que je suis devenu paresseux, complaisant. Un truc anglo-sud-africain, il a un petit rire.

— Qu'est-ce que tu veux dire ?

— N'y pense pas, ça s'en ira tout seul. Autrefois, j'ai appris que détester l'afrikaans était un moyen commode de montrer qu'on condamnait le gouvernement sans avoir rien à faire. C'était une dérobade. Les Boers endossaient la faute et nous, les anglophones, on en tirait le bénéfice. C'est comme ça que ça se passait. On en faisait le moins possible.

Je lui passe la main sur le ventre. Il est ferme, avec de légers plis. Il est toujours bien pour un type de son âge.

— Ça ne veut pas dire que tu doives continuer ainsi.

Il me retourne, s'allonge sur moi, m'embrasse très doucement.

— Tes autres clients sont-ils aussi doux que moi ? il demande.

— En général, oui.

À la fin de l'heure, il s'assoit sur le bord du lit, comme il le fait probablement chez lui, quand il met ses chaussettes.

— C'est ridicule. J'ai l'impression d'être ta maîtresse, je lui dis.

Il me tire brusquement à lui, m'enserre la taille.

— Je crois pas que tu devrais continuer à venir. Je vais pas tarder à me sentir coupable pour tout l'argent que tu me donnes, je dis.

Il me tend 300 cents rands. Il ne répond pas mais je sais qu'il reviendra la semaine prochaine.

— Tu n'es pas ma maîtresse. Je voulais un professionnel. Je *ne* veux pas me retrouver avec quelqu'un qui veut que je parte avec elle, que je quitte ma femme. Je suis un homme marié. Je pense pas que tu te rendes compte de ce que ça implique.

Je remets la chambre en ordre, je prends une douche rapide avant de retourner au salon. Plus tard dans la soirée, j'ai un autre client. En me dirigeant vers le studio, François me prévient qu'il s'agit d'un couple, que le copain ne veut probablement que regarder. Si c'est le cas, tu leur fais payer le double, il conseille. J'entre, un peu nerveux.

Deux types blancs sont assis sur le canapé-lit. Ils se lèvent tous les deux, me serrent la main. Ils doivent avoir mon âge. Ils sont agités et excités.

— Qu'est-ce tu fais ? demande celui qui a des cheveux bruns.

— Tout sauf les pénétrations.

— On espérait que tu serais un peu plus polyvalent, dit le blond.

— Désolé, mais je ne vais pas plus loin.

— Très bien, dit le blond.

Ils commencent tous les deux à se déshabiller. J'ai envie de dire, minute, je croyais qu'il n'y en avait qu'un, mais ils ont l'air chauds et on m'a bien prévenu qu'il ne fallait pas contrarier les clients. Je me déshabille aussi.

— Vous savez que le tarif sera double, je dis en essayant de garder l'air professionnel même si je suis terriblement nerveux. Je mets une vidéo porno, conscient que ça va être une passe difficile. Je n'ai jamais fait ça à trois.

Ils m'entraînent dans le lit immédiatement. Je me sens gauche, mal à l'aise. On s'embrasse, on se caresse, une débauche de membres. Je finis par bander. Ils semblent à l'aise, comme s'ils avaient déjà fait ça. On échange, on s'occupe les uns des autres à tour de rôle. Ils gémissent et grognent beaucoup, en lâchant des banalités, c'est bon, mets-la-moi. Le genre de dialogues débiles qu'on entend dans les films porno. Ça me refroidit un peu, mais j'arrive à rester bien dur.

Ça prend environ une demi-heure, le lit et les draps sont constellés de nos semences. Ils me donnent 600 rands et s'en vont. Je refais la chambre mais cette fois, il faut que je change les serviettes, les draps et la housse de couette. Je retourne au salon, vidé, j'ai l'impression d'être une pute. Ça ne m'est jamais arrivé. Généralement, je ressors en ayant l'impression d'avoir joué au psychologue, au confident plus qu'autre chose.

— Qu'est-ce qui va pas, mon chat ? Un mauvais client ? dit Storm, une pointe de sarcasme dans la voix. Il se met à tousser.

— Ça a l'air sérieux, je dis, tu devrais peut-être voir quelqu'un.

Il me jette un regard incendiaire. Les autres, en train de mater un film, regardent soudain Storm.

Dans ce métier, une toux ou une santé précaire, c'est mauvais signe, c'est ce que m'a dit Sebastian une fois. Storm se lève et quitte la pièce, toussant toujours. On se regarde sans rien dire, l'idée du sida fait silencieusement son chemin dans nos pensées. Je m'assois à côté de Sebastian.

— Je l'ai toujours pas fait, tu sais, je lui dis, et je crois que ça me pèse.

Il est assis, les jambes comme toujours croisées avec élégance, se faisant de l'air avec un éventail en papier japonais. Il fait un peu chaud mais l'air conditionné fonctionne. Je ne pense pas qu'un éventail soit indispensable. Sebastian en rajoute juste un peu.

— Tu n'es jamais allé au bout ? il me dit, ses grands yeux en émoi.

— Non. Est-ce que ça fait mal ? je demande. Mais je connais la réponse.

— Ça dépend de ton seuil de douleur-plaisir. C'est différent pour chacun, mon chou, il dit, cryptique.

On en revient toujours à ça : la pénétration. C'est ce qu'ils veulent tous au bout du compte. C'est aussi pour ça qu'ils nous harcèlent, pour cette chose innommable que les hommes font ensemble, détournant les voies de la nature. L'acte final. Il va falloir que je surmonte mes préventions contre la sodomie. Trop de choses ont déjà été dites. Je pense à mon père, ça suffit à me redonner envie de mourir.

Shaun entre, il m'annonce que je suis réservé pour une mission, il faut que je sois prêt dans dix minutes. C'est pour le Mount Nelson. Storm me jette un regard envieux. Je prends une mallette et mon sac à dos de voyage. Le chauffeur arrive bientôt, il m'emporte vers la ville.

Le hall de l'hôtel est majestueux, intimidant. Surplombé par un lustre splendide, comme une constellation de lumières. Les employés de l'hôtel ont l'air soigné, tous en uniforme. Un couple apparemment aisé est en train de sortir. La femme porte des chaussures visiblement hors de prix aux lanières dorées, ses chevilles sont fines et délicates. Je me rends à la réception. Une grande femme, les cheveux relevés en chignon, me sourit. Le client m'a dit d'utiliser le nom de monsieur Daniels. Elle l'appelle pour le prévenir de mon arrivée. Je prends l'ascenseur pour monter dans sa chambre. Dans le couloir qui y mène, la moquette est épaisse, propre, elle a l'air neuve. Un calme absolu règne. Je n'entends que le bruit de mes sandales, la semelle qui vient doucement claquer contre ma plante de pied. À la porte, un grand type l'air coloured me fait entrer. Il arbore un large sourire, je pénètre dans une chambre cossue avec une belle vue.

— Salut, moi c'est Arthur, il dit avec un accent traînant typiquement américain. Entre donc.

Je le suis dans un petit salon luxueux. Un grand lit nous attend dans la pièce d'à côté. Je réfléchis à son nom. Le seul Arthur que j'aie jamais connu était un personnage de roman, un gay, noir, qui ne s'exprimait que par monosyllabes. Il était beau comme sont parfois supposés l'être les noirs. Il connut un destin tragique, après un crime. Dans le roman, il tombait amoureux d'un riche aristocrate capricieux qui ne voyait en lui qu'un jouet.

— Tu veux quelque chose à boire ? me demande cet Arthur. Je t'en prie, pose tes sacs. Assieds-toi. Nous avons une heure, c'est ça ?

Je pose les sacs, je m'assois dans un fauteuil somptueux.

— Moi, je prends un cognac-coca, il dit en vidant deux mignonettes de cognac dans deux verres. Il mélange avec deux petites canettes de coca. Il me tend le verre. Je lui demande si je peux appeler le studio pour confirmer que tout va bien.

— Tu es ici en vacances ? je lui demande en revenant.

— Oui et non. Je suis un peu venu voir si j'aimerais m'installer ici. Je travaille dans l'immobilier à Washington DC. Ça marche bien pour moi mais je suis prêt pour de nouveaux défis. On m'a beaucoup parlé de l'Afrique du Sud, en particulier du Cap. Je me suis dit qu'au moins je pouvais venir voir par moi-même comment ça se présentait, me faire une idée de l'endroit, il dit dans un sourire.

Il s'assoit en face de moi, il porte un tee-shirt et un caleçon. Je peux voir ses couilles.

— Et qu'est-ce que tu en penses jusque-là ?

— Pas mal du tout. Je suis impressionné. Beaucoup de potentiel pour l'immobilier.

— Alors, tu veux un massage ? je lance audacieusement quand j'ai fini mon verre.

Il se masse l'entrejambe.

— Si j'en avais voulu un, je t'aurais pas appelé, il dit, mais sans aucune brutalité.

— Juste pour savoir, je dis avec un sourire niais.

— Je me suis jamais fait un vrai Africain. Tu es de quelle tribu ? il demande, sirotant toujours son verre. Je déteste cette question. C'est comme te demander ta race.

— Xhosa. Je sais qu'il sera incapable de le prononcer. Les Américains et leurs idées exotiques sur l'Afrique ! je me dis, agacé par son intonation condescendante.

— Alors, c'est comment d'être noir et gay en Afrique du Sud ?

— Sans doute comme être noir et gay en Amérique.

— Oui, mais les Africains sont tellement… Comment dire ? On est supposé être très viril, non ?

— J'ai plutôt l'impression que c'est ton problème. Personne n'a jamais dit qu'être avec un autre homme n'était pas viril. J'ai dit ça de façon un peu acerbe.

— Intéressant, il dit ironiquement. Je me suis toujours dit que ce devait être difficile, avec ces histoires de tribu.

Il se lève, avec l'index, il me fait signe d'approcher. Je le suis dans la chambre. Il y a un lecteur CD portable sur une grande coiffeuse. Il se déshabille et me demande de lui faire une pipe.

Mais il finit par me demander s'il peut me pénétrer. Quand je refuse, il me demande alors de le pénétrer, lui. Je refuse encore. Soudain troublé, je me précipite à la salle de bains. Il me suit mais je ferme la porte à clé.

— Ça va là-dedans ? Tu veux que j'appelle quelqu'un ?

— Non, ça va. C'est mes yeux. Je perdais une de mes lentilles.

Je suis sur les nerfs, au bord des larmes. Je m'asperge le visage avec de l'eau, j'arrive à me calmer. Il commence à taper sur la porte impatiemment.

— OK, sors maintenant, tu commences à m'inquiéter, il dit.

J'ouvre la porte, il est juste devant, nu.

— Je suis désolé, je dis en passant devant lui.

On retourne dans la chambre, je me remets au lit.

— Oh, je suis plus dans l'ambiance là, il dit froidement.

— Tu veux que je parte ? Tu n'as pas besoin de payer, je propose.

— En fait, je veux simplement un peu de compagnie. Tu peux rester, il dit d'un ton désinvolte.

Voilà ce que je déteste parfois dans ce boulot, on est toujours à la merci de leur moindre caprice.

Il remet son caleçon. Je m'habille également. Il met un CD.

— Tu connais les Negro Spirituals ? il continue.

Je secoue la tête même si je sais ce que c'est.

— Eh bien là, c'est Barbara Hendricks. Je pense que tu vas aimer, il dit avec confiance. On s'allonge tous les deux sur le grand lit quand débute une intro plaintive au piano.

Sometimes I feel like a motherless child. La voix lyrique résonne profondément en moi. Il reprend le bouquin qu'il était en train de lire, près du lit, un truc sur l'Afrique. J'essaie d'écouter la musique mais je me sens agité. Mon estomac se manifeste. Il l'entend, me lance un regard. Je souris bêtement.

— Il y a un menu sur la table. Commande ce que tu veux, et il retourne à sa lecture.

— Tu veux quelque chose ? je demande en attrapant la carte à côté du téléphone.

— Bof, ça va, il dit.

Barbara Hendricks chante.

Pas de prix affichés en face des plats. J'appelle le service d'étage, je commande un sandwich tomate-fromage.

— Il y a beaucoup d'Afro-Américains qui viennent en Afrique ? j'utilise ce terme pour qu'il cesse de me parler de haut, à moi, le pauvre Africain. Je ne suis pas un *moegoe*.

— Tu déconnes ? Ils ne vont nulle part où il n'y a pas l'air conditionné, des fast-foods et des accès pour handicapés. Vous, enfin en Afrique du Sud, c'est peut-être mieux, en tout cas dans ce qu'on voit à la télé du reste du continent, vous êtes toujours sacrément en retard. Alors bof, la plupart des gens ont pas l'idée d'aller en Afrique. Les Américains en général, noirs ou blancs.

— Mais on n'est pas arriérés. Ce que vous appelez progrès, c'est purement matériel. Ça ne rend pas la vie meilleure, plus rapide peut-être. Mais ça ne fabrique pas des gens meilleurs à l'intérieur. Ça, c'est le vrai progrès. N'importe qui est capable de posséder des choses. On ne peut même pas les emporter avec soi quand on meurt. Nous, nous savons que nous n'avons pas tout, des économies prospères, des gouvernements efficaces. On le sait. On y travaille. Au moins, on a toujours envie d'apprendre. En Afrique, on ne prétend pas avoir réponse à tout. Il y a beaucoup d'opportunités. Tu peux devenir n'importe quoi. Les gens savent ça. Malheureusement, nous attirons la mauvaise catégorie de gens, les opportunistes qui veulent se faire de l'argent facile et puis se tirer dans leur pays d'origine, les poches pleines. Je réalise soudain ce que je suis en train d'insinuer, j'ai honte.

Il ne répond pas immédiatement. Il a l'air un peu interloqué. Quelqu'un à la porte.

— C'est probablement le service d'étage, je dis, pressé de changer de sujet.

Il va ouvrir la porte, il signe. Un garçon pousse une table roulante.

— Il y a un bar de l'autre côté si tu veux boire quelque chose, il dit en me tendant l'assiette.

— Ça t'ennuie si je mange là-bas ? J'aime cette musique.

— Mais non, bien sûr, il répond. Je le suis à nouveau vers la chambre, en mordant dans ce sandwich délicieux. Il laisse la note sur la coiffeuse. Je jette un œil en douce, je manque de m'étouffer. 45 rands pour un sandwich tomate-fromage.

— Et donc, tu aimes cette musique ? Il allume la télé mais coupe le son d'un coup de télécommande.

— *Ja*, c'est vraiment joli. Cela dit, je n'ai jamais entendu aucune de ces chansons.

— Elles remontent à loin. Sacrément longtemps. À l'époque où nous étions esclaves dans les plantations, il dit, et son expression devient très grave.

Il me parle un peu du Sud, de l'esclavage, de la manière dont ces chansons ont évolué à partir de rythmes africains perdus. Je n'ai jamais compris ça chez les Afro-Américains, en tout cas ceux qu'on voit à la télé. À chaque fois qu'ils parlent de l'esclavage, on croirait que ça se passait hier. Ils sont toujours dans le deuil et la douleur. Cette humiliation qu'ils ont subie, c'est comme si elle s'était imprimée dans leur mémoire. Né libre en Afrique, d'ancêtres qui eux aussi étaient libres, je ne me rends peut-être pas bien compte de ce qu'ils ressentent. Je ne peux même pas comparer avec l'apartheid. L'esclavage convoque tout ce que l'homme peut imaginer de pire.

Arthur parle de ses ancêtres avec fierté mais il y a de la douleur dans son regard. Comme une blessure que même nous, les Africains, ne pouvons pas soigner. J'écoute la musique plaintive. Barbara Hendricks chante *Nobody knows the trouble I've seen*.

— Pourquoi tu écoutes cette musique si ça te rend triste ?

— Parce qu'il ne faut jamais oublier. Au bout d'un moment, la souffrance devient ta compagne. Elle peut t'aider à agir, à prouver le contraire au monde, il dit avec ferveur, le regard enflammé. Je peux pas oublier d'où je viens. Nous n'avions rien. Nous n'étions rien. Ils nous possédaient. Nous faisions partie de leurs biens.

— Nous ne sommes pas différents, en fait, je dis en terminant mon sandwich. Nous aussi nous avons nos chansons. Mais nous célébrons notre passé.

— Difficile de célébrer un passé où les femmes étaient violées, sans se préoccuper de savoir si elles étaient mariées ou non. Où les enfants étaient vendus. Et si tu essayais de t'enfuir, que Dieu te vienne en aide si on te rattrapait. Pour eux, tu n'étais qu'un sale nègre.

— Mais tu as survécu. Tu es ici. Voilà ce que tu peux célébrer, je dis avec prudence.

— Mais la souffrance, pas possible d'oublier la souffrance. C'est la même chose pour les Juifs, cette souffrance qu'ils ne peuvent oublier. Eh bien, nous avons la nôtre, il dit.

— Mais ça ne te pèse pas de trimballer toute cette douleur ?

— Tu peux pas comprendre.

— Je voulais pas te blesser.

— C'est pas ça. Nous vivons dans des mondes différents. Être un noir en Amérique, c'est pas la même chose qu'être un noir en Afrique. Vous êtes chez vous ici. C'est normal. Alors qu'il nous faut constamment leur rappeler que nous n'avons pas demandé à être là et que maintenant que nous y sommes, il faut qu'on réussisse. On se distingue toujours parce que nous sommes en minorité. Tout en nous nous destine à un climat plus chaud, notre métabolisme, nos humeurs, nos habitudes sociales. Nous sommes toujours des invités dans notre propre pays, même si une part de nous-mêmes se sent aussi américaine que pour tous les blancs.

— Oui, mais on peut dire la même chose des Indiens d'Amérique. Si quelqu'un a un droit à faire valoir sur le pays, c'est bien eux. Mais eux aussi sont en minorité. Qu'est-ce que tu fais de leur souffrance ?

— Écoute, je suis fatigué. En fait, j'ai rendez-vous, il dit en se levant. Désolé, faut que j'abrège, on m'attend. Combien je te dois ?

— 350, je dis.

Il fouille dans son pantalon, sur la chaise, sort son portefeuille. Il vérifie ses billets et me tend 500 rands en trois coupures. Je le remercie, j'enfile mes chaussures. Dans son regard, il y a une certaine méfiance.

— Je peux toujours te joindre au même endroit ? il demande avec tact.

— *Ja*, je réponds, même si je sais qu'il ne le fera pas.

Je demande à utiliser son téléphone pour appeler le chauffeur. Je reprends mes sacs. La dernière chose que j'entends en quittant sa suite luxueuse, c'est Barbara Hendricks qui chante *Roun' About De Mountain*. Je sors de l'hôtel en poussant les impressionnantes portes tournantes. Je descends à pied l'allée qui mène à la grille d'entrée. Un agent de sécurité y monte la garde, revêtu d'un uniforme colonial comique. Je lui souris, il reste impassible, vigilant. Le chauffeur arrive vite, il me ramène à Green Point.

De retour à Steamy Windows, je croise Sebastian, lui aussi en train de préparer une mallette.

— Tu vas où ?

— Hout Bay. Pas le temps de bavarder, mon chou. Je finis juste avec un client, j'enchaîne. J'ai dû me contenter d'une douche italienne, il dit brièvement. Il rassemble ses affaires et s'en va.

Carrington est assis à côté de moi sur le sofa.

— C'est quoi, une douche italienne ?

— Tu sais, quand t'as pas le temps ? Tu te vaporises juste la moitié d'une bombe de déodorant.

Plus tard dans la soirée, West et moi, nous avons une double réservation pour une mission à Llandudno. Je suis un peu anxieux, je n'ai jamais fait de double. La dernière fois que c'est arrivé à West et Carrington, West s'est plaint d'avoir dû faire tout le boulot, que Carrington s'était contenté de rester allongé là, à rien faire d'autre que bander comme un con.

On arrive là-bas, on trouve deux types, tous les deux Afrikaners. West rappelle Shaun pour confirmer la réservation. La maison est charmante. Le brun me choisit, l'autre, un peu chauve, prend West. Ils nous offrent à boire, puis nous disparaissons dans deux chambres séparées. Pas de massage. Il se met directement au lit avec moi. Il m'embrasse partout. Je lui rends la pareille. Au bout d'un moment, nous jouissons tous les deux. Il a le pubis excessivement poilu.

— C'est une vraie jungle. On pourrait s'y perdre, je dis.

Il a un petit rire.

— Ça fait combien de temps que tu fais ça ? il demande, nos jambes toujours emmêlées.

— Pas si longtemps. Mais assez pour m'en sortir dans toutes les situations, je réponds.

— Ne continue pas trop longtemps, tu sais. Il faut que tu te trouves un petit copain convenable qui te donne beaucoup d'amour, il dit tendrement.

Ça fait un peu mal. Je me sens un peu triste et seul. Je lui chatouille la poitrine. La plupart des types aiment ça.

À la fin de l'heure, ils nous paient bien, nous partons. Dans la voiture, je songe à ce qu'il m'a dit, le petit copain convenable… Tu ne dois pas perdre de vue la raison pour laquelle tu fais ça. Tu as besoin de cet argent.

On rentre à Steamy Windows. Il est déjà tard. Je reste encore une heure avant de partir. Je rentre chez moi à pied. C'est une longue marche, il fait sombre. Les enfants des rues se rassemblent à Buitengracht Street. Certains d'entre eux ont beaucoup de plaies sur le corps, comme des yeux obscènes. Je descends Adderley Street, c'est tranquille, hormis un fourgon de police en train de rejoindre le commissariat, au coin de la rue.

Je rentre épuisé, émotionnellement plus que physiquement. Je croise tellement de gens, je m'accroche à si peu de chose. C'est peut-être pour ça que je suis fatigué. Je gagne beaucoup d'argent, je rencontre des gens intéressants. Alors quoi ? Au bout d'un moment, l'attrait de la nouveauté s'estompe. Les paillettes finissent par être plus envahissantes qu'autre chose. Toutes les fringues du monde ne pourraient pas cacher ni couvrir la solitude qui est la mienne, ce sentiment d'inadéquation. Je n'arrive pas échapper à moi-même, qui je suis vraiment. L'argent n'a pas augmenté ma confiance en moi. J'ai une bonne tête, je suis bien habillé. J'ai simplement changé de masque. En dessous, c'est toujours moi, la souffrance est toujours là. Je pense toujours à mon père, je me demande pourquoi il a tué ma mère. Pourquoi il m'a laissé dans une telle confusion, une telle haine de moi-même. Toujours le même cycle d'introspection coupable. J'ai envie d'un joint. De ce bonheur instantané, même si fumer maintenant ne ferait qu'aggraver la noirceur de mon humeur. Sebastian en a toujours sur lui. J'aurais dû lui en demander avant de partir.

Je dors tout habillé, la lumière allumée, comme je faisais enfant.

Le lendemain, je vais faire un peu de shopping pour me consoler. J'achète un téléphone portable Motorola et une eau de toilette hors de prix Ralph Lauren.

Il est tôt dimanche matin. Je n'ai pas beaucoup dormi. Ma chambre est en bordel. La cuisine est un champ de bataille. Je prends un long bain, je nettoie la salle de bains.

Je m'habille, je commence à ranger la maison.

Il doit rentrer aujourd'hui. Il pourrait aussi bien ne pas rentrer du tout. Il faut que je sois préparée à ça. C'est pour ça que je fais le ménage, pas pour lui, pour moi. Une maison en ordre m'aidera à accepter la nouvelle, si elle est mauvaise.

Je réfléchis aux conséquences de cette inquiétude, de toutes ces histoires pour mon enfant à naître. Ça ne peut pas être bon. Si seulement cette journée pouvait être passée. Si je pouvais me réveiller demain en sachant comment va tourner le reste de ma vie. Il faut que je sois forte. Je ne serais pas la première femme à élever seule un enfant, mais je ne sais pas comment font les autres. Il y a tant de peur à surmonter.

J'ai toujours des rêves, des espoirs. Qu'est-ce que je vais en faire ? Pas facile de devenir mère quand tu n'en es encore qu'à devenir une femme. Je ne l'ai toujours pas dit à mes parents. Ma mère, comment elle va réagir ? Comment je vais lui annoncer la nouvelle ? Tous ses sacrifices, tous ces espoirs qu'elle plaçait en moi. Était-ce en vain ? elle se demandera.

Pourquoi est-ce toujours plus facile pour les hommes ? C'est moi qui dois me balader en supportant les messes basses et les moqueries. Je pense à ses parents à lui, je redoute leurs commentaires. Une indigène ? Une Africaine ? Je me le représente souvent, dans un salon comme les autres, son père, furieux mais silencieux, sa mère pleurant, en deuil des petits-enfants blancs qu'elle n'aura jamais. Pas très juste de ma part de voir ça comme ça, il ne m'a jamais parlé de ses parents. Je ne sais pas quel genre de relation ils ont. Mais mon esprit effrayé, à bout, s'égare loin, imagine les pires scénarios. Je n'ai pas si peur que ça de me retrouver seule. Je crains que, quoi qu'il arrive, Arne et moi soyons liés d'une façon qu'il ne puisse accepter. Je redoute qu'il me déteste un jour, quel que soit le verdict d'aujourd'hui.

La facette fière, butée, sombre, de ma personnalité souhaite qu'il ne revienne pas. C'est cette facette qui souhaiterait que les choses aient tourné différemment. Ça aurait été mieux s'il n'avait pas ressenti d'obligation envers moi, ma grossesse, s'il avait choisi de rester pour moi et rien d'autre. Si jamais il revient, je me demande si ce sera vraiment pour moi.

Est-ce que je me demanderai toujours s'il n'a pas envie d'être ailleurs ? Et ses rêves, ses ambitions à lui ? L'Afrique du Sud n'était pas supposée être sa destination finale. Est-ce que je l'ai fait prisonnier ?

Est-ce qu'il m'aime ? M'aime-t-il assez pour rester vivre avec moi ? Est-ce que je l'aime ? Est-ce que je m'aime assez pour mettre au monde un nouvel être ? Il y a tant de choses à prendre en considération. Ce bébé dans mon ventre pose déjà des questions, avant même d'être né.

Je lui dirai peut-être, mon enfant, quand tu nous regardes ton père et moi, sache que c'est tout ce dont tu auras jamais besoin pour te connaître toi-même. Les êtres sont faits de deux moitiés. Je lui parlerai des jours où les gens l'observeront et feront des commentaires. Fait-il partie du personnel de maison ? Est-ce un étranger ? Sûrement. Je lui parlerai aussi de choses plus légères, les airs gênés, les airs surpris toujours comiques, la désapprobation pétrifiante des méchants vieillards. Je lui parlerai de notre rencontre. J'ai toujours aimé ton père, je serais capable de dire. Comme ça, quand on lui posera des questions difficiles, il aura toujours la réponse la plus importante à la plus importante des questions. Cette réponse sera oui, mes parents s'aiment, c'est pour ça que je suis là.

Mon enfant peut avoir mes yeux ou ceux d'Arne, les cheveux blonds et pourtant bouclés. Ça n'a pas vraiment d'importance, parce que chaque fois que je le regarderai, je me souviendrai que j'aime un homme. Et s'il n'est pas là, j'aurai toujours la satisfaction de pouvoir dire que j'ai aimé un homme. Je ne suis pas juste tombée enceinte. Le bonheur est peut-être égoïste, il s'occupe de lui-même d'abord, pendant que nous, pauvres mortels, nous nous débattons avec nos problèmes, aveugles à un avenir bien trop lointain. De cette union naîtra peut-être un grand bonheur, s'il revient, s'il tente le coup. La seule chose que je ne veux pas, c'est qu'il se sente obligé.

Je me demande aussi s'il s'attend à ce que je renonce à mon indépendance, comme le font la plupart des blanches quand elles ont des enfants. Elles se résignent à devenir des gardiennes à la maison. C'est sa culture d'être ce qu'il est : un blanc. Va-t-il me demander de rester à la maison pour garder notre enfant ? Vais-je m'autoriser à accepter ce rôle ? Moi, la mère, lui, qui subvient aux besoins de la famille ? Ma mère a commencé à travailler à peine deux mois après ma naissance. C'est ce que faisaient les femmes à cette époque, un seul salaire ne suffisait pas. Ça fabriquait des femmes plus fortes, plus dures. Est-ce que je serai à la hauteur ?

Je devrais peut-être envisager d'être une mère au foyer, profiter de l'occasion de grandir avec mon enfant. Si ça se trouve, ça ne consiste pas simplement à dire au revoir à un mari le matin, puis à verser quelques larmes dans la journée. Les femmes ont fait tellement de progrès. Je n'ai pas à me sentir coupable de rester à la maison, pendant que d'autres triment à des tâches plus masculines. Je ne louperai peut-être pas grand-chose. Mon enfant grandira. Et un jour, il songera peut-être à ces premières années avec tendresse. Il me sera peut-être reconnaissant d'être restée avec lui à la maison, pour l'aider. Désormais, il faut que je pense d'abord à lui. La carrière, l'ambition, ce n'est pas l'essentiel. Il faut que je songe à cette vie magnifique qui grandit à l'intérieur de moi. Mon enfant aura-t-il le sourire d'Arne, sera-t-il aussi colérique ? Posera-t-il sans arrêt des questions sur sa couleur ? Aurai-je des difficultés à donner un sens à cette couleur ? Est-ce que ça importe ? Tant de choses à considérer.

J'ai l'impression de construire un pont entre deux mondes, celui d'Arne et le mien. Ce pont, c'est peut-être cette petite vie qui pousse. Peut-il percevoir mon angoisse, mes pleurs ? Sait-il combien je m'inquiète pour lui ? C'est sûrement un garçon. Il n'y a qu'un garçon qui puisse me supporter.

Maman, mama, mam, m'man ? Comment va-t-il m'appeler, ce trésor ? Qui appellera-t-il dans ses pleurs ?

J'ai tellement peur, mon petit. Ton père n'a pas appelé. Nous sommes séparés par un continent et une mer. Je ne sais pas où il est ni quand il doit revenir. Je ressens la distance. Elle est écrasante. Je ne sais pas si j'aurai la force de t'avoir toute seule. Où est ton père, mon petit ? Pourquoi n'a-t-il pas écrit ? Comment a-t-il pu être aussi dur ? Ne sait-il pas comme les femmes sont fragiles pendant leur grossesse ? Ne sait-il pas que je pourrais en faire une fausse couche ? C'est pour ça que je suis certaine que tu es un garçon, mon petit. Tu es si fort pour t'accrocher ainsi, malgré tout ce désordre dans ma vie.

Quelle excuse donnera-t-il pour son silence ? Qu'est-ce qui pourrait être si important qu'il nous en oublie ? Je cherche des réponses, mon petit, mais je ne tombe que sur d'autres questions. Est-ce que je le connais assez pour vouloir passer le reste de ma vie avec lui ? Il est bon et aimant, parfois un peu impatient, mais je peux l'amadouer. Il peut apprendre à être un père. Est-ce que j'y crois vraiment, à ça ? Les hommes mettent un moment à mûrir.

Oh, mon petit, je suis si seule, si effrayée. Tu es tellement vrai. Alors que ton père est comme un rêve du passé. Il faut que je me rappelle qu'il était ici. Le lit est si grand, si vide. Parfois, j'ai la tête qui tourne tellement j'ai peur. Mais je mange bien et j'ai complètement cessé de boire et de fumer. Il faut que je pense à toi. Fini le Graça. Le vin blanc peut t'attendre. Demain, il faut que j'aille à l'hôpital. Les soins prénataux, c'est important, ton père me l'a rappelé avant de partir. Il prenait ça très au sérieux. Si seulement il pouvait être là maintenant. Je me réveille seule, avec des nausées. Chaque matin, je vomis. Je ne sais pas si c'est la peur ou la grossesse. Mais je suis contente de ne pas être née plus tôt, quand on donnait aux femmes de la thalidomide pour les soulager. Mais tu sais, mon petit, si – Dieu m'en garde – tu présentais les symptômes d'un bébé de la thalidomide, tu serais toujours mon petit à moi. Je ne fais pas de prières pour ta vie future. Je prie seulement pour que la vie t'amène jusqu'à moi, jusqu'à nous, à l'abri du danger.

J'ai peur de grossir, d'avoir mal au dos. J'ai peur des sautes d'humeur, j'ai déjà bien assez d'états d'âme comme ça. J'ai peur des vergetures et des taches sur la peau. Je redoute que mes hormones fassent ressortir mes mauvais côtés et chassent cet enfant. J'ai peur qu'il ne découvre comme je peux être déplaisante, superficielle. Faire connaissance avec soi-même n'est pas forcément très agréable, mon petit.

WEST

Il fait de plus en plus chaud. L'été est presque là. Il faut que je garde le fil des saisons, ce sera bientôt le troisième été que je passe à Steamy Windows. Ça ne peut pas durer indéfiniment. Shaun dit toujours, ne faites pas ça si vous en avez marre. C'est là que commencent les ennuis. On commence à chercher des réponses faciles, des raisons de rester. Parfois, on obtient ce qu'on veut. C'est même terrifiant comme dans la vie, à la fin, on a toujours ce qu'on veut. Pas forcément dans l'emballage souhaité, mais tout ce qu'on a toujours désiré est là. Comme Storm ; il voulait la vie facile, quelqu'un qui s'occupe de lui.

Hier soir, il me dit qu'un de ses réguliers lui a proposé de l'installer, avec appartement et voiture, à Hermanus. Il est tout excité en me disant ça.

— Mais du coup, tu dois rester avec lui. Tu peux plus partir, plus rien choisir. Tu lui es redevable, je remarque. Il me regarde, l'air fatigué.

— West, gâche pas tout. *Alles is altyd moeilikheid vir jou*, tout est toujours difficile avec toi, il maugrée, son sourire disparu.

Je réalise alors qu'il ne pense pas plus loin que le coup d'après, la prochaine planque. Voilà ce qui l'empêche de dormir. Il ne s'inquiète pas de l'engagement, ou plutôt du faux engagement, qu'il est en train de prendre. La seule conséquence possible, c'est qu'il se complique la vie en renonçant à sa liberté. C'est le client qui commandera. C'est lui qui batifolera pendant que Storm devra l'attendre sagement à la maison, en bon petit copain fidèle. Je connais certains des réguliers de Storm. Des types louches, genre dealers. Le genre à ne pas hésiter à utiliser la force si quelque chose ne tourne pas rond.

C'est compliqué parce que Storm appartient à la confrérie. On ne peut pas le virer. Nous acceptons qu'une part de l'expérience consiste à aller dans des coins plus sombres, moins orthodoxes, du comportement humain. La transgression fait partie du voyage. Nous nous sommes toujours encouragés à explorer, à tenter le coup. Mais il faut aussi penser aux limites. Les habitudes se prennent vite. Elles sont difficiles à perdre. Qui a dit que Storm ne savait pas ce qu'il faisait? Il arrive un moment où il faut prendre conscience de sa responsabilité vis-à-vis de soi-même en tant qu'individu, en tant qu'homme. C'est une dimension importante de la confrérie. Nous nous efforçons de ne pas nous juger les uns les autres. Nous respectons le fait de ne pas tous emprunter le même chemin. Difficile cependant de rester fidèle à cet idéal quand on se met à aimer les gens avec qui on travaille. Les émotions viennent se mettre en travers, elles mènent à la familiarité et on sait tous à quoi ça conduit.

J'ai grandi sans frère ni sœur. Je jouais seul. C'est seul que j'ai découvert le monde. Cette confrérie est une deuxième chance, celle d'être à nouveau un enfant, de découvrir le monde avec des yeux neufs et des compagnons, des âmes seules comme nous, en quête de sens. Je vois les autres comme des frères. Quand on se couche ensemble, parfois j'oublie que ce truc entre nos jambes est ce qu'on en dit. On m'a dit beaucoup de choses. On m'a dit beaucoup de mensonges. J'ai dû en désapprendre beaucoup. Ce truc entre mes jambes par exemple. Ce n'est pas que ça. Au niveau énergétique, ça joue un rôle majeur, mais de façon silencieuse, presque passive. Ce n'est pas une coïncidence si les flingues projettent un feu qui tue et estropie. On a peut-être envisagé ce truc seulement du côté sombre. Un flingue, c'est la pire des traductions de ce machin entre mes jambes. Un flingue, c'est un homme à moitié réalisé. Ce n'est pas comme ça que j'ai appris à communiquer, que j'ai appris à me servir de ce machin. Il y a de la tendresse entre mes jambes. Ce n'est pas une arme mais un bel instrument, un étrange créateur de mélodies qui remplit les hommes de passion. Il y a de la compassion pour les hommes qui viennent chercher du réconfort entre mes bras. Peut-être sont-ils secrètement des femmes à l'intérieur, mais ils n'ont personne à qui en parler. Le chemin intérieur est peut-être trop sombre, trop incertain, ils ont besoin d'un guide. Peut-être qu'ils viennent à moi parce que c'est leur seule façon de s'aimer en tant qu'hommes. Au travail, mon entrejambe est le lieu où tout devient clair et simple. Avec moi, ils oublient un peu, ils rient un peu, ils s'amusent un peu. On se passe d'arrière-pensées. C'est ce que j'aime avec les hommes.

Il y avait quelque chose dans la voix de Storm quand il m'a parlé d'Hermanus. Il avait l'air un peu rêveur. Il était content, peut-être amoureux. Le pire qui puisse arriver, c'est de tomber amoureux d'un client, d'un régulier. J'ai vu ça quelquefois, ça ne s'est jamais bien terminé. Il y a quelque temps, un étalon noir travaillait avec nous. Les clients européens étaient fous de lui, de son énergie, en particulier les Allemands. Un jour de septembre, il est parti avec un client allemand qui le ramenait vivre chez lui, à Munich. Ils sont partis pleins d'excitation, avec éclat. Un mois plus tard, il était de retour, racontant sa désillusion. Le client avait changé, une fois revenu dans son Allemagne natale. Il faisait froid. Il n'avait pas supporté. Comme il avait sous-estimé les différences culturelles. L'amour seul ne garantit pas une fin heureuse. Ce boulot est comme ça. La tentation est permanente. Des ouvertures sans cesse, laquelle saisira-t-on ? Quand est-ce qu'on se livre, quand est-ce que ça suffit ? C'est la question qui nous tient. Je réalise que c'est toujours la question de la limite qui se pose. Sans limites, comment savoir jusqu'où on peut aller ?

Essayer et échouer, ça rend plus fort. On apprend à évaluer l'opinion des autres. À mesurer l'expérience sur laquelle leur avis s'est construit. La première barrière est intérieure. Ce n'est plus les idées que je respecte, c'est la profondeur à laquelle un autre être humain est prêt à communiquer avec moi. Pour tout – pas besoin de complexité ou d'éloquence. En fait, dans les choses que m'ont dites les hommes, ce sont les plus simples et les plus crues que je préfère. Tu as une belle bite, un joli cul, un super-sourire, des petites dents. Elles résonnent de vérité intérieure, cette naïveté charmante qui vient confirmer que les hommes sont différents des femmes. Ils sont gauches, dégingandés, grossiers même. Ils n'arrivent jamais à atteindre la beauté et la grâce des femmes, ils restent ces créatures maladroites et laides. Je m'en fiche désormais d'avoir l'air d'un idiot. C'est peut-être plus sincère que d'essayer d'avoir l'air sage.

Derrière les belles façades que sont l'argent, la richesse, la situation, l'influence et le pouvoir, il n'y a jamais que des hommes. Et ils ont toujours besoin de tendresse. J'ai toujours cru que l'argent avait un pouvoir civilisant, qu'il aidait à avoir une vision meilleure, plus profonde parce qu'il libérait des soucis quotidiens. J'ai fini par réaliser que ça ne change rien, ceux qui ont de l'argent ont des soucis plus conséquents, pas nécessairement meilleurs. Les hommes que je rencontre ne sont pas différents, ils sont comme tout le monde. Certains me donnent des conseils sur la Bourse ou les placements *off-shore*. Du coup, je joue et je perds parfois beaucoup d'argent. J'en gagne aussi – plus facile ainsi d'encaisser les pertes. Voilà une autre chose que j'ai apprise : dans tout, il y a des gains et des pertes, comme une danse, ça va et ça vient. Parfois, je n'ai pas de clients pendant quatre jours. Ça me rend malheureux, je me sens minable. Personne n'aime se sentir rejeté. Au fond de moi, j'aime jouer en équipe. La camaraderie masculine est précieuse. Une fois par mois, nous avons notre sortie rituelle du vendredi soir. On va se soûler la gueule et faire la fête. C'est débile. Rien d'autre que des hommes qui boivent, draguent et s'amusent comme des fous. Mais c'est ce moment de simplicité qui me permet de tenir le reste du mois.

Les hommes souffrent de devoir tout savoir, pour commander. Pour un homme, avouer son ingénuité, c'est comme une injure. On vous prend pour une mauviette dès que vous manifestez la moindre faiblesse ou la moindre ignorance. C'est peut-être pour ça que notre rituel mensuel du vendredi soir est tellement important. C'est la seule fois où on s'autorise à être simples, stupides et bêtes.

Qui sait vraiment ce qu'être un homme veut dire ? Moi, je suis toujours en train d'apprendre. Mon père ne m'a laissé aucun indice, aucune réponse. Son départ a été total. Il a fallu que je m'accroche, que je tienne bon. Comme marcher dans le noir. Il m'a peut-être rendu service, j'ai dû me tourner vers d'autres hommes pour apprendre. Pas de vieille figure paternelle dans ma vie. *Oom* Sarel est davantage un ami. Parfois je maudis la méchanceté de mon père. Elle est comme une malédiction. Une fois par mois, je pense à mon père et je me mets en colère. Alors je trouve du réconfort dans d'autres bras. L'autre jour, Angelo est revenu dormir. C'est un type tranquille. Il a l'air de bien s'entendre avec Sebastian.

— Alors, Angelo, parle-moi des femmes, je lui demande.

On est tous les deux au lit. Il est très fragile. Je le sens à sa respiration quand nous nous embrassons et qu'il me touche. Il y a quelque chose en lui de prudent. Ses caresses sont d'une légèreté rare.

— Les femmes. Que dire ?

Il se blottit contre moi. Je lui ouvre ma poitrine.

— À Rhodes, la plupart de mes amis étaient des filles. Elles n'étaient pas particulièrement sympas. Rachel, par exemple, une coloured, étudiante en pharmacie. Je l'aimais beaucoup. Je croyais qu'on était amis, vraiment proches. Je savais tout d'elle. Elle, je crois pas qu'elle savait grand-chose de moi, j'ai jamais cherché ça de toute façon. Je pensais simplement que c'était une bonne copine. Elle a eu son diplôme avant moi, elle est allée au Cap. Quand j'ai eu mon diplôme, j'ai suivi. Mais c'était plus pareil. Elle avait changé, même son sens de l'humour avait changé. Je l'ai trouvée froide, cynique. Et puis, j'ai eu des problèmes, j'ai dû partir pendant un moment. Elle en a entendu parler, elle m'a aidé au début, mais très vite, elle a disparu de la circulation. J'ai plus jamais entendu parler d'elle. Ça m'a fait mal parce que je l'aimais vraiment beaucoup.

J'avais une petite copine indienne en deuxième année. Subashnee. Elle était dingue, mais c'est ce que je j'aimais chez elle. C'est la seule femme dont j'aie vraiment été amoureux. Si elle m'avait demandé de tout arrêter pour l'épouser, j'aurais sérieusement réfléchi à la question. Cela dit, notre relation était conflictuelle. J'aimais pas les engueulades. J'aimais le sexe après, mais pas les engueulades. On baisait énormément. J'aime le sexe avec les femmes. Bon, bref, ça n'a duré que six mois. Elle avait trop de problèmes.

Quand elle m'a quitté, j'ai été malheureux. Elle est partie avec un autre type. C'est marrant parce que c'était toujours elle qui blaguait, en disant que j'allais la quitter pour une autre. À l'époque, on traînait avec des tas de gens ambigus. C'était bizarre, mais ça me plaisait. C'est quand je suis sorti avec elle que les gens m'ont soudain remarqué. À l'école, j'étais une sorte d'ombre et même à la fac. Mais cette fille était intéressante, drôle, futée, jolie. J'ai jamais compris ce qu'elle avait vu en moi, mais j'étais content d'être avec elle et son entourage. Ils étaient tous noirs. C'était inhabituel, la plupart des étudiants indiens sur le campus restaient entre eux. Les gens se mélangeaient pas trop à Rhodes. Comme elle était en troisième année, elle avait son propre appartement, tous ses amis avaient la cote, le groupe branché quoi. Je traînais avec eux, on se marrait bien. On buvait beaucoup, on sortait souvent, on faisait la fête, et beaucoup de sexe. Subashnee. Je me demande où elle est maintenant. Son rire me manque, son énergie. Le vendredi après les cours, on allait chez le marchand d'alcools, acheter de la vodka Russian Bear et de la liqueur Oude Meester, parce que c'était pas cher. Et putain, on se torchait. On était neuf ou dix, il y avait Sbu, Dante, Nomsa, Nkuli, Sammy, Dudu, Siyanda, j'ai oublié le nom des autres. Dans la bande, il y en avait un ou deux qui la reluquaient. Quand je faisais pas gaffe, ils essayaient toujours de coucher avec elle.

Je savais qu'ils me détestaient. Rien n'avait changé. À l'école, j'étais un peu un marginal. Globalement, ça n'a pas changé à la fac. Avec moi, ils faisaient semblant. Je le savais. Si je rompais avec elle, ils se détourneraient de moi instantanément. Quoi qu'il en soit, elle est partie. Et ils sont tous partis. Tous. J'ai plus jamais entendu parler d'eux. Quand j'y repense aujourd'hui, c'est comme une bulle d'excitation. Je sais que c'est pitoyable, mais je repense à cette époque avec plaisir, j'ai fait tellement de choses. J'ai fini par faire partie de la bande des gens cool, tous ces types qui m'intimidaient à l'école, auprès de qui je me sentais médiocre. Et quand je les ai vus de près, j'ai réalisé qu'ils n'avaient rien de spécial. Comme un grand coup de froid. Ils étaient aussi grandes gueules qu'ils étaient creux. Voilà Subashnee.

Je sens son souffle sur mon épaule.

— Quoi d'autre ? je profite de sa loquacité.

— On va où, là ? J'espère bien que toi aussi tu vas me dire des choses, mon pote.

— *Ja, ja*. Mais continue avec ton histoire, je t'écoute.

La chambre repose dans l'obscurité.

— Il y a eu cette autre fille, Belinda, une blanche. Vers douze ans, je me suis mis à la danse. Claquettes et jazz. C'était juste une phase. Je suis sûr que tu as eu les tiennes. Je suis rentré dans une troupe, on faisait des spectacles. C'était un spectacle multiracial – courageux à l'époque, c'était les années 1980.

Dans le spectacle, Belinda et moi, on avait un numéro ensemble tiré de *Cats*, à la fin on était à peu près six et on formait un cercle sur le sol.

Alors, un jour, on termine le numéro. Le public avait adoré. C'était le moment où on devait s'accroupir et former le cercle. J'avais douze ans. J'oublierai jamais. Par hasard, ma main se pose sur sa cuisse au moment où nous nous accroupissons. Elle ne dit rien. Elle l'enlève juste, très vite. Après le spectacle, dans les vestiaires, un des garçons plus âgés, un chanteur, grand type, vient me voir. « Je vais te briser tous les os de la jambe, tu ne pourras plus jamais danser », il dit. Je me trouble. Je reste là à le regarder bêtement. C'était un blanc, grand, poilu. « De quoi tu parles ? » je lui demande. Il me dit que Belinda lui a raconté que je l'avais tripotée. Finalement, il m'a pas tapé, mais il m'a foutu une trouille bleue. Après ça, Belinda m'a plus jamais adressé la parole. À la fin de la semaine, elle est partie. Et ce type m'a menacé jusqu'à la fin de la saison, me surveillant en permanence. J'ai appris plus tard que Belinda était amoureuse de lui. David, il s'appelait.

Des années plus tard, j'ai réalisé qu'à une époque différente, j'aurais pu être battu pour ça, tué peut-être. Si un noir regardait une blanche d'une drôle de façon, il se faisait bousiller. Nègre trop malin.

Ça m'a toujours fait de la peine de songer que cette gamine de quinze ans commençait sa vie en pensant que les noirs étaient des pervers. J'avais rien dit quand elle avait enlevé ma main, sans doute parce que j'y pensais pas plus que ça. J'ai arrêté la danse après ça et j'ai fait gaffe avec les blanches. Elles ont l'air hypersensibles. Est-ce qu'elles le sont vraiment ? C'est comme ça qu'on les élève ? À avoir peur des noirs, à toujours s'en remettre aux blancs ? il demande.

— Me demande pas à moi, j'ai pas eu de sœur.

— Un peu facile comme réponse. Mais encore ?

— Les choses étaient différentes autrefois. *Vroumense*, les femmes, on leur racontait des tas de trucs. C'était que de la propagande. On voulait que tout le monde ait peur. Les noirs devaient avoir peur des blancs, et les blancs des noirs. C'était compliqué.

— Tu sais, en Amérique, c'est la même chose. Le maintien de l'honneur de la femme blanche a nourri le racisme et ça continue. Les gens étaient capables de lyncher un noir qui avait fait le malin avec une blanche, en lui souriant ou en la regardant. Je comprendrai jamais ça chez les hommes. C'est tellement con. Ça veut dire que vos femmes sont faibles, que c'est comme ça que vous les voyez. Les noires sont bien plus fortes. Si Belinda avait été noire, elle serait venue me voir après le spectacle, elle m'aurait dit ce qu'elle avait à me dire. Elle m'aurait peut-être dit de dégager ou foutu une beigne, mais quelque chose. Cette idée que les femmes courent se réfugier chez les mecs dès qu'elles ont un problème, comme elles font aujourd'hui, ça n'existe pas dans ma culture. Je trouve les noires bien plus indépendantes à certains égards, plus débrouillardes et résistantes que les blanches.

Suit un long silence.

— Et alors, parle-moi de toi et des femmes, il finit par dire.

— Il est tard.

— Déconne pas, il dit en m'attrapant les boules.

— OK, d'accord. *Nou waar moet ek begin ?* Par où commencer ? *Jiss*, j'ai été dépucelé à treize ans. Tout est allé vite avec moi. Disons que j'ai pas l'habitude de traîner. Bon, c'est pas la question. J'ai grandi à Hermanus. J'ai fait ça avec une fille de quinze ans, pas particulièrement jolie, mais elle avait de gros seins. Un jour, on était seuls chez moi, on regardait la télé. Je lui ai demandé si je pouvais la baiser, comme ça. Elle a dit oui. On est allés dans ma chambre et on l'a fait. Elle a pas saigné. Je crois pas qu'elle était vierge. Mais j'ai pas été débile, j'ai mis un préservatif. *Oom* Sarel était malin. Il avait perçu que j'approchais de cet âge-là. Je ne sais pas où ni comment il les avait eus, mais j'en trouvais qui traînaient au fond de mon tiroir, avec mes sous-vêtements. Ma mère ne fouillait jamais dans mes affaires. Elle laissait toujours mes vêtements sur mon lit, c'est comme ça que j'ai su que ça ne pouvait être que lui qui les avaient mis là. En tout cas, ça a pas pris plus de cinq minutes. Et tu sais ce que j'ai fait ? Tu vas me trouver dégueulasse.

— Vas-y.

— J'ai gardé le préservatif en souvenir.

— C'est immonde. West, tu es un porc.

— Ouais, mais je l'ai jeté au bout de quelques mois.

— C'est encore pire.

— Ensuite, à l'école, j'ai eu plein de copines. Les mecs m'aimaient pas à cause de ça. À Stellenbosch, j'ai eu une petite amie mais elle me trompait avec un autre gars que je connaissais pas. Je l'ai quittée et jusqu'à la fin de ma scolarité, je suis resté célibataire. J'étais pas très aventureux. Je suis pas sorti avec des filles de couleur, et tout ça. Je savais rien. Mais depuis que je travaille ici, j'ai connu à peu près tout, je dis.

— Vraiment, même des noires ?

— Ouais. Je suis un professionnel, mec. OK, c'est arrivé qu'une fois. C'était un couple. Le type voulait me regarder baiser sa femme. Un couple très bien du Transvaal. Ils étaient en vacances. Il était ingénieur, un truc comme ça. Ça t'étonne ?

— Pas vraiment.

— En tout cas, ça a été la seule fois. C'était pas différent de baiser une blanche. Même matériel. *Ag*, que dire d'autre ? Après Stellenbosch, je me suis mis à travailler. Je savais rien. Je m'intégrais nulle part. Je savais pas m'habiller. Je me sentais con. Aucune confiance en moi. J'étais une merde. J'ai changé de boulot deux fois en neuf mois. Je buvais. Je couchais à droite à gauche. Pas vraiment une bonne période de ma vie. Et maintenant je suis là.

— Pourquoi t'étais si malheureux avant ?

— Plein de raisons. J'avais pas l'impression d'être quelqu'un, tu vois, j'étais pas fini. Il me manquait quelque chose. Je sais que ça a quelque chose à voir avec le fait que j'ai pas eu un père pour me guider. La vie m'est tombée dessus. Peut-être que tout le monde passe par là.

— C'est difficile d'être un homme, il dit.

Je le serre contre moi plus près, plus fort.

— C'est si bon, il soupire.

L'instant d'après, il dort.

J'ai du mal à trouver le sommeil. En restant éveillé, je pense à cette journée, l'argent que j'ai gagné, les clients que j'ai eus. Je pense à demain, je me note mentalement d'aller chercher mon costume chez le teinturier. Un de mes clients m'a demandé de l'accompagner à Durban pour le week-end. Et il ne faut pas que j'oublie d'envoyer de l'argent à ma mère. Tous les mois, je lui envoie quelque chose. Pas grand-chose, ma mère n'a pas des goûts de luxe et elle ne l'accepterait pas de moi. Achète-toi un truc chouette, comme ça, la prochaine fois que tu auras un rendez-vous, tu le rendras dingue, je plaisante. Mais je sais bien qu'elle ne voit personne.

Les cheveux d'Angelo sont comme un doux tapis sur ma poitrine. Ça sent le shampoing Dimensions. Je pense à ce qu'il m'a dit sur les hommes. C'est vrai, c'est difficile d'être un homme. Et c'est encore plus dur d'en aimer un.

ANGELO

Je me demande pourquoi la plupart des hommes qui viennent me voir sont des blancs. Où sont tous les noirs ? J'en ai vu un ou deux disparaître dans le couloir, avec un des blancs de chez nous. Cole dit la même chose, il n'a jamais eu de noir. Et moi, à part Arthur l'autre jour, je n'en ai jamais eu non plus. Est-ce une question d'argent ? L'idée de payer pour ce service, c'est peut-être étranger à la culture noire. Si c'est le cas, ceux qui viennent quand même, pourquoi ils ne me choisissent pas ?

Quand je croise des noirs dans la rue, je suis impressionné par la pression qu'exerce sur nous notre culture. Il m'est arrivé quelquefois de croiser en ville des types que je reconnais du Biloxi. Mais dans le train-train quotidien, ils ont une démarche rigide de macho. Plus rien de ce charme discret un peu efféminé. Et ceux qui me reconnaissent détournent les yeux. Ou bien ils me lancent un regard dur, que je ne vienne surtout pas leur dire bonjour. Je ne le ferais pas, de toute façon. Mais je suis frappé de voir combien ils ont l'air furieux d'aimer les hommes.

Ça me laisse avec de nouvelles questions sur moi-même, ce truc avec les noirs. J'espérais trouver du réconfort, peut-être des conseils auprès d'eux. Au lieu de ça, je n'ai trouvé que des schizos qui dansent comme des folles la nuit et portent de stricts costumes gris le jour. Tout dans leur vie est secret.

Un jour peut-être, je rencontrerai un prince noir. Andromède est trop inaccessible.

Hier, j'ai eu une cliente. J'ai eu peur de ne pas être capable de jouer mon rôle. Mais ça allait. Elle s'appelait Sophie, c'était une jeune Norvégienne en vacances. Elle racontait qu'elle n'était là que pour quelques jours et qu'elle ne pensait pas avoir le temps de rencontrer un Sud-Africain noir. Elle insistait beaucoup sur la couleur. Elle disait aussi qu'elle avait lu trop de trucs sur les Sud-Africains et le viol. Du coup, elle avait décidé que le plan le plus sûr, c'était un salon de massage.

On a passé un moment assez intéressant. Elle parlait beaucoup. À la différence des hommes qui se mettent immédiatement au lit si c'est du sexe qu'ils attendent de moi, Sophie a demandé un massage. Il a fallu que je travaille un peu. Ma technique de massage s'est améliorée.

Elle est là, étendue sur la table de massage, sa fine silhouette nue, un tatouage celte sur le mollet. Je me sens étrangement calme. Après que j'ai massé ses pieds, ses jambes et le bas de son dos, elle me demande de la masser sur le lit. Nous y allons. J'ouvre les couvertures, j'étends une serviette. Environ dix minutes se passent ainsi, et rien, je continue à la masser. Je réalise soudain que même si c'est elle qui paie, elle attend de moi que je prenne l'initiative. Je touche ses seins, je caresse un point sensible à l'intérieur de ses cuisses. Il y a sept points mortels sur un corps de femme. Elle gémit, nous commençons bientôt à nous embrasser. C'est une autre particularité des femmes. Impossible de faire une passe avec elles sans les embrasser. C'est plus simple avec les hommes, une sorte de règle non écrite que même le client comprend, on ne s'embrasse pas. C'est différent avec les femmes. Elles nous associent peut-être à leur mari ou à leur petit ami.

Quand nous nous embrassons, je ne proteste pas mais je n'aime pas ça pour autant. On se caresse activement, mais pour moi, ça reste mécanique. Au bout d'un moment, elle commence à m'enfiler joyeusement un préservatif.

C'est une jolie fille. N'importe quel hétéro se damnerait pour l'emmener au lit. Je regarde ses doux yeux bleus, je feins l'enthousiasme tout en l'embrassant. Très vite, je suis en elle, elle est toute mouillée. Je regarde l'heure, j'ai encore une demi-heure. Ses cuisses sont fermes et douces, pas de poils râpeux. On s'active l'un contre l'autre. Il se dégage de nos ébats une odeur très reconnaissable. L'odeur du sexe féminin est très caractéristique. On essaie plusieurs positions. Elles attendent toutes ça. On attend également de moi que je gémisse. Je le fais avec passion, mais avec la discipline d'un professionnel. Des sons gluants proviennent de nos corps moites, collés, sa peau est trempée, luisante. Elle me dit que j'ai un joli cul. Je lui dis qu'elle a des seins bien arrondis, une belle bouche.

Pendant un moment, je ne l'embrasse plus, je ne fais qu'aller et venir. Elle m'arrête à mi-course, pour m'obliger à l'embrasser. N'oublie pas que tu es avec une femme, je me dis. Elle gémit. Elle m'empoigne les fesses, m'encourage plus profondément en elle. Elle dit un truc en norvégien. Elle me griffe le dos. Elle ferme les yeux, et puis elle bascule dans son propre monde.

Un truc étrange se produit. Je la regarde et j'ai envie de rire. Il y a quelque chose de tellement comique quand on regarde une femme faire l'amour. Elles se laissent complètement aller. Vraiment, ça me donne envie de rire. Il faut que je me retienne alors que son visage est déformé par des expressions comiques, elle gémit dans son voyage intime. Je m'enfonce plus vite, plus profondément. Son expression est trop. Il faut que je cache mon rire sous des gémissements plus forts. Je ne peux pas m'empêcher.

À cinq minutes de la fin, je suis toujours en train de pomper comme une machine. Sa respiration se transforme en courts halètements frénétiques au moment où je jouis, son corps tremble violemment sous le mien, comme un bâtiment au bord de l'effondrement. On reste allongés tous les deux pour retrouver notre souffle. Instinctivement, elle pose sa tête sur ma poitrine. Ça me fait un drôle d'effet mais je la laisse faire. Je lui donne une serviette, nous allons prendre une douche dans la salle de bains, elle m'embrasse à nouveau. Nous parlons de ce qu'elle peut faire au Cap pendant les quelques jours qui lui restent. De retour dans la chambre, elle s'habille lentement, elle prend son temps, comme toutes les femmes quand elles s'habillent. J'ai tellement l'habitude des mecs, déshabillés, rhabillés en cinq minutes. Elle me paie bien, 600 rands, et elle part avec le sourire.

Je me sens bizarrement coupable d'avoir pris son argent. L'impression d'être une putain. Je pense à ma mère, mais je repousse cette pensée, j'arrange la chambre. Je verse à Shaun la part du studio et les frais de promo pour la semaine. J'ai ma propre annonce dans *Cape Ads* – Exotic Angelo et mon numéro de portable.

Le client qui suit est à peu près de mon âge. Il est beau garçon dans une version un peu rude. Quelque chose dans sa bouche, dans sa fossette au menton évoque le cow-boy. Il me demande si je suis polyvalent. Ça veut dire, est-ce que je suis prêt à aller au bout. Pour la première fois, j'accepte. Je ne pense ni à mes parents ni à ma culture. Je le fais, c'est tout. Ça a peut-être à voir avec la culpabilité que j'éprouve envers Sophie. Ou juste que ce type est beau gosse et sympa. On utilise tous les deux des préservatifs.

C'est un peu étrange, j'ai eu de si mauvaises expériences avec les hommes. Mais ce cow-boy me touche là où il faut, avec le bon dosage de tendresse et de brutalité. J'oublie tout ce que je représente pour tout le monde, y compris moi-même. On dépense beaucoup d'énergie, on utilise des quantités de gel KY. Il est joueur et aventureux, il essaye un truc, s'amuse d'un autre.

Après ça, il me laisse 700 rands et un gros suçon sur le cou. Je retourne au salon avec un large sourire. Le monde peut m'envoyer en enfer s'il le souhaite. J'irai volontiers si mon cow-boy y est.

Sans rien dire, j'ai tenu mon corps prisonnier. Je lui ai assigné des limites, excluant l'accès à un certain territoire. Je me suis privé moi-même d'une exploration possible. Chaque fois qu'on me demandait si j'étais polyvalent, je répondais non. Je suis passé par là, non merci, je criais dans mes pensées. L'amour fait mal. La vérité, c'est qu'il faut du courage pour aimer un homme, pour coucher avec lui. C'est tout ce qu'il y a à savoir. Ça n'a rien à voir avec les images sordides que les gens s'imaginent quand ils pensent à deux hommes qui font l'amour. Les gays sont aussi propres que les autres et la sodomie n'a rien de récent. Ce n'est même pas une invention gay. Alors pourquoi ce tollé ? Pourquoi deux hommes ne pourraient pas se montrer leur amour, à leur façon ? Qui a le droit de juger ces désirs qui nous gouvernent tous ?

Voilà de quoi je suis en train de débattre en moi-même après que ce cow-boy m'a baisé. On n'a pas fait l'amour. C'était mouillé et glissant, pas de l'amour. Il m'a baisé et il m'a rudement bien baisé. Je me demande pourquoi je me suis enchaîné moi-même. Personne n'allait me libérer. J'attendais qui ? J'attendais quoi ? C'est pas comme si ça allait changer tout seul. Il y en aura toujours pour être contre. Il y en aura toujours, des sectaires, des hypocrites, des fascistes hétéros qui ne cherchent qu'à conforter leurs propres préjugés et intolérances sur la vie. Qu'est-ce que j'attendais? La terre ne s'est pas ouverte pour m'engloutir. La permission? La permission de qui? Qui se préoccupe vraiment de moi? Qui me connaît assez, qui sait ce dont je suis capable? Ça devrait compter sacrément plus que ce que je fais au lit avec des hommes. La permission? J'encule la permission. Je fais ça pour moi, parce que j'en ai envie. C'est peut-être mon dernier rite de passage : la libération de mon corps. Personne n'a à me dire ce que je peux et ne peux pas faire, quand c'est moi qui me retrouve face à la solitude, au désespoir, à la confusion. Personne n'a réponse à tout. Personne ne peut tout expliquer. La vie n'est pas faite de supériorités successives.

Aimer un homme? C'est comme sentir l'océan gronder en vous. C'est comme trouver l'origine du vent du nord. C'est semblable à la satisfaction qu'on éprouve en haut d'une montagne, un panorama à couper le souffle. C'est comme courir avec des chevaux sauvages, haletants d'excitation. Comme plonger en eau profonde, une eau parfaitement claire. Comme marcher nu sur une plage, le soleil vous léchant la sueur. Comme se laisser tomber en arrière et éclater de rire en réalisant qu'il n'y a rien à craindre.

Explorer le corps d'un homme? C'est comme apprendre à connaître intimement sa propre ombre. Être un enfant à nouveau. Jouer avec le feu en toute sécurité, sans se brûler. Faire du snow-board sans prendre de drogue, la technique en guise de défonce. Faire du ski dans son propre jardin. Surfer en haute mer, en prenant les vagues de toutes les tailles. Faire un ollie sur le plat, en skate, en décollant d'un mètre. Faire du roller sur l'autoroute. Descendre le Zambèze en rafting. Aimer un homme, ce n'est pas comme aimer une femme.

Être avec un homme, sentir sa force? C'est comme rouler sur une route dont on connaît bien les virages. Comme connaître la réponse à toutes les questions lors d'un examen. Comme être diplômé avant de passer le concours. Être dans un pays étranger et en parler la langue. Être bienvenu au carnaval. Chanter seul et entendre son écho. C'est comme danser avec la personne avec qui on a flirté toute la soirée.

Connaître un homme? C'est comme se chanter une sérénade à soi-même et à tous les hommes. Avoir le choix entre tous les fruits défendus d'un jardin. Entendre les papillons chanter. Entendre une musique et la comprendre. C'est être le matador et le taureau, la danseuse étoile et le public, Fred et Ginger. Avoir le beurre et l'argent du beurre, en raclant les profondeurs du désir et de son assouvissement. Comme escalader un séquoia géant. Connaître un secret inconnu du reste du monde.

Beauté infinie d'un homme et de son pénis.

SEBASTIAN

J'ai un rituel. Chaque jour, je me branle, parfois pendant une heure. Quand je fais ça, je pense à tous les hommes que je désire. À tous ceux que je vois à la télé ou au cinéma. Parfois même à ces imbéciles qui manient leur flingue comme un jouet. Ceux qui débordent de machisme et qui finissent toujours avec la fille, ceux qui pensent avec leur bite et que ça fait rigoler. Les héros classiques d'aventures – si seulement ils savaient les trucs sordides que j'ai faits avec eux en imagination. Je pense à eux pour me masturber. En esprit, je fais des choses qui nous amènent tous les deux au plaisir. Voilà mon rituel. C'est ma formule magique, mon antidote contre la malédiction des impuissants qui nous emmènent toujours plus près du gouffre. C'est ma petite contribution à la paix dans le monde. Trop d'imbéciles qui brandissent des pistolets ; j'aime mieux être cet hédoniste insatiable. C'est pourquoi je me masturbe plutôt que rejoindre les rangs des porte-flingues. Je le fais chaque jour, religieusement. C'est mon rituel. Au lieu de verser le sang d'un autre, je verse ma semence, avec plaisir, avec passion, gratuitement. Je suis le fils prodigue. Chaque jour, je vis un moment de sexe débridé en pensée, j'apaise ainsi les questions qui me hantent. Moi aussi, j'ai mes fantômes.

J'ai des cicatrices sur l'intérieur de mes poignets. Je porte toujours quelque chose pour les couvrir, une écharpe, une montre, un bracelet. J'ai fini par décider que c'est la mort qui nous choisit, même pour le suicide.

J'avais quinze ans, j'étais amoureux d'un garçon qui s'appelait Stephen. À l'école, en classe, il s'asseyait en général en face de moi. Il me foudroyait avec ses fossettes et ses yeux sombres. J'ai toujours su que j'étais différent. J'ai compris très tôt que c'était sexuel, que cette énergie latente qui avait fait de moi un marginal et un solitaire m'avait aussi fait tel que j'étais. Je désirais Stephen, mais je ne crois pas avoir jamais existé dans ses pensées.

Un jour, après avoir eu sport dans l'après-midi, Stephen me demande de le retrouver dans les vestiaires. Il avait dû se rendre compte qu'il me plaisait. Je le suis. Il n'y a personne à part nous. Ça sent l'odeur aigre de la sueur. Il est devant les douches, son sac de fringues à la main, un sourire mystérieux sur le visage. Je me tais. Il se tait. Mais mon cœur bat d'excitation. Il commence à se déshabiller. Il enlève d'abord ses chaussures, puis ses chaussettes. Sans me quitter des yeux, très attentivement. Je le fixe. Il enlève ensuite son tee-shirt. Je m'approche. J'ai envie de le toucher, de lui dire quelque chose, mais je suis trop nerveux. Il se frotte la poitrine, sa main descend vers son sexe. Il l'attrape. J'ai les yeux rivés sur lui, plein de désir, une érection violente naît dans mon short.

— Tu as envie de ça ? il m'aguiche.

Je ne dis rien. Je tends juste la main pour toucher la sienne.

— OK, les gars, vous pouvez sortir, il crie soudain vers l'arrière. Ses yeux deviennent moqueurs.

J'entends les portes des toilettes s'ouvrir au fond des vestiaires. Six garçons, tous des amis de Stephen, sortent et se dirigent sur moi, frimant, ricanant.

Je pâlis. Je voudrais mourir, rentrer sous terre. Jamais je n'ai été aussi gêné, humilié.

— Alors, t'es une pédale, Bastian, dit Stephen.

Je regarde ce beau visage, je vois des poignards lancés vers moi.

Les autres m'attrapent par-derrière.

— C'est ça que tu voulais ? dit Stephen en laissant tomber son short, révélant son sexe et ses couilles.

Les autres se marrent. Ils se marrent en me tenant les bras derrière le dos. Stephen remonte son short. Ils me poussent vers les toilettes, dans l'une des cabines.

— Allez-y, j'entends Stephen dire aux autres.

Ils m'enfoncent la tête dans la cuvette sale et tirent la chasse. Je me débats, je crie, mais ils sont plus forts que moi.

Je ne pardonnerai peut-être jamais ça à Stephen. Cette nuit-là, à la maison, humilié, je dérobe un des couteaux de chasse de mon frère aîné. Je fais couler un bain chaud. Mais le destin fait que j'oublie de fermer la porte à clé. Ma mère intervient.

Je ne suis pas retourné à l'école le reste de l'année.

Ça a été le début d'une longue période de solitude dans ma vie. Mais je me suis résolu à ne plus jamais cacher ma préférence pour les garçons. La nuit, dans mes fantasmes, j'ai cessé de me sentir coupable. J'ai appris comment m'exciter, comment aimer mon anus. Je pouvais passer une heure au lit, à me branler en pensant à des hommes qui toujours m'aimaient et me désiraient. C'est comme ça que j'ai pu oublier Stephen et l'humiliation qu'il m'avait fait subir.

La branlette est mon rituel. Quand je me sens mal et sombre, je me branle. Quand je me sens seul et triste, je me branle. Quand je suis heureux et excité, je me branle. C'est une façon d'utiliser mes propres ressources, de trouver mes propres forces, de lécher mes blessures, de soigner mon ego, de célébrer mes victoires.

Au travail, je trouve du plaisir avec les hommes. Je n'ai pas de clientes parce que je suis trop efféminé. On me considère comme une tapette, une folle, et je m'épanouis sur ce chemin flou. Les hommes qui viennent me voir ne cherchent pas une femme. Et parfois ils ne veulent pas non plus d'un homme. Ils sont peut-être à la recherche de quelqu'un qui résolve la différence entre les deux sexes. Ils ont peut-être envie d'une femme qui éjacule comme un homme. Ou d'un homme qui puisse être pénétré comme une femme.

Je prends du plaisir à mon travail. Comme toutes les folles, je suis fier de mon look. Mes cheveux bruns bien fournis, mes longues jambes, mon profil délicat, ce sont peut-être des cadeaux. Parfois, je me déguise. Il m'arrive dans la journée d'aller en ville habillé en femme. C'est un art en soi. Plus ancien que l'écriture. Une ode aux sages, aux gens ouverts, aux Anciens, aux initiés. Une ode à la splendide enchanteresse du théâtre kabuki au Japon, qui est un homme en réalité, une ode à l'oracle de Delphes que je me représente en travesti, une ode à saint Sébastien, à qui je dois mon nom. Une ode à Thor, dans la mythologie nordique, qui se déguise en femme pour récupérer Mjollnir, le marteau lourd et puissant que les géants lui ont dérobé.

Quand on a découvert que c'était lui qui avait converti des soldats au christianisme, Sébastien a été condamné à être transpercé de flèches. Les archers le laissèrent pour mort, mais une veuve chrétienne prit soin de lui jusqu'à sa guérison. Tragiquement, Dioclétien le condamna à être battu à mort. Son corps fut jeté à l'égout, mais à nouveau une femme pieuse le récupéra. Elle rêva que Sébastien lui disait de l'enterrer près des catacombes. Quand je regarde des sculptures et des peintures qui le représentent, nu, attaché à un arbre, d'une façon qui rappelle les images païennes, je me souviens des vies tragiques que nombre de mes sœurs ont vécues. La beauté intérieure silencieuse d'une drag queen, la tristesse derrière le masque de maquillage, derrière les gestes attentifs, le charme et la vivacité d'esprit. Elle est comme Pierrot, le clown triste de la commedia dell'arte ; condamné pour toujours à être l'amant malheureux, objet de toutes les moqueries des autres comédiens.

Nous les folles, nous avons vécu en silence dans l'ombre des femmes depuis si longtemps, à les observer, à détailler et raffiner leurs gestes, à réinterpréter et exagérer leur démarche. Se travestir est un spectacle. C'est peut-être le plus grand compliment qu'un homme puisse faire aux femmes. C'est peut-être un indice de ce à quoi pourrait ressembler une femme libérée. D'autres fois, se travestir, c'est un jeu de pouvoir. Il y a ceux qui savent qui vous êtes et ceux qui tombent aveuglément sous votre charme. Le frisson, le danger de tromper un innocent est toujours présent. Nous sommes peut-être là pour rappeler au monde que la vie n'est pas innocente, que c'est une putain, une nymphomane qui aime prendre des risques.

Ce n'est peut-être pas une coïncidence si je me retrouve à faire ce métier. Une fille avec de l'esprit et du style peut-elle aller ailleurs ? Il n'y a jamais de place pour nous. Il nous faut créer notre propre monde, vivre dans cette réalité parallèle.

Ma mère ne se pose pas la question de savoir ce que je vais devenir. Elle ne me demande pas ce que je ferai quand je serai grand. Mon père ne m'interroge jamais sur ma vie. C'est comme être consigné à la périphérie de la vie. Je suis mon meilleur ami, mon meilleur allié. Les confidents vont et viennent. Le sida a été si brutal, si impitoyable pour tant de mes sœurs.

Saint Sébastien, parfois je pense à lui, je fantasme sur la folie de sa mort, toutes ces flèches phalliques venant terminer ma vie dans une orgie de violence, mon sang coulant comme la semence. Il est parfois plus facile d'affronter la vie quand on désire la mort. Et du coup d'accepter les déceptions et la dureté de la vie – cette salope, trop occupée à prendre du bon temps pour faire attention à qui que ce soit. Alors je ne gaspille pas ma salive à prier pour des réponses qui donneront un sens à mes questions, même si j'envie la paix et la sobriété des couples mariés, la flamme des enfants.

J'ai grandi trop vite, et dans des drôles d'endroits. Pas étonnant que j'aie une libido tellement développée. C'est ma façon de vouloir de l'amour, de la camaraderie, de la confiance. La vérité c'est que nous, les gays, nous pouvons être des putains. Nous couchons à la ronde parce que nous sommes tout ce que nous avons, mais nous ne le voyons pas. Moi aussi, j'ai fait mon temps dans les contre-allées obscures, les centres commerciaux, les toilettes publiques, les salles de gym, les parcs, les ruelles mal éclairées, les pièces du fond dans des boîtes de nuit sordides, requin flairant le sexe, salivant à l'odeur d'un autre homme. Moi aussi j'ai écumé les plages. Ce n'est pas tant l'idée de me faire prendre brutalement par des inconnus en rut qui me fait revenir, c'est cette impression que ma solitude n'a pas de fond. Pauvre Sebastian, ils ont dit quand je me suis saigné les poignets. Ça m'a toujours poursuivi.

C'est peut-être le mieux qui puisse m'arriver : que je me consacre à ce à pour quoi je suis le meilleur, divertir les hommes et leur ego fragile. Les émoustiller, les faire jouir à torrent, célébrer tout cela ; être encore plus folle, le vivre avec esprit et élégance, à la fois geisha et femme du monde. Nous les drags, nous donnons toujours l'impression de nous amuser follement en public. Oui, ma chérie, ma douce, mon canard en sucre, mon ange. C'est peut-être comme ça que nous comprenons ce que c'est qu'être un homme, être invisible, banni, cantonné aux ombres de la nuit, à cause de cette pute de vie, trop occupée à sucer des bites pour s'en soucier. Où sont-elles, toutes les sœurs, quand tu as besoin d'elles en marchant seule dans un centre commercial en talons aiguilles ? Où est-il, leur réconfort, leur soutien, quand l'employé refuse de te laisser essayer ces incroyables chaussures à plateforme, sous prétexte que tu chausses du 43 ? Ou encore cette robe irrésistible ? Où ils sont, tous les mecs, quand les homophobes nous démolissent la gueule, s'enfournent dans nos bouches jusqu'à l'étouffement ? Pourquoi les policiers ricanent quand nous signalons un viol ?

J'ai tout essayé : l'amour, le sexe, la drogue. La drogue, je continue. Le sexe, c'est mon métier. L'amour, c'est l'envers du sexe, c'est lui qui a la plus grosse bite, celle qui vous retourne.

Chaque jour, je pratique mon rituel.

Chaque jour, je me branle et j'aime ça.

Quand je me branle, je me sens plus proche de moi, plus fidèle à mes pulsions d'homme en maraude.

Je sais quel goût a mon sperme. Je connais le goût des autres.

MMABATHO

Il n'est pas revenu.

Au bout de trois jours, je retourne en cours. On discute du projet de fin d'année, de ce qui constituera la dernière représentation. J'écoute sans vraiment être là. La menace a toujours été présente, je me dis, il pouvait ne pas revenir. Je passe une journée lugubre, à prendre des notes n'importe comment. Je rentre dès que je peux.

Je me fais à dîner tôt, vers quatre heures. Des lasagnes et une salade grecque, mais je mange la salade sans vinaigrette. Quelqu'un frappe à la porte. En ville, je suis tombée sur Karuna, elle a dit qu'elle passerait pour m'emmener prendre un verre. Je vais à la porte, en cherchant déjà une excuse pour ne pas sortir.

Mais c'est lui. Arne. Il est là, avec sa valise, un sac sur l'épaule, un sourire sur le visage.

— Est-ce que tu vas me laisser entrer ?

Je suis toujours sans voix.

— Tes cheveux ont poussé.

— T'aurais pu appeler, j'arrive finalement à articuler, en rentrant dans la maison.

Je retourne à mon dîner. Il se traîne derrière moi avec ses bagages.

— Content de te revoir aussi, il dit ironiquement en allant vers la chambre. La maison est impeccable. J'ai même un vase plein d'œillets sur la table basse. C'était pour me remonter le moral.

Il revient me voir à la cuisine.

— Il reste quelque chose ? il me dit tout près, mais sans me toucher.

Il retire le petit plat de lasagnes du four, s'en sert la moitié. Il prend aussi de la salade.

Nous mangeons, assis sur les tabourets. Je me sens bizarre, mais c'est la colère qui l'emporte.

— Je sais que j'aurais dû appeler. Mais je me suis dit que ça nous ferait du bien de ne pas avoir de nouvelles l'un de l'autre pendant deux semaines.

Je lui lance un regard dur.

— Je voulais réfléchir calmement. Je l'ai fait. J'ai décidé de revenir. Je veux être père. Je nous veux, nous, il continue.

Je mâche lentement, je le regarde à peine.

— Je ne voulais rien dire que je regrette ensuite. J'avais besoin d'être sûr. Je t'en prie, regarde-moi, il supplie, en me relevant gentiment le menton. C'est la première fois qu'il me touche.

— Espèce de salopard égoïste. J'aurais pu faire une fausse couche avec tout ce stress. Qu'est-ce que tu aurais dit si j'avais perdu le bébé ?

— Je suis désolé. J'ai pensé…

— Eh bien, tu t'es trompé. T'as pas pensé à moi. Tu pensais pas à nous. Tu pensais qu'à toi. Si c'est ça le genre d'engagement dont tu es capable, si tu penses que c'est ça s'engager, alors dégage. Va-t'en. Je ne veux pas de ce bébé avec toi. Je peux me débrouiller toute seule. Je prends mon assiette, je jette les restes à la poubelle. Je vais à l'évier, je commence à faire la vaisselle.

L'instant d'après, il vient vers moi, pose sa main sur mon épaule. Je frissonne d'angoisse, de peur, de douleur, de cette solitude qu'il m'a fait vivre.

— Je suis désolé, il dit à nouveau.

— C'est pas une blague. C'est la réalité. Je suis enceinte, Arne. Je vais être mère, je lui dis, les mains mouillées, l'eau chaude remplissant l'évier.

— Je t'aime, il dit.

— Vraiment ? Eh bien, ce n'est pas assez. C'est pas avec ça qu'on va habiller le petit. C'est pas ça qui va payer le loyer non plus.

— Qu'est-ce que tu veux que je te dise ?

— Je veux que tu sois là pour moi si ça compte pour toi, si tu veux être père. Je ne veux pas me réveiller le matin, seule, à vomir et à me demander où tu es. Je ne veux pas aller à la maternité toute seule. Tu comprends ? C'est pas une plaisanterie.

— Tout ce que j'ai fait, c'est penser à toi et au bébé. Tu ne comprends pas que j'ai résolu de construire ma vie autour de toi ? il reprend.

— Ne fais pas de plan autour de nous. Soit tu es avec nous, soit rien. Il retire sa main de mon épaule.

— Tu es en rogne, il dit en retournant à son dîner.

— Comment oses-tu ? Et pourquoi je serais pas en colère après la façon dont tu m'as abandonnée ? je crie.

— Et toi ? Tu étais où quand je suis parti ?

— C'est pas la même chose. J'ai pas mis ta vie en danger.

Il reste silencieux un moment. Quand il a fini, il pose son assiette dans l'évier, il m'entoure de ses bras, son pubis contre moi, son odeur sur moi.

— Pardon. Tu m'as manqué. Je n'ai fait que penser à toi, il me dit à l'oreille, et il m'embrasse.

Je continue à laver les assiettes. Il me serre. Un moment, je reste là, les mains dans l'évier, regardant par la fenêtre, mon amant bizarrement cramponné à moi. Est-ce que je veux ça ? Est-ce que j'ai besoin de lui ?

Je sens son érection contre moi.

— Écoute, je suis furieuse. J'ai besoin d'un moment de colère. Il me relâche, va sur le sofa, allume la télé. Il s'arrête sur un dessin animé.

Je le regarde tout en séchant la vaisselle. Je continue à m'interroger sur lui. Il était peut-être avec une autre femme. C'est peut-être sa mère qui lui a dit de revenir, d'être un homme. Son père l'a peut-être renié.

Quand j'ai fini dans la cuisine, je vais à la salle de bains. Je me fais couler un bain, j'y plonge ma colère. J'entends tourner la poignée de la porte. Il renonce en réalisant que j'ai fermé à clé.

Je ressors au bout d'une demi-heure. Je le retrouve dans la chambre, sur son côté du lit, assis là, la tête penchée, les coudes sur ses genoux. La lumière est faible.

— Ne me laisse pas. Je t'en prie. Ne me quitte pas. J'ai besoin de toi, il dit en relevant la tête. Des larmes dans les yeux. Il reste là, assis, remuant ses mains sur les genoux.

— J'ai cru que je t'avais perdu, je dis en m'approchant. Il se lève, me serre dans ses bras, les yeux toujours embués. J'ai trop pleuré ces deux dernières semaines. Je le serre dans mes bras, la gorge serrée, pendant qu'il pleure.

— Cet enfant a besoin d'un père. Je ne peux pas t'apprendre à être un homme, je dis tendrement, je sens sa joue mouillée.

TSHEPO

Avant d'aller travailler, je vais dans un bar chic du quartier gay de Green Point, le New Yorkers. Petite semaine. Je n'ai eu qu'un seul client ces quatre derniers jours. Ça arrive parfois, me console West.

L'entrée est conçue de telle façon que quiconque pénètre dans la salle devient immédiatement le centre de l'attention. Je porte une chemise bleue en coton, un jean noir large et des chaussures noires. Un sac Diesel accroché à l'épaule, les cheveux bien soignés, teints d'une couleur cuivre qui fait ressortir mes yeux sombres. Je me dirige nonchalamment vers le bar, avec confiance.

Il y a deux barmen, tous les deux blancs. L'un d'entre eux est grand, sa taille lui donne un air maladroit parce qu'il a le dos et les épaules voûtés. Il a les pattes taillées, ses cheveux bruns et gras sont attachés en arrière, en une queue-de-cheval serrée. Elle lui donne un air plus âgé, un peu démodé, très années 1980. L'autre type, plus jeune, a des cheveux blonds courts, hérissés en pointe à la mode punk. Il y a quatre personnes assises au bar et d'autres aux tables avoisinantes. J'attends environ cinq minutes avant que le blond un peu folle ne vienne prendre ma commande. « Que puis-je faire pour vous ? » il demande d'une voix ennuyée. Je commande une Amstel. Quand je lui tends mon billet de

10, il me l'arrache presque sans me jeter un regard. Je fais comme si de rien n'était. Tout le monde peut être de mauvaise humeur, avoir un mauvais jour.

Je bois tranquillement en regardant MTV sur une télé en hauteur. Le barman ne m'a toujours pas rendu la monnaie. Il attend peut-être des pièces. Mais la caisse s'ouvre et se ferme plusieurs fois. Je le vois rendre facilement la monnaie à d'autres clients.

Je finis mon verre, je veux en commander un autre. Les deux semblent m'ignorer. Je les regarde servir deux blancs qui viennent d'entrer.

— Excusez-moi, je finis par leur dire.

— Billy, dit le blond en levant les yeux au ciel.

Billy, le grand dadais brun à queue-de-cheval, s'approche.

— Oui ? il dit avec un dédain marqué.

— J'ai commandé une bière et j'ai payé. J'attends toujours ma monnaie, je dis en désignant le blond.

— Viens ici. Je comprends rien à ce qu'il dit. Un truc avec son accent, dit Billy en imitant l'accent américain. L'effet est pitoyable, comme certains DJ ou animateurs télé qui parlent à l'américaine sans avoir jamais mis les pieds là-bas.

Le blond revient, mâchant un chewing-gum. Il se pose, la main sur la hanche.

— Écoutez, je suis un peu occupé là. Qu'est-ce que je peux faire pour vous ? il dit sèchement.

— Ma monnaie ? je demande, l'air furieux.

— Votre monnaie ? De quoi vous parlez ? Vous avez payé il y a longtemps, j'ai déjà dû vous la rendre.

— Vous ne l'avez pas fait.

— Eh bien, désolé, je ne peux pas ouvrir la caisse sans raison.

— Je veux ma monnaie, je dis en commençant à perdre mon calme.

— Billy, problème. Je prends ma pause, il dit en disparaissant.

Le dadais revient.

— Écoute, on veut pas d'ennuis. Tu devrais décamper avant que j'appelle la sécurité, il dit d'une voix menaçante. Je regarde autour de moi, je réalise soudain que je suis le seul noir, et même le seul de couleur. Un jeune noir portant un tablier sort de la cuisine pour ramasser les bouteilles vides sur les tables. Je le regarde naviguer prudemment entre les clients, comme une ombre invisible, levant à peine la tête.

Je prends mon sac. Le dadais me regarde, l'ombre d'un sourire sur le visage. En sortant, j'aperçois le blond, fumant à l'arrière, il parle gaiement sur son téléphone portable.

Ça me choque, ça me blesse, ça me remue les entrailles. Je ne peux pas croire que des gays puissent être comme ça. Qu'ils puissent être si racistes. Je prends une rue au hasard, l'esprit en désordre. Il est encore tôt. Je marche vers un tout petit jardin, de l'autre côté de Buitengracht Street, au niveau de l'école de publicité. Je m'assois sous un arbre dont les longues branches descendent jusqu'au sol, mais ce n'est pas un saule pleureur.

Déprimé, désabusé, je me sens si naïf d'avoir cru que les gays étaient différents des autres. Ils sont blancs avant d'être gays, je me dis amèrement. Je commence à réfléchir à ma vie. Au travail, je ne croise pratiquement aucun noir. Biloxi est un repère de blancs. À la porte, j'ai parfois vu le videur s'en prendre à des clients. Comment se fait-il qu'à chaque fois ils soient noirs ou coloureds ?

Je regarde les voitures filer vers le centre-ville, ou dans l'autre sens, vers Green Bay. Je suis désespéré. Comme si quelqu'un venait de déchirer une belle image que j'avais en tête. C'est choquant, presque ridicule, qu'un gay puisse avoir des préjugés quand nous vivons tous dans la peur, victimes de tant de préjugés. Le réveil est brutal. Tu es un noir. Tu seras toujours un noir.

Ce n'est pas que j'aie oublié ça, mais j'avais fini par m'habituer à la sincérité et à l'ouverture de la confrérie. Je suis allé puiser plus profond dans ma négritude. Je regarde désormais les gens avant de regarder leur couleur. West, Cole, Storm, Carrington, Adrian, Martin et les autres, je ne pense pas à eux en termes d'appartenance à un groupe racial, même si ça ne veut pas dire que je n'en suis pas conscient. Le Cap ne cesse jamais de nous rappeler qui nous sommes. Quand nous quittons le sanctuaire de notre Utopie, nous redevenons de simples pigments dans un tourbillon de couleurs. Dont le centre est d'un blanc immaculé. Sur les bords, les autres couleurs s'assemblent comme écume et dépôts.

Je me mets à réfléchir plus sérieusement à la confrérie elle-même. Comment se fait-il que Cole et moi soyons les seuls noirs ? Où sont les étalons coloureds ou indiens ? Il existe sûrement des masseurs indiens ou coloureds dans les parages. Eux aussi, ils ont sûrement posé leur candidature. Mon estomac se serre en songeant un peu plus à Biloxi, à tous les noirs que j'ai croisés là-bas. Ce ne sont certainement pas ceux des townships ou des bidonvilles. Ils étaient tous habillés d'une certaine manière, parlaient avec un certain accent, sophistiqué, avec des façons que tout le monde juge charmantes, attachantes. C'est pour tout cela qu'ils sont acceptés. C'est pour ça que le videur ne les embête pas à l'entrée, je commence à comprendre.

Je me sens acculé. Je ressens ma négritude. Je l'ai toujours ressentie.

Je me lève, je me rends au travail, traînant le poids de ma désillusion.

Au boulot, l'ambiance aussi est tendue pour une raison que j'ignore. Après dix minutes à regarder la télé en silence, je m'adresse finalement à Carrington.

— Quelqu'un est mort ou quoi ?

— T'es pas au courant ? Bien sûr, t'étais pas là. West s'est fait virer. Prié de partir. Il s'est disputé avec un client. Du coup, Shaun lui a demandé de s'en aller, pour avoir nui à la réputation de l'établissement, il dit à voix basse, presque en chuchotant.

— Quoi ? Quand est-ce que ça s'est passé ?

— Il y a environ une heure. Tu peux aller le voir, il est en train de prendre ses affaires dans son studio.

Il n'est pas encore cinq heures, l'heure à laquelle nous devons tous être présents dans le salon. Je vais dans le studio de West. Une grande valise ouverte par terre, ses vêtements sur le lit. Il a fait deux piles, une de chemises, une de pantalons.

— West, c'est pas sérieux, si ?

— *Ag*, je savais que le moment approchait, Angelo. La fête peut pas continuer indéfiniment. Au moins, je peux passer à autre chose désormais. Tu peux pas faire ça toute ta vie, il dit, avec peu d'amertume. Il fait sa valise. Je m'effondre sur son petit canapé.

— Tu peux pas me laisser, je dis avec désespoir. J'ai envie de lui dire que je l'aime.

— Angelo, ça va bien se passer. Juste, ne laisse pas cet endroit devenir tout pour toi, il dit d'un ton sérieux, plus mûr.

— Je comprends pas. Qu'est-ce qui s'est passé ?

— *Omstandighede*. Concours de circonstances. Ça devait arriver tôt ou tard. J'ai été idiot. Le client m'a laissé 600 rands sur la table pendant que je m'habillais. On avait discuté du prix au départ. Mais quand je prends l'argent, il refuse. On avait dit 400 rands, il me dit, un mensonge évidemment. Angelo, tu me connais, mon pote. Je suis pas trop gourmand. Mon argent est placé, j'ai besoin de voler personne, il dit avec un peu de colère. Voilà ce qui s'est passé. Il a déboulé dans le bureau de Shaun, il a dit qu'il allait faire passer le mot, qu'il connaissait du monde, patati patata. Des conneries, en gros. Il a exigé que je lui présente des excuses, j'ai refusé. Shaun m'a dit de le faire, sinon c'était la porte, *ek loop*, j'ai choisi la porte.

Il range ses précieux sous-vêtements.

— Je suis désolé, c'est tout ce que je trouve à dire.

— *Ag*, mec, pourquoi ? Comme je t'ai dit, je savais que j'allais me barrer tôt ou tard. C'est le prétexte que je cherchais, il dit en me tournant le dos.

— Qu'est-ce que tu vas faire ?

— Juste là, je vais prendre un taxi pour le Holiday Inn. Je vais y passer la nuit, tu vois, je vais me faire plaisir. Et puis, demain, je rentre à la maison. Ma mère vit à Somerset West. Je prendrai le train demain. Pour réfléchir un peu, tu vois ? J'ai une vague idée de ce que j'ai envie de faire, il dit avec optimisme.

J'ai l'impression de perdre un proche. Je réalise soudain comme c'est facile de nouer un lien, comme on s'habitue vite. Que serait Steamy Windows sans Kalahari West ?

— Tu peux venir me rendre visite si tu veux, il dit.

— Vraiment ?

— Bien sûr. Il s'accroupit à côté de moi. On sera toujours frères. Personne peut nous enlever ça.

— C'est vrai, je marmonne.

Il recommence à faire sa valise.

— J'ai pas encore pris de jours de congé, à part ce truc du vendredi soir, une fois par mois. Je vais demander à Shaun. Je peux venir avec toi demain, ou est-ce que c'est trop tôt ? je demande avec empressement.

— *Ja*, viens. Ce sera génial. J'ai besoin de compagnie. Ça se passera très bien avec ma mère. Je l'appellerai, il dit avec enthousiasme. Ça me fait du bien.

— Tu lui as dit que tu étais viré ?

— Elle a pas besoin de tout savoir. Je lui ai juste dit qu'il fallait que je change de boulot, il dit rapidement.

Après avoir mis toutes ses affaires dans une valise et deux sacs, il range la chambre. Je suis triste, mais je me force à prendre l'air content pour lui. Il appelle un taxi Bee Line sur son téléphone portable. Je l'aide à descendre ses sacs. Il les laisse dans l'entrée avec François, toujours dans son smoking impeccable. On remonte s'asseoir avec les autres dans le salon. Cole, son meilleur ami, n'est pas là. Storm explique qu'il a appelé ce matin pour dire qu'il arriverait plus tard. « J'ai son numéro de portable de toute façon », dit West joyeusement. On se sent un peu bizarres, on est devenus si proches, on devine les humeurs de chacun. François monte dire à West que son taxi est là. Les autres l'étreignent, lui souhaitent bonne chance. Quand West demande où est Shaun, Storm dit qu'il est sorti. Il dit ça avec difficulté. Je l'accompagne en bas des escaliers, je l'aide à porter ses bagages dans le taxi. Il y a un peu de vent, le ciel est couvert, gris.

Je souris pour dissimuler ma tristesse. West monte dans la voiture, il s'en va.

Nouvelle soirée très calme. Je m'en fiche, j'en profite pour réfléchir à ma vie. Ça ne fait qu'un mois que je fais ça. Je repense au New Yorkers, ça me déprime à nouveau. J'envisage même de démissionner, mais ce ne serait pas malin. Je ne fais que commencer. J'en suis juste à avoir quelques réguliers, à mettre de l'ordre dans mon monde. Et puis, c'est peut-être une mise à l'épreuve, un test de courage. Je ne peux pas abandonner maintenant.

Vers neuf heures, je prends ma pause avec Cole. Il va fumer une cigarette dehors. On parle de West.

— Ouais, la vie continue, il dit d'un ton indifférent en tirant sur sa cigarette.

— Mais je croyais que West était ton meilleur ami.

— Il l'est. Mais écoute, grandis un peu. On n'est pas au collège ou en colo. Les gens passent à autre chose.

— C'est pas ce que je voulais dire. C'est juste qu'il est pas parti dans des circonstances agréables et ça a pas l'air de t'ennuyer.

— Au moins, ils lui ont pas défoncé la gueule, il dit. Te laisse pas avoir. C'est bien qu'on soit tous amis et tout ça. Moi aussi, je crois en cette confrérie. Mais qui est-ce qui tire toutes les manettes ? Qui a tout le pouvoir ? Qui décide qui reste et qui part ?

Il me regarde sous la lumière crue du réverbère.

— Shaun. Les blancs, j'admets.

— Exactement. N'oublie jamais ça. Cette histoire de confrérie, c'est un truc futé. Très pratique, parce que ça marche. On a envie de croire dans ce genre de trucs. Mais te fais pas avoir, quand Shaun en aura marre de toi, tu le sauras, il dit. Tu n'es utile que tant que tu ramènes de l'argent. C'est pour ça que je te dis de modérer ton enthousiasme. Il y a des merdes. C'est encore une histoire de pouvoir, qui l'a, qui ne l'a pas. Nous, on l'a pas. Ils viennent ici, ils payent. OK, on choisit ce qu'on fait avec eux, mais on n'a pas vraiment de pouvoir. C'est juste du sexe bien propre, joliment emballé. Tu comprends ça, n'est-ce pas ?

— *Ja*, je réponds, la tête en feu.

— Ce lieu, c'est un simple arrêt au stand. N'oublie pas ça. Te ramollis pas en pensant que tu vas t'en sortir grâce au pognon. Tu restes un noir. C'est comme ça qu'ils te voient, il dit, mais sa voix est douce.

— Hier, tout allait parfaitement. Aujourd'hui, tout est sens dessus dessous. Des imbéciles au New Yorkers ont été racistes avec moi cet après-midi, je dis en lui racontant ce qui s'est passé.

— Tu vois ce que je veux dire ? L'argent te sauvera jamais. Les gens changent pas du jour au lendemain, pas même les gays. Il y a des fois où je me dis que je fais ce boulot juste pour être sûr que les blancs peuvent être de vrai connards. Vraiment. J'ai rencontré des vrais tarés. Tu sais, au Sénégal et dans d'autres régions d'Afrique, on n'a pas ce problème avec les blancs parce qu'il y en a quasiment pas. Mais comme il y en a en Afrique du Sud, certains noirs d'ici ont fini par choper leurs airs, il dit avec véhémence.

— Qu'est-ce tu veux dire ?

— Il y a des noirs ici qui se trimballent avec cet air supérieur, comme s'ils valaient mieux que nous, les noirs du reste de l'Afrique. Je crois que vous prenez ça aux blancs, il dit.

Il fait peut-être un complexe. Quand même, Cole est très adulte dans sa façon d'aborder les choses, il ne dirait pas ça s'il n'y avait pas réfléchi sérieusement.

— Parfois, ça me met tellement en colère. On n'a pas besoin de ces conneries racistes. Il jette son mégot, en allume une autre.

— Mais ça me rend plus fort. Il faut porter sa couleur à l'envers, pour que cette saloperie de race vienne pas se mettre en travers. C'est la négritude intérieure qui compte le plus. C'est ce qui fait de toi un Africain, pas la couleur de ta peau, hein ? Des types comme West, au fond ce sont des noirs, il dit.

J'acquiesce de la tête.

— Tu sais ce qu'a dit Kenyatta ? Il a dit, quand les blancs sont arrivés en Afrique, nous avions la terre et ils avaient la Bible. Ils nous ont enseigné à prier les yeux fermés. Et quand nous les avons rouverts, ils avaient la terre et nous avions la Bible. Il reste là à fumer en silence, tristement. Nous partageons ce moment de silence, comme si nous puisions notre force l'un de l'autre. François ouvre la porte pour nous rappeler. C'est au tour de Storm et Adrian de prendre leur pause.

Je passe le reste de la soirée à penser à West, à ma vie, à me poser des questions sur tout ce qui a eu une influence sur moi. Qu'est-ce que ça signifie tout ça ? Est-il possible de tirer un véritable enseignement de tout ce que je sais des cultures noire et blanche ? Est-ce que je peux me sentir sud-africain et être inspiré par l'Afrique du Sud des blancs, m'identifier à eux ? Est-ce que je peux me sentir sud-africain et ne pas toujours faire remonter ma culture à un groupe racial particulier ? Est-ce que je peux dire que la culture afrikaans, celle de l'argot *tsotsi* des coloureds, la cuisine indienne et les finesses anglaises sont miennes ? Est-ce que je dois m'excuser de vouloir toujours plus que ce qu'offre ma culture ? Est-ce que je suis un vendu, un Oncle Tom ? S'en tenir fermement à sa propre culture, n'est-ce pas une forme de stagnation, un genre d'inceste comme celui que connaissent les animaux qui maintiennent leurs gènes dans le même groupe familial, contribuant ainsi à leur propre dégénérescence ? N'est-ce pas là une transgression pire que d'essayer de dépasser ses frontières ? Les blancs ne nous entendront-ils donc jamais ? Les noirs resteront-ils toujours sur la défensive ? N'est-il pas possible que nous nous acceptions les uns les autres, sans vouloir forcément changer l'autre ?

Je pense aux blancs racistes que j'ai rencontrés, ceux dont j'ai entendu parler par des amis ou dans ma famille. Ceux qui m'ont humilié ou ont humilié quelqu'un que je connaissais, la façon dont les nouveaux racistes se plaignent du nouvel ordre économique et social. Personne n'a jamais cru que le changement pourrait se passer si bien. Tout le monde en Afrique du Sud s'attendait à une guerre civile, à une explosion de violence. À quelle vitesse on a oublié ça. On a l'impression que les gens ont perdu leur générosité, qu'ils sont devenus économes de leur optimisme. Les petits changements sont peut-être les plus importants, un signe plus évident de nos progrès. Les blancs continuent-ils d'appeler *boy* le type qui tond leur pelouse ? Continuent-ils à lui donner à manger dans une assiette et une tasse en étain ? Leurs enfants savent-ils traiter avec respect un vieux ou une vieille noire ? Est-ce que le boss continue de conduire son pick-up seul au volant, avec les noirs entassés sur l'arrière ? Des détails, voilà ce que je recherche quand je pars en voyage avec mes clients, ils en disent plus que toutes les belles paroles et les postures grandiloquentes. Ce sont ces petits détails échappés sans y prêter attention qui révèlent l'évolution personnelle des gens, comme Shaun et son expression « coup de *kaffir* ». Continuent-ils à désigner les noirs, comme des « garçons » ou des « types », jamais comme des « hommes » ? Est-ce qu'ils tiennent certaines choses pour acquises sous prétexte que je suis noir, comme ma préférence pour le vin plutôt que pour la bière ? Est-ce qu'ils continuent à raconter des histoires de jeunesse sur leur personnel noir, sur la façon dont ils s'entendaient bien avec les modestes David ou Angelina ? Est-ce qu'ils me regardent de haut sans s'en rendre compte, aveugles à leur propre indélicatesse ? Et quand il m'arrive d'apercevoir leur domestique, je me demande combien il la paye. Est-ce qu'elle connaît ses droits ? Lui ont-ils ouvert un plan retraite ?

Et nous, en tant que noirs, est-ce qu'on est toujours en train de les admirer au lieu de se considérer comme leurs égaux ? Est-ce qu'on se coupe l'herbe sous le pied les uns des autres, toujours emplis de leur conviction que nous sommes des bons à rien ? Est-ce qu'on continue à piller et voler les blancs par souci de revanche, ou bien sommes-nous devenus les victimes de notre amertume et de notre colère ? Est-ce que les politiciens néofascistes noirs volent l'argent de tout le monde parce qu'ils ont l'impression de rétablir l'équilibre, de rendre la pareille, de jouir de privilèges équivalents, ou bien ne font-ils que tremper dans la même fosse de corruption et de vénalité que nous avons combattue, contre laquelle nous nous sommes révoltés ? L'autre jour, on a forcé la voiture de Shaun, sans rien trouver à voler. Quand ils se sont aperçus qu'il n'y avait rien à prendre, ils ont défoncé le tableau de bord. Est-il acceptable de se dire instantanément que ce sont des noirs ou des coloureds qui ont sûrement fait le coup ? Et quand j'entends les autres se plaindre d'une radio qui a été volée chez eux par la fenêtre ouverte, ou de vêtements qui ont disparu alors qu'ils étaient en train de sécher sur une corde à linge, est-ce que c'est juste de leur part de s'attendre à ce que je me sente coupable, honteux parce qu'ils supposent que c'est le fait d'un noir ? Et pourquoi moi je me sens gêné si c'est un noir, et je me tais à ce propos ? Pourquoi est-ce qu'on ne peut pas juste les considérer comme des criminels, ni blancs ni noirs ? Je ne peux être responsable que de moi-même.

Nous sommes peut-être en train de glisser sur le territoire de l'oppresseur. Un jour peut-être, les blancs parleront de nous avec la même nostalgie méprisable que nous réservons à l'apartheid et cette époque. Quand les noirs étaient au pouvoir, ils diront.

Ces pensées me dépriment tellement que je décide de songer à autre chose. J'ai un travail, je suis bien payé, ça me suffit. J'essaie de me concentrer là-dessus mais ça n'est pas facile alors que je n'ai aucun client de la soirée. Avant de partir, je vais dans le bureau de Shaun et je lui demande mon week-end. En plus, l'idée de croiser Jacques m'est insupportable. On ne se salue même plus à présent.

Je dis à Shaun que je suis sous pression, que je n'ai pas encore eu le temps de prendre un peu de recul. Tout est allé si vite pendant ce mois, j'explique. Il comprend mais il me demande d'être là lundi. Il y a un air d'autorité dans sa voix. Je comprends soudain ce dont me parlait Cole. Quand je ne ramènerai plus de clients, il me mettra à la porte. Ça donne à réfléchir. Il faut que je reste en éveil. Rien n'est jamais acquis. Je dois toujours penser à faire des économies, gérer mon pécule. Personne ne le fera pour moi.

WEST

Angelo m'appelle le matin. On se retrouve à la gare à midi. Il fait chaud. Il porte une chemise traditionnelle indienne en coton, finement brodée sur le col, avec un jean bleu et des sandales marron. Je suis content de le voir. On s'étreint comme des amis. Je prends deux billets pour Somerset West. Il sort de l'argent pour me rembourser, je refuse.

— On s'arrangera plus tard, je lui dis.

— On est pas trop loin ? il demande quand je dépasse les premières classes sur le quai.

— Non. J'ai pris des tickets de troisième classe. C'est plus intéressant, tu vois plus de choses.

On n'attend pas longtemps. Après dix minutes passées sur un banc du quai, on peut prendre place dans le train, vers l'arrière. Ça se remplit vite, comme toujours en troisième classe. Une vieille coloured au regard indéchiffrable monte avec deux jeunes enfants. Il n'y a plus de place libre. Je me lève pour lui proposer mon siège. Elle me remercie, en essuyant la sueur sur son visage. « *Lekker warm, nè ?* Fait bon chaud, hein ? », elle dit avec gratitude. Je hoche la tête. Le train a une secousse avant de démarrer.

Je regarde Angelo, je ressens l'étrange besoin de l'embrasser devant tous ces inconnus. Ça m'arrive de temps en temps, je suis submergé par le besoin de choquer les autres. Je souris intérieurement.

— Pourquoi tu souris ?

— Rien, rien. Mais il ne me croit pas.

Quand on arrive à Salt River, la vieille femme descend avec les deux enfants, je reprends mon siège. J'ai la peau trempée de sueur. J'ai envie d'enlever ma chemise.

— Tu as dit à ta mère que je venais ? il demande, légèrement soucieux.

— *Ja*, t'inquiète pas. Je lui ai dit.

Je me sens excité, toujours quand il fait chaud, quelque chose à voir avec la température. Je regarde à la ronde dans le wagon, je remarque une superbe coloured à la peau de miel et aux yeux verts. Elle est assise à côté d'une autre coloured. Je lui souris. Elle regarde ailleurs, l'air distant. À Wynberg, les deux filles descendent. Beaucoup de gens montent. Une grande Indienne, avec des jambes à se damner, se tient près de nous. Je n'arrive pas à détacher mon regard de sa taille et de ses jambes.

— Quelque chose ne va pas? elle me demande au bout d'un moment, sur un ton agressif. Je secoue la tête.

J'ai un début d'érection en songeant à toutes les choses amusantes que je pourrais faire avec ses jambes. Elle descend à la gare d'après.

— T'endors pas. Garde un œil sur tes sacs, je lui chuchote à l'oreille dans le tohu-bohu des gens qui montent et qui descendent.

— Bien sûr, il répond immédiatement.

— Je suis excité, je lui dis en riant un peu.

— West, déjà? Tu as arrêté de travailler hier, il plaisante.

— *Ja*, mais c'était le boulot. Là, je parle d'une femme. J'ai envie d'une femme.

Il me regarde avec surprise, puis il se tait, un peu attristé.

Il ne comprend pas. Les hommes, je ne les aime pas comme ça; pour moi, c'était juste un boulot. Je sais qu'il m'aime beaucoup, peut-être plus qu'on aime normalement une personne qu'on considère comme un ami proche, ce qu'on était tous les uns pour les autres à Steamy Windows.

À Kuils River, quelques noirs descendent du train, beaucoup de coloureds montent. Une noire magnifique avec de longues dreadlocks s'assoit en face de moi avec son copain, il porte lui aussi des dreads. Ils vont bien ensemble. Elle porte un long sarong, du coup je ne vois pas bien ses jambes. Mais son tee-shirt noir sans manches est très sexy. Elle a de gros seins, qui ne tombent pas. Je sens une nouvelle érection. Je porte un jean noir moulant, c'est un peu inconfortable. Je me conseille de l'ignorer jusqu'à ce que ça passe. Elle descend à la gare suivante, là où le train change de ligne. De nombreux coloureds montent et descendent, pimentant l'ambiance de leur argot local. Je pense à ma jeunesse, à Hermanus, comme je trouvais drôle que certains coloureds n'aient pas de dents de devant. Je trouvais ridicule que, pour certains, ce soit une obligation pour faire partie d'un gang. Je ne pouvais pas m'imaginer foutre en l'air mes incisives pour qui que ce soit.

Au bout d'une heure et demie, nous arrivons à Somerset West. Il n'y a plus grand-monde dans le wagon.

— Angelo, c'est là qu'on descend, mon pote.

On prend nos sacs, on descend. Le soleil tape dur, mais il y a un peu de vent. La chemise délicate d'Angelo forme une bulle dans le dos. En sortant de la gare, je repère une Toyota Corolla, vieille mais résistante.

— À propos, ne m'appelle pas West. Mon nom, c'est Karel, je dis alors que ma mère approche.

— OK, Karel, il dit nerveusement.

— Mon chou, dit ma mère. On s'embrasse, on s'étreint.

Je la soulève de terre.

— *Hoekom is jy so maer?* Pourquoi tu es si maigre ? Elle dit en regardant mes muscles.

— M'man, je mange bien, je dis en anglais pour Angelo.

— *Moenie hier kom met jou Engels nie,* viens pas me parler anglais ici, elle dit en m'enfonçant son doigt dans les côtes.

Elle regarde Angelo.

— Madame... il commence, mais il en reste là. Il me regarde légèrement paniqué.

— De Villiers, elle sourit en lui serrant la main, mais appelez-moi Elanie. Comment vous appelez-vous ? Il réfléchit une seconde.

— Angelo, il répond un peu troublé.

— Enchantée, elle dit.

— *Waar's Oom?* Où est mon oncle ? je demande.

— Il attend à la maison. Il avait pas envie de sortir au soleil, elle dit en anglais.

Elle a toujours l'air bien, toujours aussi mince qu'avant de m'avoir. Elle a toujours ses longs cheveux noirs.

— Alors, où est ton nouveau petit copain ? je la taquine pendant qu'on va vers la voiture.

— *Pampoen, jy's terug*, mon chou, tu es revenu, elle sourit.

— *Pampoen*, c'est son surnom ? demande Angelo.

— *Ja*. Depuis qu'il est tout petit, elle dit affectueusement. On met les bagages dans le coffre et à l'arrière de la voiture.

— C'est mon père qui me l'a donné, sans doute le seul truc qu'il m'ait laissé, je dis.

— J'espère que vous avez faim, Angelo, ma mère enchaîne.

Il hoche la tête vigoureusement. Il sourit beaucoup quand il répond à ses questions.

On traverse la petite ville tranquille. Je n'ai jamais vraiment compris pourquoi M'man avait quitté Hermanus pour ce trou de Somerset West. Elle en avait peut-être marre de cette marque infamante qui la suivait partout. On n'a pas de famille à Somerset West.

— Tu veux aller te baigner plus tard ? je demande à Angelo. Je pense au réservoir, pas loin de notre terrain.

Pas de chien pour nous accueillir en arrivant.

— Que sont devenus Rex et Jaco ?

— *Oom* te racontera. Angelo, bienvenue, voilà mon chez-moi, M'man dit chaleureusement en approchant de la maison.

On gare la voiture à côté de la maison, à l'ombre d'un grand eucalyptus. Angelo m'aide à sortir les bagages. Sur le porche, *Oom* est assis dans son rocking-chair, portant ses impénétrables lunettes noires, fumant sa pipe.

— Karel, *wat kyk jy? Kom hierso*, qu'est-ce que t'attends ? Viens ici, mon gars, il dit avec excitation, en retirant la pipe de sa bouche. Il se lève pour me serrer dans ses bras.

— *En wie's jou vriend*? Qui est ton ami ? il dit, toujours aussi réceptif.

— C'est mon ami Angelo, *Oom*.

Angelo tend la main. *Oom* tend les deux siennes pour trouver celle d'Angelo. Ils se les serrent.

— *Ek sien 'n bietjie swak*, tu m'as l'air un peu faiblard, il plaisante. Angelo sourit. *Aangename kennis. Ek is Sarel.* Enchanté, moi c'est Sarel.

On rentre à l'intérieur, la maison est fraîche. Je montre ma chambre à Angelo, là où il va dormir. M'man a gardé les deux lits, toutes les photos et posters que j'avais en grandissant. Je me sens un peu gêné en y entrant. Un poster de Jason Donovan et Kylie Minogue enlacés est accroché sur l'un des murs.

— Ma mère, elle veut pas que je grandisse.

— C'est très mignon que tu les aies aimés.

Il prend le lit de droite. On redescend. J'ai faim. Dans la cuisine, M'man a déjà disposé un joli assortiment : brochettes, saucisse de ferme épicée, salade de pommes de terre, salade verte, coleslaw et, pour dessert, tarte au lait, beignets au sirop.

— Allez vous laver les mains, M'man nous ordonne à tous les deux. Je l'amène dans les toilettes des invités près du salon, on se lave les mains. Avant de manger, nous nous tenons les mains, M'man dit une prière.

Nous déjeunons à la cuisine, où il fait frais. M'man propose de tout à Angelo. Poli comme il est, il accepte toujours.

— M'man, je suis sûr qu'il a assez mangé, je lui dis quand elle insiste pour qu'il prenne de la tarte après avoir mangé les beignets.

Après le repas, Angelo et moi, on va se balader. On passe par l'arrière du jardin, là où un grillage borde notre terrain. Il y a un trou dans le barbelé, c'est par là que passent nos chiens, Rex et Jaco. On escalade une petite colline. C'est calme, silencieux. De l'autre côté de la colline, il y a le petit barrage. Sur les rives, des troncs d'arbres.

Je commence à me déshabiller complètement. Je pose mes vêtements sur les troncs.

— Juste comme ça ? demande Angelo.

Je ne réponds pas. Je me dirige vers l'eau, elle est fraîche.

— Tu devrais venir. Personne ne regarde, je dis.

Il se déshabille avec nervosité.

Je nage jusqu'à l'extrémité la plus profonde du barrage. Un tronc flotte sur l'eau. Il porte des marques, comme si un chien avait essayé de se faire les dents. Angelo nage jusqu'à moi.

— Pas mal, hein ? je dis, content d'être chez moi.

— Vraiment, il dit. Alors ton oncle est complètement aveugle ?

— Oui, un accident de mine.

— Il a l'air d'un type bien, il dit.

On fait quelques longueurs, on nage sous l'eau saumâtre. Il y fait un noir d'encre. Il se fatigue vite et sort. Je le rejoins rapidement. On s'allonge dans l'herbe, laissant le soleil nous sécher.

— *Hey*, faut pas qu'on reste au soleil trop longtemps. On n'a pas mis de crème, je dis.

Il soupire.

— Alors qu'est-ce que tu vas faire ? il demande.

— Pourquoi tu es si inquiet ?

— Je m'inquiète pas. Je me demande juste si je te reverrai un jour, il dit gravement.

— Tu te débarrasseras pas de moi si facilement. Tu me reverras.

Bientôt, on se rhabille, on repart vers la maison. En redescendant de l'autre côté de la colline, je vois notre voisin, un fermier, sur son tracteur. Il nous fait signe de la main.

— C'est un connard mais au moins, il veille sur ma mère, je dis à Angelo, en répondant à son salut.

On retrouve M'man en train de tricoter sur le porche, *Oom* fume. Il me demande de l'emmener marcher un peu, Angelo va faire une sieste.

On descend la route.

— Qu'est-ce qui est arrivé à Rex et Jaco, *Oom* ?

Il bourre sa pipe.

— Ta mère était bouleversée. Elle adorait ces chiens. C'est arrivé il y a environ un mois. Quelqu'un a essayé de nous cambrioler, ils ont commencé par empoisonner les chiens.

Il dit ça rapidement, sans fioritures.

— On a appelé Kobus, le voisin, quand j'ai réalisé que quelque chose ne tournait pas rond, les chiens ne répondaient pas quand je les appelais. J'ai dit à ta mère de prévenir Kobus, il a averti la police, il dit en tenant délicatement sa pipe. Ils étaient deux. Ils les ont trouvés dans la cabane, en train de charger des outils dans leur pick-up. Il s'en est fallu d'un cheveu, après, ils seraient venus dans la maison. Rien ne sera plus jamais pareil. On n'est plus en sécurité dans sa propre maison.

Il dit ça comme s'il l'acceptait. Je ne sais pas quoi dire. Mon cœur s'est emballé à l'idée que ma mère aurait pu être tuée.

— Vous allez rester ici ? Pourquoi vous ne retournez pas à Hermanus ?

— Ta mère est têtue.

Je respire sa fumée en soupirant.

ANGELO

Je me réveille vers huit heures. Je constate que West est déjà sorti. Il faut que je me souvienne de l'appeler Karel chaque fois que je m'adresse à lui. Son lit est déjà fait. J'ouvre les rideaux, la lumière du matin pénètre dans la pièce. J'ai encore les yeux lourds mais je me sens réveillé. Je me les frotte doucement, je m'assois sur le lit.

Au-dessus de la tête du lit, une petite affiche, écrite à la main. On dirait un fragment de poème. En bas, le nom de C. Louis Leipoldt.

Dis vrede, man, die oorlog is verby!
Hoor jy die mense skreeu die strate vol?
Sien jy die hele wêreld is op hol?
Kom, hier's 'n bottel soetwyn; laat ons drink!
Ons nasie, wat so wild was, is nou mak…
… Die beste wat ons nasie het – die vrou!

C'est la paix, mon ami, la guerre est finie!
N'entends-tu pas ce cri de la foule qui emplit les rues?
Ne vois-tu pas le monde entier en liesse?
Tiens, voilà une bouteille du vin nouveau; buvons!
Notre nation, elle était si furieuse, la voici apaisée…
… elle nous offre ce qu'elle a de plus beau – les femmes!

Je songe à West, j'essaie de l'imaginer étudiant à Stellenbosch, les cheveux probablement longs, en bataille. J'essaie de l'imaginer cherchant sa route, essayant de donner un sens aux mots, à la poésie, aux copines infidèles. Je regarde les livres sur son étagère. De la poésie pour l'essentiel. Il semble avoir une préférence pour Breyten Breytenbach.

Avant West, je n'ai jamais pensé que le peuple afrikaner pouvait être pourvu de la moindre sensibilité, je ne voyais en eux que des oppresseurs. Trop d'anecdotes et de mauvais souvenirs ont matraqué toute velléité de ma part d'en faire des gens comme tout le monde, complexes et faillibles. Haïr les Afrikaners, ça fait partie de mon héritage culturel implicite, le souvenir de la dureté avec laquelle ils ont ostracisé mon peuple. Je songe à Arthur, cet Américain qui disait que tous les peuples ont leur souffrance. Pour nous, ce serait celle infligée par les Afrikaners, ce que Verwoerd a mis en place. Et pour les Afrikaners, ce serait probablement ce que les Anglais leur ont fait pendant la guerre des Boers, les camps de concentration où ont péri leurs femmes et leurs enfants. Mais les Anglais, c'est quoi leur souffrance à eux? Je songe à ma mère, aux histoires qu'elle me racontait sur des voyages à Bloemfontein, à une époque plus sombre, où il était dangereux d'être noir, instruit, et de conduire une voiture. Je me sens stupide, gêné, en me souvenant combien j'ai pu mépriser tout un peuple dont je ne connaissais à peu près rien, juste par ferveur patriotique. Comme j'étais ignorant. Que mon monde était étroit.

Il est si subtil, le charme de West. Je n'ai pas réalisé qu'il m'ouvrait les portes de son monde, me gagnant sans rien dire à sa cause, me laissant pénétrer dans sa féerie, guérissant les blessures que l'histoire était trop muette pour confesser et se faire pardonner. Il y a tant de questions sans réponse. Finalement, ce n'est peut-être la faute de personne. Les choses se sont produites parce qu'elles le devaient; nos vies sont trop minuscules pour comprendre le sens global des événements. Quand les gens regardent les anciens aqueducs, les temples incas, les pyramides, la Grande Muraille de Chine, le Parthénon ou un autre vestige des temps anciens, j'imagine qu'ils ne voient que des structures, des bâtiments, des blocs de roche et de pierre qui n'inspirent que des interrogations scientifiques. J'imagine qu'ils ne s'arrêtent pas pour se demander si ce sont des esclaves ou des ouvriers syndiqués qui les ont construits. Les drames humains qui y étaient liés se sont évanouis dans le passé. J'espère qu'un jour, c'est comme ça qu'on regardera l'Afrique du Sud. Quand les gens marcheront dans les rues avec plaisir, ils ne penseront peut-être pas que ce pays s'est construit sur la souffrance des noirs et la cupidité des blancs. Qui était l'oppresseur, qui était l'opprimé, ils ne se poseront peut-être même pas la question.

Je commence à envisager les Afrikaners différemment. Eux aussi, ils aiment ce pays, je finis par admettre en étudiant un petit tirage d'aquarelle sur le mur, une montagne qui rappelle le Drakensberg. C'est aussi le leur, je me dis en voyant les chaussures de marche, ces *veldskoene*, dans un coin de la pièce. Je songe aux bâtiments, aux ponts, aux gares, aux routes et autres merveilles d'infrastructures que les pionniers ont apportées à ce pays, ces progrès pour lesquels nous leur en avons toujours voulu parce qu'il nous a coûté tellement cher – il a sapé le développement intérieur de la culture africaine. Je songe aux pylônes, aux phares, aux ports, aux aéroports, à l'originalité des maisons de style Cape Dutch. Je songe à ces premiers architectes, aux bâtisseurs de routes, aux ingénieurs, à leur vision d'un pays qu'il leur fallait construire à partir de presque rien. Il y avait peut-être de la peur dans leur regard quand ils ont vu l'Afrique courir nue, un simple linge autour de la taille. Ils étaient peut-être trop impatients de jeter à bas ces vieilles divinités africaines qui unissaient ces communautés. Ces communautés qui se sont désintégrées, figées dans le chacun pour soi, ravagées par leur rejet de la modernité. Je regarde les étagères de West, elles sont faites de différents bois, probablement des rebuts. Je m'émerveille devant la natte au pied de son lit. Elle est en plastique tricoté. Son dessus-de-lit matelassé a lui aussi son histoire. Ce sont des gens qui ont l'esprit pratique, qui ne jettent presque rien, je me dis, pas très différents de nous, en fait. Peut-être qu'un jour nous les aimerons, dans des temps meilleurs. Peut-être qu'ils ne commenceront à nous connaître que lorsque les colères seront apaisées.

Je prends ma trousse de toilette, je vais à la salle de bains. Elle est propre et fraîche, elle me rappelle la maison. Je prends une douche rapide, j'utilise une des serviettes accrochées. Sur la porte, une autre reproduction de manuscrit, modestement collée sur une planche mauve. C'est de N.P. van Wyk Louw.

O Heer, laat hierdie dae heilig word:
Laat alles val wat pronk en sieraad was
Of enkel jeug, en ver was van die pyn;
Laat ryp word, Heer, laat U wind waai, laat stort
My waan, tot al die hoogheid eindelik vas
En nakend uit my teerder jeug verskyn.

Ô Seigneur, que ces journées soient sanctifiées :
Que sombrent toutes choses brillantes et vaines,
Ou jeunes simplement, aux larmes indifférentes ;
Qu'elles mûrissent, Seigneur, que Ton vent souffle, qu'il balaie
Mon orgueil, jusqu'à ce qu'émerge enfin la grandeur
Ferme et nue de mes tendres années.

Je laisse la salle de bains aussi propre que je l'ai trouvée. Dans la chambre, je trouve West, en short et baskets, le torse nu, trempé de sueur.

— Pourquoi tu ne m'as pas réveillé ? Je serais allé courir avec toi, je dis.

— Tu avais l'air fatigué, il dit, s'essuyant le front avec son tee-shirt. Il va prendre une douche dans la salle de bains.

Je m'habille et sors sur le porche. *Oom* Sarel est tout seul.

— Bonjour, je lui dis.

— *Môre, môre,* il répond chaleureusement. Il faut que tu me pardonnes, mon anglais est *'n bietjie vrot,* un peu rouillé.

Je m'assois à côté de lui, un peu nerveux. C'est peut-être qu'à part West je n'ai jamais fréquenté de près un Afrikaner. Ça fait drôle de ne pas être sur la défensive.

— Tu sais, quand Karel était enfant, il courait deux heures par jour. Une heure le matin, une heure l'après-midi. *Hy was baie fiks.* Il était très en forme. Est-ce qu'il court encore deux heures par jour ? il me demande. Il tourne vers moi ses lunettes opaques. Sait-il seulement que je suis noir ?

— Je crois, je dis, attentif à ne pas ternir la réputation de West.

— Il était très fort au rugby, il dit fièrement. Pas aussi baraqué que les autres gars, *maar hy was vinnig,* mais il était rapide.

West sort à son tour, les cheveux mouillés, bien peignés en arrière. Il porte un short, les muscles saillant sur ses jambes poilues, un tee-shirt marron et des tongs. Je me sens un peu trop habillé avec mon jean et mes baskets.

— Il fait un peu chaud. T'as pas pris de short? il dit quand il me voit.

— Non. Je pensais pas qu'il ferait si chaud, je dis.

— J'en ai ici, si tu veux.

— Volontiers, je dis en le suivant dans sa chambre.

Il me donne un vieux short de rugby confortable. La mère de West nous appelle à la cuisine pour le petit-déjeuner. On traverse le salon et la salle à manger. Une vieille roue de chariot est utilisée de façon pittoresque comme lustre au-dessus de la table de la salle à manger, des ampoules placées le long de sa circonférence. Sur le manteau de la cheminée, il y a aussi un chariot miniature tiré par quatre petits bœufs. Sur le bar, de la liqueur et de la bière maison. Des chaises cordées autour d'une vieille table en laurier.

On s'assoit dans la cuisine, on se tient les mains pendant que West fait la prière. Je me sens embarrassé en prenant la main d'*Oom* Sarel. Je la tiens doucement, il serre la mienne fermement. On mange du porridge et des toasts avec du miel et de la confiture. Je ne mange pas beaucoup. Je n'ai jamais très faim le matin. Je me contente d'un bol de porridge.

— C'est tout ce que tu prends? Comment tu tenais à Steamy Windows? demande la mère de West. Je reste muet de surprise, je ne sais que répondre. Je ne savais pas qu'elle était au courant de ce que faisait West.

— Hum, *ja*, je ne mange pas beaucoup au petit déjeuner, je dis avec un sourire niais. West a un regard pour me dire, pas de panique, elle sait.

Plus tard, West et moi, on va en ville faire des courses pour sa mère. On charge une tondeuse à réparer dans un pick-up.

— Je ne pensais pas que ta mère savait. J'ai cru que mon cœur s'arrêtait quand elle a parlé de Steamy Windows, je dis.

— *Ja*, j'ai vu. J'ai presque rigolé. Écoute, elle sait que j'ai travaillé là-bas comme masseur. C'est tout ce que je lui ai dit, il dit, empruntant une route poussiéreuse.

— Ta mère n'est pas bête. Je suis sûre qu'elle a compris ce qui se passe vraiment là-bas. En tout cas, qu'est-ce qui t'a pris de lui dire la vérité?

Il me regarde avec surprise.

— Je n'ai aucune raison de mentir à ma mère. Même si je sais que ça va me mettre dans la panade.

— Tu dois avoir de bonnes relations avec ta mère, je dis, avec une pointe d'envie.

— Elle est mon roc.

— Chez les Xhosa, on dit que si tu t'en prends à une femme, c'est comme si tu t'en prenais à un roc.

— Même chose avec ma mère, il dit avant de se taire à nouveau, un peu gêné. Il allume la radio. La qualité est mauvaise. La musique a un son métallique.

Qu'est-ce qui fait que les garçons sont si mal à l'aise, protecteurs et secrets, dès qu'il s'agit de leur mère ? Je l'observe du coin de l'œil alors que nous roulons vers la ville en silence. On s'arrête devant une quincaillerie qui fait aussi des petites réparations. Je le suis à l'intérieur. Il salue un homme qu'il a l'air de connaître, un grand type costaud en short kaki avec des chaussettes épaisses qui montent jusqu'aux genoux. Je me tiens en retrait, je regarde à la ronde pendant qu'ils discutent rapidement en afrikaans. Ils sortent au bout d'un moment. West ouvre l'arrière du pick-up. Je l'aide à décharger la tondeuse. Le gars me jette un regard agacé quand je conseille à West de se tourner un peu pour décharger la tondeuse sans l'abîmer. West la pousse vers le fond du magasin, un noir discret la réceptionne. Il salue West en afrikaans et me sourit. Quand le type costaud hèle Jacob, l'employé noir, je suis surpris de l'entendre répondre *baas* avec un air servile. Déçu, je retourne au pick-up. West reste pour parler avec eux.

Quand il revient, je suis déjà à l'intérieur du pick-up. L'homme salue West quand nous démarrons. On passe à la pompe à essence, puis à l'épicerie locale. Je reste dans la voiture. West revient avec les courses.

Dans la voiture, il change de radio. J'étais tombé sur 5fm. Il trouve une station afrikaans qui passe des chansons à la guitare, un peu toujours les mêmes.

— C'est de la merde cette musique, je finis par dire.

— Il y a rien de mal dans la country boer, il dit, sur la défensive.

— Comme tu veux.

— Qu'est-ce qui va pas ? T'as pas dit un mot et t'as pas cessé de tirer une gueule d'abricot pourri depuis qu'on est arrivés en ville.

— Depuis qu'on est repartis de la quincaillerie, je le corrige. J'ai trouvé très mignon que Jacob continue d'appeler ton copain *baas*.

— Angelo, grandis un peu ! il a le culot de me dire. Tout le monde est pas capable de comprendre. Tout le monde a pas l'esprit ouvert. On n'est pas au Cap. On fait avec ce qu'on a. Bon sang, qu'est-ce tu veux que je lui dise ? Désolé, l'apartheid est fini, plus de *baas* ? Qu'est-ce tu veux que je lui dise ? Merde, quoi, tout le monde est pas comme ça. Tu peux pas demander aux gens de se détourner des leurs, même de ceux qui ne savent pas tout.

— L'ignorance est donc une excuse?

— Sois pas comme ça. Tout ce que je veux dire, c'est que montrer quelqu'un du doigt, ou lui dire je vais plus t'adresser ta parole ou faire mes courses chez toi, ça ne résout rien. Il continuera à penser comme ça. Du coup, tout ce que je peux faire, c'est lui montrer. Tu comprends? C'est pas que je suis d'accord avec lui. Tu me connais. Mais on abandonne pas les gens comme ça. Je suis afrikaner. J'abandonnerai jamais mon peuple. Même si leur stupidité peut les conduire à leur perte. Si je le fais, ça revient à dire que je suis meilleur qu'eux. Et je suis pas comme ça, il dit en me regardant.

— Et pendant ce temps-là, on traite Jacob comme si c'était encore l'apartheid…

— C'est toujours l'apartheid pour certains, ça l'est pour lui. Tu comprends ça? Il y a toujours des gens à qui ça fait mal que les noirs soient au pouvoir. Il y en a que ça rend fous. C'est pour ça qu'ils font encore des trucs comme ça, tu vois, traiter Jacob comme ça, il explique.

— OK, très bien, West, comme tu veux.

On rentre en silence.

Chez lui, on aide sa mère dans le jardin. Elle nous emmène à la cabane, il y a cinq sacs de fumier qu'il faut qu'on répande sur la pelouse de devant. On prend chacun une brouette, on travaille en silence, sa mère supervise. Après, on l'aide à planter un nouveau parterre de plantes dont elle nous dit qu'elles pousseront bien pendant l'été, et on arrache des mauvaises herbes. West nourrit les canards et les poules à l'arrière. Quand arrive l'heure du déjeuner, nous sommes sales et affamés. Elle nous ordonne de nous nettoyer. On se lave les mains. Sur le porche, de jolies chaises en plastique autour d'une table. Elle dispose un nouveau petit repas pour le déjeuner. Je mange bien. Elle sourit quand je redemande du dessert.

Après le déjeuner, on retourne se baigner au barrage. On se parle toujours peu. Le soir, West me dit de me doucher et de me changer. Il m'explique qu'un ami a appelé, nous sommes invités à une soirée. Je refais la gueule. J'ai pas signé pour une virée à Orania.

— Qu'est-ce qui va pas? Ils vont pas te mordre. T'inquiète pas, je t'emmène pas chez le gars de la quincaillerie. Ce sont des amis à moi. On est allés à Stellenbosch ensemble, il dit.

Il demande la voiture à sa mère. « Ne revenez pas trop tard, vous deux », elle dit avec inquiétude. Elle embrasse West sur la joue. Je n'ai pas vu *Oom*

Sarel depuis le petit-déjeuner. Quand je demande de ses nouvelles, elle me dit qu'il est allé rendre visite à un ami.

Le trajet nous prend environ un quart d'heure. La maison est grande. Plusieurs voitures sont garées dehors.

— T'inquiète pas, mec. Ses parents sont en vacances. Il y a que des jeunes ce soir, il dit avec confiance en sortant de la voiture. Il tire sur sa belle chemise Dolce & Gabbana, son pantalon noir en coton est impeccablement repassé. J'ai également fière allure dans ma chemise Gucci et mon jean Guess, mais je me sens nerveux, l'estomac noué. Hier encore, j'entrais bien habillé dans un établissement chic, juste pour me faire grossièrement rejeter.

Il marche devant. Je le suis. À la porte, nous sommes accueillis par une belle femme, du même âge que West. Elle a de longs cheveux noirs qu'elle passe son temps à repousser de son visage.

— Karel, *lekker om jou te sien man*, c'est bon de te voir, ils s'étreignent.

Il me présente, Angelo, un ami du Cap. Je souris, agréablement surpris par son accueil immédiatement chaleureux, elle m'étreint également. Derrière elle, West salue un grand type. Ils se tombent dans les bras, se donnent du *ouboet*, « mon vieux » en afrikaans, rigolent en se rappelant une anecdote à propos d'un entraîneur de rugby très strict à Stellenbosch. Je lui serre aussi la main. À la cuisine, ils m'offrent à boire du vin. Le seul blanc qu'ils aient, c'est un vin de vendange tardive. Un peu trop sucré pour moi. On passe au salon. Il y a une douzaine d'autres personnes, tous attendent West impatiemment. Je suis anxieux, mais je prends l'air calme. Quand ils le voient, ils lui font presque une ovation, en lui donnant de drôles de surnoms. La fille aux cheveux noirs, Marlene, reste avec moi, son bras noué autour du mien, son charme et sa chaleur immédiate sont désarmants. Elle me présente aux autres. Ils sourient, posent amicalement les questions simples d'une conversation légère, d'où je viens, où est-ce que j'ai fait mes études, pourquoi Le Cap. Ils ont l'air impressionnés mais n'en font pas trop quand je dis que je suis allé à Rhodes. Sting en fond musical. Le vin me monte à la tête. Je commence à me détendre sur le canapé pendant qu'André, un des garçons, parle de Jo'burg, la grande ville. On bavarde facilement. Ils passent aisément de l'afrikaans qu'ils parlent entre eux à l'anglais quand ils s'adressent à moi. Au bout d'un moment, je ne remarque presque plus qu'ils sont afrikaners. C'est peut-être le vin.

On se lève pour danser un peu sur Tina Turner. Marlene danse avec moi. André nous interrompt aimablement pour finir la danse. De retour dans le canapé, je fais la connaissance de Hannes, on parle du Cap. Il me demande si j'ai fait la route du vin. Je réponds que oui, même si je m'en souviens à peine. Je décide d'y aller doucement sur le vin. Tu n'as pas envie de faire mauvaise impression, ils t'observent, je me dis.

Plus tard dans la soirée, après avoir grignoté et dansé, la musique se calme avec Enya. Magnus, le type que West appelle *ouboet* et chez qui nous sommes, commence à rouler un joint. Je souris intérieurement, j'ai toujours cru que les jeunes Afrikaners étaient aussi stricts que leurs parents, ceux qui ont fait les lois de ce pays. Il allume des bougies, des bâtonnets d'encens et commence à faire tourner deux joints. On se pose dans les canapés, par terre, satisfaits, mais pas gravement déchirés ni soûls. C'est pour moi qu'ils parlent tous anglais.

— Je te jure, mon pote, dit André, tu peux pas boire d'alcool en Égypte. C'est contre leur religion. J'y étais, ces deux derniers mois. Même au Caire, il n'y a pas de bars ou d'endroits où tu peux boire. C'est complètement musulman. Mais ils ont cette herbe qu'ils mâchent, ils appellent ça le khat. C'est légal, mais en grande quantité, tu te sens un peu perché.

— C'est un pays assez dur pour les femmes, ajoute Mimi, la fille qui est assise entre les jambes d'André. Je crois qu'ils sortent ensemble. Tu peux pas te balader comme ça, en portant ce que tu veux. Ils pratiquent l'excision. Et les mecs sont un peu lourds si tu es une femme seule. Ils t'embêtent sans arrêt. J'ai rencontré une Anglaise là-bas, mais elle ne se plaignait pas de l'attention qu'elle suscitait.

— La plupart des pays d'Afrique sont assez conservateurs, dit un autre. Mon oncle, ma tante et leurs deux enfants se sont installés en Zambie il y a deux ans. Plein de trucs à faire là-bas. Ma tante, qui a lancé un business de fringues, dit que les femmes sont persécutées par leurs hommes, mais qu'elles l'acceptent. Pas comme les Sud-Africaines, il dit, en faisant attention à ne pas dire les noires.

Je suis frappé par l'aisance et le plaisir qu'ils ont à parler de l'Afrique, leur patrie. Ceux qui ont voyagé parlent des coutumes africaines exotiques dont ils ont fait l'expérience. Ils évoquent ouvertement la pauvreté et le gaspillage. Ils ont l'air d'avoir surtout envie de parler des endroits d'Afrique où quelqu'un de jeune, plein d'énergie et d'idées peut faire carrière, faire quelque chose de sa vie. Ils parlent de leurs cousins qui ont exploré d'autres parties de l'Afrique, à la recherche d'un coin plus sûr pour élever leurs enfants. Ils citent un village isolé au Congo où réside un Afrikaner qui continue de s'exprimer dans sa langue maternelle. Il y a de la fierté dans leurs yeux, mais pas cette arrogance coloniale anglo-saxonne qui présuppose la supériorité des blancs. Il y a de l'amour pour cette langue plurielle qui s'est fermement enracinée dans les premières années du Cap de Bonne-Espérance, face à d'autres langages alors en compétition. Je les écoute rire, oubliant parfois de parler anglais, marmonnant des choses qui ne semblent pouvoir être dites qu'en afrikaans. Comme Marlene qui parle de son frère au Zimbabwe, disant *Ek is lief vir hom*, un truc tout simple, je l'aime, j'aime mon frère. Il y a de la poésie dans la façon dont les mots s'enchaînent, dont ils obligent à ouvrir la bouche, à la différence de l'anglais. *Ek is lief vir hom*, c'est comme dire j'ai de l'amour pour lui. Ça sonne plus pressant, plus audacieux qu'en anglais. Je retrouve la même profondeur, les mêmes expressions pleines de vie que dans les langues africaines.

— Et toi, Angelo, tu as voyagé? me demande André. Ils me regardent tous avec impatience. Je n'ai jamais dépassé les frontières du pays, mais je ne peux pas décevoir leur enthousiasme. J'ai toujours aimé le Brésil, je rêve d'y aller un jour. J'ai parcouru les forêts primaires d'Amazonie, traversé les favelas, ces bidonvilles de Rio de Janeiro, dansé le forro pendant le carnaval, découvert la métropole vibrante qu'est Sao Paulo, tout cela au travers de mes lectures et de mes rêveries. Comme j'aimerais aller au Brésil.

— Je suis allé en vacances au Brésil avec mes parents une fois, je mens. Mais j'ai lu beaucoup de choses.

Leurs yeux s'éclairent.

— C'était comment? André demande, c'est le plus direct.

— Pas différent de chez nous à certains égards. Je veux dire, ils ont le même genre d'histoire, un mélange de peuples et de cultures. Mais ils prennent la vie différemment, je dis, leurs yeux sont posés sur moi en silence. Ils adorent vivre. Tu les regardes marcher dans la rue et tu vois que le soleil va se coucher sur eux avec élégance. Ils sont très amicaux. J'étais là-bas pendant le carnaval. En les voyant danser la samba, j'ai eu de brèves visions d'Afrique, c'était fascinant. C'est ça que j'aime au Brésil, ils célèbrent à fond toutes leurs cultures. Il y a une fête, le kuarup, pour les Indiens indigènes, des religions d'origine africaine comme le candomblé, la lucumi, le vodou, la santería, et puis les Portugais et les Espagnols ont eu leur influence aussi. Même les Asiatiques. C'est comme une salade de fruits culturelle, pas cet abominable melting-pot américain où tout le monde est aspiré, perdant sa particularité au profit d'un truc artificiel et superficiel. Et les gens sont si beaux. Les mélanges les plus improbables, une peau sombre avec des cheveux blonds comme les blés, ou bien des yeux bleus avec une peau noire, ou encore une peau claire avec une coiffure afro. Tout le monde accepte que quelque part dans la généalogie de la famille, il y ait un peu d'africain, d'indien ou de blanc. Même ceux qui ont l'air vraiment blancs savent ça. Ils sont si à l'aise avec ça. Ils aiment le foot et faire la fête.

— Oh, et ils aiment aller à la plage. C'est un mode de vie.

— Et les enfants des rues ? Il n'y a pas un genre de brigade de la mort, un truc avec la police ? J'avais lu un article là-dessus dans *Huisgenoot*, demande Liezel.

— *Ja*, c'est un problème, je dis, me souvenant moi aussi d'un article là-dessus. Il y a beaucoup d'enfants des rues à Rio. Ils mendient tous. Si t'as l'air d'un touriste, tu fais une cible facile. Ils foncent sur toi et ne repartent pas tant que tu ne leur as pas donné quelque chose. Je pensais que nos bidonvilles étaient terribles, mais faut voir ceux de Rio. En tout cas, il y a beaucoup d'ONG qui s'occupent de ça.

— Et les femmes, mon pote, elles sont comment ? demande Magnus avec gourmandise.

— Délicieuses, je dis, et tout le monde se marre. Vraiment, très sympa. Je devrais peut-être pas trop parler de ça. Je veux pas offenser les filles ici.

— *Ag*, mec. J'imagine que tu as couché avec quelques-unes, Marlene plaisante, on sait ce que vous faites, vous les garçons, quand personne est là pour vous surveiller.

Et tout le monde rit.

— J'étais qu'un enfant à l'époque, je proteste.

Ils parlent encore des expatriés et des masses de Sud-Africains blancs qui se préparent à partir, qui vendent leur maison, qui font des demandes de permis de travail. Ils parlent de ces jeunes étudiants, à peine sortis de l'université, qui pensent déjà à proposer leurs compétences ailleurs. Ils parlent du Canada, combien c'est plus facile d'émigrer là-bas que dans d'autres pays. Je les écoute avec tristesse quand ils parlent de ceux qui sont malheureux dans leur nouveau pays. Même l'Australie, malgré le beau temps, c'est pas l'Afrique, dit Marlene. Il y a de l'ironie dans sa voix quand elle nous parle de ces Sud-Africains blancs qui vont, pleins d'enthousiasme, à la rencontre de tous les noirs d'Afrique du Sud qu'ils croisent. Ce truc entre les noirs et les blancs, c'est typique de l'Afrique du Sud. J'essaie d'imaginer ces blancs s'époumoner à dire bonjour en zoulou ou en setswana, *sawubona*, *dumela*, en espérant recevoir une réponse. La relation entre oppresseur et opprimé, entre amour et haine, est plus profonde que ça. Le colon et l'indigène sont de vieilles connaissances, a écrit Frantz Fanon.

Ils rigolent quand Magnus dit qu'il veut émigrer sur une petite île dans le Pacifique Sud.

— Et le rugby, et ta bière Castle ? Marlène le taquine.

— Je fonderai ma propre équipe et je brasserai ma bière, il rétorque en riant.

En mon for intérieur, je me dis qu'il en est capable. Ils sont comme ça, une âme de pionnier. Ils sont peut-être là pour nous montrer que tout le monde peut vivre n'importe où. Peut-être que ce qu'ils ont à apprendre, c'est comment vivre avec d'autres peuples sans se mêler de leur culture.

On regarde une vidéo de Magnus et sa copine à l'île Maurice. On boit encore, on fume encore. Je me sens agréablement perché. Une image de Valkenberg me traverse l'esprit, mais je la repousse. On dirait que tout ça est arrivé à un autre, à une autre époque. Je parle à peine à West de toute la soirée, mais je ne lui en veux pas.

Vers deux heures, les autres commencent à partir, West me dit qu'on devrait y aller aussi.

— Ma mère..., il commence, l'air sérieux. Les autres l'engueulent gentiment, il devrait garder plus le contact.

— Ravi de t'avoir rencontré, disent la plupart d'entre eux en me serrant contre eux en guise d'au revoir. Je me sens changé. J'ai l'impression qu'on vient de me faire partager un secret.

C'est moi qui conduis au retour, West dit qu'il a un peu trop fumé. À la maison, sa mère a laissé la lampe extérieure et la lumière de la cuisine allumées. On rentre sans bruit, on boit beaucoup d'eau. Alors, tu as passé un bon moment ? il me demande.

— *Ja*. C'était bien, vraiment.

J'enlève mes chaussures, je marche sur la pointe des pieds jusqu'à sa chambre.

— T'inquiète pas, une tempête ne réveillerait pas ma mère, il dit.

Dans sa chambre, il fait sombre, mais les rideaux et les fenêtres sont ouverts. Je cherche l'interrupteur dans le noir. Il arrive derrière moi.

— T'inquiète pas de ça, il dit avec un accent afrikaans plus prononcé que d'habitude.

— West, allume la lumière. Je me retourne, son visage est contre le mien. Il sent Kouros, ce parfum frais qui me rappelle la mer.

— Tu sais, tu pars demain, il dit, et je ne sais pas quand je te reverrai. Je vais peut-être passer une année à voyager.

Ça m'attriste un peu d'apprendre ça. Tant mieux qu'il fasse sombre.

— Je sais. Peut-être que je te reverrai jamais, je dis.

Très doucement, il m'embrasse. J'ai un petit mouvement de recul.

— West, pourquoi tu fais ça? Tu aimes les femmes.

— Angelo, tu es mon ami.

— T'es juste excité, je dis en commençant à m'éloigner.

Mais il m'attrape et me serre contre lui. Il m'embrasse à nouveau, son bras tenant mon dos.

— Je veux pas tomber amoureux de toi, je proteste. J'ai cette habitude d'aimer les gens que je peux pas avoir. *Omstandighede*, comme tu dis toujours.

Mais il sait me prendre. Il me couvre le cou de baisers, commence à déboutonner ma chemise.

— West, fais pas ça, je supplie. J'aime tellement ce type. Il ne s'en rend pas compte? Il ne voit pas ce qu'il est en train de me faire? Je n'ai pas envie de toujours me lamenter, de pleurer sur un amour à sens unique, comme ces personnages pleurnichards des romans à l'eau de rose.

— C'est peut-être la seule façon que j'aie de te dire ce que tu signifies, ce que notre amitié représente pour moi, il dit tendrement en me caressant les fesses.

Qu'est-ce qu'on peut dire après ça? Je l'embrasse en retour. On s'embrasse un moment, nos sexes se frottant l'un contre l'autre.

— Attends, il dit. Dans le noir, il trouve son lecteur de cassettes, il enfonce le bouton. La musique sort doucement. Billy Joel. Une chanson qui dit « ne change pas pour me plaire ». Cette chanson me rappellera toujours West.

— Voilà comment je veux me souvenir de toi, il dit alors que nous nous approchons de son lit. On s'assoit sur le bord, s'embrassant, retirant nos vêtements. Son torse est magnifique, on dirait le travail d'un artiste virtuose. J'embrasse ses seins, il chatouille mon dos.

Son lit est chaud et mystérieux, je le touche partout pour découvrir ce qui lui plaît. Avec adresse, il sort un préservatif de la taie d'oreiller.

Personne ne m'a jamais fait l'amour. West est le premier. Il ne dit pas un mot et moi non plus. Mais nous savons tous les deux que c'est ma première fois. Quelqu'un qui vous fait l'amour, c'est si intense que ça fait remonter les souvenirs heureux de votre jeunesse. Un tourbillon de joie éclatante, l'humilité de sentir le souffle d'un autre être, tout ce que ça dit de lui. Sa faiblesse, sa force, son égoïsme, son attention. Il mordille mes oreilles, mon plaisir découvre de nouveaux territoires. Je me sens chaud à l'intérieur, accompli, comme si je n'avais été auparavant qu'un puzzle incomplet. Alors voilà ce que ça fait d'être aimé, je vibre intérieurement, en gémissant, en souriant, en transpirant.

— Angelo, il chuchote à mon oreille. Sa respiration est chaude, haletante. Nous atteignons le sommet ensemble, avant de nous effondrer l'un sur l'autre. Étrange comme nous sommes à l'aise ensemble. Certains mecs ne veulent pas qu'on les touche après le sexe. Ils se sentent trop vulnérables, ils ont besoin de se remettre. Mais West reste avec moi.

— Je te dirai pas que je vais t'écrire ou que tu devrais le faire, je dis, ça marche jamais au bout du compte. Je ne veux pas rêver à des choses impossibles et finir amer quand je n'aurai pas de tes nouvelles.

— Mais je te reverrai, il dit avec certitude. Je soupire. J'ai envie de pleurer, mais je résiste. Je suis confus. Il m'émeut trop.

— Allons nous baigner, il dit dans l'obscurité.

— Tu es fou, je dis en le voyant sauter du lit dans le noir.

Mais je le suis. Son charme d'écolier est irrésistible. On ne met que des chaussures, une serviette autour de la taille. La nuit est chaude, accueillante.

La surface de l'eau est inquiétante, comme un grand trou noir capable de nous avaler. Dans la lune descendante, je devine son corps qui avance vers l'eau. Plouf, il a plongé. Un oiseau bat des ailes dans un arbre voisin, une chouette sans doute. Je le suis. Il nage vers le centre. L'eau est fraîche. C'est comme être embrassé sur tout le corps. Je fais la planche à côté de lui. Il rit sans me dire pourquoi. Je nage jusqu'à l'autre rive, à brasses lentes. On ne reste pas longtemps dans l'eau, peut-être un quart d'heure.

Une fois sortis, nous avons soudain froid, il nous manque la chaleur maternelle du soleil. Je me frotte vigoureusement avec la serviette. On rentre en douce par-derrière, on ferme la porte à clé. Je me sens comme un enfant qui vient de faire une bêtise très plaisante et qui s'en sort bien.

Dans la chambre, je me glisse dans mon lit et lui dans le sien. On pousse un soupir en même temps, ravis de cette baignade.

— Angelo.

— *Ja?*

— Tu sais, la confrérie?

— *Ja?*

— Ne réfléchis pas trop à ce que c'est, à ce que ça n'est pas. Comme tout, c'est pas parfait, tu comprends.

— OK.
— Souviens-toi d'une seule chose.
— Quoi?
— Ça a l'air cucul, je sais, mais…
— Vas-y, dis-le.
— Quelqu'un m'a dit ça quand j'ai commencé. Ça m'a aidé, il dit en attendant de savoir si je l'écoute.
— *Ja*, je t'écoute.
— Va toujours où l'amour te conduit, même si ça t'amène des ennuis, il dit.

Je m'endors avec cette pensée. Un rêve me prend dans sa toile. Je marche seul sur une route très en pente d'un quartier résidentiel. C'est l'aube. La route est tranquille. Je ne vois personne ni aucune voiture. Je gravis longtemps la route, jusqu'à trouver un sentier qui emmène dans la nature. Je prends le sentier, je quitte la route. La pente est de plus en plus raide. Je passe devant de grands pins, je découvre la ville en contrebas, je m'aperçois que je suis en train de gravir Table Mountain.

Je rencontre un rouge-gorge, il me dit de changer de forme. Je deviens un daman du Cap, détalant sur les pierres, heureux d'être petit et vif. Bientôt, je vois un groupe de gens, mais je reste à distance. Des hommes grands avec de drôles de chapeaux qui ressemblent à des créatures poilues, ils portent des vêtements rouges, bleus et blancs. Ils tiennent des baïonnettes. Ils s'en prennent à un groupe de femmes et d'enfants. Le chemin semble long mais il n'est pas si étroit. Je regarde ces hommes avec leurs baïonnettes et leurs chapeaux bizarres aboyer des ordres aux femmes et aux enfants sans défense. Les femmes portent des robes qui leur couvrent les chevilles, les poignets, le cou. Elles portent aussi de grands chapeaux qui donnent à leur tête un air d'abat-jour. Les enfants se plaignent que la pente est trop raide, que les cailloux pointus déchirent leurs pieds nus, mais les soldats sont sourds à leurs suppliques de ralentir. Ils se moquent d'eux, leur ordonnent d'avancer.

Je suis cette étrange caravane de soldats, de femmes et d'enfants jusqu'à ce qu'ils gravissent la montagne. Au sommet, le chef des soldats plante un drapeau entre deux blocs de rocher et proclame la loi martiale. Il se met à chanter une chanson, il déclare avec fierté que c'est son «hymne national». *God save the Queen*, répètent les soldats à l'unisson. Un grand aigle vole au-dessus de moi. Quand je vois qu'il s'apprête à fondre, je me cache dans un buisson d'épineux, je suis petit, j'ai l'air tendre. Quand l'aigle est parti, je sors à nouveau.

Je découvre avec horreur les femmes et les enfants à genoux, en train de lécher les cailloux autour du drapeau. Le chef les encourage avec une joie féroce. « Nettoyez ! » il hurle comme un dément, agitant sa baïonnette sous leurs visages terrifiés. Le reste des soldats menacent ceux qui refusent de lécher. Une femme reçoit un coup de feu. Soudain, une autre se lève et se précipite vers la falaise. Elle plonge dans l'abîme. « Voilà ce qui va vous arriver si vous ne nettoyez pas les rochers », dit le chef, le teint rose, légèrement brûlé par le soleil.

Femmes et enfants gémissent mais continuent de lécher la surface des cailloux. Au loin, on entend un canon. Le son d'une corne. Les soldats s'ennuient rapidement, ils rassemblent à présent ces femmes et enfants, dont les genoux ouverts saignent, dont le visage est sali par l'humiliation. Je regarde ces soldats fous qui leur font reprendre le chemin de la descente. Les femmes commencent à chanter, tout en se traînant dans la pente raide. Les enfants se joignent à ce chant funèbre. Depuis le sommet de la montagne, je les vois se réduire à des petites ombres de tristesse. Comme s'ils s'évaporaient, alors que les nuages viennent cerner la montagne. Il commence à pleuvoir. De grosses gouttes lourdes qui s'écrasent sur le sol comme des petits pois. Je trouve refuge dans une petite caverne. Je suis surpris quand j'entends gratter à côté de moi. Je scrute, je découvre un petit garçon accroupi dans un coin, l'air effrayé et affamé. Il me regarde avec tendresse, mais je sens le désespoir dans ses yeux doux. J'ai besoin de manger, semblent-ils dire. Soudain, il m'attrape et sort un couteau.

Je me réveille en sueur. West dort calmement à côté, sur son lit. Je me sens bizarre, désorienté. Comme si la pièce m'avait absorbé, contaminé par ses histoires, son histoire. J'ai envie de me lever pour boire, mais je ne suis pas chez moi. Il fait encore nuit dehors. Rendors-toi, je me dis. J'ai du mal. L'image de ces femmes et de ces enfants émaciés, leurs habits sales, leurs gueules cassées, reste avec moi.

WEST

Je me lève tôt, je laisse Angelo qui dort encore. Dehors, il y a un peu de vent. Je pars courir, mes muscles souffrent du manque de musculation. Ma poitrine a déjà dû perdre deux bons centimètres.

Après le petit-déjeuner, j'emmène Angelo à la gare.

— Je n'attends pas le moment de dire au revoir pour dire aux gens ce que je ressens, je lui dis. Tu sais ce que je ressens. Je ne t'accompagne pas à l'intérieur.

Il sort de la voiture, prend ses sacs. Il est triste, mais je le vois qui fait le brave. Je perce son faible sourire.

— Eh bien, c'était sympa de ta part de m'inviter… Je crois que c'est tout. Merci, à la prochaine, il dit gauchement. Il s'en va. Je sais qu'il aurait aimé qu'on se dise au revoir différemment, à sa manière sentimentale, vidant son cœur comme un barrage qui déborde. Mais je crois que c'est mieux ainsi. Jamais eu de béquille. Pas question d'en être une pour qui que ce soit.

Je le regarde disparaître derrière les portes avant de démarrer la voiture. Je lui souhaite de réussir. Tout le monde doit essayer de trouver sa voie.

Sur la route du retour, je pense à ma mère. Je sais qu'elle ne voudra pas déménager, cette entêtée. Elle n'écoutera rien. Personne ne me fera quitter ma maison, je l'entends dire. C'était déjà assez dur de quitter Hermanus. Je ne crois pas qu'elle en ait encore la force.

ANGELO

Au travail, je découvre deux nouveaux types, deux grands blancs. Ils ne ressemblent en rien à West. Storm et Carrington leur font visiter les coulisses. Mais ils ont encore besoin d'être testés. Tous ceux qui se présentent ne réussissent pas. Difficile de ne pas penser à West. Il me manque. Sa confiance en lui me manque. Son charisme, Kalahari West. Cet accent afrikaans qui pimentait tout ce qu'il disait. Sa philosophie *eet jou rape eerste*, mange tes navets d'abord, qui incite à retarder les satisfactions. Retiens-toi, ne donne pas tout, tout de suite. Attends un peu. Garde quelque chose pour toi. Laisse le client faire un petit effort, oblige-le à demander. Trouve ton rythme. Je te garantis qu'à la fin, le sexe sera génial, il dirait. Je n'ai pas été dans son studio depuis qu'il est parti. Je trouverais ça bizarre.

Vers neuf heures, François vient me dire que j'ai une réservation pour la nuit. Je me rafraîchis, je descends. Le client arrive vite. Il m'emmène dans une Jaguar noire, un jeune type, à peine trente ans. Il s'appelle Oliver. Je sens ses yeux sur moi quand je me penche pour mettre mes sacs dans le coffre.

— Tu as un joli cul, il dit avec le ton policé des écoles privées, mâtiné d'une pointe d'accent américain.

— Qu'est-ce que tu fais ? je dis, même si ça ne m'intéresse pas vraiment.

— Je travaille dans la pub, il dit, une certaine arrogance dans le regard, comme s'il s'attendait à ce que je sois emballé.

— Wow, j'émets.

— J'espère que tu as faim, il dit en conduisant vers Sea Point.

Je ne dis rien. Il pose sa main sur ma cuisse, conduisant de l'autre.

— Sens ça, il dit en mettant ma main sur son sexe. Il est en érection. Ça c'est pour toi. Tu m'excites vraiment. Il y a des gens encore plus grossiers, mon chou, dirait sans doute Sebastian pour me consoler.

Il est beau gosse, mais il n'y a rien de séduisant dans son attitude vaniteuse. Il passe son temps à se passer la main en arrière dans les cheveux comme pour vérifier qu'ils ne tombent pas. C'est agaçant. Il passe aussi son temps à se regarder dans le rétroviseur. Je pense à West. OK, c'était peut-être pas le plus beau mec que j'aie rencontré. Mais il était charmant, intéressant, séduisant. Les gens les plus attirants ne sont peut-être ni beaux ni laids, juste normaux. Habillé normalement, West serait simplement normal, mais on le remarquerait encore.

On s'arrête devant un restaurant chic de nouvelle cuisine à Camps Bay. J'y suis déjà allé avec un autre client. Décor noir et blanc, clients souriants, dents d'un blanc éclatant, attitudes artificielles, prétentieuses. Nous nous dirigeons vers une grande table où tout le monde semble habillé en noir et blanc, la plupart dans un style chic et détendu, quelques-uns plus habillés. Oliver me présente à son groupe d'amis. J'ai envie de m'enfuir en les voyant. Une des femmes trop minces se lève pour embrasser Oliver sur les joues, révélant sa maigreur délibérée. Ils ont tous l'air d'avoir à peine trente ans, riches et gâtés, probablement enfants de riches industriels et de présidents de grandes compagnies, ouvertement pleins d'aplomb et d'arrogance. Je m'assois sur une chaise stylée, en chrome et velours lissé, aussi inconfortable qu'à la mode. Oliver commande pour moi. On boit beaucoup de champagne. Une femme bien coiffée est assise à côté de moi, elle porte un haut sexy façon lingerie et une montre Cartier scintillant d'un trop-plein de diamants. Elle me tripote sous la table. Je ne crois pas qu'Oliver s'en rende compte. Elle déboutonne presque ma braguette. Embarrassé, je m'excuse, je vais aux toilettes. Là, je vois un type seul, près du lavabo. Le sol est en marbre. Il m'aperçoit, mais il continue à sniffer sa ligne de coke. Je vais à l'urinoir, je pisse. Quand je me lave les mains, il m'en propose. Je refuse poliment, je retourne à table.

Les plats arrivent, les portions sont petites comme il se doit, mais très jolies. Ils mangent doucement, en parlant de choses qui me sont étrangères, la jet-set, d'obscurs artistes en vogue dont le travail se vend pour des millions, des lords anglais, des aristocrates européens, le yachting, les mannequins, les vedettes, les penthouses, l'exil fiscal dans des paradis de la Méditerranée ; leur conversation rebondit sans cesse. Ils passent en revue une flopée de noms célèbres connus d'eux tous, les critiquant pour leurs faux-pas, comme la fois où ils ont utilisé un couteau à poisson pour la salade, ou encore quand ils ont servi la salade en entrée plutôt qu'à la fin du repas. Les mots à la mode semblent être « très américain », « retro », « bon vivant » et « pleaz », un raccourci pour plaisir. Ils sont pénibles avec les serveurs par principe, on dirait des enfants. J'ai demandé un quartier de citron, vous m'en apportez un demi, l'un d'entre eux se plaint au malheureux serveur. Et il insiste pour que le garçon remporte sa bouteille d'eau pétillante.

— N'est-il pas superbe ? répète Oliver à mon propos, j'en rougis.

— Je pourrais l'avaler tout entier, dit un autre type.

Après le repas, la bande composée de huit personnes, cinq garçons et trois filles, s'en va. Ils conduisent des voitures de luxe : Porsche, Ferrari, Bentley, Maserati et une Aston Martin ancienne. Quand nous sommes seuls dans la voiture avec Oliver, il m'embrasse. On roule vers Llandudno. Nous remontons une longue allée privée avant d'arriver devant un grand manoir. J'admire la façade à l'européenne, inhabituelle. C'est dans le style néo-Belle Époque de Monaco, m'explique Oliver sans même que je lui pose la question. Il a dû voir mon air admiratif, je me dis, me sentant stupide. Je le trouve plutôt pédant. Les autres voitures se garent sur le parking à leur disposition, discrètement à l'écart de la maison et de sa façade impressionnante. Nous montons quelques marches pour rejoindre l'entrée. À la porte, un domestique blanc, l'air hautain, nous fait entrer. Oliver lui tend ses clés et invite tout le monde à le suivre au billard. J'entre dans une salle aux murs recouverts de panneaux de chêne. Il ferme la lourde porte, tourne la clé. Le plafond est haut, la pièce est vaste, de nombreux tableaux accrochés au mur. Oliver nous dit de nous servir au bar. Un lustre est suspendu au-dessus du billard, lui-même recouvert d'un drap rouge. Oliver règle les lumières, organisant la pénombre.

— Tu sais jouer ? il demande en me voyant à côté de la table.

— Non.

— Ça n'a pas d'importance. On ne va pas jouer, il dit lascivement, comme un vautour qui étudie sa proie.

On s'installe dans d'aristocratiques fauteuils Louis-Philippe. Par terre, un épais tapis persan au motif compliqué. Les autres boivent du cognac. Oliver m'embrasse sur la bouche. La femme qui me touchait commence à faire une pipe à un autre type. Rien d'inhabituel apparemment, la décadence coutumière d'un monde riche jusqu'à l'obscénité.

Le type qui est en train de se faire sucer enlève sa chemise, révélant un torse bronzé. Un autre type l'embrasse pendant que la fille continue de s'occuper de son sexe. Les autres sirotent leur verre en regardant. Pendant un moment, Oliver et moi regardons également. Le type a une érection monstrueuse. Sur le tapis persan, Oliver enlève mon haut et ouvre sa braguette. Un bras poilu d'homme passe entre ses jambes pendant que je l'embrasse. Le même bras passe entre mes jambes, vient me caresser les bourses. Nous nous associons par groupe de trois, les deux derniers regardent avec lubricité.

On entend des gémissements, de douces prières, des chuchotements. Une odeur de transpiration et de fluides corporels envahit progressivement l'atmosphère, nous enivrant. Oliver se lève. Il prend ma main, nous nous asseyons sur le sofa, un autre accouplement s'organise.

À ce moment-là, nous sommes tous nus. Les deux femmes qui se font baiser deviennent le centre de l'attention. Une d'entre elles est prise en levrette sur la table de billard. Je ne peux m'empêcher de grimacer à la vue du drap rouge. Il y a quelque chose de violent dans cette couleur criarde. Sur le sofa, un type lèche les boules de celui qui baise, des fluides dégoulinent. L'autre femme rebondit de haut en bas sur son manche avec un plaisir contagieux. Oliver me masse le sexe tandis que nous assistons au spectacle. Je lui rends la pareille. La troisième fille rejoint le groupe, elle commence à gémir de plaisir. Elle se fait prendre sur le sol, en missionnaire. Elle semble plus réservée, elle fait moins de bruit que les autres. Je remarque une alliance à son doigt, qui doit avoir coûté une petite fortune. Les bas, les sous-vêtements, les habits sont éparpillés par terre. Des préservatifs sont enfilés et retirés sans peine, à profusion.

Les usages sont simples, un simple geste, un signal, vous n'êtes pas obligé d'accepter. Un type blond me fait signe. Je regarde Oliver, il m'invite à y aller. Nous nous accouplons sur le sol. La femme m'invite à la baiser. Pendant que je m'occupe d'elle, le mec demande à me prendre. Je le laisse faire, je me perds dans le plaisir. Il est adroit, elle est trempée.

L'atmosphère n'est ni agressive ni menaçante. Je gémis sans honte. Un geste de la main décourage un autre type d'enculer une autre fille. Son anus propre et rose est offert, un type à l'entrejambe poilu y introduit ses longs doigts épais.

Tout ça dure un bon moment, tous les garçons finissent par éjaculer sur les trois filles. Elles sont allongées sur le sol, tandis que nous nous branlons au-dessus d'elles. Après cela, nous nous rendons dans une grande piscine intérieure. Nous jouons dans l'eau plus que nous ne nageons. Bientôt, ils reprennent leurs activités, s'accouplant, se léchant, se baisant. Oliver nous dit qu'il souhaite aller se coucher. « Tu sais où dormir si tu veux coucher ici », il dit à Fiona, l'une des filles. Ils se souhaitent bonne nuit, je disparais avec Oliver. Nous montons un escalier pour pénétrer dans une grande chambre à coucher, avec un salon attenant et un très grand lit. Je suis fatigué, j'aimerais dormir, mais Oliver est toujours excité. Nous nous suçons l'un l'autre et baisons. Il ne jouit pas facilement. Il faut que j'utilise tous les trucs du métier pour qu'il y parvienne. Jaillit alors un flot prodigieux, une véritable inondation.

Entre les draps de soie glissants qui me donnent bizarrement l'impression de me noyer, je m'endors épuisé.

Je me réveille fatigué le matin, je prends une douche dans la salle de bains attenante. Oliver me rejoint sous la douche en entendant le bruit de l'eau. Je découvre soudain une érection matinale qui vient me battre les flancs.

— Tu n'en as jamais assez ? je me plains.

— De toi ? Qui le pourrait, chéri ? il répond en m'embrassant, me caressant jusqu'à ce que moi aussi je sois en érection.

Je le masturbe sous la douche jusqu'à ce qu'il jouisse. On sort, on se sèche. J'ai chaud, je n'ai pas envie de m'habiller immédiatement. Je l'entends appeler le majordome au téléphone pour qu'il lui apporte son petit-déjeuner dans la chambre. Il flâne dans un épais peignoir blanc. L'idée qu'un inconnu entre dans la pièce m'incite à m'habiller.

— Ne t'inquiète pas pour Alfred. Il en a vu d'autres, il dit comme s'il lisait dans mes pensées. Je cherche mes sacs, je me souviens qu'ils sont dans le coffre de sa voiture. Tu pourras les récupérer après le petit-déjeuner.

— Ton père, il pense quoi des petites séances comme celle d'hier ? je lui demande crânement. West m'a conseillé de ne jamais poser de questions personnelles aux gens extrêmement riches. Ils sont las de devoir se justifier pour leur argent, leurs mœurs inhabituelles. « Mon chou, le père baise la baby-sitter pendant que la mère s'envoie en l'air au bridge. Évidemment, ils sont en analyse », c'est ce que m'a dit Sebastian une fois. Il parlait d'un de ses réguliers.

— Il a ses séances à lui, me dit Oliver comme si c'était une réponse suffisante à ma question.

Je hoche la tête.

— C'était ta première fois ? il demande.

— Bien sûr que non, je réponds avec orgueil, mais bien sûr que oui.

— Ça fait fureur en Europe. À Paris, il y a des clubs pour ça. Un *club échangiste*, ou une *boîte à partouze*, si tu veux être vulgaire. La nuit dernière, assez libératrice, t'as pas trouvé ? Je veux dire, on a baisé tout ce qu'on a pu, il dit comme un hommage. Ça a sauvé le mariage de Jonathan et Lorraine, tu sais, le mec avec la bite et la fille avec une alliance de malade ?

— Et ton petit ami, ou bien est-ce que je devrais dire ta petite amie ? je continue.

— Quoi ? Qu'ils aillent se faire foutre. J'ai pas envie de me caser de toute façon. Les gens vont, les gens viennent. C'est la même chose avec les aventures, il dit brutalement.

— Laisse-moi deviner, tu es un monogame en série ?

— Moi, un cliché ? Je t'en prie, pas d'insulte. Non merci. Juste pas intéressé par l'idée du couple, si ça veut dire finir comme Jonathan et Lorraine, il dit.

— Mais alors, avec qui tu te lies ? je dis.

— Mes amis d'hier soir. Ne te méprends pas, nous restons amis, nous avons des sentiments profonds les uns pour les autres. Il se trouve que nous nous baisons également. C'est pas si compliqué. Si c'est trop chaud pour toi, tu quittes le cercle, aussi simple que ça. Ça fait des années qu'on est amis, il dit en se penchant pour m'embrasser.

— Tu as un sacré appétit. J'aurais dû amener West avec moi, je dis avec décontraction.

— Ah oui, West. Je me souviens de lui. Je l'ai eu une fois. Pas trop aimé sa compagnie, cela dit. Je l'ai trouvé un peu sobre, même s'il baise comme un étalon, il dit, alors que je suis en train de le masser entre les jambes.

On frappe à la porte. Il se lève, arrange son peignoir, va ouvrir la porte. Alfred pousse une table roulante sur laquelle on trouve des croissants, du yaourt, de la salade de fruits, du jus, du café et un œillet blanc pour une touche de douceur. Alfred donne ses messages à Oliver, en l'appelant toujours monsieur. Oliver est poli avec Alfred, c'est le protocole apparemment.

Je commence par la salade de fruits.

— Alors, tu es allé où à l'école ?, je demande avec curiosité.

— Partout. Longue histoire. J'ai eu mon bac international à Monaco. On a vécu là-bas un moment, entre autres.

— Je te demande ça à cause d'Alfred et de cet accent que tu as. C'est pas vraiment américain, pas anglais non plus.

— Observateur. Je pourrais devenir ton régulier, encore que notre politique est d'avoir un nouvel *ami* pour chacune de ces soirées, il dit en mangeant un croissant avec du beurre et de la confiture. Tout ce qu'il dit sonne faux, je ne peux m'empêcher de constater.

— Alors, où est maman en ce moment ? je taquine ce grand morveux.

— À la maison, en Angleterre, avec papa, il dit en prononçant à l'anglaise. Je grimace intérieurement en l'entendant.

— Tu veux dire que c'est pas chez toi ici ?

— Pour moi, si. Pour eux, c'est plus une maison de vacances. Ils viennent ici l'été. Mais ils ne viendront pas en décembre. Je crois qu'ils vont passer Noël et le Jour de l'An à Saint-Moritz.

— Et toi ?

— Je ne veux pas aller dans le froid, ça c'est sûr. Je vais probablement rester ici. J'ai plein de choses à faire au Cap, il dit ça avec cet air terriblement blasé de celui qui a l'embarras du choix, le genre de type qui pense qu'il est bon de faire le difficile, de se montrer désagréable.

Il regarde l'heure. Il va bientôt être huit heures et demie.

— Écoute chéri, il faut que je sois au bureau à neuf heures. Va falloir qu'on se bouge, il dit s'affolant soudain. Il se lève pour aller dans son dressing sophistiqué.

— Parfait, dépose-moi juste à Green Point, je dis, en me résignant à ne pas me changer.

— J'imagine que tu veux pas me faire une petit pipe, vite fait ? il dit en enfilant un slip Versace.

Je lui jette un coup d'œil interrogateur.

— Je plaisante, chéri, il sourit, mais je vois dans ses yeux que ça n'aurait pas été pour rire si j'avais accepté.

Il enfile un costume monochrome Armani, minimaliste, une ligne épurée dont émane une aura de calme. On quitte la maison. Les autres sont déjà partis. Il monte dans sa voiture féline.

— Tes amis, qu'est-ce qu'ils font ? Ils travaillent aussi dans la pub ?

— Tu poses beaucoup de questions, chéri, hein ? En général, je les baise et ils me remercient pour le pourboire, il dit sarcastiquement en se mettant à parler dans son téléphone portable.

En route vers le centre-ville, il discute avec une certaine Michele. Il lui rappelle une réunion, à propos du compte Ericsson, le traiteur est supposé arriver à dix heures. « Bisou, bisou » il dit en raccrochant. Il ne m'adresse plus la parole du voyage. En fait, il semble s'assombrir, il met ses lunettes de soleil Gucci. On arrive devant Steamy Windows.

— Euh, mon argent, je dis, mal à l'aise.

— Ah oui, même les prostitués doivent bouffer, il ricane en sortant un long portefeuille de la boîte à gants. Ça devrait être assez pour que cette jolie petite tête ne s'inquiète pas, il dit en me tendant 2 000 rands en coupures neuves de 200. Je lui dirais bien d'aller se faire foutre, mais je ne peux pas. On finit toujours par tomber sur des connards, me disait West. Je descends sans cérémonie, je ne le remercie pas en fermant la porte. Je sors mes sacs du coffre qu'il a ouvert automatiquement, il démarre en vitesse, en faisant crisser ses pneus, comme pour signifier quelque chose. Trou-du-cul, connard, je prononce quand il est parti.

J'entre, je vais payer la part du studio. Je verse aussi mes frais de promo pour le reste du mois, au lieu de payer à la semaine. Je ne fais pas vraiment un suivi. Je me dis parfois que Shaun s'en rend compte et qu'il en tire avantage. Récemment, je me suis mis à tout noter, chaque centime que je gagne, chaque centime que je dépense ou que je mets de côté. Je sais que mon pécule s'étoffe bien.

MMABATHO

Un jour, Tshepo vient nous rendre visite sans prévenir. Je n'ai plus entendu parler de lui depuis qu'il est parti d'ici. Il nous trouve en train de regarder la télé. On est devenus un couple normal, ennuyeux, qui regarde la télé. Normal et ennuyeux, ça me va. Ça veut dire que je sais où est mon homme. Je n'ai pas à m'inquiéter.

Il s'assoit sur la chaise à côté du canapé. Arne le salue mais ne lui adresse à peu près pas la parole, comme d'habitude.

— Vous voulez aller prendre un verre ? il demande.

Je souris à Arne en lui donnant un petit coup dans les côtes.

— Prendre un verre? On n'en a plus les moyens, je réponds en essayant de me souvenir quand on est sortis pour la dernière fois. Ça fait des siècles, j'ai l'impression.

— C'est bon, je vous invite. J'insiste. Je sais que vous attendez un bébé. Arne le regarde avec méfiance quand il prononce le mot bébé.

— Je vous dépose, mais je viens pas. J'ai du travail, il dit sombrement. Dur pour lui d'accepter que nous n'avons plus d'argent, qu'il nous faut faire des sacrifices, tout prévoir. Il n'a pas grandi comme ça. Quant à moi, en grandissant dans un township, famille nombreuse, parfois des problèmes pour faire la soudure, j'ai appris qu'il arrivait de manquer d'argent. Qu'il faut parfois se retenir, ne pas dépenser comme on voudrait, vis-à-vis des autres. Il y a toujours des gens qui regardent.

— Je pensais aller chez Ganesh, il dit.

— Pas Ganesh, j'insiste. Allons à côté, A Touch of Madness, ils ont des bons cappuccinos.

Arne nous conduit avec réticence jusqu'à Obs. Il nous laisse devant le café. Je lui dis de ne pas s'inquiéter pour le retour. Je retrouverai le chemin de la maison, je dis.

— Pas question. Appelle-moi, il insiste. Je vais pas te laisser prendre un taxi s'il n'y a personne pour te ramener.

Il regarde Tshepo sévèrement quand nous descendons.

— Désolé pour lui, je m'excuse auprès de Tshepo, quand il est parti. Je crois que l'idée de devenir père lui fout les jetons.

À l'intérieur, nous sommes accueillis par une femme aux longs cheveux blonds, au visage calme. Nous nous décidons pour une table au premier, dans un coin.

— Tu as l'air en forme, je commence, en regardant ses chaussures, sa chemise de luxe.

— Merci, toi aussi. Tes cheveux ont vraiment poussé.

— Alors, comment ça se passe, ton boulot de serveur au Waterfront?

— Bien, je me fais pas mal d'argent.

— Tu te fous de ma gueule. Tu nous as dit que tu travaillais au Waterfront. On y est allés une fois avec Arne, pour fêter notre anniversaire, ils nous ont dit que tu étais parti. En fait, le type a pas du tout été clair.

Il ne répond pas tout de suite.

— Ne me raconte pas de bobards, je dis.

— Je travaille ailleurs, il dit vaguement.

— Je t'ai aperçu devant le Blah Bar un soir, avec un très vieux type.

On passait en voiture avec Arne. Et tout le monde dit qu'on t'a pas vu depuis des lustres, je continue.

— C'est qui, tout le monde ? Comme s'ils s'étaient jamais intéressés à moi, il dit, méfiant.

Une serveuse maigre vient prendre notre commande.

— Alors, sérieusement, où est-ce que tu travailles ?

— Quelle importance ? il dit avec irritation.

— Ça m'inquiète, c'est tout.

— *O maka o rata ditaba*, mêle-toi de tes affaires ! il éclate. Ce qui t'intéresse, c'est d'avoir quelque chose à raconter.

Je le regarde, blessée.

— Je croyais simplement que tu avais des ennuis, c'est tout. Quelqu'un raconte que tu vends de la drogue.

Il a un rire forcé. C'est ridicule.

— Vraiment ? On raconte que vu les fringues que tu portes et les endroits où on te voit, tu ne peux que vendre de la drogue.

— Depuis quand tu écoutes les ragots ? Tu sais comment peut être Le Cap. Les gens cherchent toujours une rumeur à colporter, il dit, pas très convaincant.

— Mais tu ne m'as toujours pas dit où tu travaillais.

— Très bien, je vends de la drogue. Est-ce qu'on peut passer à autre chose maintenant ? Je m'ennuie un peu, là. C'est pas l'idée que je me fais de passer un bon moment, il dit avec une froideur inhabituelle.

La serveuse revient avec mon cappuccino, son chocolat chaud et deux assiettes de gâteau au chocolat.

On mange, on grignote.

— Tu peux pas imaginer ce que c'est d'être enceinte. Je me sens coupable après cet éclat.

— Raconte-moi, il dit, moyennement intéressé.

— Pour commencer, je grossis. J'ai les seins qui gonflent…

— Je pensais que ça ferait plaisir à Arne, ça.

— Attends. J'ai encore plus de sautes d'humeur. Je vomis le matin. Il m'arrive de ne pas avoir envie de sexe ni d'un homme à proximité. Et puis, il y a ma mère. Je ne lui ai toujours pas dit.

— Tu vas devoir le faire à un moment donné.

— Je sais. Je sais. J'arrive simplement pas à trouver les mots justes.

— Il n'y a pas de bonne façon de lui dire. Si tu es enceinte, tu es enceinte, il dit.

On boit un peu.

— Alors, pourquoi est-ce que tu ne veux pas retourner chez Ganesh ? il demande.

— Je suis plus la même. Je suis devenue une mère maintenant.

— Je savais pas que c'était aussi grave, il dit. En l'entendant, je retrouve un peu de la naïveté qui lui était propre.

— On devrait fêter Noël ensemble. Je ne rentre pas à la maison, je dis.

— Ton copain me déteste.

— Non, c'est pas vrai. Il se croit juste menacé par toi. Me demande pas pourquoi.

— Mouais, il dit avec indifférence.

— Penses-y. Ce serait sympa. L'idée d'être en tête à tête avec Arne me terrifie. C'est un peu tendu ces derniers temps.

— OK, je viendrai.

On finit nos tasses et nos assiettes, mais on traîne. C'est ce que j'aime chez A Touch of Madness, on peut traîner sans se sentir coupable.

— Pourquoi t'es pas au boulot à cette heure ? Je croyais que tu travaillais la nuit.

— J'ai dit que j'étais malade, il répond. On ferait mieux d'y aller avant que Terminator ne revienne te chercher. Il demande si nous avons désormais le téléphone à la maison, il me tend son petit Motorola pour appeler Arne.

À la sortie, c'est lui qui paie. Il sort un billet de 50 rands d'une liasse dans son élégant portefeuille Fossil, il laisse un généreux pourboire à la serveuse maigre. J'ai aussi un bref aperçu d'une montre, manifestement de prix, à son poignet. J'espère qu'il sait ce qu'il fait.

On retrouve Arne qui attend dehors sur le trottoir. Tshepo nous dit qu'il va se débrouiller pour rentrer chez lui, qu'il a encore des gens à voir dans Obs. On le laisse alors qu'il se dirige vers le café Obz.

ANGELO-TSHEPO

Chère Mère, je pense à toi. J'ai beaucoup pensé à toi ces derniers temps.

Parfois, je te sens quand je me réveille le matin, encore désorienté après un rêve.

Ma vie avec toi, c'était comme un rêve. J'ai l'impression que c'est arrivé à quelqu'un d'autre. Comme si je t'avais connue sous une lumière différente, sous différents cieux, pas ceux-ci en tout cas, d'où semble toujours tomber une pluie froide. Ta chaleur me manque, ta protection féroce, ta force infinie.

Je me souviens encore de ton odeur. Le temps s'est arrêté quand tu es partie. Je redeviens un enfant quand je pense à toi, je me rappelle cette photo, le jour de ton mariage. Comme tu avais l'air heureuse, papa s'agrippait fièrement à toi. Qu'est-ce qu'il lui est arrivé ? Pourquoi est-il devenu si vil, le prince d'un monde souterrain ? Je l'ai aperçu en ville, dans une belle voiture, conduite par des hommes aux faciès barrés de cicatrices, qui ressemblaient à des soldats ; des hommes qui n'hésiteraient pas à tirer, à mutiler, à tuer. Quand je pense à lui, je déprime, je m'assombris. Il est comme la nuit qui dévore le soleil.

Il est les ténèbres, Mère. Je le hais. Je hais ce qu'il t'a fait. Je hais ce sentiment d'être orphelin. Pourquoi t'a-t-il supprimée ? Comment a-t-il pu être aussi cruel ? C'est mon père, je ne peux le nier. Je ne peux m'exclure de lui, ce prince de la pègre. Pendant mon sommeil, il me tisse des cauchemars, des visions où je marche sans fin dans la ville, toujours à la recherche de ce rai de lumière qui me ramènera jusqu'à toi. Et bien sûr, si je te retrouve, il nous retrouvera. Il ne nous laissera jamais en paix.

Il m'a laissé me défendre seul dans un monde de vampires. Mais je me construis un nid. Je mets de côté pour ne plus avoir à vendre ma chair pour survivre. J'ai un objectif, des rêves. C'est compliqué parce que je ne peux pas affirmer qu'il me déteste. Il n'a jamais exprimé d'émotion envers moi, en dehors de l'indignation et de la désapprobation. C'est pourquoi je trouve refuge dans les rêves que tu me tisses, Mère.

Le matin t'appartient, c'est là que tu me manques le plus. Comme si un mythe grandissait en moi, une histoire écrite il y a longtemps par quelqu'un d'autre, un dieu clément peut-être. Ce dieu sage m'a révélé que tu étais Isis, reposant dans le jardin des délices, la mère qui jamais n'oublia son enfant, attendant éternellement son retour. Peut-être te connaissais-je à une époque plus héroïque où il était admis d'aimer sa mère et de le dire au monde. Je t'ai peut-être connue en des temps plus doux où il était admis de s'aimer soi-même.

Ce mythe, il grandit en moi, il nourrit les questions qui me gardent éveillé la nuit. Je découvre d'intéressantes vérités au détour de ses péripéties. Je me rappelle des moments de lumière, d'amour intense, des cieux emplis de bons géants et d'un soleil vigilant. Je me souviens d'un temps qui remonte au-delà de la mémoire, où j'étais un tout, où je me sentais complet. Je déambule désormais, lourd des vérités douloureuses et des secrets sombres dont mon esprit n'arrive pas à se débarrasser.

Les premiers êtres humains de l'univers naquirent de trois sexes différents, du Soleil, de la Terre et de la Lune. On trouvait les hommes, les femmes et les hermaphrodites, chacun de ces trois sexes se replia en deux et s'unit en un tout. À un moment donné de ce passé inconnaissable, ils furent brutalement scindés, condamnés à errer dans l'histoire, souffrant de la violence et de l'angoisse de cette séparation, cherchant constamment à être réunis avec cette moitié perdue d'eux-mêmes, cet être meilleur. Cette division en deux engendra l'hétérosexualité chez les hermaphrodites et l'homosexualité sous ses deux formes mâle et femelle, l'amnésie due à la brutalité de la séparation mutant en bisexualité chez les autres. Depuis lors, nous avons tous souffert le même destin. C'est pourquoi certains d'entre nous sont ce qu'ils sont. C'est pour cela qu'on nous traite de tantes ou de pédés. Nous nous sommes peut-être fait un serment secret avant d'être séparés, celui de nous souvenir immanquablement de notre incomplétude, avec un seul indice : il s'agit d'un être du même sexe. Nous sommes peut-être le sexe brut à la recherche de son pendant évolué, ou *vice versa*.

Je prends conscience de moi-même à mesure que différentes sortes de gens découvrent avec moi des océans de plaisir. Je couche avec tellement de gens, Mère, il faut que je sois honnête. Les différences entre hommes et femmes, elles sont difficiles à résoudre. Nécessité, survie, progéniture nous ont réunis. À moins qu'un plaisantin n'ait pas résisté à cette blague, une déesse farceuse qui aurait réussi à nous faire jouer ensemble jusqu'à ce qu'un jour nous remarquions que son ventre grossissait. Mais dans nos cœurs, nous savons que nous sommes différents, parfois maladroits les uns avec les autres. Même quand un homme et une femme se rejoignent en un acte d'amour, leur union reste finalement incomplète, limitée aux contraintes du corps humain. Elle s'arrête avant la fusion complète des amants parce que nous sommes venus dans ce monde incomplets, à moitié endormis. La vérité sur ce que nous sommes vraiment commence seulement à poindre, elle commence seulement à nous hanter. Parfois, quand je suis seul et que je me sens rejeté par le monde, c'est comme si je me souvenais de la violence de ma naissance, combien j'ai crié de douleur, pleurant la chaleur de ton ventre.

Je pense à toi, Mère. D'une façon mystérieuse, ma vie est reliée à toi. Comme si nous nous étions juré notre amour dans une autre vie, en prévision de la confusion de celle-ci. Mon amour pour toi s'est approfondi avec la mort, il a mûri. Isis endormie, je te vois dans mes rêves versant du vin dans une coupe délicate, mais tu es toujours seule. Père n'est jamais loin derrière, les anges de la mort bien accrochés à sa cape noire. J'ai rêvé qu'il avait tué son enfant et qu'il l'avait mangé. Ç'aurait pu être moi. Je crains qu'il n'en soit capable si on lui en donnait l'occasion, mais l'amour le consume à chaque fois que, dans mes rêves, le nœud se resserre autour de mon cou.

Je sens qu'il se peut que je meure jeune, le fardeau d'un père si sombre est trop lourd. La mort m'invite dans mes rêves, toujours sur mes talons. Je n'atteindrai peut-être jamais cet âge nubile que tu avais quand tu t'es mariée, Mère. J'ai l'impression d'avoir épuisé mes chances. Mère, tu ne peux pas me sauver des forces destructrices que père contrôle; personne ne le peut. J'ai vécu silencieusement sur tes traces, à l'abri de ton ombre. Il est temps que je sorte à la lumière, que j'observe les ombres qu'elle fait naître. Il faut que je sois fort. Il arrive un moment où nous devons accepter courageusement qui nous sommes, où nous devons écouter la musique de nos rêves et nous délecter avec courage alors que nous empoignons fermement les rênes de notre destinée. Je commence seulement à voir au-delà de l'horizon, plus loin que la falaise et les chutes d'eau. Nous avons peut-être oublié comment écouter nos instincts impatients, les désirs de nos cœurs. Nous avons peut-être oublié comment remettre en question, comment se dresser et faire face, seuls, vent debout, quand la tempête fait rage. Se contenter de vivre n'est pas suffisant. Nous devons nous élever vers le ciel, vers la liberté de vivre dans la vérité. Demain n'attend personne, tout se passe maintenant. Mère, je ressens ton étreinte.

Le matin, je me réveille content d'être d'un jour plus proche de nos retrouvailles. Je ne peux échapper à mon destin. C'est comme une spirale, ça ne va que dans une seule direction, vers le centre infini. J'envisage ce destin depuis assez longtemps. Je vais mourir jeune, c'est aussi simple que ça, rien d'inhabituel, nous mourons tous. En ce qui me concerne, je ressens comme complexe cette traversée du monde souterrain qui me sépare de toi. Mais je me sens plus fort, ma Mère. Je me nourris de mes propres forces. L'espoir de t'aimer à nouveau me donne toute la foi dont j'ai besoin pour traverser l'heure la plus sombre. Je serais prêt à affronter le maître des ténèbres lui-même, si c'était pour te retrouver. Vraiment, j'ai besoin de te voir. J'ai besoin de ton regard sur moi pour qu'il me lave de toute la laideur que père m'a laissée, pour que je puisse m'aimer moi-même. Je me sens maudit de ne pouvoir l'aimer, Mère. Ne pas pouvoir aimer son père, c'est comme ne pas pouvoir s'aimer soi-même. Nous trois, nos vies sont inextricablement liées.

Chaque jour, quand je mets quelque chose de côté pour mon nid, je tremble et frissonne légèrement, car l'aiguillon de la peur se fait toujours sentir. Qu'arrivera-t-il si j'échoue ? Si je ne te revois jamais ? Ça me rend fou. Pour trouver la paix, j'ai dû cultiver le silence à l'intérieur de moi-même, resté assis, seul. Parfois, cette immobilité solitaire, c'est comme avoir un bref aperçu de ce que tu as ressenti à ma naissance. C'est étrange d'être un individu si insignifiant, si seul et effrayé dans le monde. Il m'arrive de penser que si l'anatomie d'un homme est un modèle réduit de l'univers, alors notre galaxie occuperait le fragment le plus infime de l'extrémité de la surface d'un cil. Nous sommes si minuscules, nos vies portent si peu à conséquence, c'en est effrayant. C'est un miracle que Dieu ne nous ait pas oubliés. Nous n'existons que dans nos têtes. Dans la vie, nous ne sommes que des atomes mouvants, semblables aux rochers immobiles qui savourent l'éternité, aux vents impulsifs, aux feux fiévreux.

Comme je rêve de toi, ma Mère. Où es-tu ? Le parfum de la mort n'est pas loin derrière. J'irai où tu m'appelles.

SEBASTIAN

Angelo et moi, on reste un peu, un soir, après le service. Nous trouvons refuge dans le studio un. C'était celui de West. J'ai décidé de lui faire connaître un de mes rituels. Nous sommes devenus intimes et je le trouve réceptif aux idées nouvelles.

On s'assoit sur le grand lit. Au milieu, entre nous, j'ai réuni mes images préférées d'hommes nus, un catalogue érotique bien rangé dans une chemise en plastique : des stars du porno comme Peter Norton, Rocco et le légendaire Jeff Stryker, des stars du rock, des acteurs, des mannequins dans des magazines branchés sur papier glacé, des artistes, des reproductions de photos scandaleuses de Jeff Koons baisant sa femme, des images d'art, de sculpture, Robert Mapplethorpe et sa vision des hommes noirs, les séraphins mâles de Bruce Weber, des photos découpées d'hommes ordinaires que des épouses languides ont envoyées au magazine *Hustler* pour des concours de grosses bites, des images d'hommes noirs et d'indigènes nus publiées par le *National*

Geographic, des impressions de sites porno sur Internet, gay ou hétéro, Pamela Anderson et Tommy Lee, Brad Pitt, Seal, Bobitt, et des calendriers aguicheurs. Ce sont des images d'hommes nus, des gros plans de grosses bites noires, de bites aux formes inhabituelles, de bites éjaculant. Des images d'hommes qui posent, qui bougent, qui baisent, se lèchent l'anus, se sucent, se font sucer, gémissant, grognant ; des hommes seuls, en couple, en trio, à quatre, des orgies. Une image présente même une quinzaine d'hommes à la queue leu leu, se tenant par la bite, de toutes les couleurs, tous souriant.

— Alors, voilà ce qu'on fait, je lui explique. On les étudie, tous. Pendant environ un quart d'heure. Mais tu n'as pas le droit de te toucher. L'idée, c'est d'être excité au point de croire que tu vas jouir dans ton froc.

Il est assis, en caleçon.

— Un quart d'heure. Je ne suis pas sûr de pouvoir tenir aussi longtemps, il dit, déjà émoustillé.

— Essaye juste, crois-moi, ça vaut le coup. Tu te sentiras bien après, revigoré.

Pendant qu'il étudie les images, je brûle un bâtonnet d'encens et j'allume un joint, une Or du Malawi puissante qui vous transporte n'importe où et donne des hallucinations impressionnantes. Je tire deux lattes, je savoure l'odeur douce, la fumée sur mon visage comme un fantôme amical. Je lui en propose.

— Ça fait partie de l'expérience, ça lui donne plus d'intensité, je dis. Il prend quelques taffes profondes avant de me le rendre. C'est un petit joint. Je commence déjà à me sentir partir, mais proprement, sans irritation des yeux, sans serrer les mâchoires comme avec l'acide. Baiser sous acide, c'est troublant, ça vous pousse trop loin en vous-même, on ne profite pas vraiment du sexe. C'est une drogue de réalité. Ça vous ramène plus que ça ne vous emporte. Le sexe sous acide est effrayant, on se sent incapable, seul, comme si quelqu'un était en train de vous faire quelque chose. On n'a pas l'impression de participer à quelque chose de créatif. J'ai fait un mauvais trip une fois, quand j'ai commencé à penser que le gars qui me baisait était ma mère. L'acide te fait ça, ça te projette violemment en toi-même. Tu te sens pris en otage, impuissant. Tu peux être en érection, mais tu n'en profites pas vraiment. Les émotions viennent se mettre en travers de tout. L'ecstasy, je n'ai pas confiance dans tout ce qui a été dit ou écrit sur le MDMA, du coup je n'ai pas essayé et je ne le ferai pas. Les effets à long terme ne valent pas le coup de prendre le risque. La cocaïne, trop chère, et elle prend le contrôle. Tu ne peux pas la maîtriser. Le crack, c'est pour les minables. L'héroïne, c'est surfait. Expérience orgasmique géniale, mais après tu as l'air d'une épave. Je ne peux pas me permettre ça dans mon boulot. Et puis, la descente est pénible. Le speed, ça dérègle mon métabolisme. Je ne sniffe rien, on dit que sniffer ça dérègle l'odorat et le goût, puisque les deux sont liés. Je ne suis pas fan du hasch. Et je n'ai jamais essayé le peyotl. Mais l'herbe, c'est différent. Tu voyages en sécurité, librement, si tu connais tes limites et tes humeurs. Avec la marijuana, il faut cultiver un état d'esprit positif. Avec la ganja, le sexe peut être extatique, tantrique, transcendantal. Si elle est fraîche et que la plante était mûre, on ressent une décharge qui s'étend jusqu'aux points d'énergie du corps, ce qu'en Orient ils appellent les chakras. Mais il faut boire beaucoup d'eau.

Il me repasse le joint, ses yeux sont un peu rouges. Je finis ce qui reste, je mets les cendres avec l'encens.

— Merde, il dit, déchiré, excité. Je lui propose un peu de jus.

Nous sommes assis au milieu de ce festin d'hommes. La lumière est douce. Nous sommes tous les deux en sous-vêtement, en confiance l'un avec l'autre. Peu importe qui a la plus grosse. Les images commencent à danser un peu à cause de l'herbe, les couleurs et les teints de peau deviennent réels. Je passe à une de mes images favorites. C'est celle d'un assez bel officier, nu, à l'exception de son slip kangourou blanc. Il porte aussi sa casquette de l'armée. Les hommes en uniforme, c'est ce que je préfère. Ça a quelque chose à voir avec l'autorité et mon désir profond de jouer les transgresseurs. À l'école, j'étais un marginal, le cauchemar de tous les entraîneurs de rugby. En grandissant, je ne me suis jamais intégré, je me suis engueulé avec les profs, fait sans cesse envoyer dans le bureau du principal. Il était beau, mon principal, mais impitoyablement sévère avec moi. J'ai toujours pensé qu'il avait une grosse bosse dans son pantalon, j'ai souvent eu le fantasme qu'il jouissait dans ma bouche. Je suppose que c'est à ça que remonte mon obsession érotique pour l'autorité et les hommes en uniforme.

J'étudie l'image de plus près. Il est bien bâti, le ventre plat, les cuisses musclées, bien dessinées. Un tatouage descend le long de son épaule gauche, déborde sur une partie de sa poitrine. J'ai envie de le lécher. Il a sa main dans son slip, dévoilant une bite avec un début d'érection. L'image est particulièrement érotique parce qu'on ne voit pas tout son matériel et qu'il a un air de sérieux inhabituel, comme s'il mourait d'envie de baiser. Et puis une autre image, celle de deux mecs en train de se branler, les jambes enlacées.

Nous échangeons les images, soupirant, commençant à respirer plus fort. Au bout d'un quart d'heure, je suis prêt à exploser. Je range les images dans le classeur, je le range dans mon sac. Angelo prend deux serviettes sur la table de massage. J'éteins la lumière.

Nous sommes allongés l'un contre l'autre sur le lit, sans se toucher. Mon esprit est étourdi par l'image de ce type, avec la main dans son slip.

— Bon, maintenant, essaie de rester comme ça pendant au moins trois quarts d'heure, je dis, me stimulant déjà.

— Aussi longtemps. Comment fais-tu ? il dit.

— L'expérience. Fais-moi confiance, je réponds. Fais comme moi. Quand tu sens que tu vas jouir, retiens-toi, pense à une femme, généralement ça marche pour moi.

— Pense à une femme, hein ? il dit, déjà haletant. Là où j'en suis, je suis capable de penser à n'importe quoi. Sa langue dérape un peu.

— Prends ça comme un voyage. Nous allons quelque part. Tu pars à la rencontre de l'homme de tes rêves, tous les deux, vous allez passer un moment formidable. Commence quand tu le rencontres sous la douche, où tu veux, il est nu. Passe-toi ce film. Prends ton temps. Regarde chaque détail, la façon dont il bouge, son odeur, la taille de sa bite. Personne n'aime les petites bites, mon chou. On rit ensemble.

Nous nous masturbons dans l'obscurité. Plusieurs fois, je l'entends accélérer.

— Du calme, retiens-toi, je dis pour l'aider. L'idée c'est que plus ça dure, plus tu explores profondément ta sexualité. C'est comme un duel avec tes hontes sexuelles. Tout le monde a honte de quelque chose, et en général c'est lié au sexe. Ça dit quelque chose sur la société dans laquelle nous vivons. Comment ça se passe ? je demande, alors que le lit bouge, craque un peu.

— Ça va. Je suis en train de profiter de l'homme de mes rêves, il dit. Dans le noir, j'entends ses halètements.

Nous nous activons plus d'une demi-heure. J'utilise mon anus comme outil de contrôle, tantôt relâchant, tantôt intensifiant mon érection, alors que je passe les différents paliers du plaisir. Je joue avec le bout de mes seins, je me lèche les lèvres.

— Je ne peux pas continuer plus longtemps, il faut que je jouisse, il dit avec intensité.

— D'accord, attends juste une minute. Nous sommes dans la dernière phase, je dis, sentant mes couilles prêtes à exploser de foutre. Passons maintenant à la magie dans les rites de fertilité masculins. Avant de jouir, pense à ton vœu le plus cher. Ce que tu aimerais voir ou avoir de plus beau. Ce peut être une rencontre ou obtenir un truc que tu as toujours désiré. Le but, c'est de faire appel à ce qu'il y a de plus noble en toi, ton idéal. Alors, représente-le-toi, ton idéal, même si c'est aussi ambitieux que la paix dans le monde ou aussi vague que libérer le Tibet. N'importe quoi. Maintenant, quand tu as bien cette idée en tête, laisse-toi simplement aller, jouis.

Le lit commence à bouger sérieusement à mesure que nous approchons du but. Nous jouissons presque ensemble, extatiques, relâchant des torrents de sperme. Ensuite, nous restons allongés, soupirant, comblés, confiants.

Je suis le premier à parler.

— Les rites de fertilité masculins sont importants, tu sais.

— Je comprends pourquoi, s'ils sont si bons, il dit en attrapant les serviettes. Il m'en tend une. Nous nous essuyons. Ma poitrine est trempée de sueur. Dans le noir, je cherche le ventilateur, je l'allume. Il souffle un air bienvenu.

— Tu crois que ça peut faire une différence ? il demande.

— C'est comme tout, si tu y crois. Si tu prends une aspirine mais que tu ne crois pas que ça va soulager ta migraine, ça n'y réussira sans doute pas, je dis.

— Je me sens toujours excité, comme si je pouvais recommencer, il dit avec enthousiasme.

— Non. Il faut le faire une fois et le faire bien. L'excitation que tu ressens là, c'est la puissance de l'énergie qui envahit ton corps. Tu ne veux pas l'évacuer. Reste tranquille. Écoute-toi. Dans un moment, cette énergie débordante qui t'excite va s'apaiser. Tu vas te sentir rajeuni. Fais-moi confiance. Pense à autre chose. Qu'est-ce que tu fais à Noël ?

— Je ne me suis pas trop posé la question. Une de mes amies m'a invité à passer la journée avec eux. Je vais peut-être faire ça. Et toi ?

— Rien de spécial. Je vais rester à la maison, je dis. On attrape nos sous-vêtements, on les enfile.

J'allume la télé, on regarde la dernière édition du journal du monde, sur CNN, rapidement ennuyeux. Je zappe, je tombe sur Janet Jackson dans une élégante robe de soirée verte, essayant de séduire quelqu'un. On regarde des clips sur la chaîne O.

— Je suis encore excité, il dit.

— Ne gaspille pas ton énergie. Calme-toi. Pense à ton père, je suggère.

— Ça ne me calme pas. Ça me tourmente.

— Écoute, fais ce qu'il faut pour ne plus penser au sexe.

Il se tait un moment.

— Un désir érotique authentique, ça peut te faire progresser, tu sais. Ce peut être une façon de se découvrir soi-même, qui on est vraiment. Par exemple, si tu fais ça suffisamment souvent, tu commenceras à trouver des éléments communs dans tout ce que tu souhaites juste avant de jouir. Si tu t'es déjà interrogé sur ton inconstance, refais ça souvent, tu trouveras tes réponses, je dis.

— Je me sens plus calme, il dit après un long moment.

C'est une personne très sincère. Avec lui, je me sens libre d'aborder des sujets qui me tiennent beaucoup à cœur. Peu de gens ont essayé de me comprendre. Les expériences de la vie ne peuvent parfois être définies ou expliquées que dans une langue simple. Je crois que le sexe est l'une de ces langues.

ANGELO-TSHEPO

Peter est devenu mon client favori, mon fidèle régulier. Il arrive le jeudi vers cinq heures et demie, généralement fatigué mais impatient de me retrouver. Il raconte à sa femme qu'il va faire de la gym, une heure et demie à lever des poids, suivie d'un bon sauna et d'une douche. J'ai fini par l'aimer de façon temporaire. Parfois, juste pour m'amuser, il me fait la surprise d'un nouveau sous-vêtement raffiné ou d'une bonne eau de toilette. Une fois, il m'a acheté une montre. J'ai refusé, avec tact. Il a compris. Ça ne me semble pas une bonne idée, ça pourrait mener à une histoire que ni l'un ni l'autre ne pouvons nous permettre.

Il s'assoit sur son côté du lit, il enlève ses chaussures. Il aime que je lui masse les épaules quand il fait ça. Comme toujours, ses cheveux sentent bon, une odeur revigorante de propreté. Je l'aide à ôter sa chemise. On s'embrasse un moment. Là, je ne suis toujours pas très à l'aise, parce que je sais qu'après il me paie pour ça. Ça ne correspond pas à ma conception du baiser ; pour moi, c'est très personnel, une expression intime. Mais Peter est gentil avec moi, régulier, même s'il est un peu trop en manque d'affection.

J'ai fini par le laisser me baiser. Il m'a patiemment imploré pendant si longtemps. J'ai fini par céder. Je n'accepte pas souvent les pénétrations, la peur du sida est toujours présente. Je choisis mes clients avec précaution. Si je prends le risque, il faut que j'aie quelque chose à y gagner. Il se peut que ce soit un étranger qui a l'air intéressant. Ou alors, c'est parce qu'il est beau à tomber. Ou parce qu'il est gentil, charmant, qu'il me séduit plutôt que me proposer plus d'argent. Ou encore parce qu'il me regarde d'une certaine façon et que je sais que c'est juste la chose à faire. Ou parce qu'on m'a dit que c'était un bon coup ou bien qu'il jouissait comme les chutes Victoria. Ou aussi parce que je n'ai pas eu d'autre client de la soirée. Il y a plein de raisons pour coucher avec un homme.

Je lui enlève son pantalon. Il porte un caleçon Tommy Hilfiger rouge vif. Je suis nu.

Nous passons au lit, où nous nous embrassons encore.

— Je ne comprends toujours pas pourquoi tu tiens à m'embrasser, maintenant que tu peux aussi me baiser.

— Tu ne sais pas tout à ton âge, il sourit.

— Et toi oui ?

Il couvre mon cou de baisers, le parfum Jako de Lagerfeld m'enivre. Avec tous ces hommes que je rencontre, je suis devenu expert en matière de parfums.

Je caresse son cul. Il est ferme, tendu, tonique. Son érection brinquebale dans son caleçon. Je le lui enlève.

— Refais-le s'il te plaît, il demande.

Je m'assois sur ses cuisses, je lui claque les fesses, ça fait un bruit de cassure. Il ne faut pas que j'y aille trop fort, sinon ça laissera des traces que sa femme pourrait remarquer.

— Oh, ça fait du bien, il dit, son bassin s'enfonçant dans le lit.

— Je peux pas continuer, Peter, tu deviens rouge. C'est le problème quand on est blanc, je plaisante.

— Juste encore un peu, il implore.

Je lui donne encore quelques claques. Il grogne. Il m'a avoué une fois qu'à l'école, il faisait exprès de faire des bêtises pour être envoyé chez le principal et recevoir une correction. Il m'a même dit que, lors d'une de ces séances, il avait joui dans son pantalon, mais le principal n'avait jamais rien remarqué.

Il m'embrasse à nouveau, son sexe érigé glisse entre mes jambes.

— Est-ce que ta femme te taille parfois des pipes ? je demande.

— Jamais. Elle pense qu'il n'y a que les filles trop moches qui font ça. Elle pense que c'est un truc de salope, il dit en frottant son pubis contre le mien.

Je lui attrape le sexe, je le masse doucement. Il gémit. Il est si sensible, il a tellement besoin d'un peu d'abandon, comme la plupart des mecs de son âge. Leurs femmes les privent de sexe débridé.

Il prend du gel KY, il commence à mettre son doigt dans mon anus, mais très doucement. Je suis sensible aux mains brutales.

Avec la bouche, je mets un préservatif sur son sexe. Ça les rend fous. Son scrotum contient deux grands testicules, la peau est douce et souple, comme si elle s'était détendue avec le temps, l'âge, l'expérience. Je les lèche, je les suce doucement, stimulant la base de son pieu.

Une fois à l'intérieur, c'est comme si Peter devenait un autre homme. Il prend son temps, il commence lentement avec des mouvements doux. Je lui fais confiance pour ne pas être trop brutal et risquer de rompre le préservatif. Sa respiration est chaude, un peu frénétique mais régulière. Je la sens sur mon cou.

Au fil des séances, il est devenu plus aventureux. Une fois, il m'a montré une série de photocopies d'images du *Kâma Sûtra* avec des hommes, impatient d'essayer de nouvelles choses avec l'enthousiasme d'un adolescent intrépide. Je fais ce qu'il veut parce qu'il est doux. Combien d'autres hommes continuent à mener leurs petites vies faites d'acceptation silencieuse, de conformité au protocole, réduits à miauler quand ils aimeraient tant rugir ?

On essaie plusieurs positions. Il grogne. Je gémis. Il règle son allure, regardant l'heure quand il croit que je ne le vois pas. Mais je connais ses habitudes, il aime que ça dure aussi longtemps que possible. Dix minutes avant la fin de la séance, je lui dis que je vais bientôt jouir. Il accélère. Je sens sa force, ses muscles fonctionnent efficacement, comme une machine. À cet instant, je suis bien humide et détendu. Le rythme rapide, l'agressivité contrôlée sont comme des signes de ponctuation après la progression régulière. Nous éjaculons avec bonheur. Je retire son préservatif avec précaution, je fais un nœud, je l'enroule dans du papier.

Ensuite, je lui caresse les bourses. Il se tait toujours quand je fais ça après le sexe. Je ne l'embête pas en lui demandant à quoi il pense.

— Tu es bien bronzé. Tu es allé à la plage le week-end dernier ? je lui demande au bout d'un moment.

Il prend son temps pour répondre.

— On est allés à Knysna, il dit sans plaisir ni excitation.

Je continue mon massage.

— Tu sais, quand je jouis en toi, je sais que ce devrait être comme ça avec ma femme.

— Tu veux passer une heure de plus ? Pas de supplément.

Son expression change, il sort soudain de son introspection.

— Merci, mais je peux pas. Ma fille a un spectacle à l'école ce soir. Ne me demande pas lequel, il dit en regardant l'heure.

Nous allons nous doucher ensemble. Debout sous le jet, il a l'air plus grand. Je lui arrive au cou. Il crache de l'eau avec la bouche, il est détendu avec moi. Je lui caresse à nouveau les bourses. Ses épaules sont larges, athlétiques, ses mains sont grandes mais pas maladroites. Je sais comme il peut être délicat quand il me touche. Un homme avec autant d'expérience, qui peut apprendre tant de choses aux autres, quel gâchis, je me dis en lui frottant le dos, jugeant peut-être injustement sa femme et ses enfants. Quand il se retourne, il est en érection. Je le branle, jouant avec le savon. Le plaisir sur son visage me donne du plaisir. Parfois, regarder un homme prendre du plaisir dans une relation sexuelle, c'est comme dîner à la table de son roi. Mais tu n'es pas son sujet, tu es simplement un autre individu, comme lui, avec tes propres désirs. Il y a un réconfort, un plaisir à être à égalité, des hommes de même valeur. L'expression d'un homme quand il jouit, pour moi ce devrait être l'expression d'un patriote quand il chante pour son pays et pour son peuple.

Je m'occupe doucement de son pieu, je l'attrape délicatement, plus fermement quand il commence à gémir. C'est peut-être tout ce qu'il attend de sa femme, une fois de temps en temps, une bonne branlette, une petite incartade, une bonne vieille tape et des chatouilles. Ça le rendrait certainement plus heureux, il ne se plaindrait pas autant de sa frigidité et de son puritanisme. L'Église, elle ne nous a pas fait tant de bien que ça, il m'a dit une fois avec amertume.

J'en suis arrivé à la conclusion que oui, le sexe peut servir à mesurer à quel point un homme est comblé, à quel point il est proche de réaliser son idéal intime de liberté, quelle est la profondeur de l'expérience et de la connaissance qu'il a de son corps et de lui-même. C'est une mesure de sa libération, de sa créativité, de la facilité avec laquelle il affronte les difficultés. Je sens s'il est en train d'improviser, s'il décode les petits messages que j'envoie ; s'il sait si ça me plaît aussi ou s'il doit d'abord me demander. Je soupçonne les hommes qui ont chez eux des relations sexuelles médiocres, insatisfaisantes, de faire des patrons tyranniques. C'est sans doute la seule façon de libérer cette énergie refoulée qui devrait normalement être dépensée en relations sexuelles profondes ou dans la masturbation.

Peter jouit dans ma main. Il m'embrasse encore. Nous nous rinçons, on retourne dans la chambre pour se rhabiller.

— Alors, je te revois la semaine prochaine ? je connais déjà la réponse.

— Tu es mon jeudi après-midi après le turbin, il dit en remontant sa braguette.

— Mais tu ne devrais pas porter des affaires de sport ? je remarque.

— J'ai pas le temps de me changer après le boulot. Je viens directement ici. Je vais ensuite à la gym. Elle pense que j'y passe environ deux heures, il dit.

Il me paie 500 rands.

— J'en suis où, avec mes miles ?

— Pas mal du tout. Tu devrais bientôt avoir droit à un tour du monde gratuit.

Je le raccompagne.

Un peu plus tard, je reçois un client inhabituel. J'entre, je le salue. Il me serre la main fermement. Il me dit qu'il ne veut pas de massage. J'ai envie de batifoler avec toi au lit, il dit sur un ton impassible. On commence à se déshabiller. À ma grande surprise, je constate qu'il a une prothèse à la jambe gauche. Je ne dis rien. Il a peut-être remarqué ma surprise mais il ne dit rien lui non plus.

Il s'assoit sur le lit, il l'enlève. Je lui masse les épaules pendant qu'il fait ça. Assis sur le lit, il a une érection monstrueuse.

— Alors, qu'est-ce que tu fais ? je demande poliment, pour entamer la conversation. Je suis un peu tendu.

— J'étais journaliste, il répond d'un ton neutre. Tu fais des pipes ?

— Oui, je réponds, embarrassé.

Il s'allonge en arrière. Il sent propre. Il écarte les cuisses, son moignon me regarde.

— Un problème ? il demande, toujours sans aucune émotion.

— Non. Je me demandais juste si tu voulais que je te branle avec de la crème ou avec de l'huile, j'improvise.

— Peu importe. C'est toi l'expert, il dit, indifférent.

Je lui lèche les couilles. Il gémit à peine. Il ne me touche même pas l'arrière de la tête, comme font les autres quand je me retrouve dans cette position. Il reste étendu, immobile. Sa bite est dure comme un roc. Je la lèche longtemps, je joue avec, je la taquine. Il ne bouge toujours pas, pas de gémissement, aucun signe de plaisir.

— Tu aimes ça ? je finis par lui demander, un peu exaspéré.

— *Ja*, il répond froidement.

Je retourne à son entrejambe.

— Tu fais aussi le sexe sans pénétration? il demande au bout d'un moment.

— Oui, je réponds soulagé, content qu'il travaille à son tour.

J'écarte les jambes, il s'allonge sur moi, son moignon enfoncé dans le lit. J'essaie de prendre l'air détendu, comme si je passais un bon moment. Concentre-toi sur sa grosse bite, je me dis, alors qu'il commence à frotter son pubis contre le mien. Ses boules frottent les miennes. Je ferme les yeux. Il commence lentement, mais augmente sa poussée, la sueur commence à dégouliner de sa poitrine. Mais il reste muet. Quand j'ouvre les yeux, que je regarde brièvement les siens, ils sont de glace, impénétrables. Sa bouche est close. Sa mâchoire se serre et se relâche tandis qu'il la contracte. Je n'ai jamais vu quelqu'un avoir l'air si furieux pendant le sexe.

Je décide de refermer les yeux. Il se frotte contre moi un long moment, il finit par jouir, spectaculairement, sa décharge considérable se répand sur ma poitrine. Je ne cache même pas mon étonnement.

— Tu peux me baiser? il dit à nouveau, de sa voix neutre.

J'hésite. Ses yeux sont comme des aimants.

— *Ja*, OK. Laisse-moi prendre un préservatif.

Je l'enfile rapidement.

Il s'allonge sur le côté. Il a un beau cul. Je l'enduis doucement de gel KY avec mon doigt. Alors seulement il se met à gémir, des petits gémissements courts qui m'encouragent à l'exciter davantage.

— Maintenant, s'il te plaît, il demande au bout d'un moment, sa froideur initiale commence à fondre.

Je me pousse en lui doucement. Il gémit à nouveau. Tout en continuant, j'attrape son sexe. Il lève sa bonne jambe pour me laisser le pénétrer.

Bientôt, je vais et je viens. Il gémit avec souffrance. Je n'ai jamais entendu personne gémir comme ça, un gémissement déchirant, profond, qui semble venir du tréfonds de sa réserve. C'est comme écouter un langage secret, une conversation privée. Chaque fois que je varie mon mouvement, il répond, gémissant d'une autre façon.

Je lui propose de changer de position, il s'allonge sur le dos. Je pose sa bonne jambe sur mon épaule. Son moignon me fixe. Il ne dit rien. Il me regarde. Je finis par le toucher, le caresser doucement. Il ne dit toujours rien. Je me glisse en lui, son gros sexe dur comme une pierre. Je commence à pousser.

Il gémit, mais cette fois, je peux voir son visage. Il y a tellement de tendresse en lui. Il ferme les yeux, la bouche ouverte, la gorge offerte. J'embrasse cette gorge, je la suce. Il gémit, met ses mains sur mes fesses, m'encourage à aller plus loin. Je donne tout ce que j'ai. Ça dure longtemps, nos sueurs, nos fluides se mêlent, créant un parfum érotique.

Il passe sa main entre ses jambes, me caressant alors que je plonge en lui. Je commence à accélérer. Il serre ses fesses, se frottant aussi contre moi. Nous fonctionnons comme un piston. Quand je jouis, il s'éclabousse toute la poitrine. Je m'effondre sur lui un moment.

Il ne dit rien, il se remet vite. Je prends une serviette pour essuyer son foutre. Je retire le préservatif, je fais un nœud, je l'enroule dans du papier.

— Alors, comment c'était ? je lui demande après.

— Tu m'as bien baisé, il répond, impassible.

Il remet sa prothèse. On va dans la salle de bains. Il l'enlève avant d'entrer dans la douche.

— Tu as une belle queue, je le complimente, intrigué par son mutisme.

— Merci, il dit fièrement. Je lui caresse les couilles. Ça les détend toujours. Mais il a vite une nouvelle érection. Parfois, après avoir joui, en rebandant peu de temps après, la bite d'un mec devient plus grosse. Je ne m'explique pas ça. Mais je le remarque chez tous les mecs qui en ont une grosse. Je m'en occupe à la main, pompant le sang dans ses veines.

— Tu veux que je te branle ? je lui demande. Il est légèrement plus grand que moi.

— Je veux te baiser, il dit sobrement.

J'hésite.

— Tu peux aller chercher un préservatif, je t'attends ici, il dit d'un ton neutre.

Est-ce que je veux que ce type me baise ? je m'interroge, mais je salive à la perspective de sa grosse queue.

Je sors de la douche, m'enroule dans une serviette et retourne au studio. Je reviens avec un préservatif et du KY. Son érection m'attend toujours. Je joue un peu avec lui avant de lui enfiler.

Il bouge sa queue entre mes jambes mais ne la glisse pas à l'intérieur. Ce lieu sacré entre les bourses et l'anus, que j'appelle parfois le *no man's land*, il joue avec. Je sens son gros bulbe qui me frotte là. Comme lui, je me tais. Je ne réponds pas. Il masse mon cul avec dextérité. Je ne réagis toujours pas. Il s'équilibre sur sa jambe unique de façon incroyable. Il éteint l'eau et me masse avec du KY. Ses doigts sont précis et doux.

Je m'entends bientôt gémir. Il s'insinue doucement, me titillant, me donnant quelques centimètres, et puis pompant. Quand je gémis plus fort, il s'enfonce davantage, jusqu'à ce que finalement il soit totalement en moi.

Je suis debout, le visage contre le carrelage frais de la douche. Il m'embrasse le cou, me touche en des endroits que peu de gens connaissent. C'est un expert, un guide touristique qui voyage à l'étranger. Il me touche partout en restant derrière moi. Mes oreilles, elles me donnent tant de plaisir, mais qu'est-ce qu'il leur fait ?

J'en finis par oublier sa taille gigantesque. Je suis juste conscient de son énergie circulant en moi. Nous bloquons tout. Pendant un instant, il bouge à peine en moi. Une image envahit mon esprit. Je le vois marcher dans les buissons, une mine explose sous lui. Je frémis et ouvre les yeux. Il pompe rapidement, comme s'il sentait que j'en ai assez. Il jouit bientôt.

Je me retourne. Je constate avec horreur que le préservatif, encore accroché à lui, est déchiré. Je l'enlève, en colère.

— T'inquiète pas, je suis négatif. J'ai eu les résultats il y a quatre mois, il dit.

— Beaucoup de choses peuvent arriver en quatre mois, je dis en faisant couler l'eau.

Je me frotte. Je ne m'occupe pas de lui.

Je ne peux pas croire que le préservatif se soit rompu. Où avais-je la tête ? je m'engueule.

Dans la chambre, je ne lui dis rien.

— Combien je te dois ? il demande.

— 500, je réponds en le regardant à peine.

Il s'approche et me regarde. Je veux détourner le regard. Sans prévenir, il m'embrasse.

— Je n'ai pas joui comme ça de toute l'année, il dit, toujours impassible, la voix enrouée.

Il me tend 700.

— T'inquiète pas, je me raccompagne tout seul, il dit en partant.

J'aimerais ne pas m'inquiéter qu'il ait joui en moi, mais c'est le cas. La chambre sent différemment, une odeur de sexe inhabituellement forte, enivrante comme une potion secrète.

Je rentre à la maison de mauvaise humeur. Jacques est dans le salon avec deux autres types. Il ne m'a jamais présenté aucun de ses amis. Ils grognent et hochent la tête plus qu'ils ne me saluent vraiment.

— Pourquoi il fait si sombre ici ? je dis, en constatant la lumière très tamisée. Une grande bougie est en train de brûler.

Il ne répond rien.

Je vais à la cuisine me servir un verre de jus d'orange. Sur la table basse, je remarque une bouteille qui ressemble à du vin rouge. Mais il y a quelque chose de sinistre dans l'atmosphère silencieuse qui me fait penser que c'est peut-être du sang.

— Et c'est quoi cette odeur ? je dis, agacé par leur silence.

L'un d'eux ricane. Jacques ne dit rien, il tient un petit livre. Ils sont tous en noir.

Je vais dans ma chambre, je ferme la porte à clé. Au bout d'un moment, je les entends aller dans la chambre de Jacques. Ils passent une musique ésotérique, discordante. Bientôt je perçois de drôles de chants. Finalement, la musique et les chants cessent. Et puis je les entends partir. Je retourne à la cuisine, je me verse un autre verre de jus. Le gros chat fauve me fixe. « Qu'est-ce que tu veux, gros minet ? » Il s'échappe vers le salon.

Pendant la nuit, je rêve que le type à la prothèse me baise. Il me dit qu'il est le dieu de la fertilité, qu'il plante des graines sacrées en moi. Un faucon vole au-dessus de nous pendant que nous baisons, le soleil, ce grand œil dans le ciel, nous regarde. Le matin, je me réveille en me sentant lourd, comme si un morceau de moi-même était resté dans le rêve. Je reste au lit toute la matinée, réfléchissant au sens ou à l'insignifiance de ce rêve. Quand il est temps d'aller travailler, j'enfile ma chemise préférée, la Ralph Lauren bleu pastel et mes chaussures noires à lanières. Avec elles, je me sens toujours différent, comme si je venais d'ailleurs, comme si ce monde n'était qu'une étape, un salon de transit où je rencontre des gens en attendant de poursuivre mon voyage. Jacques est au boulot. Je cherche la mystérieuse bouteille de vin dans le frigo et dans la poubelle, rien. Comme d'habitude, la porte de sa chambre est fermée à clé. Oublie-le, je me dis en partant.

Au travail, tout le monde s'extasie devant ma chemise. J'ai deux clients et les deux me paient bien. À la fin de la soirée, je vais me coucher avec Cole dans le studio quatre. On ne fait rien ensemble. Comme toujours. Pour moi, c'est un grand frère. Mais un grand frère avec une grosse bite. Je le taquine toujours avec ça. Je ne suis pas sûr qu'il apprécie.

Je m'endors vite, aussitôt qu'il éteint la lumière. Le dieu de la fertilité revient me voir dans la nuit. On mange des pêches ensemble avant de baiser, son corps est un temple d'amour. Dans le fond, on entend une musique orientale. Je voyage sur les ailes d'un faucon. Le soleil se couche sur mon dos, me brûlant légèrement, il laisse l'empreinte délicate d'un dragon. Ça pique à peine. En guérissant, l'image a l'air vraie.

Je rencontre des hommes à tête de loup, de renard, de chacal. Dans le coin d'une grande chambre, un individu coincé dans un arbre essaie de m'attraper mais je le réduis en cendres. Je suis le dieu de la fertilité dans une pièce étrange, où il pousse des roses sur le sol. On s'étend sur ce lit de roses sans épines, nous baisons tout notre soûl. Un lion nous observe, les yeux brillant d'une divine puissance solaire. Mais le dieu ne sourit pas, il ne dit jamais rien. Il continue à me baiser, avec sérieux.

Quand je me réveille le matin, Cole n'est plus là. Je me sens lourd à nouveau, comme si j'avais perdu quelque chose dans le rêve de la nuit. Je rentre à la maison fatigué, vide, mon esprit empli d'images de pétales qui tombent du ciel. Je me sens un peu stone, je respire profondément. Un instant, je m'arrête, je ferme les yeux, j'essaie de trouver mon équilibre. Une force irrésistible m'oblige à aller plus loin en moi. Je vois distinctement des soleils miniatures, étincelants. Cette image se déplace depuis mon estomac jusqu'au sommet de ma tête, explosant en un lotus de lumière aux mille pétales. Je regarde à l'intérieur de moi-même alors que l'image s'efface et que la lumière se disperse. Quand j'ouvre les yeux, je suis frappé par une lumière aveuglante. Je perds connaissance, je m'effondre.

Une passante m'aide à me relever. Je lui dis que ça va, que j'ai juste besoin de repos. Je me rends compte qu'elle est pressée. « Allez-y, je vous en prie », je lui dis. Elle insiste pour que je m'asseye sur le trottoir, la tête entre les genoux. Des voitures défilent, des piétons passent. Elle reste avec moi un petit moment. Elle m'aide à me remettre debout. Je me sens mieux, je souris, ma tête tourne encore un peu. « Vous êtes sûr ? » elle demande, inquiète. Je l'assure que ça va.

Elle hèle un taxi. « Où est-ce que vous habitez ? », elle demande. « Gardens », je réponds, avec lassitude. « Montez », elle ordonne. Elle décide de me raccompagner, j'entre dans le taxi avec elle. Il me dépose devant chez moi. « Vraiment, tout va bien », je lui dis en sortant. Elle me souhaite bon rétablissement. Le taxi s'en va.

En montant les escaliers, j'ai vue sur les trois fameuses tours cylindriques de Disa Park, leur forme se découpant sur la montagne. Les trois grâces, je me dis automatiquement. Je ne sais pas d'où vient cette image des trois grâces.

En rentrant, je constate que Jacques est sorti. Je vais dans ma chambre, je ferme la porte à double tour. Le lit m'emporte dans un profond sommeil hypnotique.

Après mes examens, j'appelle ma mère. On bavarde un peu. Comment vas-tu, comment ça se passe? Elle me parle de son nouveau boulot, mal payé. Je perds patience, je finis par tout déballer.

— Je suis enceinte, je jette en plein milieu de la conversation, le bébé doit naître en juin.

Silence au bout de la ligne.

— Je ne l'ai pas dit à papa, j'ajoute.

Elle finit par exploser.

— Comment as-tu pu être si négligente? Comment as-tu pu être si bête, il y a tellement de façons d'empêcher… ?

— J'étais sous contraceptif. En tout cas, j'ai pas de leçon à recevoir de toi, je dis, sur la défensive.

— Mmabatho, je suis toujours ta mère.

Je boude maintenant.

— Qui est le père? elle dit finalement. Je peux pas croire que tu vas avoir un enfant. Tu viens à peine de sortir de l'école.

— Tu ne le connais pas.

— C'est quoi cette réponse? Qui est le père? elle hurle.

— J'ai pas besoin de ça, je dis en raccrochant.

Je n'ai jamais été capable de discuter avec ma mère, de rien. Nous vivons dans deux mondes séparés. Elle ne comprendrait pas qu'Arne est plus qu'un blanc.

Plus tard dans la soirée, j'appelle mon père.

Il est content d'avoir de mes nouvelles. Tu as reçu ton argent, le mois dernier? il demande. Oui, merci, et aussi le petit plus, je dis. Depuis leur divorce, c'est lui qui s'occupe de mes finances. Comment se sont passés tes examens? Je lui raconte brièvement les dernières nouvelles de l'université. Je lui dis que j'ai appelé maman mais que nous nous sommes disputées.

— Qu'est-ce qui s'est passé?

Mon cœur bat plus vite.

— Papa, il faut que je te dise quelque chose. Je suis enceinte. Je retiens ma respiration.

— Ah.

— Tu es déçu? Mon père est tout pour moi, davantage que ma mère. Son approbation compte beaucoup.

— Eh bien, je sais que tu prenais la pilule. Je reçois le relevé médical tous les mois, donc je ne peux pas te reprocher ça. Tu n'es plus une enfant. Je sais que ça arrive parfois. Pour moi, ce n'est pas de la malchance. Tu vas mettre un être au monde. Il y a assez de malchance par ailleurs.

— Je suis contente que tu le prennes comme ça, papa. Je ne l'ai pas voulu, sincèrement. C'est un garçon bien. On s'aime, je dis, gênée, soulagée qu'il ne soit pas en colère.

— Il t'a demandé de l'épouser ?

La question me prend par surprise. J'hésite, je grince intérieurement.

— Oui.

— Tu n'as pas l'air trop sûre.

— Je le suis. Il m'a demandée en mariage, papa.

— Et ?

— J'ai dit oui, bien sûr.

— Mon bébé va avoir un bébé, il dit tendrement. Est-ce qu'il a l'air triste en disant ça ?

— Bon, papa, il faut que j'y aille. En fait, j'allais sortir. Je t'écrirai.

— Donne-moi ton numéro, il dit. Et puis : Prends soin de toi.

— T'inquiète pas, papa. Il prend soin de moi.

— Comment s'appelle-t-il ? Il doit bien avoir un nom.

— Arne.

— Comment ?

— Arne, je dis plus fort.

— Qu'est-ce que c'est comme nom ?

— Il est allemand.

— Il vaut mieux qu'on parle de tout ça une prochaine fois, il dit rapidement. Tu es chez toi demain soir ? Je t'appellerai.

— *Ja*, je serai à la maison, je dis avec nervosité. Bye.

Son au revoir est un peu sec.

Arne est à la bibliothèque, il travaille sur sa thèse. J'ai l'impression que c'est devenu un boulet pour lui. La vie est venue se mettre en travers. Je perçois sa panique. Il parle souvent dans son sommeil, propos incohérents auxquels je ne comprends rien. Il ne va plus aussi régulièrement à la gym et toutes les décisions que nous prenons portent généralement sur des questions d'argent. Est-ce qu'on peut se le permettre ? Est-ce nécessaire ? C'est difficile pour lui. Il faut qu'il s'adapte, qu'il apprenne l'humilité, la gratitude qu'il peut y avoir à compter ses sous pour s'en sortir. Je commence à en avoir assez de ses jérémiades, ce qui lui manque, tout ce qu'on faisait avant… J'ai besoin qu'il soit avec moi, ici et maintenant, corps et âme. Chaque jour, mon bébé est plus grand.

Et pourquoi n'a-t-il pas parlé de mariage ? Est-ce qu'il croit que tout ça va se terminer en eau de boudin, comme toutes les histoires ratées ? Pourquoi il est encore là, si c'est pour s'en aller plus tard ?

Il rentre tard. Je suis irritable, fatiguée. Il commence à se déshabiller pour aller se coucher.

— J'ai appelé mes parents aujourd'hui. Je leur ai dit que j'étais enceinte, je dis.

— Comment ils l'ont pris ? il se retourne pour me regarder.

Je joue avec un des cordons de ma chemise de nuit.

— Mon père veut savoir si nous allons nous marier, je dis.

— Ça, on n'en a pas encore discuté. Il continue à se déshabiller.

— Je veux qu'on en discute. On peut pas juste laisser ça en suspens.

— Qu'est-ce que tu attends de moi ?

— C'est pas la peine que tu restes là, si tu penses que je vais avoir ce bébé sans engagement de ta part, je lui dis. Je suis pas une traînée que tu as ramassée et dont tu sais pas comment te dépatouiller.

— J'ai pas l'espace mental pour penser en plus à un mariage, il dit, les bras ballants.

L'espace mental ? Je déteste quand il utilise ça comme excuse pour n'importe quoi.

— Espace mental, mon cul. Sois un homme, dis-le-moi carrément si tu veux pas m'épouser.

Il enfile son caleçon pour la nuit avec colère, il manque de tomber.

— Je veux pas me marier. J'ai jamais eu l'intention de me marier, ni avec toi ni avec personne.

— Alors comment tu croyais que ça allait se passer exactement après juin ?

— On a le bébé et on continue à vivre ensemble, on regarde comment ça se passe, si ça marche.

Les hommes sont-ils vraiment aussi bêtes ?

— Si tu crois qu'on va juste attendre de voir comment ça se passe, alors tu devrais faire tes valises et t'en aller maintenant. Je vais pas attendre que tu te décides. Je vais avoir ce bébé. J'ai pas besoin de toi et de tes conneries.

— Tu peux pas me demander de renoncer à ma vie.

— T'aurais pas dû revenir. T'aurais dû rester en Allemagne. Si t'as pas les couilles, fous-moi la paix.

Il fonce sur moi. Je me couvre le visage, craignant qu'il me frappe. Il m'attrape par les épaules, me secoue.

— Arrête de me parler comme si j'étais un gamin.

— Tu me fais mal. Je pleure.

Le bébé s'agite. Je souffle, je me tiens l'estomac. Le bébé donne un autre coup de pied. Il me lâche.

— Je crois que tu devrais partir demain, je lui dis, en pleurs.

— Pour aller où? Il prend un oreiller et une couverture, il va au salon. Je ferme la porte à clé derrière lui et je pleure un bon coup.

Je suis désolée, bébé. Désolé que les hommes soient si bêtes. Désolée que maman passe son temps à pleurer, qu'elle n'arrête pas de se faire du souci pour toi. Ton père ne pense qu'à lui. Désolée, mon ange, que maman soit si bouleversée que tu doives me rappeler au calme avec tes coups de pied. Désolée d'avoir si peu de chance avec les hommes. Ton père pense que tu vas t'évaporer comme par enchantement. Il n'aborde pas les problèmes parce qu'il croit qu'ils vont se résoudre d'eux-mêmes. Désolée, mon bébé, que tu te retrouves au milieu de tout ça.

Je vais te confier un secret. J'ai pensé à un nom pour toi. J'allais le dire à ton père mais quelle importance? Quand je pense à toi, j'imagine des choses si belles, j'ai décidé que tu serais un enfant de l'amour. Je vais t'appeler Vénus en premier, que tu sois un garçon ou une fille, mais je sais que tu es un garçon, tu es si résistant, tu donnes même des coups de pied à ta mère. Ton deuxième prénom, ce sera Kgotso, parce que tu m'amènes la paix. Mais sans aucun doute, tu seras Vénus, mon astre lumineux, semant l'amour dans l'univers.

Il ne faut pas que tu t'inquiètes. Maman va prendre soin de toi. Je connais des gens. Je peux me débrouiller. J'ai pas besoin d'un homme pour avoir assez d'espace mental. Où est-ce qu'il a entendu cette expression débile, d'ailleurs?

Je ne sais pas quoi faire, Vénus. J'aime toujours ton père, mais il est borné et égoïste. Je ne veux pas d'un père comme ça. À la fin du mois, je déménagerai, je trouverai un endroit pour être toute seule, ou bien je partagerai avec quelqu'un d'autre, comme avant. Je ne suis pas idiote. Ton père ne m'aime peut-être pas. L'occasion d'aimer, c'est une occasion d'apprendre. Pourquoi ton père ne comprend-il pas ça? C'est l'aveuglement de l'amour qui nous a réunis, qui t'a créé, Vénus. Comment peut-il être si superficiel, si égoïste? C'est l'amour qui t'a donné à nous, il ne comprend pas ça?

Je ne veux pas être une mère pour lui. J'en ai assez de lui dire d'être un homme, mais il ne me laisse pas le choix. Vénus, je ferai tout pour toi, mon petit. J'ai eu un mauvais parent. Je ne te ferai pas subir la même chose. C'est l'enfer, tu passes ta vie en thérapie, à essayer de recracher cette colère, cette haine. Ça ne vaut pas le coup de prendre le risque. C'est sûr, je ferai de mon mieux pour toi, Vénus. Tu es mon roc, mon équilibre. Tout ce que je fais, c'est pour toi. Mes tresses, l'huile sur mon ventre, bien manger, tout ça c'est pour que tu sois fort, pour que maman soit forte pour toi.

ANGELO-TSHEPO

Un jour, je me rends au travail, et François me dit à l'entrée d'aller dans le bureau de Shaun. Il me dit que j'ai une visite. Je n'ai jamais eu de visite. Qui ça peut être ? J'y vais avec nervosité, je prie pour que ce ne soit pas mon père.

Je frappe à la porte du bureau de Shaun. Il ouvre, avec un demi-sourire. Quelqu'un est assis derrière lui. Heureusement, il ne ressemble pas à mon père.

— Que se passe-t-il ? je demande, troublé.

— Je vous laisse seuls, dit Shaun. Il quitte la pièce en fermant la porte.

L'homme se lève. Il est grand, costaud, l'air malais.

— Je m'appelle Abdul, il dit. Ses incisives sont dorées, il porte un costume de prix. Peut-être du sur-mesure, parce qu'il a un sacré gabarit, mais le costume lui va bien.

Je lui serre la main, sans me présenter.

— Votre père s'est fait tirer dessus. Il est à l'hôpital. Ils pensent qu'il lui reste peu de temps à vivre. Je crois que vous feriez mieux d'aller le voir, il dit.

Je m'assieds, choqué, sans voix. Mon père s'est fait tirer dessus. Quoi ?

— Il est mourant ? je demande simplement.

— Je crois que vous feriez mieux de venir, il répète respectueusement, les mains croisées devant son bassin.

Je tremble légèrement.

Je vais dans le salon où il y a les autres. Je ne dis rien à Shaun, juste un signe de tête. Bizarrement, comme s'il comprenait, il me renvoie mon signe.

Je pars avec Abdul. Il conduit un coupé BMW Z3 noir. Nous roulons jusqu'à Groote Schuur.

Je hais les hôpitaux. Depuis Valkenberg, je déteste tous les endroits avec des infirmières et des médecins. Nous parcourons plusieurs couloirs, longs et larges. J'ai peur, je me sens nu. Abdul me précède légèrement, j'imagine que c'est pour éviter les questions. J'en ai tellement. Que s'est-il passé ? Quand ? Qui ? Une grosse femme aux lunettes épaisses renseigne Abdul à la réception.

Je me sens faible, effrayé, mais je continue. Abdul signe une feuille. Nous entrons dans une chambre seule.

La première chose que je remarque en entrant, c'est la machine qui surveille le cœur, émettant des bips. Le goutte-à-goutte à côté du lit. Il dort. Son visage légèrement gonflé, éraflé, une bosse sur le coin de la tête. De nombreux pansements. Un frisson me parcourt la moelle épinière.

— Où est-ce qu'ils lui ont tiré dessus ? je chuchote à Abdul.

— À Woodstock, il répond.

— Non, je veux dire où dans le corps ?

— Oh, pardon. Quatre balles. Deux dans une jambe. Une troisième dans l'autre jambe et la dernière dans le bras, il dit en faisant craquer ses phalanges. Je remarque qu'il lui manque un morceau du petit doigt, à la main gauche.

— Tshepo, c'est toi ? dit papa, un tube sortant de son nez.

J'avance involontairement. Je m'approche.

— Je suis juste dans le couloir, dit Abdul en quittant la pièce.

— Viens plus près, dit papa. Je prends une chaise, je m'approche avec hésitation.

— Tu as l'air en forme. Tu manges bien ? il demande.

— Oui, papa, je dis avec la voix d'un gamin de dix ans. Il dirige vers moi son regard intense. Je regarde son visage griffé, bouffi. Il a un air affreux, mais son regard est toujours combatif, cet air de dire allez-vous faire foutre qu'il a toujours.

— Qui t'a tiré dessus ?

— Ça n'a plus d'importance. Je vais mourir. Et puis quoi, tu voudrais me venger ? il ajoute avec cynisme. Il n'a pas changé.

— Je suis venu parce que j'étais inquiet, je m'entends dire.

— Pour moi ? Pas la peine, il dit avec arrogance. Je sais ce que je suis en train de faire. Je suis en train de crever.

Ça me fait drôle. Ça me rend triste.

— Pourquoi tu m'as appelé ?

— Parce qu'il faut que tu saches certaines choses avant que je meure, il dit en toussotant.

— N'en fais pas trop, tu n'es pas en train de mourir, je dis avec irritation.

— Ils croient qu'ils m'ont rafistolé, mais je sais que je saigne à l'intérieur. Je le sens. Je suis en train de mourir, il dit imperturbable.

— C'était quoi, ce que tu voulais me dire ?

— Ta mère. Tu n'as jamais compris notre relation, il dit.

Ça y est, je suis en colère.

— Je comprends surtout que tu es en train de récolter ce que tu as semé, je lui dis.

— Précisément.

— Ça veut dire quoi ça, « précisément » ?

— Comme je t'ai dit, tu n'as jamais compris notre relation. Elle était complexe. Ça remonte à loin.

— Où est-ce que tu m'emmènes là ? Je suis susceptible quand on parle de maman, surtout si c'est papa.

— Je vais rejoindre ta mère.

— Après ce que tu lui as fait ? Même Satan te mettrait à la porte.

— C'était ma femme. Ces vœux sacrés, je les prenais au sérieux.

— Oui, mais on dit jusqu'à ce que la mort vous sépare.

— Ça, c'est ce qu'ils ont dit. Moi, j'avais mes propres idées, il dit en toussant à nouveau.

Je savais que tu t'en sortirais, il dit. Comme s'il s'était bien occupé de moi en tant que père. Ça m'énerve de l'entendre dire un truc pareil. Où il était quand je mangeais du pain et des frites pour le petit-déjeuner, le déjeuner et le dîner, pendant les semaines où je trouvais pas de boulot et où ce salopard radin de Chris me torturait ?

Je me contente de serrer les dents.

— Je te prépare à la route. Là-dehors, c'est la jungle, tu manges ou tu te démanges. Il n'a jamais été très fort avec les expressions, mon père.

— Tu trouves que j'ai été dur avec toi. Mais je te rendais service. Je sais que tu es une pédale. Qu'est-ce que je peux y faire ? Je meurs. Il faut être dur aujourd'hui. Si tu es trop dur, les choses reviennent te hanter. Si tu es trop faible, tu avances pas. On sort jamais gagnant. Élever un enfant, c'est pas une science exacte. J'ai fait de mon mieux pour toi, malgré ce que tu crois.

Je l'écoute comme jamais jusqu'alors je n'ai écouté mon père.

— J'aimais ta mère, quoi que tu t'imagines. C'était ma femme avant d'être ta mère. Il m'arrivait même d'être jaloux de toi. Je sais comment tu étais avec elle, mais tu étais toujours mon fils, même si je te haïssais un peu.

— C'est bien de t'entendre parler avec honnêteté, je dis.

— Mais il y a des choses que tu ne sais pas que j'ai vues ou que j'ai faites. Je sais que tu penses que ma vie n'a aucun intérêt, que je ne suis qu'un criminel. Mais je suis plus que ça. Les livres te mènent pas si loin, je sais que tu lis beaucoup. Et ne me parle pas de sagesse. Ma mort sera peut-être la plus grande, la meilleure leçon que je puisse te donner.

La violence dans sa forme la plus pure – quand c'est en dernier ressort, quand elle est le résultat d'une délibération, d'une profonde réflexion, peut-être même d'une inspiration – peut être un acte d'amour, de bonté.

— De quoi parles-tu ? je demande, troublé. Tu me fais penser à ces idiots qui posent des bombes artisanales partout au Cap.

— Je parle de ta mère. Tu ne comprends pas tout. Certaines forces sont au travail dont tu ne soupçonnes pas l'existence. Tu as encore beaucoup à apprendre. Ne juge pas si vite, si facilement, particulièrement quand tous les indices semblent confirmer tes soupçons. C'est là que la vie est la plus trompeuse. Ne me déteste pas si facilement. Réfléchis un peu plus. Défie ton instinct. Remets-le en question. Remets-toi en doute.

— Tu essaies de me dire que tu n'es pas coupable ?

— Je te préparais le chemin. Nous avons sacrifié beaucoup de choses pour toi. Jusqu'à nos vies.

— Nous ? C'est une question de culpabilité ? Tu te sens coupable de ce que tu as fait à maman et de ta vie minable dans la mafia ?

— Fais-moi confiance. Tout est en ordre. Le processus a déjà commencé, ce qui est fait est fait. La boucle se boucle elle-même. Personne ne peut t'atteindre. Ta mère et moi, nous avons ouvert et scellé la face sombre de la violence et de la mort. Entre nous, les forces du bien et du mal se sont réconciliées, il dit. Ses propos paraissent déments.

— Ce sont les médicaments ? Peut-être il est en train d'halluciner.

— Tshepo. Il faut que tu retournes à Johannesbourg. Ton travail ici est terminé. Je sais comment tu gagnes ta vie. Il est temps de partir. Va voir ton cousin, il dit.

— Tu veux dire mon demi-frère ? Je sais ce qui s'est passé. Je sais que tu as eu un enfant avec ta sœur.

Il a l'air faible. Je ne peux pas trop l'agresser.

— Un jour, tu comprendras que je t'aimais. On ne choisit pas vraiment ce qu'on fait, ce qu'on devient. C'est la vie qui nous choisit.

— Oh, mon Dieu. Faut-il que j'appelle un prêtre ?

— Je veux que tu me promettes quelque chose, il dit. Son énergie faiblit.

— Quoi ?

— Promets-moi que tu vas faire quelque chose de cette colère. Je sais que tu es un type intelligent. Je ne crois pas l'avoir jamais entendu me dire ça. J'ai peur soudain. Et s'il mourait ? Qu'est-ce que je ferais ? Qu'est-ce que je ressentirais ? Qui serait l'objet de ma haine ? Le haïr m'a rendu fort.

— Tu as donné à ta mère tout ton amour et à moi toute ta haine. Tu avais raison. Les hommes ne sont pas comme les femmes. On se comprend mieux quand il y a de la haine entre nous.

— Alors tu sais que je te méprisais.

— Absolument. Et je t'y ai encouragé. Je ne voulais pas que tu avances les yeux fermés. Tu aimais ta mère trop profondément.

— Qu'est-ce que tu sais de l'amour ? je dis avec amertume.

— Je sais ce que c'est que l'amour d'une femme. Ta mère avait une foi absolue en moi. Tu sais ce que ça veut dire ? Ça veut dire que tu te sens tellement libre que tu es même capable de parier sur ton âme, il dit, il tousse encore.

— Tu veux de l'eau ?

Il secoue la tête.

— Ta mère m'aimait et je l'aimais. Jusqu'à la fin, il dit en respirant profondément. Ce tube dans son nez me gêne.

— Mais tu l'as tuée.

— Comme j'ai dit, tu ne comprends pas tout. Tous les détails.

— Tu veux que je ne tienne pas compte d'un détail comme celui-là ?

— Tu ne sais pas tout.

— Écoute, j'ai à faire. Je reviendrai demain, je dis. La colère devient trop forte pour moi.

— Ne réagis pas comme une femme. Je sais que tu es un homme, il dit.

— À demain, je dis sur le pas de la porte. Abdul entre quand je sors.

Une fois sorti de l'hôpital, je meurs d'envie d'une cigarette, même si je ne fume pas souvent. J'en pique une à une infirmière qui fait une pause à la sortie. Ça me brûle la gorge, mais je continue à avaler la fumée. Je me sens mal, j'ai envie de vomir.

Il ne peut pas me faire ça, il ne peut pas mourir. Pas maintenant. Pas jusqu'à ce que j'aie fait mes preuves, que je lui ai montré que je pouvais me débrouiller sans lui. Pas avant qu'il ne m'ait vu réussir, heureux, même si c'est avec un homme dans ma vie. Il ne peut pas mourir maintenant. Ce serait une tromperie de la vie. Où est la justice ? J'ai besoin de lui pour traverser les épreuves. Le savoir dans les parages me rend fort, ça me donne toutes les raisons dont j'ai besoin pour m'obliger à m'en sortir. Il ne peut pas mourir. Les médecins doivent faire quelque chose, ils doivent tout faire. Ils ne peuvent pas le laisser mourir. Ma vie dépend de la sienne. La seule chose qui m'a retenu de m'ouvrir les veines jusqu'ici, c'est de savoir que je suis plus fort que lui, contre toute attente, quoi qu'il arrive. Il ne peut pas s'en aller. Pas tant que je ressens encore autant de colère, autant de mépris pour moi-même. Pas tant que je ne m'aime pas moi-même, que je ne me sens pas bien.

Il ne peut pas partir. Il ne m'a pas vu au top. J'ai tellement travaillé à devenir une meilleure personne, à faire quelque chose de ma vie. Je veux voir l'envie sur son visage quand je réussirai. Je veux l'entendre dire, « je me suis trompé sur Tshepo. Je ne connaissais pas mon fils. Mon fils, je l'ai trompé, je n'ai pas été à la hauteur. Je le détestais ». Voilà ce que je veux qu'il dise. Mais je veux qu'il le dise avec humilité.

Pourquoi fallait-il qu'il se fasse flinguer ? Ce coup fatal, c'était à moi de le porter. En constatant ma réussite, il aurait dû pâlir, sentir venir la crise cardiaque. Au moins, il aurait dû un peu souffrir à cause de moi. Il aurait dû ressentir ce que ça fait d'être seul et rejeté. Non, il ne peut pas mourir.

Je prends un taxi pour le centre-ville. À la maison, je trouve Jacques qui végète dans le salon, ses deux chats posés sur les deux bras du canapé. Leur odeur envahit tout l'appartement. Je déteste cette odeur.

— Ça pue comme dans un zoo ici.

Il ne dit rien. Je vais à la cuisine. L'évier est plein de vaisselle sale, sa vaisselle sale. Il ne nettoie jamais. Il laisse tout en attendant la femme de ménage, une fois par semaine. J'ai la nausée en voyant de gros cafards qui se baladent sur l'évier, leurs longues antennes se percutant.

Je vais dans ma chambre, je ferme la porte à clé. La dépression m'assaille, comme un nuage noir. La colère me rend puissant. Je pourrais tout casser. Pourquoi me fait-il ça ? Il est le seul qui arrive à me pousser à de tels extrêmes.

Quand je suis déprimé, ou très en colère, ça m'excite. J'ai une violente érection. Sur le lit, je baisse ma braguette, je commence à me masturber. Je pense à ce type avec le moignon, ce dieu de la fertilité qui me baise dans mes rêves. Après avoir joui, je m'essuie avec un tee-shirt sale. Dehors, il y a du vent mais il fait chaud. J'ouvre la fenêtre. Je me sens mieux, mais toujours limite. Je décide de ne pas retourner travailler. Je passe le reste de la soirée à écouter de la musique sur ma nouvelle chaîne Sansui. Celle que je me suis achetée avec mon argent, pas le sien. Je nettoie ma chambre, je range bien mes chaussures dans un coin, mes livres dans un autre. Les chaussures sont neuves, elles ont l'air bien propres. Ha ! J'aimerais qu'il puisse voir ça. Qu'il puisse voir comme je m'habille bien, comme je mange bien, comme je m'y connais en vins, en bonnes manières. Qu'il puisse voir comme je suis responsable. J'ai l'intention de m'acheter un ordinateur portable, et avec la facture ! J'aimerais qu'il sache que West et d'autres hommes que j'ai rencontrés m'ont appris deux ou trois choses sur la bourse. Qu'il sache que j'ai investi mon argent en actions, dans des introductions en Bourse. Je sais qu'il serait impressionné. Je sais qu'il ne connaît rien au marché des actions et que, statistiquement, c'est une des façons les plus sûres de gagner de l'argent, si on a de la patience. Le marché des denrées alimentaires, l'indice All-Share, les dividendes, le Nasdaq, ces mots ont-ils seulement un sens pour lui ? Sans doute pas, mais j'aimerais qu'il sache qu'ils en ont eu un pour moi. Qu'il sache que je n'ai pas été stupide et maladroit comme il a toujours cru.

Il ne me connaît pas mais il a eu l'audace de dire qu'un jour je l'aimerais.

Le lendemain matin, je me lève vers huit heures. Je me lave, je m'habille rapidement. Mon estomac proteste, je l'ignore, je pars sans manger. Je vais au centre-ville prendre un taxi pour l'hôpital de Groote Schuur. À la réception, je trouve une autre femme, petite et mince, le visage un peu creusé. Je lui dis que je viens voir mon père. Elle vérifie sa liste, elle me regarde bizarrement.

— Personne ne vous a prévenu ? Je suis sûr qu'on a appelé. Votre père est mort à trois heures ce matin.

En recevant la nouvelle, j'ai l'impression qu'une bombe atomique explose en moi. Ça m'anesthésie. Je me tiens là, j'ai envie de pisser dans mon pantalon.

— Vous êtes sûre ? je demande d'un ton désespéré, j'étais là hier, il avait l'air bien.

— Son état s'est subitement aggravé. Nous l'avons envoyé d'urgence en salle d'opération. Il est mort sur la table. Je suis vraiment désolée.

Combien de fois a-t-elle déjà dû annoncer une nouvelle de ce genre ?

— Excusez-moi, vous êtes Tshepo ? elle demande, en lisant quelque chose sur son registre.

— Oui.

— Il y a un message pour vous. J'ai failli ne pas le voir, elle dit en écrivant un numéro sur un morceau de papier qu'elle me tend. À côté du numéro, il y a le nom d'Abdul.

Mon Dieu, il est vraiment mort, je me dis en prenant le papier, me sentant étrangement triste. J'invoque mes réserves de colère mais elles sont introuvables. Ma gorge se noue, devient douloureuse, mais je refuse de pleurer. Pas pour lui.

— Voulez-vous quelque chose à boire ? elle demande gentiment.

— Non merci. Je ne sais pas où aller. Je ne sais pas quoi faire.

Je m'assois sur une des chaises à la réception, je laisse la nouvelle faire son chemin en moi. Le salaud, il m'a fait ça, il est mort. Je contemple le morceau de papier un long moment. Eh bien, c'est officiel maintenant, je suis orphelin. Je me suis toujours senti orphelin depuis que ma mère est morte, mais maintenant, c'est officiel.

Je sors mon téléphone portable.

— J'ai laissé un message à votre travail, dit Abdul d'un ton désolé.

— Je n'y suis pas allé, je réponds, la voix basse et lourde. Comme si quelqu'un avait laissé tomber une enclume sur ma poitrine. Quand est-ce qu'on l'enterre ? je demande.

— Ne vous inquiétez pas de ça. Tout est déjà réglé.

— Qu'est-ce que ça veut dire, c'est réglé ?

— Je l'enterre cet après-midi.

— Quoi ? je demande abasourdi.

— Votre père était musulman, il dit, et vous connaissez la coutume. Il faut qu'il soit enterré dans les vingt-quatre heures.

— Musulman. Depuis quand ? Quand s'est-il converti ?

— Je l'ai toujours connu musulman.

— Je vois. Je suppose que je ne dois pas venir, du coup.

— Vous n'êtes pas musulman ?

— Non.

— Bien sûr. Pas avec un travail comme le vôtre…

J'ignore la remarque.

— Je ne vous conseille pas de venir. Vous ne comprendriez pas les rites. Et puis je pense qu'il aurait préféré qu'il en soit ainsi. Que sait-il de mon père que j'ignore ?

Un moment de silence.

— Il vous a laissé quelque chose, une lettre. Je l'ai déposée à votre travail, il dit.

— C'est tout ? je demande, mais je n'espère rien de plus.

— Oui. Il a été très clair sur tout ce qu'il possède, ce qui devait en advenir. Ne vous inquiétez pas, tout est arrangé, il dit, comme s'il voulait raccrocher.

Mais je ne veux pas que la conversation se termine, il est le dernier lien que j'ai avec mon père.

— Abdul, qu'est-ce que je fais maintenant ? Vous allez enterrer mon père, je ne le reverrai jamais.

Ma gorge me fait mal.

— Reprenez votre vie. Il est dans les mains bienfaisantes d'Allah désormais, il propose généreusement, mais ça ne me soulage en rien.

— C'est affreux. Je ne peux pas raccrocher, je dis lamentablement.

— Pas de problème. J'attendrai que vous raccrochiez le premier.

J'ai envie de pleurer.

— Abdul ?

— Oui.

— Il est vraiment mort ? je demande.

— Vous devriez rentrer chez vous, vous reposer.

Le silence s'installe, mais je l'entends respirer à l'autre bout.

— Abdul ?

— Oui.

— Dites-lui que je l'aime, je dis en raccrochant.

Je me sens faible, de faim et de douleur. Je sors, à la recherche d'un sandwich aux frites sur la grand-rue. J'achète un sandwich avec plein de piments, pour brûler la peine, cette laideur à l'intérieur. Les piments frais me mettent la bouche en feu. J'achète une canette de coca. Le mélange de la boisson effervescente et des piments crée une sorte de chambre de torture à l'intérieur de ma bouche. Comme si je me mutilais avec un couteau. Je marche vers le centre-ville, je passe devant plusieurs magasins, les boutiques miteuses de Salt River. Je marche jusqu'à la gare, mes jambes ne sentent pas la distance. Je continue jusqu'à Sea Point. Le ciel est couvert mais on devine toujours le soleil à travers le voile nuageux. La lumière opaque qui en résulte crée un effet apaisant, hypnotique. J'aimerais que la terre m'avale pendant que je marche. Je voudrais que le tonnerre me déchire, que le vent m'emporte dans un désert.

Une fois à Sea Point, je prends un taxi pour rentrer à la maison. Je m'enferme dans ma chambre, je dors d'un sommeil oppressant. Je me réveille à quatre heures de l'après-midi, fatigué, affamé, hébété. J'aurais dû aller à la gym aujourd'hui, je me dis, essayant de redonner un sens à ma vie. J'y vais un jour sur deux. Je me lève, je m'habille pour aller au travail. Ça me fera penser à autre chose.

SEBASTIAN

Il fait chaud. Les journées chaudes sont synonymes de soirées calmes. Les gens restent à la plage aussi longtemps que possible. Et après, ils préfèrent sortir que venir ici. Nous ne sommes que cinq à travailler ce soir, moi, Angelo, Storm, Carrington et Adrian. Les autres sont malades ou en congé. Les excuses sont le prélude au départ. L'équipe change toujours autour de Noël. Introspection, culpabilité, Église, sida – qui sait ce qui les fait soudain quitter le navire. Ce boulot n'est pas pour tout le monde, c'est ce que Shaun ne manque jamais d'expliquer aux nouveaux étalons.

Storm et Carrington sont à l'extérieur, l'un en mission, l'autre pour la nuit. Adrian dort dans l'autre canapé. Il a passé toute la nuit dehors, pour une multiple. Angelo est avec moi dans le sofa. On a tous appris ce qui est arrivé à son père, mais personne n'a rien dit. Il est assis en silence à côté de moi, il regarde la télé.

— Écoute, j'ai appris pour ton père. Je ne sais pas quoi dire. Je suis désolé, j'essaie finalement.

— Merci, il dit seulement.

Shaun entre pour nous dire qu'il se peut que quatre Allemands passent plus tard, ils cherchent des étalons qui correspondent à notre profil.

— Tu n'es pas obligé de rester, tu sais, il dit à Angelo.

— Je sais. J'ai juste pas envie d'être tout seul, il dit, l'air triste.

Shaun retourne dans son bureau. J'allume une cigarette. Il m'en demande une, je lui tends le paquet.

— Tu sais le pire ? J'espérais secrètement qu'il meure, il me dit.

— On espère tous qu'un de nos parents meure, voire les deux, à un moment donné.

— C'est pas ça, je le détestais, il dit avec difficulté, mais je l'aimais aussi. Qu'est-ce que ça signifie ?

Il tire de longues bouffées.

— Qu'est-ce que je fais maintenant, Sebastian ? J'ai l'impression que le diable veut ma peau. Il m'a laissé une lettre. Je supportais pas l'idée de la lire, je l'ai brûlée.

— Je vais te raconter une histoire, appelle ça un mythe si tu veux. C'est pas l'histoire la plus gaie, mais elle me donne toujours de la force quand j'en ai besoin, je dis.

Il me regarde avec ardeur. J'attrape un cendrier sur la table basse, je le pose sur mes genoux.

— On raconte que dans un endroit reculé du monde, un endroit sombre et secret, vit une femme, dans un donjon qu'elle ne quitte jamais. Cette femme est prisonnière. On raconte aussi que cette femme est la Mère originelle, celle qui a donné naissance aux premiers hommes. Elle est immortelle, la seule sur notre planète. Ce qui fait d'elle la personne la plus révérée de la terre.

— Au fil des siècles, les gens ont appris qu'elle avait réussi à vaincre la mort. Mais aussi qu'elle est humble et secrète. Seules les âmes éveillées peuvent la reconnaître. Au fil des millénaires, des gens l'ont suivie, essayant d'apprendre d'elle le secret de l'immortalité. Cependant, des complots se fomentèrent, des cabales se montèrent. Tout le monde voulait l'élixir de jouvence, ils se mirent à la traquer. Mais elle était prudente, effacée, où qu'elle aille, elle ne laissait aucune trace de son passage, parcourant le monde librement, veillant sur ses enfants.

— Toutefois, lorsque les hommes apprirent à écrire, il y a très longtemps comme tu peux t'en douter, elle fut faite prisonnière. Une fois capturée, ils essayèrent de la forcer à avouer le secret de sa vie. Elle refusa. Aujourd'hui encore, ils continuent de la torturer. Tu vois, ils savent qu'elle peut avoir une influence sur le temps, la vie des plantes et des animaux, que les choses lui obéissent. Ils savent que sa connaissance de la terre est profonde et ancienne. Les peuples d'Atlantis connaissaient déjà ces choses. Ces dons de voyance, de lecture des astres, ils les lui avaient volés, à elle, à la Mère. Ils utilisèrent ces énergies surnaturelles à de mauvaises fins, ils finirent par se détruire eux-mêmes, ayant déséquilibré la nature. Peu survécurent au cataclysme d'Atlantis. Au fil des millénaires, ils léguèrent cet héritage aux hommes modernes. C'est pourquoi, un peu partout sur terre, de nombreuses cultures connaissent des fragments de l'histoire du Grand Déluge. C'est une partie de l'héritage d'Atlantis, une partie de notre conscience collective.

Aujourd'hui encore, certains d'entre nous ne sont pas ce qu'ils ont l'air d'être, ce sont des gens qui connaissent les lois secrètes de la vie et de la nature, et qui savent les manipuler. Des gens qui peuvent influer sur la météo, imperceptiblement mais dans un but finalement délétère. Ces gens de l'ombre sont présents dans toutes les couches de la société.

Ce sont eux qui décident ce que nous mangeons, vers où doit, ou ne doit pas, aller le progrès. Tu as peut-être entendu parler des Illuminés de Bavière. Ils constituent juste la partie émergée de l'iceberg. C'est une société complexe dont les membres occupent les fonctions les plus élevées. Des gens qui sont au-delà des banques et des pays, des gens qui contrôlent littéralement certaines parties du globe. Ils sauraient peut-être même comment guérir le sida, mais ne le divulguent pas pour des raisons politiques, ou simplement pour jouer à Dieu. Combien de milliards ont été dépensés pour cette maladie? On peut envoyer un vaisseau sur Mars mais pas trouver un remède contre le sida, quelque chose cloche.

Tout ce pouvoir, toute cette connaissance dépendent de cette femme. Quelque part entre ces sociétés secrètes et ces comploteurs rivaux, quelqu'un sait où se trouve cette femme. Et pendant ce temps, se déroule une sorte de guerre entre réseaux d'espions. Les gens ordinaires ne se doutent de rien. Mais si tu regardes la télé, si tu lis certains journaux, certains magazines, tu commences à voir qu'il y a quelque chose de plus derrière les apparences. Des campagnes de dénigrement, des morts mystérieuses, des gens impliqués, des témoignages de personnes qui affirment avoir été membres de sociétés secrètes. Il faut faire le tri dans pas mal de merde, mais il y a un fond de vérité, si tu surfes patiemment sur le Net.

Ces gens qui ont hérité ce savoir ancien, on dit qu'ils utilisent leur cerveau à 90 % de ses capacités, ou plus, qu'ils ont vraiment étendu les limites des capacités humaines. Métamorphisme, télépathie, voyage dans l'espace, invisibilité, communication avec les forces obscures, capture d'anges et autres créatures célestes, tout est vrai. Ils font partie d'un monde d'en bas complexe. On dit qu'ils peuvent transmettre une information d'un simple regard. Ils sont partout dans la société, occupent différentes fonctions à différents niveaux de pouvoir et de connaissance. Au sommet de la structure, il y a les gardes d'élite, ce sont les intermédiaires, assistés par les auxiliaires et une armée d'informateurs qui ont des sbires partout. Ce sont des instituteurs, des fonctionnaires, des stewards, des conducteurs de bus, des ambulanciers, des pères, des épouses, des gens ordinaires qu'on croise dans la rue, des gens modestes. On raconte que ce sont surtout des hommes. Leur but est d'obtenir assez d'informations pour être partout, s'immiscer dans tout. Au bout du compte, tout ça est une affaire d'information. Qui l'a, qui ne l'a pas. Comment l'obtenir, comment la protéger, par n'importe quel moyen. Le monde devient plus abstrait, plus virtuel, moins réel. Ces types sont très en avance dans les technologies modernes, ils sont capables de choses qui relèvent de la science-fiction. Ça représente un divorce d'avec la nature. Ce qui ne peut avoir qu'une seule conséquence : la mort.

Ce que je te raconte là, c'est le résultat de pans de conversations que j'ai surprises en cachette, en surfant sur le Net, des conversations avec des clients, en les connectant les unes aux autres. Ce sont des choses que personne ne me confierait délibérément. On raconte que dans ces sociétés, il n'y a pas de communication verbale, il n'y a jamais rien d'écrit non plus, pour éviter les fuites. Il leur faut être très prudents. Il faut que tu sois attentif à tes clients, que tu notes les indices, que tu ouvres les yeux. Tu ne sais jamais qui ils sont, ni ce qu'ils essaient de te dire.

— Ces membres de l'élite, ils sont immortels eux aussi ? il demande.

— Non. C'est la raison pour laquelle la femme est toujours retenue otage. Une théorie veut qu'elle soit retenue par une Église puissante, dominante, tellement riche qu'elle peut s'ériger en pays. Cette Église veut utiliser cette information comme l'arme absolue, l'opium ultime des masses, qui changera leur perception de cette Église et de la vie éternelle. Ils cherchent à retirer Dieu de l'équation. S'ils savent comment vivre éternellement, à quoi sert Dieu ? L'Église deviendrait en elle-même un demi-dieu, l'autorité ultime, disant aux gens comment mener leur vie, faisant miroiter la vie éternelle comme on tend un biscuit à un chien pour le faire sauter. Tu imagines comment l'Église manipulerait les gens ? Alors, nous connaîtrions vraiment les ténèbres. Les gens contrôleraient qui a le droit de vivre pour toujours, qui ne l'a pas. Ce serait le chaos. Le pouvoir serait bien sûr toujours aux mains de l'élite, ceux qui se sentent choisis, quand ils n'ont fait qu'imposer leur volonté, utiliser à mauvais escient cette information sacrée, aller contre les lois naturelles de l'univers.

Tout ce temps, cette femme est enfermée dans un recoin sombre et profond, où elle est régulièrement torturée. Pour contrôler la nature, il faut qu'ils la contrôlent, elle. Ils l'ont violée, ils ont eu des enfants avec elle, mais qui sont tous morts à la naissance, ou n'ont pas vécu longtemps. Ils l'ont battue, ils lui ont fait manger ses propres fœtus, pour qu'elle donne son secret. Mais elle s'obstine. Elle a souffert, enduré mille tortures, tout au long de ces siècles. Il y a une relation entre les rapides progrès de l'humanité, depuis le soi-disant siècle des Lumières, et les souffrances de cette femme. Plus nous sommes avancés, plus ils la torturent, plus ils deviennent monstrueux. Elle leur dit des choses, mais contre son gré. Ils ne peuvent pas la tuer puisqu'elle est immortelle, touchée par la divinité.

Et pourtant ils essaient. Il se trouve que par malheur cette femme est noire. On peut donc l'oublier. C'est malheureux parce que les noirs connaissent déjà assez de souffrances. Je ne dis pas cela par condescendance, c'est la réalité. L'histoire, qui sait? Nous avons tous notre rôle à jouer. C'est aussi pour cela que les gens sont tellement anesthésiés, si indifférents à l'Afrique et ses atrocités. C'est lié à cette femme, retenue prisonnière. Ils peuvent voir des enfants noirs mourir de faim en Éthiopie et ne pas ciller parce qu'ils voient ça comme « leur lot » dans la vie. Mais qu'ont-ils fait quand la Bosnie s'est enflammée?

Maintenant, écoute ça. Voici ce qui m'inspire. Tout le monde du vivant, plantes et animaux, est au courant pour cette femme. Ils la considèrent comme la Mère universelle. Ils la respectent parce qu'ils sont en empathie avec son esclavage, son emprisonnement. Toutes les créatures vivantes ont vécu comme un traumatisme ce qui a été fait à cette femme, cette gardienne des animaux et des plantes. Par solidarité, en hommage, les plantes et les animaux sont restés muets, passifs, ils ont gardé leurs secrets. Mais cette femme pourrait, elle, communiquer avec chacun d'eux.

Nous sommes manipulés par certaines de ces cabales à tous les niveaux. Dans certains centres commerciaux, on introduit secrètement des œstrogènes dans les conduits de ventilation. Ils font ça pour nous rendre dociles, pour que nous restions à notre place, à moitié endormis, satisfaits de suivre des habitudes absurdes sans nous poser de questions. Et certains aliments, certaines marques considérées comme des icônes culturelles, qui sait ce qu'il y a vraiment dedans? De plus en plus de gens découvrent tout cela, s'interrogent – *mais qu'est-ce qui se passe?* C'est pourquoi cette conspiration est un sujet aussi brûlant ces temps-ci. On assiste à un réveil collectif, ils n'arrivent plus à nous contrôler. Ils n'arrivent plus à contrôler l'information. C'est trop. Eux aussi, ils commencent à paniquer. Il y a trop à cacher, trop à protéger, les coutures sont en train de péter.

Et désormais c'est la terre qui échappe au contrôle, tellement déséquilibrée après des années d'abus que le pire est encore à venir. Les mêmes causes qui ont entraîné la disparition d'Atlantis vont nous affecter.

C'est pourquoi la plupart des gouvernements qui sont au courant prennent des mesures. Regarde les USA. L'armée a changé de rôle.

Aujourd'hui, on les entraîne davantage à travailler avec les civils. L'entraînement à la survie est plus important que le maniement d'une arme. On les entraîne à la gestion de crise, à la résolution de conflit, c'est notre avenir qui est en jeu. Le méchant, ce n'est plus le Russe, ou le bon vieux Saddam. C'est nous. Le Déluge est dans toutes les têtes, mais personne n'en parle.

Les sismologues, les vulcanologues, les géologues – tous ils scrutent la terre et ils savent que nous nous dirigeons vers quelque chose de fort et affreux. Le grand tremblement de terre qu'on attend, c'est celui de Tokyo. Il viendra. Quand il se produira, les Japonais devront rapatrier toutes leurs ressources monétaires de l'étranger. Le PIB de Tokyo est plus important que celui de toute la Grande-Bretagne. Tu imagines ? L'économie mondiale sera dévastée, ce sera un chaos global, la chute de Babylone dont les rastas parlent tant. C'est trop abstrait pour l'imaginer, pour le mettre en mots. Ça nous dépasse tellement qu'on ne dit rien. C'est la même chose avec l'épuisement des ressources naturelles. On sait tous qu'on arrive au bout, mais on continue comme si ça allait durer éternellement. C'est trop abstrait, trop vague. On ne comprendra que lorsqu'on commencera à être touchés directement, petit à petit. Une catastrophe naturelle approche, qui mettra l'humanité à genoux. Les gouvernements le savent, même s'ils n'en parlent pas pour éviter la panique. Les hommes sont ce qu'ils sont. L'information doit être protégée à tout prix.

Je suis assez bon médium. Sur une échelle de un à dix, je me placerais à huit.

Au cours de cette année, j'ai fait les rêves les plus violents et ils ont tous à voir avec des catastrophes naturelles, des gens qui se noient, qui brûlent, qui crient, qui piétinent des enfants pour se sauver eux-mêmes. Incendies, éruptions volcaniques, tremblements de terre. Ça me terrifiait, mais j'ai appris à les accepter. Je les vois comme des intuitions. C'est inévitable. Je l'ai vu. Plus de la moitié de l'humanité périra dans les temps à venir. Peux-tu imaginer une destruction à cette échelle ?

Les gens s'imaginent ça comme l'Armageddon, la punition de Dieu. Nous ne comprenons pas que c'est nous-mêmes qui nous l'infligeons. La terre réagit. Nous avons créé des déséquilibres, elle se défend. Cette purification va entraîner des morts massives, comme nous n'en avons jamais connu, et provoquera finalement la libération de cette femme, la Mère originelle. Que peuvent faire les élites contre ce carnage incontrôlable ? Il y a six milliards d'êtres humains sur la planète. Que fait-on de trois milliards de cadavres ? C'est effrayant et on pense à Auschwitz. L'histoire est-elle en train de nous revisiter d'une façon tordue, ironique? Tu te souviens du Rwanda, de ce qui s'est passé après le carnage? Les chiens se sont lâchés, ils ont tout bouffé. L'air était irrespirable, trop de putréfaction.

Les membres des élites ont toujours été au courant de ce cataclysme. À la fin des années 1970, ils nous ont donné le sida, ils pensaient qu'il suffirait de vingt ans pour décimer la moitié de la population, pour préparer la fin des temps. Ils avaient sous-estimé la capacité de résistance de l'humanité. Les gens se sont défendus contre le sida. J'ai de fortes présomptions qu'il existe un traitement, que la pandémie a été organisée par l'homme. Ce n'est qu'une question de temps avant que la vérité n'éclate. Notre survie est en jeu.

Une violence et une destruction comme nous n'en avons jamais connu sont imminentes.

Alors viendra la paix, une période nouvelle, une renaissance spirituelle. Même la Bible en parle. Mais avant la paix, il nous faut traverser une période sombre. Les animaux vont s'attaquer à nous. Les animaux domestiques attaqueront leurs propriétaires, brutalement, pour venger cette femme tenue captive. C'est l'Église qui souffrira le plus. Nous saurons ce que c'est que vivre comme des animaux. Cette expression, « tu es un animal », elle n'a pas encore pris tout son sens. Mais ça vient. C'est la terre qui commandera à nouveau quand l'instinct reprendra le pas sur l'intellect. La nature va bander ses muscles et dominer. Ce sont les plus adaptés qui survivront. Nous, êtres humains, en tant qu'espèce, nous avons été trop gâtés, nous n'avons jamais vraiment connu la lutte. Nous avons eu accès à l'air, à l'eau, aux ressources, à la terre, sans jamais vraiment avoir à nous battre pour notre survie. Nous avons pris tout cela pour acquis, pour toujours. Mais qu'est-il arrivé aux dinosaures ?

Nous devrons à nouveau faire allégeance à la Nature, sentir son ventre, apprendre la souffrance. Le culte de la terre-mère est en pleine renaissance. C'est un prélude aux temps à venir.

De toute cette confusion, un être apparaîtra, un homme jeune, qui nous conduira hors des ténèbres. Après le carnage et la purification, cet individu, qui aura mené jusque-là une vie paisible, prendra toute sa dimension. Il aura le cœur pur mais, en sage, il connaîtra le monde et ses bassesses. Ce sera un beau jour, plein de lumière, un jour de célébration, quand les vertueux seront honorés par cette lumière. Après le carnage, les âmes restantes sur terre assisteront à la phase ultime, le bain de lumière. Les êtres vertueux seront capables de transformer la lumière, transmettant ainsi son énergie aux royaumes les plus élevés. Mais certains n'en seront pas capables, la lumière les consumera. Ils devront passer le restant de leurs jours dans les ténèbres, ou bien ils seront brûlés à mort. Leur âme, après tout, n'est qu'une divinité renversée, prisonnière de leur incarnation physique. Elle vient de la lumière, elle retournera à la lumière. Ceux qui périssent seront simplement transformés en d'autres possibles. J'imagine qu'être brûlé, c'est un peu comme être purifié. La Nature est parcimonieuse, elle ne gâche rien. En même temps, elle est généreuse. L'âme ne peut être détruite. Elle est immortelle. Sans début et sans fin. Sa nature, c'est le mouvement perpétuel, que ça signifie emplir une vie de lumière ou la plonger dans les ténèbres, accéder à l'élévation ou tournoyer sans fin dans l'éternité.

— J'ai eu moi aussi de drôles d'impressions sur ce qui va se produire. En fait, je crois que nous sommes proches des derniers jours, dit Angelo.

— C'est une bonne nouvelle malgré tout, tu ne crois pas ? je demande.

— J'imagine, il dit sans enthousiasme, mais le parfum de la mort est partout. Il me rend malade.

ANGELO-TSHEPO

Il est tard. J'ai pris un taxi. Le conducteur, un Indien grassouillet, me laisse devant mon appartement et s'en va. Un chat blanc traverse fièrement la rue. J'entre.

Jacques est dans sa chambre. Je l'entends ronfler à travers la porte fermée. Les chats sont dans le salon. Ils semblent agités. Dehors, c'est la pleine lune. Je m'assois dans le noir, j'ai envie de dormir, mais je sais que le sommeil ne gommera pas la fatigue. Quelque chose d'autre s'est emparé de moi, je ne sais comment appeler ça. Je me sens différent. Quelque chose s'est résigné en moi, comme si je savais le sort qui m'attend.

Ce matin, j'ai encore fait un rêve étrange. J'étais un faucon survolant une viande en décomposition, des cadavres humains. Une femme énorme s'est changée en dinosaure, elle a commencé à les dévorer. C'était trop affreux, je me suis réveillé.

Les chats passent leur queue contre ma jambe. J'ai envie de les chasser. Il y a quelque chose de mauvais dans les chats, peut-être leur arrogance. Ils veulent que je les caresse, que je les chatouille, mais je les ignore. L'un d'eux finit par sauter sur mes genoux. Je le rejette, il pousse un cri. Au bout d'un moment, la porte de Jacques s'ouvre. Il sort en sous-vêtements. Il allume la lumière, rassemble ses chats, me lançant un regard dur. Il sent terriblement mauvais.

— Tu pues, je lui crache. Il ne répond pas. Il me lance un regard mauvais et disparaît dans sa chambre. Éteins la lumière, bordel, je hurle, mais il s'en fout.

Je me lève, j'éteins moi-même. J'en ai marre de vivre avec des trous-du-cul. J'ai le chic pour les dénicher. Si ça se trouve, je suis moi-même en train d'en devenir un. Je vais dans ma chambre, il y fait chaud. Je m'effondre sur mon lit, je sombre dans le sommeil, encore habillé.

Le matin, je me réveille avec une pulsion inhabituellement forte pour vérifier l'état de mes finances.

Je téléphone à quelqu'un dont j'ai fait la connaissance par West, un gestionnaire de portefeuille à la Old Mutual. Il m'aide à gérer mon argent contre un petit pourcentage. Je lui demande de vendre tous mes placements. J'ai un mauvais pressentiment, le marché va s'effondrer, je lui dis.

— Très bien. Je comprends. Votre argent sera sur votre compte demain, il dit sombrement, mais je refuse de me sentir coupable.

Je me sens encore fatigué. Je m'oblige à me changer pour aller faire de la gym, je prends un taxi pour Sea Point. Au club, je suis un cours de step avancé, je suis obligé de me concentrer pour réussir les exercices compliqués. J'en sors en me disant que je me suis bien dépensé. J'enchaîne avec quarante-cinq minutes d'haltères. Dans les vestiaires, je me douche rapidement, puis je vais au sauna. Nous sommes six là-dedans. Je ne tiens que cinq minutes avant de prendre une douche tiède. À Sea Point, je vais déjeuner chez Ardi. Je me sens étrangement seul, isolé, l'impression que les gens me regardent. Je ne peux pas dire qui, une impression diffuse. Je me rends ensuite chez Exclusive Books sur le front de mer. Le type à la caisse me jette des regards comme si j'allais voler un livre en le mettant dans mon sac. Je disparais dans une autre section de la grande librairie. Je le vois bientôt rappliquer, l'air affairé, avec une pile de livres qu'il se met à installer sur un rayon près de moi. Je me sens mal à l'aise, je m'en vais rapidement.

Dehors, à la recherche d'un taxi, un type marmonne quelque chose à mon intention mais je ne comprends pas de quoi il parle. Il marche dans la direction opposée. Que se passe-t-il? Je sens des yeux sur moi partout où je vais, je commence à paniquer légèrement. Je monte dans un taxi collectif, je m'assois à l'arrière, là où personne ne peut regarder ma nuque. Je descends au niveau de ma rue, je marche vite pour me rendre à l'appartement. Au bloc suivant, assis sur une caisse, un clochard à l'air sale me fixe quand j'entre dans l'immeuble. On dirait un rat humain.

Jacques n'est pas là. L'odeur de la nourriture pour chat est partout dans l'appartement. Je vais dans ma chambre, enfin seul, soulagé. Je ferme la porte, j'ai rapidement envie de dormir. Le sommeil s'empare de moi.

Je rêve de la maison, Soweto. Je n'en ai pas rêvé depuis longtemps. Dans mon rêve, tous mes amis, tous les gens avec qui j'ai grandi ont des têtes de chacal et de loup. Je les reconnais à leur corps, à leur démarche. Je rêve de Mshenguville et d'autres bidonvilles. Je vois de l'or dans le ciel et, quand les gens boivent, je me rends compte que c'est du sang qu'ils boivent. Je me sens prisonnier de mon rêve, errant autour de mon quartier, à Orlando East. Bizarrement, j'entends le muezzin. Je croise un vieil homme dont la peau du visage est si distendue qu'on dirait un masque.

On s'assoit sur des tabourets, au milieu de la rue, et on regarde passer les voitures à une vitesse démentielle. J'ai la tête qui tourne, je fixe le vieil homme pour m'empêcher de tomber.

— Ton père t'a ouvert une longue route, il prononce mystérieusement, des petits cafards tombent de sa bouche quand il parle.

— Mais qu'est-ce que je viens faire là-dedans ? je demande, déconcerté.

— Ton père, il n'est pas vraiment musulman. Ils ont hérité certains de leurs rites d'un grand peuple, très ancien.

— Qui ça ?

Il sourit à nouveau, mystérieusement.

— Je n'ai pas de réponse pour toi, il dit.

Je regarde foncer les voitures, elles s'évitent miraculeusement les unes les autres. Quand je me retourne, le vieil homme a disparu.

Je marche dans Soweto. Partout où je vais, des petits enfants jouent aux cow-boys et aux Indiens avec de vraies armes, les petites filles et les petits garçons jouent à la poupée avec des préservatifs et des godemichets. Je m'enfuis avec horreur. À Rockville, j'arrive dans un stade. Des chevaux sauvages y courent, leurs crinières flottant magnifiquement au vent. Sur un autre terrain, je vois un groupe d'hommes torse nu qui jouent au foot. À mesure que j'approche, ils se métamorphosent en centaures pleins de grâce, aux longues queues furieuses. Je cours vers eux, ils forment un cercle autour de moi. Leur beauté est sauvage, ils sont de toutes les couleurs imaginables. Je commence à me sentir excité à la vue de cet arc-en-ciel de torses musclés. Ils boivent du vin et deviennent fous sur le terrain, tapant dans la balle, transpirant, galopant, martelant la terre de leurs sabots.

Je m'éveille avec une érection agréable, je me masturbe. Je ne pense à personne en particulier. Je me masturbe juste pour le plaisir.

Le soir, je décide de ne pas me rendre au travail. À quoi ça sert ? Je me sens confus, changé. Et puis Shaun m'a dit que je pouvais prendre quelques jours. C'est comme si, à chaque fois que je m'endors, je ramenais quelque chose de mon rêve, d'un autre monde. Vers neuf heures, je décide d'aller prendre un verre chez Biloxi. C'est bondé, comme tous les samedis soir. Les hommes sont excités. Quand je traverse la foule, quelqu'un m'attrape les fesses, un autre m'effleure le sexe. L'odeur des hommes et de leurs eaux de toilette m'enivre. Je commence à me détendre, je commence à y voir un peu plus clair. Pourquoi étais-je si tendu, si parano ? Je vais au bar, je commande une Amstel à un barman narcissique qui passe son temps à caresser son ventre plat et à envoyer des œillades endormies à tout le monde. Les beaux gosses fous d'eux-mêmes n'ont rien de sexy. J'ai toujours préféré le genre discret, silencieux. Chez les hommes, la force intérieure se manifeste par le silence. Les types bavards, arrogants, qui ont réponse à tout ne sont bons qu'à une chose : jacasser.

Je me tiens en arrière, je regarde cette foule d'hommes qui dansent. Mon regard se promène. J'ai renoncé à chercher un mec. Dans mon métier, le sexe n'est pas un problème, donc pas de coups en vitesse. Je reconnais quelques hommes dans la foule, ils me sourient, cherchant à me séduire par les mouvements souples de leur bassin, leur chemise ouverte. Mais je ne vois jamais de clients en dehors de Steamy Windows. Je n'accepte même pas un verre. Je commence à m'ennuyer, je vais dehors. Je monte sur le toit, je tombe sur un type en train de faire une pipe à un autre. Ils n'ont l'air ni surpris ni gênés. L'un continue de sucer, l'autre continue de gémir. Ce n'est qu'alors que je comprends pourquoi j'ai été si tendu. Je crois que ça a un rapport avec les hommes. Leur odeur m'attire, c'est leurs hormones qui maintiennent mon équilibre. Entouré de femmes, ou dans les centres commerciaux insidieusement infusés aux œstrogènes, je deviens faible, confus, vulnérable. Je me sens soudain un peu misogyne, mais j'éprouve une aversion bizarre pour les hormones femelles, et parfois aussi pour les femmes. C'est étrange, je n'ai aucune raison d'éviter les femmes. À moins que… ?

Je reviens à l'intérieur, dans le règne de la testostérone, l'odeur musquée de la sueur masculine planant comme une senteur secrète à savourer. La cloche sonne plusieurs fois. Je ne sais toujours pas ce que ça signifie. Je commence à danser quand le DJ met de la house. Je regarde autour de moi, je ressens ma solitude, il n'y a que quelques visages noirs dans la salle. J'en ai marre de ça. Avec toutes leurs revendications, plaintes et campagnes pour l'égalité, les gays sont tout aussi sectaires. Avec toutes nos organisations et les centres antisida spécifiquement destinés à répondre aux besoins de chaque gay, les lieux gay-friendly sont toujours un repère de mâles blancs. Je déteste cette façon qu'ont certains types de penser qu'il est plus facile de lever un noir ou un coloured qu'un blanc. Je déteste la façon dont certains noirs ou coloured sont en admiration devant un blanc. En tant que gays, nous ne sommes pas égaux.

Je commence à m'énerver quand un blanc, un grand brun, se met à danser derrière moi, tout près. Je vais de l'autre côté de la piste. Un blond me regarde de bas en haut, me jauge, examine mes fringues, détaille les marques. Nous, les gays, nous sommes esclaves des étiquettes, même celles qui vont à l'encontre de la façon dont nous nous définissons en tant qu'individus, celles que nous portons quand nous nous regardons les uns les autres : je suis compliqué, j'aime les hommes blancs, je préfère les poitrines lisses, seulement le dernier cri pour la mode merci, où est-ce que tu es allé à l'école ? Des détails insignifiants, creux, qui ne mesurent en rien la valeur d'un individu. En haut, deux folles dansent en riant. Ils ont l'air de passer une soirée géniale. Ce sont probablement les plus libérés parmi les gays. Je les regarde allumer un type plus âgé, la cinquantaine sans doute. Ils clignent des paupières, bougent les hanches langoureusement.

Un peu plus tard, je passe chez Angels, à côté. J'y vais pour trouver de la meilleure musique, une foule plus bariolée. Qu'est-ce que Chris disait déjà ? Trop de dentifrice, trop de visages blancs. Chez Angels, je retrouve des visages noirs et coloureds. La musique est plus à mon goût également. Je me dandine jusqu'au dance-floor, un air bien groovy de R&B par Janet Jackson. L'autre chose que j'aime dans les foules mélangées, c'est que les gens sont plus sympas, moins snobs. Il y a un véritable fléau, ce sont ces homos blancs, snobs, épuisants qui font du tort aux autres gays en se répandant en ragots, qui s'épanouissent en sarcasmes qui ne font que révéler leur superficialité. Ce modèle existe aussi en noir et en d'autres couleurs.

Sur la piste, les gars ont formé un petit cercle autour de deux types qui dansent au milieu. Un truc de noirs et de coloureds. Les blancs chez

Biloxi aiment danser chacun dans son propre monde. Je regarde un rouquin et un noir qui dansent, s'abaissent vers le sol, tandis que les autres les acclament. Deux autres les remplacent. À la fin du morceau, j'ai soif, je vais prendre un verre au bar. Le barman a l'air malheureux, il me tend un bourbon-coca sans un sourire. Je laisse généralement un pourboire aux barmen, mais pas celui-là.

Je monte au premier, au Detour, le public est plus jeune, ils passent de la rave, de la trance, d'autres fusions de techno. Les lumières sont éblouissantes, une installation laser crée une ambiance très différente, surréaliste. Tout le monde semble être sous ecsta. Je me tiens à la balustrade, je les regarde danser, les bras levés, l'air perché. Tout le monde salue la chanson suivante et se rue sur la piste. C'est *God is a DJ* de Faithless. Le groupe a de nombreux fans. Je ne danse pas. Je regarde les autres, intrigué de voir combien la rave music est devenue intime. Une personne sur deux danse les yeux fermés, comme en prière. Je me demande s'ils écoutent la profondeur des paroles, le message derrière la musique. Il y a quelque chose de trop souterrain, trop subliminal, dans la rave music pour que je l'apprécie pleinement. Je n'aime pas la façon dont les nappes de musique sont tellement superposées que les paroles finissent par se perdre dans les effets. Et pourquoi est-ce qu'ils altèrent toujours d'effets numériques les voix des chanteurs. Généralement, c'est une voix mâle, dure, de pseudo-ordinateur qui sonne comme celle d'un fasciste mégalo. Et pourquoi les DJ et les mixers portent tous des noms si ésotériques? Christos, Excel, Da Vinci, Admiral, Flight, Isa, Ope, Flyz – on dirait des codes, des noms d'agents secrets. À la fin du morceau, je redescends, l'assistance est plus détendue. Chez Angels, les gens ne prennent pas la musique aussi au sérieux qu'au Detour. Je m'assois sur une chaise, je regarde les gens. Deux noirs sont en train de s'embrasser à côté de moi. C'est un spectacle rare, mais ravissant et libérateur. Je me sens seul en les voyant se caresser. Ils ont mon âge. Je pourrais être l'un d'eux. Je pourrais être en train d'embrasser mon petit ami.

Ils se dirigent vers la piste. Je les regarde danser façon kwaito. Je vois qu'ils viennent du township à la façon dont ils sont rompus aux rythmes du kwaito. Je les regarde danser, ils pensent probablement à leur ville natale, Soweto. Mon père a peut-être raison, mon travail est fini ici. Je ne m'imagine pas exerçant une autre activité que celle qui est la mienne à Steamy Windows. Je connais Le Cap et ses habitants trop bien. Je commence à me méfier d'eux.

Je pourrais vivre à Yeoville ou à Berea. Les gens disent que c'est agréable là-bas. Rocky Street est un pot-pourri intéressant de nationalités et de dealers, on m'a dit. Je pourrais enfin suivre mon rêve, devenir artiste. Tenter le coup, arrêter de repousser l'échéance. Ma mère est partie. Mon père est parti. Plus personne pour mettre la pression. C'est peut-être tout l'aiguillon dont j'ai besoin, savoir qu'il n'y a personne pour me surveiller, pour me houspiller. Réfléchir à Jo'burg m'empêche de laisser monter la tristesse en pensant à mon père.

Je pourrais être heureux là-bas. Le monde gay y est mieux en tout cas. Et les blancs sont un peu plus ouverts, pas aussi provinciaux et conservateurs que les blancs du Cap, avec leurs nobles origines et leurs manières impeccables qui se résument en fait à être des trous-du-cul qui vous niquent avec un sourire poli. Je ne me sentirais plus le seul noir des environs, toujours portant ce fardeau – les blancs du Cap sont tellement critiques, si prompts à juger, à tirer des conclusions. Je réfléchis plus profondément à mes propres préjugés. On est tous pareils. On a tous à se plaindre des autres. Je ne suis pas différent, je n'éprouve pas de culpabilité à porter des jugements globaux, à faire des généralisations sur les blancs.

En fait, au Cap, j'ai le sentiment que j'ai dû me tenir à carreau, suivre le mouvement pour joindre les deux bouts. J'ai composé avec tellement de conneries, fait tant de compromis. Mais je me sens plus fort, mieux équipé pour m'en sortir avec les autres, les blancs en particulier. Leur vernis de supériorité n'est qu'un voile. J'ai dû aussi explorer mes propres sentiments d'infériorité. L'Afrique du Sud ne te laisse pas le choix d'être à l'aise, si tu n'es pas blanc, du moins pas sur le plan historique. Avoir fréquenté des écoles privées multiraciales, ça a fait une différence, mais mon voyage en moi-même et dans la vraie nature des gens a été le même que pour n'importe quel noir des townships, à essayer de trouver sa place, sa voix. Je suis noir et fier de l'être, même si c'est un peu idiot de me le rappeler. Mais ce n'est pas la seule façon de définir qui je suis, même si j'ai l'impression que c'est comme ça que me voit le monde. C'est plus facile de s'identifier à une étiquette. Même quand j'étais habillé le mieux possible, que je parlais avec mon meilleur accent d'école privée, j'ai toujours été confronté aux préjugés les plus durs, les plus brutaux de la part des blancs. Ils ont probablement dû se sentir obligés de me rappeler que je ne suis qu'un *kaffir* qui parle comme un rupin. Voilà ce qu'on ressent quand les gens sont impolis avec vous sous le seul prétexte que vous n'avez pas le même teint. Il y a encore du chemin à faire.

J'observe un groupe de garçons, des gays qui ont tout juste l'air de sortir du lycée. Parmi eux, il y a un noir. Quand je le regarde, je pense à moi. Ce ne sera pas facile de faire ta vie, je me dis, en grimaçant à la pensée des obstacles qui l'attendent. Tu te sentiras probablement schizo la moitié du temps, à cheval sur deux cultures, sur des langues aussi éloignées que les fleurs le sont des pommes. Tu ressentiras probablement l'influence de l'une au détriment de l'autre, je lui dis secrètement, en me souvenant des conflits intérieurs qui m'agitaient quand je me demandais si je devais parler anglais ou sotho. On ne peut pas ménager les deux et se sentir comblé. Chaque langue, et la culture qui va avec, appelle différentes attitudes, convoque différentes émotions, différentes réponses, chacune a son propre univers. Quand je suis avec Mmabatho et que nous parlons de notre jeunesse à Jo'burg, il semble qu'on ne puisse se parler qu'en sotho. Nos souvenirs, nos expériences sont trop inscrits dans le township et sa langue est noire. Mais quand nous parlons du Cap, ou d'un nouveau bar, on parle anglais plus que sotho. Le Cap est une ville très blanche, l'influence des traditions européennes, comme les cafés et les bistros, est incontournable. Dans certaines parties du Cap, tu n'as pas l'impression d'être en Afrique. Voilà ce qu'ils appellent le progrès, l'effacement de toute trace des cultures autochtones. À Jo'burg, c'est différent, les autres cultures résistent davantage à la domination de la culture blanche. Je crois que c'est dû à une classe moyenne noire plus développée, mieux établie qu'au Cap. Sortir à Jo'burg, c'est plus agréable. Il n'y a pas ce processus d'élimination pour trouver un lieu où passer un bon moment. Au Cap, il y a des lieux où vous savez que vous n'êtes pas le bienvenu, les clients vous le font sentir. L'idée du bon temps, de la façon de passer un bon moment, est différente dans le Gauteng. À Jo'burg, les gens traînent. Au Cap, ils sortent. À Jo'burg, les gens aiment la danse, les fringues et ce qui est à la mode. Au Cap, ils aiment les percussions, l'astrologie et les drogues. Le Cap en fait trop, elle cherche trop son inspiration à l'Ouest, alors qu'il y a bien assez de sujets d'inspiration en Afrique.

Je regarde le garçon noir discuter joyeusement avec ses copains. Une pensée terrible me vient. Est-ce qu'ils prendront sa défense quand ils croiseront une bande de bornés qui ont envie de se battre ? Ça arrive au Cap.

Le DJ passe de la rave music. La piste s'éclaircit un peu. Je vais à un autre bar, prendre un autre verre. Le barman est plus aimable. Je prends une Amstel. Je ne bois pas beaucoup. À l'université, je me suis soûlé à mort une fois, ça m'a suffi.

Un coloured essaie de me brancher. Il me demande si j'ai du feu, je réponds que non. Il trouve quelqu'un pour lui allumer sa cigarette mais revient vite me parler, quelque chose à propos de la musique de merde et du fait qu'il vienne de Port Elizabeth. On discute facilement, à propos des sorties au Cap, où est-ce que les gens sont sympas. Je lui raconte que je suis de Jo'burg, que j'y retourne bientôt. Ça me plaît de dire ça, j'aime la réaction sur son visage. La plupart des gens regardent ceux qui vivent à Jo'burg avec un peu d'admiration ou d'horreur, difficile de distinguer parfois. Ce qui est sûr c'est que l'idée de vivre dans une ville marquée par la violence, un fort taux de meurtres, de viols, de vols avec effraction, de détournements, où la sécurité est un problème qui concerne tout le monde, ça laisse une sale image.

On sort un moment, on se bécote, mais il embrasse mal, il bave partout autour de ma bouche. Sur la piste de danse, je prends le prétexte d'aller aux toilettes. Mais je n'y vais pas, je choisis la sortie la plus éloignée, je m'en vais. Épuisé, je prends un taxi pour rentrer.

MMABATHO

Il n'a pas essayé d'appeler. Je lui ai laissé ma nouvelle adresse et mon téléphone à Rosebank mais il n'a pas appelé.

Je crois que c'est mieux ainsi. Je lui ai donné tout l'« espace mental » dont il avait besoin. Je ne sais pas si ça veut dire que nous avons rompu. On ne s'est rien dit. Je suis simplement partie.

Ça devait peut-être se terminer ainsi – par une séparation. Je ne suis pas surprise. Les hommes ont toujours retiré l'échelle sous moi. Il est parti quand il a su que j'étais enceinte. Faire mes valises et déménager n'ont été qu'une formalité. Il aurait dû me dire dès le début qu'il ne se voyait pas avec une femme enceinte.

Je songe à tous ces plans qu'il faisait. Ils n'auraient servi à rien de toute façon. Il organisait autour de moi, pas avec moi. À quoi ça rime de se projeter quand le point essentiel n'est pas pris en compte : l'engagement ? Je ne veux pas avoir un enfant avec un petit copain. Je veux que mon enfant ait un père. Il n'était pas prêt à ça. Et je n'aurais jamais pu le forcer. J'ai ma fierté. Une autre femme aurait peut-être pu faire un compromis, se montrer plus patiente. Accroche-toi, tu vas le changer, tu vas finir par avoir raison de lui, elle se serait dit.

Je n'ai pas envie de changer les hommes. Pourquoi est-ce que ça devrait être une caractéristique féminine ? S'il n'est pas prêt à faire la moitié du chemin, il ne le fera jamais. Le changer, ça aurait juste été une façon plaisante de dire que j'ai été plus maligne que lui, que je l'ai obligé.

Que va dire ma mère ? Enceinte, et seule, et noire, et femme, est-ce que tu es folle ? Je ne t'ai donc rien appris ?

Mais je sais que tu es mon but dans la vie, Vénus. Tu es venu pour être aimé. Tu es l'amour. Et tu seras aimé. Je n'ai pas les réponses aux questions gênantes que les gens vont poser. Où est le père ? Pourquoi ton bébé est-il coloured ? Je ne sais déjà pas quoi répondre à une question toute simple : que va devenir notre relation, à Arne et moi ? Vais-je le laisser faire partie de notre vie, Vénus ? Va-t-il seulement le vouloir ?

Mon père a raison malgré tout. Tu n'es pas une malédiction, Vénus. Tu es l'amour, et l'amour est impulsif, il fait ce qu'il doit faire. Sa nature est dérangeante, il cherche à réveiller le monde de son état comateux. Avant de rencontrer ton père, Vénus, j'étais en train de m'arranger avec une vision cynique des relations amoureuses. Il a trouvé la combinaison de mon cœur, le salaud, je l'aime toujours. Peut-être prépares-tu maman à être forte, à ne rien attendre des hommes, à faire ce que je crois être bon pour nous, pas ce qui a l'air bien aux yeux des autres.

Je suis jeune, j'ai toute mon énergie, toute ma tête. Je suis dans une meilleure posture que la plupart des femmes parce que j'ai de l'instruction. Vénus me rappelle sans cesse d'être courageuse. L'amour est le guerrier le plus brave parce qu'il fait tout ce qu'il faut pour survivre, il se débrouille tout seul.

Est-ce vraiment si mal d'avoir un enfant toute seule ? Je préfère donner une chance à Vénus plutôt qu'opter pour une solution plus rapide qui me laissera avec un sentiment de culpabilité le restant de mes jours. Je sais que ce sera dur. Je sais que je me sentirai seule, isolée, débordée, mais je peux élever mon enfant. Je peux être une bonne mère. Je ferai tout pour lui. Je veux être le genre de personne que j'aurais aimé connaître quand j'ai grandi.

Vénus, tous les jours je te sens grandir dans mon ventre. Tu me donnes des coups de pied, tu me forces à ouvrir les yeux, à voir les choses telles qu'elles sont. Ton père est un égoïste, comme la plupart des hommes. Je devrais peut-être me montrer patiente avec lui. Peut-être qu'il reviendra plus tard. Mais non, tu me dis, Vénus. Cesse de rêver et d'attendre. Fais ton propre chemin. Il vaut mieux que tu puisses compter sur toi-même. Tu ne sais pas ce qui t'attend au prochain croisement.

Je peux te sentir, Vénus, tu as tellement de volonté, tu es tellement plein d'initiative et d'amour. Je te sens m'écouter quand je pleure seule dans la nuit, en me demandant comment j'ai fait pour me retrouver toute seule à ce moment de ma vie. Tout est arrivé si vite. J'ai l'impression que c'était hier, j'étais célibataire, pleine de l'arrogance de la jeunesse, à l'écart d'un monde plein de problèmes et proposant peu de solutions. Il faut que tu me pardonnes quand je pleure. Je ne veux pas te rendre triste. Je me sens dépassée par les circonstances. Je n'ai plus grand-chose à voir avec la fille que j'étais. Je suis plus introvertie. Mon corps me dit que je suis une femme.

J'ai trouvé un job de serveuse au café Obz. Ça va nous faire le mois de décembre. Mi-janvier, je reviendrai chez moi et j'exposerai toute la situation à mes parents. Mon ventre se verra à ce moment-là, ils seront peut-être plus compréhensifs. Je redoute ma mère. Elle peut se montrer si dure, si impitoyable, sa langue est vive comme l'éclair. Je crains qu'elle ne me considère comme une traînée. Une femme jeune, enceinte et seule ne peut être qu'une traînée. C'est ce que ma mère et ses sœurs célibataires penseront. Je ne sais pas si elle le dira. Toutes les trois, elles ont causé le départ de papa, c'est à cause d'elles qu'il a demandé le divorce. Elles ont une opinion sur tout, rien ne peut être simplement donné.

Ma mère aime tout contrôler, mais elle le fait de façon subtile. Elle se pose en victime sans défense. Je ne crois pas que tu l'aimeras, Vénus, tu es trop droit, tu as trop d'énergie. Elle se croit la bonté incarnée, c'est ce qui rend son poison si venimeux. Le mariage était difficile. Mes beaux-parents étaient froids avec moi, elle se plaint toujours, ravie de jouer les victimes. La vie a été injuste avec elle, tout le monde a profité d'elle. Moi, pauvre de moi, c'est toujours le même refrain, Vénus. Je la connais trop bien. Je sais qu'elle se cache derrière sa foi, ce que la Bible dit et ce qu'elle ne dit pas. Je la soupçonne de se débattre avec ses propres démons intérieurs, mais elle ne l'admettra jamais. Sa vie est une alternance de clarté et de zones d'ombre. Pas d'entre-deux, pas de zones grises. Dès qu'il y a un conflit ou de la confusion, ses colères immédiates et son pharisaïsme biblique viennent à sa rescousse. Est-ce plus facile de critiquer une autre personne quand on croit connaître la parole de Dieu ? Sa foi ne semble qu'avoir acéré sa langue, rendu plus faciles la désapprobation et la distance. Je suis une femme, je suis une dame, elle dit souvent, sans se rendre compte combien ses propos sont arrogants et suffisants.

Dieu te punira, elle me menaçait souvent quand j'étais petite, désobéissante et rebelle. J'ai fini par détester l'Église et craindre ma mère.

Elle est tellement persuadée que sa forme de christianisme est la bonne que rien ne peut l'ébranler. Les gens qui s'honorent de trop de bonté sont aveugles à leurs propres défauts. Personne n'est parfait, Vénus, à commencer par moi.

Je ne crois pas que tu l'aimeras, Vénus. Elle est trop oppressante. Sa vie est régie par le respect de règles et de lois qui doivent lui permettre d'obtenir un siège au Paradis. Pas de place pour une pensée novatrice, pour d'autres façons d'être. Je serai toujours la fille imprévisible, celle qui est tombée enceinte trop jeune. Je ne me suis pas montrée à la hauteur de l'idée qu'elle se fait d'une femme. Je n'ai pas été une dame comme elle. Je n'ai pas été fine. J'ai refusé de porter des vêtements délicats, féminins. Je n'ai pas cherché à être remarquée par les autres filles. Je ne suis pas rentrée dans ces bêtises. Elle voulait que je devienne un peu snob, une jolie fille toujours innocente, toujours méfiante envers les garçons. Elle voulait une autre petite elle-même et je n'ai pas marché. Je sais que j'abrite pas mal de ressentiment envers ma mère. Être mère moi-même m'aidera peut-être à lui pardonner.

J'essaierai autant que possible de ne pas te polluer avec mes idées sur la façon dont le monde doit être, Vénus, comment tu devrais être. J'essaierai au maximum de te laisser devenir toi-même.

SEBASTIAN

Angelo revient au bout de deux jours. Son regard est absent, ses yeux cernés. Insidieusement, alors que nous sommes assis dans le salon, je perçois quelque chose en l'observant. Difficile de dire ce que c'est, mais je sais que ça le laisse vidé, dans un état de transe. Quand vient le moment de la pause, je l'accompagne.

— Je crois qu'il faut que je te dise quelque chose, je dis en allumant une cigarette.

J'ai toujours eu un sixième sens, mais c'est toujours resté quelque chose d'intime que j'ai gardé pour moi, caché à ma famille, même quand je voyais à l'avance de terribles événements, comme cet accident de voiture qui a tué mon grand-père.

Il me regarde calmement, il fume lui aussi.

— Quand as-tu commencé à fumer ? Je croyais que c'était seulement à l'occasion. En tout cas, ça n'a pas d'importance. Il faut que je te dise quelque chose, je continue, peinant à trouver une façon acceptable de dire ça.

Il ne dit rien, il me regarde simplement, l'air vide, les yeux éteints.

— Quand est-ce que tu as dormi pour la dernière fois ?

— C'est ça que tu voulais me dire ? il répond avec un peu d'impatience, consumant sa cigarette en longues bouffées destructrices.

— Je ne vais plus te revoir, je dis en le regardant.

— Et ?

— Je disais que je n'allais plus te revoir. Crois-moi. J'ai un pressentiment fort, c'est pas bon, je dis avec difficulté. Un vent se lève subitement, emportant des ordures accumulées dans un caniveau. Il ne bouge pas, comme si rien ne s'était passé, ignorant la bourrasque soudaine.

— De quoi parles-tu ? il dit sèchement.

Ce don, cette malédiction, c'est vraiment pas un cadeau. Je ne peux toujours pas me faire à cette capacité de lire les signes.

— Tu es mon ami. Je crois qu'il faut que je te le dise. Je ne te reverrai pas.

— L'autre jour, je suis allé faire des courses sur le front de mer, il dit en changeant de sujet, j'ai acheté cette fabuleuse chemise Ralph Lauren, une étoffe merveilleuse. Il faut que tu la voies. J'ai trouvé ça en solde.

Nous terminons nos cigarettes, nous rentrons. Il ne dit pas grand-chose. Je le regarde toute la soirée. Il a trois clients, il me dit qu'ils lui ont laissé un bon pourboire. Quand il me regarde, je me sens bizarre, mal à l'aise, il me fait un peu peur. Je peux voir certaines choses dans les yeux des gens quand je regarde suffisamment près. Des choses qui révèlent leur passé et où les mène leur petite vie. Je vois de la violence dans ses yeux. Dieu est un enfant fou qui joue avec nos vies comme avec des jouets.

Au bout d'un moment, je réalise qu'il évite de me parler. Il bavarde avec Storm à propos de choses idiotes dont je ne l'ai jamais entendu parler.

Plus tard dans la soirée, j'essaie à nouveau.

— Je ne crois pas que tu sois en sécurité chez toi.

— Qu'est-ce que tu racontes ? T'as passé la soirée à raconter des conneries. Il se lève brusquement pour aller à la salle de bains. En revenant, il s'assoit ailleurs.

Je me sens très mal. Difficile de lui annoncer la nouvelle. J'ai l'impression d'être une Cassandre. Il ne m'écoute pas. Il ne me croit peut-être pas. Je détesterais lui prouver que j'ai raison. Mais c'est inutile, la roue a commencé de tourner, je ne peux plus l'arrêter. Je ne peux qu'assister à la destruction qu'elle va causer.

À la fin de la soirée, en partant, il ne me salue pas. Il part comme ça. C'est alors seulement que je réalise à quel point le changement est profond. Il n'en a peut-être pas conscience. Il n'est pas lui-même. En pensant à lui, je frissonne de peur. En pensant à lui, je vois des routes sinueuses, des démons affamés. Cette vision me laisse épuisé, étourdi. Les ténèbres sont en train de se refermer sur lui, je ne crois pas qu'il le sache. Comment prévient-on quelqu'un que sa vie est en train de basculer ? Comment dit-on à quelqu'un qu'un autre monde nous regarde pendant notre sommeil ? Comment lui expliquer que parfois les réalités se croisent comme des fils électriques dénudés et que le court-circuit qui en résulte peut transformer nos vies, parfois pour toujours ?

Je me sens très seul quand je sens que quelque chose va se produire. Je me sens minuscule et impuissant. Nous contrôlons si peu de chose. Le monde continue en dépit de nous, sans nous. Ses roues et ses rouages sont huilés par un vieux dieu dément. Je me demande s'il y a quelque chose à apprendre de la folie.

ANGELO-TSHEPO

Je marche. Je ne sais pas où je vais. La route appelle mes pieds, me pousse à marcher, m'invite à l'explorer. Ça me garde éveillé. J'ai des conversations intérieures. Quelqu'un regarde, écoute. Je dérive. Mon ombre me regarde, faisant des petits gestes quand elle croit que je ne regarde pas. Le soleil est fait de miel. L'air transporte trop de messages, c'est pour ça que je souffre sans arrêt de migraines. Je me sens à nouveau proche de la folie, ce vieux sentiment suicidaire, psychopathe qui me hantait quand j'étais adolescent, essayant de trouver ma voix. Mais je ne retournerai pas à Valkenberg.

Il y a une part d'ombre en moi, qui cherche l'oubli, un autre soi-même. C'est la part avec laquelle je lutte les mauvais jours, quand je ne veux rien avoir à faire avec les gens, la part qui se souvient de tout, qui garde rancune. La part qui me rappelle comme je peux être mesquin et impitoyable. C'est le prix à payer quand on est un être humain, fait de chair. Sebastian n'a-t-il pas dit que la chair était une divinité déchue ? Cette autre partie de moi-même est toujours là, à guetter depuis les recoins des ténèbres, c'est pour ça que je me perds toujours. Elle me tente, va ici, essaye ça, regarde cela. Je contemple parfois l'idée du suicide. Je fantasme à l'idée de plonger dans un volcan actif, dans le feu et la lave fondue. J'ai parfois envie de nager dans l'océan jusqu'au bout de mes forces. Je souhaite parfois la mort comme si c'était la vie. J'accepte tout ceci comme faisant partie de moi-même, comme mes cheveux ou ma peau. Pour croire en la vie, il faut que je croie en la mort.

Il y a une longue rue en ville, mais ce n'est pas Long Street. C'est une route longue, silencieuse, dont seule la folie qui m'y amène connaît le nom. Je ne sais pas où je vais. J'avance, c'est tout. Je me sens perdu. Je ne me rappelle pas où est ma maison. Je ne sais pas rentrer. Trop de routes, trop de tournants, trop d'embranchements.

Il est tard, la ville est déserte comme une plage la nuit, en dehors des enfants des rues qui errent. Ils me regardent, ils se moquent, se disent des trucs les uns aux autres avant de me les répéter. Mais ils ne me font jamais de mal. Ils me suivent jusqu'à ce qu'ils me coincent à la gare. Je ne sais pas comment je suis arrivé là. Sous les arbres du jardin, on fume un *zol*. Certains sniffent de la colle. Ils empestent, ils sont sales, mais ils sont chaleureux, gentils, amicaux. On dirait des petits rats plus que des hommes, ils sont si à l'aise dans le noir. Je plisse les yeux pour voir leurs visages, ils ont l'air accoutumés à l'obscurité. Un agent de sécurité sort et nous lance une brique. Elle m'atteint à la cuisse. Je me lève endolori, je m'enfuis avec eux.

Nous entrons dans les Company Gardens. Le *zol* m'a donné des visions. Des dragons, des esprits noirs qui ressemblent à des raies flottent au-dessus de moi. Je marche avec les enfants. Je suis le plus grand. Ils m'emmènent à une fontaine. L'eau ressemble à de l'encre noire. J'y mets ma main pour être sûr que c'est de l'eau, quand je la retire, les enfants ont disparu.

La peur me saisit. Ma défonce s'intensifie. Une forme sombre s'agite derrière moi, sifflant quelque chose. Je me mets à courir. Les esprits-raies continuent à m'entourer, leur longue queue fouettant l'air. Je cours jusqu'à déboucher dans une ruelle latérale avec des réverbères. Personne sur la route. Tout est silencieux, les voitures sont vides. Où sont tous les criminels ? Ne devraient-ils pas être en train de cambrioler quelque part ?

Je marche, je tourne en rond indéfiniment. Je marche jusqu'à un pont sous lequel il y a quelques squatters. Parmi les abris en carton, il y a une *spaza*. C'est un lieu de rendez-vous où tout le monde s'assoit sur des caisses, dehors, sous un lampadaire, buvant, dansant, écoutant de la musique. Je me sens trop bien habillé, trop propre en les voyant. Ils ont tous des visages barrés de cicatrices. Une femme avec de profondes cicatrices autour des yeux me demande 20 centimes. Je cherche de l'argent dans mes poches, je réalise que je n'ai pas mon portefeuille. Je l'ai perdu. Non, les enfants l'ont volé. Et mes clés, où sont-elles ? La femme me propose de danser avec elle.

— J'aime ton tricot, elle répète.

Je finis par en avoir marre de l'entendre dire ça.

— Tiens, je te le donne, je dis en enlevant mon polo confortable à col en V de chez Comme des Garçons.

Elle me tend son *zol* en enfilant mon haut. Il fait un peu frais mais je me réchauffe en dansant.

Je me sens dériver à nouveau, comme si quelqu'un s'était emparé de mon esprit. Je ne me souviens pas où j'habite. Je ne sais pas comment rentrer chez moi.

Un homme portant un blue-jean et un chapeau penché sur le côté, façon *tsotsi*, vient me voir. Il me dit de laisser sa femme tranquille, la femme à qui j'ai donné mon polo. Il me pousse, il la tire sur le côté, il la gifle pour la forcer à retirer le polo. Ils se disputent. Ils disparaissent dans une des baraques, s'envoyant des obscénités. Le lampadaire éclaire mon visage. Les autres me regardent, assis sur leurs caisses. Un des hommes se lève et vient vers moi. Il danse près de moi, il me montre mon ombre. Je regarde par terre, je le vois danser sur ma tête. Une migraine me saisit soudain. Je m'éloigne, je m'assois là où j'étais avant. Mais bientôt un autre homme me pousse à terre. Ils rient de moi.

La confusion n'est pas un sentiment. C'est un état, où rien ne fonctionne correctement. On est prisonnier de son esprit. Mais quelqu'un contrôle tout ça. Qui est-ce ? Pourquoi me font-ils ça ? Qui est le prince des ténèbres ?

Je danse seul sous le lampadaire, entraîné par la nécessité de bouger. Je ne peux pas m'asseoir ni rester immobile. Une femme portant un turban me demande de l'embrasser. Elle sourit, je vois ses gencives molles là où il devrait y avoir des dents. Je m'enfuis terrorisé. Quelqu'un me jette une bouteille vide. Elle s'écrase à côté de moi, des gouttes de vin sur mon pantalon kaki. Un rottweiler enchaîné surgit soudain de l'obscurité, il manque de me mordre, il est retenu par la chaîne.

Je les entends rigoler, ils écoutent TKZee. Ils sont comme des diamants, constamment sous pression. Leur lumière brille vers l'intérieur, pour eux-mêmes.

Je m'enfuis en courant dans une rue pleine de voitures. Je voudrais crier mais je n'ai plus de voix. Les conducteurs me klaxonnent quand je traverse. Je continue à courir, sans savoir où je vais. Je cours jusqu'à la gare.

Dans la gare, il y a de la lumière, la sécurité. Il y a aussi des vigiles qui patrouillent. Dans la gare, je marche dans tous les sens. Un vigile me demande si je suis fou. Je lui dis qu'il faut que je rentre chez moi, que je prenne de toute urgence un train qui me ramène. Il me dit que le premier train est à six et demie. Il est quatre heures du matin.

Je m'adosse au mur, je regarde l'horloge. Mon esprit est en éveil, cassé mais en éveil. Ça s'active là-dedans, il est en train d'essayer de se réparer tout seul, de rétablir les ponts qui ont été coupés. Je sors pisser. Les ténèbres sont vivantes. Elles me fixent. Les esprits-raies flottent comme dans un océan. J'entends des enfants qui rient au loin.

J'entre à nouveau dans la gare, les lumières veillent sur moi. Je reste debout jusqu'à six heures et demie. Je prends le premier train pour Khayelitsha. Pas grand-monde dans le compartiment. Je les regarde attentivement. Ils ont tous l'air de savoir où ils vont. Le train m'emmène dans les entrailles du township. Je descends à Nyanga, un ghetto en pleine expansion, essentiellement peuplé de squatters.

La gare est petite et sale. Je descends, j'erre dans les rues qui empestent la merde de chien et l'urine. Le soleil est déjà en train de se lever. À un coin de rue, un groupe de femmes avec de gigantesques plats en émail, on dirait des petites baignoires, sont attroupées autour d'un cheval qui a dû tomber là, mort. Elles brandissent de longs couteaux menaçants, elles découpent le cheval, se passent entre elles d'énormes morceaux de viande. Je les regarde se disputer les entrailles. Je marche seul, animé par le besoin de retrouver ma maison. Il faut que je rentre à la maison, je me répète. Ils m'attendent. La détermination est peut-être une forme d'intelligence.

Une bande de chiens patrouille dans la rue où je marche. Le mâle dominant, de race indéfinie, gronde en me voyant. Je ramasse une pierre sur le côté de la route. Les autres chiens se mettent également à grogner. « *Voertsek*, foutez le camp ! » crie une femme du voisinage en leur jetant de l'eau chaude. Ils s'enfuient en couinant, leur pelage infesté de puces semble fondre. Quand je regarde la femme, elle me dit qu'elle va me manger si je ne déguerpis pas immédiatement. Tu me déranges dans ma magie, elle dit, les cheveux en désordre, le regard torve. Je m'éloigne rapidement.

C'est un labyrinthe de rues et de baraques. Je vois de plus en plus de gens, tous frais et propres. Ça m'étonne parce qu'ils sortent de baraques tellement délabrées et minables. Ils marchent avec détermination, dignité, mais ils n'ont pas le temps de me répondre quand je leur demande où je suis.

Le soleil se lève. Je vois son disque d'or, je me sens parfaitement réveillé. Comme si le sommeil m'avait oublié. Je continue à m'enfoncer dans Nyanga. Je réfléchis à ce mot. En xhosa, *nyanga* signifie soigner quelqu'un, être guéri. Mais je ne me sens pas guéri par cette marche. Je me sens glisser dans le délire, un monde d'esprits et de murmures. Je m'enfonce un peu plus dans la confusion, mon esprit focalisé sur l'idée de rentrer chez moi. Le township est un labyrinthe. Les gens vous parlent s'ils pensent qu'ils ont quelque chose à y gagner. Personne ne me vient en aide quand je demande mon chemin. Un garçon dérangé avec un point d'interrogation en guise de visage, ça ne signifie rien pour eux. Ils me regardent avec colère, tristesse, dureté, exactement comme au centre-ville ou en banlieue. Le township est composé de plusieurs strates superposées, il faut regarder sous la surface décrépite pour voir quelque chose. Je marche sans crainte. Plus facile d'être bizarre, excentrique dans le township. Tout le monde s'en fiche. Les gens ont assez de soucis, leur vie est une lutte permanente contre l'écrasement. La vie peut vous écraser à mort si vous ne vous battez pas assez férocement. Ils savent cela. *Ufunani?* Qu'est-ce que tu veux? ils me jettent en zoulou. Par là, par là-bas. Mais je ne fais que m'enfoncer dans la folie. Il y a quelque chose d'apaisant dans tous ces tournants, toutes ces rues, vibrantes d'activité, pas silencieuses et endormies comme en banlieue. Dans le township, tu sais si ton voisin est vivant ou mort. Je me sens en sécurité, aucun policier dans les environs. Quelque chose ne tourne pas rond, une énergie différente est dans l'air. Ça n'a rien à voir avec le bonheur ou le succès. Le kwaito, et tout ce qu'il aspire à exprimer, a peut-être du mal à définir le véritable message du ghetto. Le bon temps, les chouettes fringues, sortir, choper les filles, choper les garçons, les belles bagnoles, le bling-bling et toutes ces choses superficielles que le kwaito célèbre, ce sont les indicateurs de vies vécues dans une confusion bruyante. Aidez-nous, écoutez-nous, ils semblent dire. Il y a trop de voix à entendre, chacune semble prête à tout, désespérée. Mais, en apparence, ils ont l'air satisfaits. C'est peut-être mal de croire qu'on peut être pleinement heureux en étant pauvre. Ils sont habitués – mais qui peut finir par prendre plaisir à se réveiller à quatre heures du matin, pour se préparer à aller au travail en récupérant l'eau d'un robinet commun à une centaine de personnes ? Je continue à marcher. Les messages que je perçois sont enivrants, hypnotisants. Une vieille femme, pieds nus, marche vers moi. Elle est maigre, courbée en deux, elle semble affamée. Elle pourrait être ma grand-mère. C'est normal. Dans le township, même les vieux ne valent rien. Pourquoi en est-il ainsi ? Ne serait-ce pas choquant si elle était blanche ? Ne serait-ce pas dérangeant – une blanche, pieds nus, maigre et vieille ? Où est la dignité de l'âge ? Je continue à marcher, attiré par les voix qui me rappellent mon enfance. J'ai été un enfant. Ça a l'air idiot de penser cela.

— *Wedini*, garçon, me lance un vieux irrespectueusement. Ça m'énerve, je lui sors mon pénis circoncis. Les hommes xhosa peuvent être de vrais cons. « *Haai!* Eh ! » il crie, parce qu'il y a des femmes qui regardent. Il me poursuit avec une canne à bout rond. Je m'enfuis en courant, je disparais parmi les baraques. On est en décembre, les écoles sont fermées pour les vacances d'été. Les enfants errent sans rien à faire. Pas de parcs, pas d'arcades vidéo, juste des rues sales, des chiottes à ciel ouvert infestées de maladies. De nombreux hommes, l'air apte, se tiennent aux coins des rues, les bras ballants, frustrés, prêts à faire n'importe quoi. Sont-ils en train de comploter en silence ? Les banlieues sont une mine d'or, même les poubelles mangent bien. Au fond d'eux-mêmes, ils sont peut-être blessés, marginalisés, le progrès avançant à la vitesse de la lumière pendant que la pauvreté les traîne à son rythme d'escargot. Personne ne sait comme nous sommes brisés intérieurement, semble dire leur regard, comme nous sommes prêts à tout. Si on nous donne une chance, on peut faire n'importe quoi. On a survécu aux '76, aux Casspirs, aux détentions, à Botha, et maintenant à ça, à chacun qui s'empare de ce qu'il peut pour lui-même, voilà ce qu'ils semblent dire. Nous ne sommes peut-être pas différents du reste de l'Afrique, nos dirigeants sont juste de meilleurs voleurs. Trop d'argent, une élite dirigeante réduite, sommes-nous si loin du reste de l'Afrique ? Une pub Coca-Cola tourne en l'air sur un panneau. Qu'est-ce que ça signifie pour nous, qu'est-ce que ça signifie pour eux, qui n'ont rien ? Achetez plus, même quand vous n'avez rien ?

Une voiture passe, elle m'éclabousse les chevilles en roulant dans un nid-de-poule. Inutile de protester. Qui écouterait ? Personne ne nous plaint, semblent dire ces hommes, les yeux pleins de colère. Je passe devant ce *shebeen*. Beaucoup de gens sont massés dehors, buvant. On m'a raconté que dans ces bars, on pouvait boire un puissant alcool d'ananas qui vous soûle pour plusieurs jours. Que faire d'autre ? Je ferais pareil à leur place, je me dis, avec tristesse et lourdeur. Mais marcher est plus important. Mon corps se concentre sur le trajet. Je traverse des endroits que je ne connais pas, je finis par ne plus demander mon chemin. Ils vivent avec assez de questions comme ça. Où trouver de l'argent pour acheter du pain ? Qu'est-ce que je vais donner à manger aux enfants ? Est-ce que je vais trouver un boulot demain ? Est-ce que je peux me coucher sans dîner pour la deuxième fois d'affilée ? Est-ce qu'ils vont m'attraper si je vais voler cette nuit ? Il faut que j'arrête de demander, c'est clair, il n'y a personne à interroger, nulle part où aller, rien à faire. Au bout d'un moment, même rien devient quelque chose. Je comprends ça en voyant quatre types assis devant leur baraque, reluquant les filles du voisinage, les yeux pleins de désir. Combien de filles vont-ils séduire, mettre enceintes ? Combien ont le sida ? Combien connaissent quoi que ce soit au sexe ? Les statistiques volent dans ma tête, mon esprit en éveil. Les faits ne riment à rien quand les gens n'ont rien. Ils regardent avec leur estomac d'abord, avant de pouvoir regarder avec leurs yeux.

Un homme sur une bicyclette. Il l'a équipée de rétroviseurs, comme un scooter, une plaque minéralogique à l'arrière. Il l'a aussi peinte en couleurs vives. Aussi maigres soient-ils, leurs biens sont leur royaume dans ce monde étroit. C'est sur ce principe de l'infini inclus dans le minuscule qu'est bâti l'Univers, la croyance en l'humilité, le modeste, l'oubliable.

Je commence à avoir des ampoules aux pieds, mais il faut que je marche. Qui m'aidera ? Voilà ce qu'ils ressentent en permanence. Il faut s'aider soi-même, je réponds du regard, marchant obstinément, même si le township est en train de m'avaler tout entier.

Trois gosses torturent un chien. Ils ont attaché un câble autour de sa gorge, ils le piquent avec des bâtons acérés, ses pattes saignent. Ils rient, hystériques, à chaque hurlement. Les enfants sont cruels, probablement parce que leurs parents le sont aussi. Je les chasse, je m'approche du malheureux animal. Il me montre les crocs avant de s'enfuir. Les enfants m'insultent pour avoir gâché leur jeu. Ils doivent avoir sept ou huit ans. J'ai envie de les attraper et de les battre comme plâtre. Mais les adultes leur parlent toujours comme ça. Les frapper ne fera que les couper un peu plus de la raison, de la compassion. Est-ce qu'ils voient comme ils sont laids quand ils font ça ? Pour qui te prends-tu ? semble dire une femme qui observe la scène. Le township est plein de gens comme elle, complaisants, malintentionnés. Les enfants me disent de *voertsek*, que c'est leur *kasi*, leur quartier. Je décide de les ignorer, je prends une autre rue. Je continue de marcher, poussé par une énergie délirante, les questions se bousculent dans ma tête. Mais le silence intérieur est plus important que le concert de questions qui me tient éveillé, à rôder comme un zombie. Il faut que je trouve les réponses à ces questions. La vraie question est peut-être la réponse. J'entends des rouages dans ma tête, des engrenages, leur tic-tac, leurs mécanismes.

J'ai besoin de pisser, mais nulle part où le faire. Pas de toilettes publiques, pas de buissons ni d'arbres, que des baraques et des gens. Je marche un bon moment avant de trouver une baraque dans une impasse. Je pisse longuement, cachant ma queue avec ma main. Des enfants jouent pas loin, mais que puis-je faire d'autre ? Les bonnes manières ne veulent rien dire si elles ne sont pas encouragées par un environnement adéquat. Je continue de marcher. Dans une autre rue, une petite fille s'accroupit, je vois un jet jaune qui sort d'entre ses jambes. Elle se relève, continue de jouer avec ses amies.

Partout où je vais, je regarde. J'ai l'impression de décoder la folie, je l'enveloppe de mon cerveau, je lui fais face, je la rends plus facile à regarder, à comprendre, je lui donne un nom. Elle s'appelle peut-être capitalisme, faire de l'argent pour faire de l'argent, pas pour bâtir des communautés. Avec le capitalisme, il semble que quelqu'un doive perdre, être opprimé, jouer le pauvre couillon qui tient tout l'édifice, pour que les riches puissent être riches. Le problème n'est peut-être pas le capitalisme, il tient peut-être aux élites qui dirigent l'ensemble. C'est peut-être le système de classes étouffant qui nous oblige à rester strictement chacun dans son rôle, tout le monde bien sage, pour aller aussi loin que sa vie le permet. Les pauvres sont peut-être plus puissants qu'ils ne l'imaginent, tout un système, un mode de vie reposent sur leurs vies misérables, sur leur complicité. Comment en est-on arrivé là ? Qui a fait ça ? Quelqu'un doit bien être aux commandes.

Le township est plein de bruits, de détonations, de musique, de cris, de coups de klaxon. Il se passe toujours quelque chose, quelqu'un qui meurt, quelqu'un qui se bat. Jamais à court d'histoires, comme la folie. Les gens vivent les uns sur les autres, ils pensent que c'est tout ce qu'ils méritent. Tu prends chaque journée comme elle vient, pas de question, tu penses que c'est ton lot. Comment aide-t-on des gens dont l'esprit est un ghetto ? Je commence à me sentir brisé, abattu. La vérité est rarement belle. Un groupe de gens accusent une femme d'avoir empoisonné son mari. Je n'attends pas la suite de l'histoire. Ils ont l'air prêts à la battre. Quelqu'un roule un pneu vers elle. Un autre agite une boîte d'allumettes. Je prends une autre rue.

L'air est une sorte de couverture. Il a une couleur, gris pâle, qui fait tousser. Je passe devant une file de taxis. Dans l'un d'eux, une femme s'impatiente, pressée qu'il démarre. Mais le chauffeur ne partira qu'avec le plein de passagers. Il fait ça parce qu'il a besoin d'argent, chaque centime compte. Et donc ils seront en retard. Au travail, leurs patrons ne se montreront pas compréhensifs. Paresseux hein, toujours à tenter le coup, vous êtes tous comme ça, vous autres, ils diront, mais la vérité vient du township. Ils pourraient finir par perdre leur boulot parce que les taxis ne sont pas fiables et que les patrons ne font qu'amasser de l'argent, ils ne bâtissent pas des individus. Le prix de l'essence augmente, les trajets sont plus chers, les gens essaient de tirer le maximum du minimum. Une mère qui gagne 200 rands par mois comme domestique, qui doit nourrir et habiller sa famille avec, c'est la norme.

Je passe une rue étroite. Même l'église est délabrée. À l'extérieur, l'herbe pousse drue. L'église n'a pas été repeinte depuis des années. Pas d'importance, ce sont toujours des païens, impossibles à civiliser même avec la Bible.

Le soleil est haut dans le ciel. Je me réchauffe, ma peau transpire. Je prends conscience de mon odeur. Mes jambes me portent plus loin. Je marche dans les rues boueuses, pleines d'ornières. Des petits enfants courent à moitié nus. Des colporteurs vendent leurs maigres marchandises. Les taxis sont prioritaires, les autres voitures l'acceptent. Un homme me demande du feu. Une femme court pour attraper un taxi. Le ciel semble lointain. Un chat se promène, décharné, sale, pas du tout comme un chat. Brenda Fassie chante un vieux tube à la radio, *Weekend special*. Des gens marchent sur le trottoir, ils marchent sur la route, ils marchent dans mes pensées. Combien de gens vivent ici ? Trop de chiffres, beaucoup d'enfers, peu de paradis. Un rasta se balade tranquillement dans la rue, ses dreadlocks battent légèrement son dos. Un coup de feu me fait sursauter. Au loin, une fumée s'élève. Pas d'inquiétude, je me dis, c'est peut-être juste un barbecue. Mais pourquoi la fumée est-elle si noire ? Qu'est-ce qu'ils font griller, tout le quartier ? Ma gorge se serre, il y a tant à voir. Comment absorber tout ça et ne rien ressentir ? Quand est-ce que je vais cesser de penser, et seulement voir ?

Un cochon enfonce son groin dans un tas de détritus. Des chèvres broutent des touffes d'herbe près d'un trottoir. Des animaux et des hommes. Des hommes et des animaux. Qui sont les hommes, qui sont les animaux ?

Un chien est étendu, mort, sur la route, ses entrailles écrasées. Des voitures roulent dessus. Ça doit faire plusieurs jours qu'il est mort, ça empeste. Plus j'approche, plus l'odeur est intenable. Tout le monde passe à côté comme si de rien n'était. Je ne dois pas faire la grimace ni me couvrir la bouche et le nez. Je ne suis pas meilleur. Mais pourquoi personne ne vient l'enlever ? C'est peut-être un rappel que nous vivons de notre décomposition. Il nous arrive de l'oublier, il faut nous le rappeler sans cesse les uns aux autres. Au centre-ville, ils ont des commissariats, dans le township nous avons des chiens crevés.

Je passe devant une petite enfilade de magasins. Une femme est assise dehors, sur la véranda ombragée de l'un d'entre eux, avec un petit panneau affichant le prix des tresses et des permanentes. À côté des prix, des dessins amateurs de coiffures. Elle a l'air de s'ennuyer, elle m'observe quand je la regarde. Voilà son métier, rester assise là, à tenir ce panneau. Combien ils la payent pour ça ?

Mes baskets sont sales. Continuer encore ? Il faut que je rentre chez moi. Aucune raison de se dépêcher, tout continue de se faire sans que j'aie besoin de m'inquiéter outre mesure. J'adopte une démarche plus tranquille, je prends tout comme ça vient. Chaque lieu a son rythme propre. En ville, on marche vite, parce qu'on a des choses à faire et peu de temps. Le township vous oblige à ralentir, parce qu'on a trop de temps et pas assez à faire. La saleté est incontournable. Toutes les barrières grillagées que je croise sont couvertes de sacs en plastique. Achète et jette, voilà le message. Au bout d'un moment, la pollution devient un langage, comme une étrange installation dans une galerie d'art qui s'étendrait sur tout le township. On reconnaît ceux qui sont plus aisés à la saleté, l'infinité de sacs plastiques qui volent autour. Une grosse femme vend des pains frits dans un coin. Les mouches l'ennuient. Elle les chasse par intermittence.

Un camion passe, transportant du charbon et des hommes vêtus de noir. Ils semblent sans visage, des fantômes. Un type sur un grand tricycle vend les glaces de son frigo ambulant. Je regarde les enfants qui lui en achètent, leurs visages s'éclairent quand ils plantent leurs dents au beau milieu des couleurs vives.

Je n'ai plus de parents. Le dire m'envoie une flèche dans le cœur. La douleur est profonde, dense, elle ne m'autorise pas à pleurer, à m'apitoyer sur moi-même. Il faut que j'y réfléchisse. Il faut que je pense à ma vie. Je ne suis peut-être pas vraiment humain. Je suis peut-être un peu ombre, un peu lumière, un peu homme. Je n'arrive pas à sentir cette petite partie de moi qui lutte pour sa liberté, qui a tellement besoin d'attention. Mon humanité me dit qu'elle a été étouffée toute ma vie. Il a fallu que je me batte pour elle, pour montrer aux gens que je suis une personne. N'est-ce pas cela, la folie ? Ça n'a d'importance que pour moi. Je dois composer avec la douleur, je dois en finir avec la haine. Je ne dois lutter que pour l'amour. Pour l'amour, je dois vivre comme un chien, c'est lui qui me détruit et m'oblige à y contribuer. La folie, c'est peut-être l'amour. Je ne le comprends pas. Je ne comprends pas comment j'en suis arrivé là. Qu'est-ce qui m'a déglingué au point de ne même plus voir ma propre peine ? Pourquoi suis-je toujours distrait par les autres ? Tu dois t'oublier toi-même si tu veux survivre, la vie est presque en train de me dire. Regarde autour, pas à l'intérieur. Lutte, souffre, morfle, et peut-être tu en tireras quelque chose. Tout n'est qu'une chute inexorable. Mais je m'obstine, je continue, au diable le courage. Il n'y a que la volonté de continuer, même quand le pont est démoli. Tout est dans la tentative de transcender le bord de la falaise. Ce n'est jamais ce que je sais mais combien je suis prêt à me livrer, à jouer mon va-tout, pour ne gagner rien d'autre que moi-même, ma santé mentale. J'ai joué mon va-tout et j'ai tout perdu. Il faut que j'apprenne à regarder au-delà de la lumière et des ténèbres. Je ne dois pas juger, je dois écouter. La vie n'est peut-être pas si futée. Je peux être plus malin, c'est ça le défi ? J'ai été entraîné à la haine. Jouer à cache-cache, c'est la même chose dans tout, la vie n'est qu'un jeu, juste plus sérieux, mais ça reste un jeu. Qui a dit que je devais toujours jouer les victimes consentantes ? Je peux peut-être aussi écrire mes propres règles, insister sur ce qui m'importe. Le truc c'est que j'ai été tout le monde, désormais il faut que je ne sois personne, comme la vie, sans visage, l'arme parfaite. Je peux aussi être l'arme parfaite.

L'arme parfaite n'est pas un ordinateur. C'est quelque chose plus près de soi, un individu, quelqu'un qui comprend les contours du cœur humain. L'arme parfaite ne porte pas de masque, elle n'a rien à cacher parce qu'elle est comme tout le monde. Elle dit regarde-toi en face, elle dit regarde à l'intérieur, là où a lieu l'affrontement véritable. Elle est toujours concentrée. L'arme parfaite sait qui est la cible et comment la détruire. Elle sait qui sont les innocents, les irréprochables, les citoyens naïfs. Elle ne détruit pas aveuglément, sans discrimination. Il n'y a pas d'accidents, pas d'impasses politiques. Tout est précis, tout est calculé. L'arme parfaite donne des ordres, elle n'en reçoit pas. Elle tient compte des conseils, elle analyse, elle soupèse et choisit le moyen de destruction le plus efficace. L'arme parfaite ne gaspille pas d'énergie, elle fait ce qu'elle doit faire, ni moins ni plus. L'arme parfaite est saine et folle à la fois, elle peut exister dans de multiples réalités, elle connaît tous les trucs. L'arme parfaite serait dangereuse parce que ses intentions seraient pures.

La violence fut autrefois une divinité. Je cherche peut-être à redécouvrir cette divinité. J'ai trop de conflits en moi pour les résoudre sans rien briser, sans verser le sang, le mien peut-être. J'ai l'impression que la terre me prie de semer la destruction, elle veut que je réveille cette ancienne divinité qui nous a terrorisés jadis. Il se passe trop de choses en moi, trop de voix cherchent à attirer mon attention. Il faut que j'en élimine. J'ai besoin de détruire ce que je ne peux tolérer. Et ça, c'est la folie. Je ne peux tolérer la cruauté des gens, la rapacité des riches, l'hypocrisie de l'Église. J'ai pourchassé les grands démons, ils m'ont imploré pour que je les relâche dans le monde des vivants. Comme si les ténèbres souhaitaient que j'ouvre le portail qui permettra au chaos de régner, quand tout s'annulera. Je suis peut-être un éclaireur, un huissier singulier qui refait le chemin parcouru dans une autre vie, quand la destruction était imminente. La lumière peut exister dans les ténèbres, mais est-ce que les ténèbres peuvent exister dans la lumière ? C'est ce que la vie veut que je démontre.

Mon père n'était pas vraiment mon père, il a juste été quelqu'un que j'ai rencontré sur la route. J'arrive du plus long voyage possible, mais la distance parcourue fut courte. Je viens d'un monde où l'amour mûrit, où il est testé comme les saisons testent la volonté d'un animal à résister et survivre. C'est un rite de passage. Il faut mériter sa vie. Mon temps approche. Je sens la terre me faire signe avec des racines qui veulent s'enfoncer plus profondément, des arbres pleins de l'envie de porter de vrais fruits. L'air se souvient de trop de choses. Il veut que quelqu'un l'écoute, entende la folie dans laquelle nous vivons. Les ordinateurs ne nous tueront pas, mais ils contribueront à chaque étape de notre perdition.

Tous, ils me regardent, ils m'attendent. Ils viennent de loin, des contrées les plus reculées de l'imagination. Ils ne repartiront pas. Ce sont des guerriers anciens dont la seule mission est la guerre, la destruction. D'autres mondes ont fait appel à leur expertise. Notre tour est venu. J'ai vu ces Défenseurs montés sur leurs chars indestructibles qui les conduisent partout. Une armée impressionnante s'assemble. Quand les océans touchent les plages, leurs vagues envoient secrètement des légions peupler tous les coins de la terre, attendant le compte à rebours final. Les nuages ne sont pas ces vagabonds informes qu'ils semblent être, certains sont des vaisseaux de guerre camouflés. Des gens à l'apparence étrange marchent parmi nous, œuvrant précisément à notre destruction. Des maladies plus mortelles que le sida, plus insidieuses sont en germe, attendant les conditions idéales pour semer la ruine et la mort. Les océans et les cieux complotent contre nous. Les baleines et d'autres créatures sages de la mer modifient leurs migrations, s'installant ailleurs, prévenant les autres. Je me sens proche de mon côté sombre. Les forces des ténèbres ont de l'appétit, elles sont affamées. J'ouvrirai les portes du chaos, je les nourrirai de la folie que nous avons semée. Ce sera le festin de l'anarchie.

Je cherche l'oubli, il sera pur. Mes yeux ont bu les poisons et les jus sucrés. J'ai eu assez à manger. J'ai marché plus loin que je ne pensais. Ça suffit. Il faut que je rentre chez moi. Ma famille m'a quitté parce que j'entamais un voyage différent, le retour à la maison. Tout n'a été qu'une préparation à ce voyage de retour. Je le vois. Je le ressens. La route est longue et sinueuse. Je me suis assez reposé. Je dois rentrer. Je ne m'arrêterai pas, je ne m'arrêterai plus jamais, jusqu'à ce que tout soit accompli et que je puisse rentrer chez moi.

Les gens me regardent, ils écoutent, ils enregistrent. Les réseaux d'espions ne sont jamais loin. Ils pensent peut-être que je ne les vois pas, mais je les sens. Je sens leur peur. Ils me visitent la nuit. Nous avons fait si peu avec tant de richesses. Des choses terribles se préparent alors que nous dormons. Les nuits dévorent l'avenir que nous croyons mériter. L'air nous empoisonne de colère. La terre retient ses secrets, permettant aux maladies de nous exterminer. Nous sommes devenus la vermine, les nuisibles, menaçant toute vie. Nous avons dilapidé le paradis et n'avons rien à montrer en retour. La décadence est généralisée. Le cœur est corrompu. Les racines sont perdues. La vacuité nous laisse impuissants, pourtant nous continuons à l'adorer. Ce n'est peut-être pas la mort que nous adorons, mais son idéal, une mort héroïque, magnifique comme l'Icare du mythe qui est allé voler trop près du soleil avant de plonger vers la mort. Ce n'était qu'un imbécile qui s'est pris pour un dieu quand il n'était qu'un simple mortel. La Nature ne manque jamais de nous rappeler qui nous sommes, de simples créatures, imparfaites. Quelle sagesse y a-t-il à voler trop près du soleil ? Évidemment qu'on se brûle ! Nous ne sommes pas différents d'Icare, nous envoyons des hommes dans la lune quand certains de nos enfants meurent de faim. Et nous avons l'audace de nous plaindre que personne ne nous écoute.

Quoi qu'il en soit, notre chance a tourné. Les forces de la lumière et des ténèbres se sont unies en un mariage profane qui nous débarrassera de la laideur environnante. Car même les ténèbres aspirent à aller vers le meilleur, à s'élever. Avant sa chute, Lucifer n'était-il pas celui dont le chant était le plus beau ? Nous avons peu proposé, rien démontré. Même les ténèbres ont honte de nous. Notre sang commence doucement à cailler. Je sens que la haine, l'amertume, la colère et la confusion ont commencé leur transformation ; il se forme une langue qui n'a plus rien à voir avec la raison. Il est trop tard pour échanger de belles paroles. La cloche sonne minuit. Quelqu'un souffle dans la corne ancestrale qui marque la fin du temps, de l'histoire. Les vautours se sont posés, ils sont revenus pour les charognes. Nous sommes les résidus de l'eau, du feu, de l'air et de la terre. Notre stupidité, notre aveuglement seront dévorés avec appétit, les vautours nous arracheront les yeux pour que nos enfants voient mieux. Nous ne méritons ni pitié ni pardon. Trop d'enfants sont morts dans le silence, leurs petites voix disparues dans le vide. C'est de notre faute à tous.

J'ai été envoyé ici par les puissances de l'urgence. Je ne suis qu'un messager. Je porte en moi les germes de notre destruction finale et notre rédemption. Ce sont les événements finaux, ils sont dissociés du temps. Pas de retour possible, aucune réponse ne nous sauvera. Nous sommes seuls, coupables, nous n'avons tiré aucune sagesse de nos expériences.

J'entends le township gémir, agoniser. Mes membres sont fatigués. Mes pieds sont couverts d'ampoules, ils saignent. Je ne sens pas la douleur. Je ne peux pas prétendre qu'il s'agit d'un rêve. Les vautours se sont posés. La mort nous tire peut-être d'un rêve. Peut-être. Je ne sais pas. Je ne suis sûr de rien. Tout ce que je sais, c'est que je dois affronter la mort, ma mort. Je dois affronter ce moment qu'on nous apprend tous à redouter. Le processus est déjà engagé. Nous sommes tous en train de mourir et pourtant nous avons l'air de vivre. Je peux sentir la puanteur de la mort. C'est dans l'air, dans la nourriture que nous préparons en la masquant d'herbes et d'épices. C'est dans l'eau que nous buvons, ses poisons nous vident de notre énergie, nous obligent à vieillir prématurément. Le message est clair, le temps s'est écoulé. Nous sommes au bout. Je me sens proche de la folie parce que c'est la seule façon de comprendre ce qui est en train d'arriver. Il n'y a rien de grandiose, de poétique ou de tragique dans nos vies, dans notre échec. Les poètes nous ont menti. Les historiens ont souillé l'honneur. Nous allons vers notre fin dans toute l'étroitesse de nos vies. Nos héros étaient des clowns, des charlatans, ils ont nourri notre aveuglement. Je ne crois plus à personne.

Je ne peux suivre les blancs, ils foncent vers l'abîme avec une fierté imbécile. Les coloureds attendent leur propre messie coloured. Les Indiens ne vous tolèrent que si vous mangez leur nourriture piquante et riez à leurs blagues. Les nouveaux noirs sont trop en colère et ne pensent qu'à eux-mêmes. Je ne crois pas qu'ils y voient clair. Alors je vais avec les Africains, les éclairés, les rares qui me voient tel que je suis, qui communiquent par des gestes et des indices subtils. Je vais avec ceux dont les livres parlent, ceux que je perçois dans l'air, ceux dont le temps se souvient, ceux qu'il n'oublie jamais. Ils appartiennent au paysage changeant de l'Afrique. Parfois, je les vois dans la rue, mais c'est rare. Ils sourient, me réchauffent le cœur d'une façon inconnue. Aussi loin que je me souvienne, j'ai toujours été triste.

Je n'aime pas les puristes. Ils sont dangereux, pleins de mensonges, il y a un peu de tout dans tout. C'est la vérité qu'ils s'efforcent de dissimuler. Je me moque des gens qui veulent expliquer ce que c'est ou pas d'être africain. Les gens disent n'importe quoi pour entendre leurs voix résonner de leur souffle vide. Je sais qui je suis. Pourquoi les Africains seraient-ils typiquement bons, ouverts, généreux, quand tous les autres peuvent être froids, calculateurs, rapaces ? Je ne supporte pas les imbéciles. Je suis comme le Nil, mes origines sont anciennes et sombres, plongeant dans le cœur du Congo, me souvenant des inondations qui viennent, qui attendent. Nous devons tous attendre. L'attente est une énergie, elle reçoit des instructions divines. Tout est soigneusement étudié.

Mon estomac se plaint.

J'ai faim et soif. Je fouille mes poches, pas de pièces.

Je passe la journée à marcher, l'estomac vide, la gorge sèche. Comment les gens peuvent-ils manger et boire dans une telle misère, une telle déréliction ? Comment respirent-ils ? Partout où se tourne mon regard, je vois la misère, et les gens vivent avec comme par miracle. Des chiens maltraités, décharnés, trouvent leur chemin dans un tas d'ordures. Mes baskets sont pleines de la boue des tuyaux d'égouts éventrés. Je transpire énormément, je marche où mes pieds me mènent. Devant un terrain de foot, je vois un Indien qui regarde les joueurs. Je le remarque car il n'y a pas d'Indiens, ni de blancs dans le township. Je me tiens à côté de lui.

— Qui joue ? je lui demande.

— Comment t'appelles-tu ? il demande.

Il faut que j'y réfléchisse. Ma première réaction est de répondre Angelo.

— Comment peut-on oublier son propre nom ?

— Et toi, comment tu t'appelles ?

— Nasuib, il dit en serrant les mâchoires.

On les regarde jouer, ils sont mauvais. Au bout d'un moment, Nasuib me dit qu'il s'en va.

— Où est-ce que tu habites ? Tu n'as pas l'air d'ici.

— Je vis en ville. Je dis, soulagé de m'en souvenir.

— Viens avec moi, il dit avec autorité, je le suis.

On retrouve bientôt le chemin d'une gare. Il m'achète un billet, je le remercie. Je regarde le soleil, je pense à du miel doux. Les gens regardent Nasuib avec mépris quand nous montons dans le train. Leur haine à son égard m'intrigue. Une femme déjà assise tend la jambe pour le faire trébucher, ou l'empêcher d'aller plus loin, je ne sais pas. Il reste calme, il mâche quelque chose. On reste debout tout le trajet.

Au Cap, je perds Nasuib dans la cohue des gens qui descendent. Je le cherche dehors, je ne le retrouve pas. Je retourne dans la gare pour aller boire aux toilettes. Un homme se lave les pieds dans le lavabo pendant que je bois. J'ai terriblement faim. Pour gommer la sensation, je bois beaucoup d'eau. Je retourne ensuite dehors, les stands ferment. Le soleil est plus beau que d'habitude. Je le regarde en face, il ne me brûle pas les yeux. Une femme m'observe avec des yeux méchants quand elle s'aperçoit que je peux fixer le soleil sans être aveuglé. C'est comme regarder Dieu dans les yeux, enfant du diable, elle me dit, le regard hypnotique. Je m'en vais. Je prends plusieurs rues, je me sens sale, affamé. Un enfant handicapé est assis dans un coin, tenant un panneau supposé apitoyer les passants. Je passe devant sans lire son laïus. À un autre coin de rue, une femme est assise avec sa fille, sévèrement handicapée. Elle a des membres fins, délicats, fragiles comme des arêtes de poisson, une tête déformée. Épuisé, je me repose un moment, je les regarde. L'enfant me sourit, ses yeux étincellent. Elle m'embrasse des yeux, moment de bonheur intérieur. Le klaxon d'une voiture me fait sursauter, je me remets en marche.

Les conducteurs de taxi-minibus sont grossiers au Cap. Comme la plupart des chauffeurs de taxi, ils pensent que la route leur appartient. Ils s'arrêtent n'importe où, bloquant les autres derrière. Les assistants crient violemment diverses destinations. Je les observe, je remarque que le moteur de chaque taxi fait un bruit différent. Même leur klaxon est distinct.

Au-dessus du tohu-bohu, je me mets à décrypter les divers bruits comme une série de messages. Un chauffeur me surprend à écouter sa fréquence et m'insulte. Quand il ouvre la bouche, une force sombre qui ressemble à une ombre apparaît et se précipite sur moi. Je tombe en arrière de peur. Le conducteur secoue son doigt à mon intention avant de démarrer.

En marchant vers Sea Point, je réalise que chaque voiture a sa propre fréquence, que des conversations complexes ont lieu en permanence, auxquelles, plongés dans nos vies, nous ne prêtons pas attention. Je me sens seul et déboussolé. Les ténèbres envahissent progressivement une partie du ciel comme de l'encre renversée sur une feuille de papier blanc. Je marche le long de la promenade de Sea Point où les gays viennent se trouver, mais je ne suis pas d'humeur, ni pour le sexe ni pour les hommes. Je marche là simplement parce que je n'ai nulle part où aller. Je ne me souviens pas où je vis. Je sais que je vis avec un type qui s'appelle Jacques. N'est-ce pas curieux que je me souvienne de lui et pas où j'habite ? Une pensée me vient. J'imagine Jacques fouillant dans mes affaires, volant quelques vêtements, les découpant ensuite dans sa chambre, pour quelque pratique occulte. L'imbécile, il signe son propre arrêt de mort. Je me suis toujours méfié de lui. L'idée d'avoir deux portes dans une seule pièce est un mauvais présage. À quoi lui sert cette autre porte ? Où le mène-t-elle ? Ou bien qui vient l'ouvrir ?

Je pense un peu plus à Jacques, je commence à me demander s'il a quelque chose à voir avec mon état présent. Récemment, il s'est montré plus bizarre que d'habitude à mon égard. L'autre jour, je suis entré accidentellement quand il était en train de chier. Il a semblé content que je le surprenne dans cette position, un sourire puéril sur le visage. En colère, j'ai quitté l'appartement. Je me demande aussi avec dégoût s'il n'a pas une fascination scatologique. L'idée me déplaît, mais tout l'indique, dans cette salle de bains sale, crasseuse et sombre. Je ne pense pas qu'il change régulièrement de sous-vêtements. Qu'il ne change pas non plus régulièrement la litière du chat me dérange aussi. Une fois, je l'ai surpris en train de la renifler avec un plaisir manifeste. J'ai entendu des choses sur ce que les gens sont capables de faire au Cap. Des gens qui s'ennuient, trop de temps, trop d'argent, qui cherchent désespérément à communiquer avec des forces obscures auxquelles ils ne connaissent pas grand-chose. Les ténèbres sont très précises, elles ne supportent pas les imbéciles. Ce sont des gens qui feraient n'importe quoi, y compris des choses innommables avec leur corps. Boire son urine parce qu'on dit que ça fortifie ; et ce n'est que le premier pas vers le bas, sur la pente vertigineuse d'une décadence délétère.

Je n'aime pas Jacques, je ne le cache pas. Son refus de communiquer est odieux. Son avarice, répugnante. Une fois, j'ai oublié de lui rendre la monnaie, il y en avait pour 3 centimes. Il m'a tanné jusqu'à ce que je les lui rende jusqu'au dernier. On dit qu'avec le diable, il faut enregistrer chaque transaction, parce qu'à la différence du ciel la porte par laquelle on passe est si étroite, si oppressante qu'il faut toujours veiller à ne pas se faire avoir. Il y a toujours la peur de se faire avoir pour une erreur minime, donc pas question d'être négligent.

Sur Regent Road, je tombe sur Nasuib. Étonné, je le hèle.

— Où étais-tu passé ? Tu as disparu à la gare, il me réprimande. Il semble distant.

— Je t'ai perdu, j'essaie d'expliquer.

— Tu as mangé ?

— Non.

— Alors il faut que je te ramène à la maison immédiatement, il dit.

Je remarque qu'il porte une ankh au cou. Nous rebroussons chemin vers le centre-ville. En quittant Sea Point, nous passons devant les prostituées qui paradent sur Main Road. Je n'aurai plus jamais de basse pensée en les voyant. Nos vies sont régies par tellement plus que la désapprobation des autres. Nasuib les regarde avec mépris en passant. Exercer son métier dans la rue est difficile. Tu es tributaire du temps qu'il fait et les hommes peuvent être de sacrés nœuds. Je me réjouis de n'avoir jamais dû en venir là. Nous les dépassons, nous nous dirigeons vers Green Point. Je cherche des toilettes, j'ai bu tellement d'eau à la gare.

— Nasuib, j'entre là, je dis en montrant Biloxi. Il faut que je pisse.

À la porte, un grand videur blanc est assis sur un tabouret. Il porte un bomber qui lui donne l'air indestructible. Quand j'essaie d'entrer, il me demande une pièce d'identité. Une pièce d'identité, depuis quand ? je demande, surpris. Il refuse de me laisser passer. Derrière la porte, le manager qui marche comme s'il avait un balai dans le cul me regarde. Il me connaît, je dis en montrant le manager du doigt. Il regarde dans sa direction, ils échangent un regard. Puis le manager disparaît dans le bar. Le videur refuse de me laisser entrer. Vexé, je retourne vers Nasuib.

— Ces gens-là vont te manger tout cru, il me prévient.

— Ton manager est un connard ! je crie au videur.

— Ne viens pas faire du bordel ici ! il dit en se levant, il s'approche.

Nasuib lève sa chemise, révélant un flingue.

— Dégage avant que j'appelle quelqu'un, dit le videur énervé.

— Je remettrai jamais les pieds ici, je dis en crachant par terre.

Nasuib marmonne un truc en arabe.

— Puisses-tu manger ta propre merde, il lance furieusement au videur, nous nous éloignons.

Je suis en colère, perdu. Il y a encore deux jours, j'étais le bienvenu. Que s'est-il passé ?

— Nasuib, que se passe-t-il ? Je perds le contrôle de ma vie.

Il serre les mâchoires, il ne dit rien. On marche en silence un long moment.

— Où est-ce que tu habites ? il demande quand nous sommes dans le centre-ville.

— À Gardens, près des trois tours blanches, je lui dis, soulagé de m'en souvenir. Comme si l'avoir à mes côtés m'aidait à me souvenir.

Nous allons à l'appartement, je me souviens que je n'ai ni mes clés ni mon portefeuille.

— Jacques sera rentré du boulot, je dis.

Je sonne à l'interphone. J'appelle pendant dix minutes.

— Jacques. C'est moi. Ouvre s'il te plaît. J'ai perdu mes clés, je dis.

J'essaie encore dix minutes, mais la porte ne s'ouvre pas. La lumière est allumée. Je sais qu'il est là. Je sais qu'il m'entend mais qu'il ne veut pas ouvrir.

— Jacques, Jacques, je supplie, mais il m'ignore. Ce salopard ne dit rien. Pourquoi me fait-il ça ? Ça me met dans un état de panique. Je vais près d'un arbre voisin. Je pisse longuement.

— Ce garçon ne va pas t'ouvrir, dit Nasuib quand je reviens. Il ouvre sa braguette, il pisse devant la porte.

Nous repartons vers le centre. Je me sens abattu, défait. Ma vie, qu'est-ce qui se passe ? Comme si quelqu'un la déchiquetait avec art. Je suis Nasuib. Nous nous rendons dans une partie de la ville où je ne suis jamais allé, nous entrons dans un humble petit resto éthiopien dont j'ai beaucoup entendu parler, mais que je n'ai jamais réussi à trouver. À la porte, un homme au visage émacié nous accueille avec un sourire désarmant. Il bavarde avec Nasuib dans leur langue maternelle, je crois que c'est de l'amharique. L'éclairage est faible, mais c'est bien. Il y a peu de clients. On va au fond se laver les mains.

— Lave-toi la tête et les pieds, me dit Nasuib sévèrement, mais il y a aussi de la sollicitude dans sa voix. Je fais couler l'eau sur mes mains, je passe mes doigts dans mes cheveux. Je me lave le visage et les pieds avec un morceau de savon. Le propriétaire du restaurant me tend une serviette et un peigne. J'essuie mon visage et mes pieds. Je me coiffe bien.

Ne remets pas tes chaussures. Elles sont souillées, dit Nasuib en les emportant. L'autre homme me donne une paire de tongs en caoutchouc.

On monte un petit escalier qui mène à une chambre derrière le restaurant. Nasuib allume la lumière, il me fait entrer dans la chambre sommairement meublée. Un épais tapis persan au milieu de la pièce, représentant une mosquée, une penderie sur un mur, deux chaises posées contre l'autre mur. Une petite table avec une chaîne hi-fi.

— Je vous apporte à manger, dit l'homme en partant.

Nasuib et moi nous asseyons par terre. Il a l'air soudain fatigué.

— Désolé de te déranger comme ça, je dis.

— J'avais envie de lui arracher la langue, à ce type, il dit en s'essuyant la sueur du front de sa grande main et son large poignet.

— Lequel ? je dis.

— Celui qui travaille devant l'abattoir.

— Tu veux dire Biloxi ?

— Beaucoup de gens malfaisants à cet endroit. Ils ont fait des tas de trucs à ton esprit.

— Comme quoi ?

— Tu es un réservoir d'informations ambulant et tu ne le sais pas. Ils essaient de trouver une porte dérobée vers ton esprit.

— Qu'est-ce que tu veux dire ? je demande, effrayé. Ce qu'il dit a l'air vrai. On reconnaît la vérité quand on l'entend.

— Si ces gens te contrôlent, ils sauront certaines choses, en tout cas, c'est ce qu'ils croient, il dit.

— Et toi ? Que veux-tu de moi ?

— Qui est-ce qui n'a pas pu rentrer chez lui ? il dit, acerbe.

— C'est le fait de mon père, je dis avec conviction. Mon père était malfaisant. Il est mort récemment, je dis, espérant qu'il réponde quelque chose qui me fasse me sentir mieux.

— Tu ne connais pas ton père, il me dit.

— Crois-moi, je sais de quoi je parle, je dis avec confiance, un peu agacé par ce qu'il vient de me dire.

— Tu ne connais pas ton père. Sinon, tu ne dirais jamais de lui qu'il est malfaisant. Cet homme qui est mort, ce n'était pas vraiment ton père.

— Qui était-il alors ?

— Un accessoire. Les relations de famille ne comptent pas. Chacun a toujours une identité plus profonde, une réalité plus profonde.

Il sourit largement. Quelque chose venu de ses yeux pénètre dans mon bas-ventre. J'ai une légère érection, le souffle coupé. Il sourit.

— Comment tu as fait ça ?

L'autre homme revient avec un grand plateau de nourriture. J'adore la nourriture exotique. Nasuib le remercie. Il y a du couscous, du pain sans levain dont Nasuib me dit qu'il est délicieux. Nous mangeons le pain et le couscous avec le traditionnel ragoût de mouton. Il m'est facile de manger avec les mains.

Nous mangeons beaucoup, mais sans finir le plat. Plus tard, une Éthiopienne réservée, portant un tchador qui ne révèle que ses yeux, vient remporter le plateau.

— Tu devrais te laver, dit Nasuib. Il ouvre la penderie, en sort un morceau de savon, une petite serviette et un gant de toilette qu'il me tend. Il me dit de retourner en bas, il y a une douche.

Je me rends dans la petite douche, toute simple. Je me lave lentement, l'esprit toujours en miettes. Qui est cet homme ? Sous la douche, je lave mon tee-shirt Diesel, sa puanteur est insoutenable. Je termine, je me sèche, remonte l'escalier avec mon pantalon kaki taché et les tongs. Je remercie Nasuib, j'étends mon tee-shirt sur la chaise, près de la fenêtre. Il fait chaud. J'espère que ça va sécher. Nasuib descend et se lave à son tour. Il remonte, ferme la porte et le verrou. Il prend un grand matelas en tissu éponge au-dessus de la penderie et le déroule sur le sol. On tend une couverture et un drap. Il me propose un oreiller.

— On se couche déjà ?

— Une longue journée nous attend demain. Et puis il faut que je te raconte des choses. Je me couche avec lui, ne sachant pas trop à quoi m'attendre, mais reconnaissant pour avoir l'estomac plein et un toit au-dessus de la tête.

Il se pelotonne contre moi, ses parties entre mes jambes.

— Qu'est-ce que tu veux me dire ? je demande avec nervosité.

Il ne répond pas. Je sens son érection qui monte. Je reste étendu comme si de rien n'était. Il ne s'attend quand même pas à ce que je couche avec lui comme ça, je me dis. Sans prévenir, il met sa grande main dans mon slip.

— Nasuib, je proteste en attrapant son bras, mais il résiste. Il est fort, mais il n'est pas dur avec moi. Il laisse juste sa main là.

La plus étrange des choses se produit alors.

— Je te cherche depuis longtemps, il dit. Il me le dit en pensée. Je suis très nerveux, mais je reste immobile.

— Tu es parti si longtemps, Horus. Je croyais que je ne te reverrais jamais, il dit.

— Est-ce vraiment en train de se passer ? je dis, également par la pensée, ébloui par cette capacité.

— Mère t'attend. Père est impatient de te revoir, il dit tendrement. Oh, Horus. Tu m'as manqué.

Il m'embrasse doucement dans le creux du cou. Une foule d'images défilent dans ma tête. Je me souviens de grands roseaux, l'odeur du sol mouillé après les inondations.

— Pourquoi m'appelles-tu Horus ?

— Nous avons beaucoup de travail. Demain, tu dois quitter cet endroit et rentrer à Johannesbourg. Il est très important que tu partes demain. L'avenir en dépend, il dit gravement, je me sens oppressé par ses paroles.

Mon érection monte. Je sens la sienne entre mes cuisses.

— Cet homme avec qui tu habites, il est mauvais. Il a volé tes clés. Tu ne les as pas perdues. Il essaie de te voler ton esprit, de te contrôler. Je l'ai vu en rêve. Mais tu ne dois pas t'inquiéter à son propos. J'ai rêvé qu'un démon qu'il avait torturé l'a mangé, il dit.

— Je crois qu'il mange sa propre merde, je lui dis, toujours émerveillé par cette étrange capacité à communiquer sans la voix. Ça me rend conscient de moi-même d'une façon très aiguë.

— Il fait plus que cela, Horus. Il dévore tes pensées parfois. C'est pour ça que tu as erré dans les rues, si perdu. C'est pour ça que tu as de violentes migraines. Ils essaient de te manger vivant.

— Pourquoi le mal s'en prend-il à moi ? Et qui est cet Horus ?

— J'ai beaucoup à te dire, mais je ne peux pas tout te dire d'un coup. Ton esprit est encore fragile. Demain, il dit en me massant d'une façon experte.

— Es-tu mon frère ? je me retourne, je lui fais face dans le noir.

Il m'embrasse. Je le sens entre mes jambes. Il est chaud.

— J'ai quelque chose d'important à te donner, il dit vivement, ça vient de très loin et il n'y a qu'une seule façon de te le donner.

— Qu'est-ce que c'est ?

Il bouge ses hanches, sa queue vient m'émoustiller.

— Oh, je fais, surpris mais consentant.

On commence à s'embrasser. L'odeur de l'huile d'olive.

— Qu'est-ce que c'est ? je répète.

— Tu le sauras demain. Il ne faut pas que je t'en dise trop, il dit.

Bientôt, il est en moi. Mais il ne fait pas l'amour. C'est un moyen de communication. Je lis des choses dans son souffle, ses poussées, la façon dont il me tient. Ça dure un long moment. Quand il jouit, il éjacule pendant ce qui semble durer cinq minutes.

Je ne jouis pas, mais pour moi, ça n'a pas d'importance. Mon esprit est plein de questions. Que vient-il de me donner ? Je pensais à tellement de choses pendant qu'il jouissait.

— Horus, il dit, à nouveau par l'esprit.

— *Ja?*

— Ton corps est un réceptacle mais pas comme celui d'une femme. Un jour, tu donneras naissance à ta vraie nature. C'est pour cela que les femmes te détestent. Tu dois faire très attention avec elles. Elles peuvent sentir que, sans le savoir, tu fais des choses avec ton corps.

— Mais qu'est-ce que ça veut dire ?

— Tu rencontreras beaucoup d'hommes à Johannesbourg et ils auront tous beaucoup de cadeaux secrets pour toi, comme le mien. Choisis sagement.

— D'accord, mais que veux-tu dire à propos des femmes ?

— Oublie les femmes. La seule qui compte, c'est Mère, il dit avec révérence.

— Et qui est-elle ?

— Horus, pourquoi me testes-tu ? Nous t'avons entendu pleurer pour elle. Tous ceux qui ont des oreilles t'ont entendu, il dit tendrement, et je me sens brisé par la peine en me souvenant de ma mère.

Je me tais, j'essaie de dormir. Il s'enroule contre moi. Nous dormons enlacés.

Je rêve comme je n'ai jamais rêvé. Le ciel n'a jamais semblé plus clair, jamais plus doré dans mes rêves. Je parcours le ciel un long moment, un chariot de feu illuminant mon chemin. Il y a des portes et des gardiens secrets que je suis seul à connaître. Les gardiens m'ouvrent d'autres dimensions où les gens existent dans un état suprême, ils existent en tant que galaxies. Je sillonne le ciel sans fin, ravi de ce voyage, mon père me regarde, ma mère est fière.

Au matin, quand je m'éveille, Nasuib est déjà habillé. J'ose à peine le regarder. Il dit :

— Qu'est-ce qui ne va pas, le chat a mangé ta langue ? Je mets mon tee-shirt, légèrement humide. J'enfile mon pantalon kaki. Nous enroulons le matelas et rangeons la chambre.

J'ai la sensation inhabituelle de savoir ce que je fais. Je dis à Nasuib que nous devons aller de l'autre côté de la ville, là où Jacques travaille. Nous nous rendons dans le sex-shop où il est employé. En arrivant, nous le trouvons derrière le comptoir, aussi sombre qu'à l'accoutumée. Un vieil homme regarde des magazines sous cellophane qui montrent des femmes, le vagin offert, portant des tenues noires SM.

— J'ai besoin des clés de secours, j'ai perdu les miennes, je dis à Jacques.

— C'est pas mon problème, il répond froidement.

— Je sais que tu as d'autres clés.

— Écoute, je suis occupé. Il faut que tu attendes que j'ai fini, il dit en me regardant à peine, appuyant sur une touche du clavier.

— Donne-lui ces putains de clés, dit Nasuib en sortant son flingue.

— Bordel de Dieu. Jacques bredouille, il manque de tomber de sa chaise.

Le type de la section SM regarde vers nous mais ne peut pas voir ce qui se passe.

— Je vais appeler les flics, dit Jacques.

— Je sais où tu habites, espèce d'ordure, dit Nasuib.

À regret, il sort deux clés de son trousseau. Ses mains sont blanches et pâles.

Nous marchons rapidement vers la maison. Je suis soulagé d'entrer quand nous y sommes.

— Fais tes bagages, Nasuib me dit immédiatement. Mais la première chose que je fais, c'est me changer, vêtements propres, baskets confortables. Je sors ma valise, je commence à la remplir avec toutes mes affaires. Nasuib inspecte les pièces.

— C'est la sienne ? il dit en arrivant devant la porte fermée à clé, la chambre de Jacques.

— Oui, je fais. Il baisse sa braguette et urine sur la porte, laissant une petite flaque. Je ne dis rien. Je ne ressens rien pour Jacques. Il n'a jamais été bon avec moi, il ne m'a jamais tendu la main. Je regarde Nasuib entrer dans la salle de bains. Il ressort aussitôt en se couvrant la bouche.

— Cet homme est malfaisant, il dit. N'entre pas là-dedans. Oublie tes affaires de toilettes.

— Mais s'il les utilise pour ses sombres projets ?

— Tu seras à Johannesbourg, où le soleil te protège, il dit, se remettant de ce qu'il a vu.

Je mets toutes mes affaires dans une grande valise et trois sacs, livres compris. Je remets ma chaîne stéréo dans sa boîte. Je laisse la chambre vide, à l'exception du lit, du matelas et des couvertures. Je ne peux pas les emporter avec moi. Et je ne peux rien faire pour le bureau et la chaise, pas plus que ma nourriture dans la cuisine. Je ne vois pas les chats. Ils doivent être enfermés dans sa chambre. Je les entends miauler, déchirer quelque chose.

— Ça y est, je dis.

Nasuib pisse devant ma porte et devant les autres entrées du balcon. Heureusement, je garde toujours de l'argent liquide à la maison pour les urgences. J'appelle les taxis Bee-line avec mon portable.

— Ce soir, tu restes avec moi, il ordonne.

Nous retournons là où loge Nasuib. Je laisse mes affaires dans sa chambre mais je prends mon passeport. Je vais à ma banque, je déclare que mon portefeuille a été volé. Ils me donnent un formulaire à remplir pour annuler ma carte de crédit et ma carte de débit. Pas de raison de commander de nouvelles cartes puisque je m'en vais. Je ferai ça à Jo'burg. Je retire 700 rands de mon compte épargne. Je demande l'état de mes comptes. Je constate avec plaisir que tout mon argent est là, tous mes investissements ont été soldés. 168 000 rands. C'est beaucoup d'argent quand on est célibataire, qu'on ne doit rien et qu'on ne possède rien. Je peux toujours tout recommencer à Jo'burg, je dis.

À la gare routière, j'achète un aller-simple en Greyhound pour Jo'burg, le lendemain matin. Je n'éprouve aucune nostalgie à l'idée de quitter Le Cap. Il y a des gens qui ont bouffé mes rêves ici.

MMABATHO

Un soir, Tshepo sonne soudainement à la porte. Pas la peine de me demander comment il m'a retrouvée. Arne lui a probablement donné mon adresse. Toujours aucune nouvelle de lui, d'ailleurs. Il entre, nous nous asseyons dans la petite pièce que je loue très cher. Mais que faire ? Les loyers grimpent toujours au Cap autour de décembre. Tout le monde veut gagner de l'argent au moment de Noël.

Nous nous embrassons gauchement, attentifs l'un à l'autre. Il a changé. J'ai changé. Tout a changé. Je ne vois presque plus personne aujourd'hui, mais il y a une vie après s'être mis en retrait de la vie. Je vais devenir mère, voilà ma priorité.

— Je parie que les femmes sont folles de toi, je dis en le regardant. Il est bien habillé, il a belle allure.

— Pas vraiment, il dit timidement. Il n'a pas tant changé que ça.

Il porte une ample chemise de soie, un pantalon de coton. Je me sens gênée dans ma large chemise de grosse, pour essayer de dissimuler mon ventre. Je n'ai plus de contrôle sur ma taille. Je ne peux plus porter ce que j'aime.

— Tu es venu pour préparer Noël? Je ne peux pas croire que c'est dans deux semaines. L'année a filé si vite, je dis.

— En fait, je suis venu te dire que je ne pourrai pas venir. Je pars demain. Je retourne à Jo'burg, il dit calmement.

— Tu t'en vas? Ça s'est décidé quand? J'espérais qu'on pourrait ranimer notre amitié. On était si proches. On se disait tout avant Arne.

— *Ja*, j'ai déjà acheté mon billet.

— Je peux pas croire que tu t'en ailles. J'ai perdu Arne et maintenant, je vais perdre sans doute le seul ami qui m'ait jamais comprise. Pardon, je ne t'ai même pas demandé pourquoi tu partais, je reprends. Je me sens abandonnée.

— Il est temps de passer à autre chose. Je peux pas être étudiant indéfiniment.

L'entendre dire ça me donne l'impression d'être coincée, piégée par les circonstances.

— Mais je croyais que tu retournais à l'université l'année prochaine.

— Il y en a d'autres à Jo'burg, il dit avec optimisme.

Je reste sous le choc. Je n'avais jamais envisagé ça. Je pensais qu'il serait toujours là. Les hommes sont forts pour s'évanouir.

— Tu as rencontré quelqu'un?

— Non. Je peux juste plus rester ici, c'est tout. Je ne fais aucun progrès. Toujours la même merde. Mais la vie continue. Et puis il y a de meilleurs jobs à Jo'burg, il dit en se frottant les mains. Ses ongles sont impeccables.

— Wow. Comme ça. *O a tsamaya*, tu t'en vas, je dis.

— J'avais pas vraiment le choix.

— Mais il y a tellement de délinquance à Jo'burg.

— Comme si Le Cap était mieux. La seule différence, c'est qu'il y a plus de blancs qui ont de l'argent. Ils peuvent se payer une protection privée et se barricader. Sinon, c'est la même merde, attaques, meurtres, viols. En fait, je crois que c'est pire ici. Et puis, il y a les bombes, il répond calmement.

— On était proches, je dis pitoyablement.

— On l'est toujours.

— *Ja*, mais avant, j'aurais été la première à qui tu l'aurais dit. Maintenant, j'ai l'impression d'être la dernière à le savoir. Tu pars demain.

— Tu avais tes propres problèmes avec Arne, il dit avec précaution.

— Je suppose que tu as appris la nouvelle. Il t'a dit quelque chose quand il t'a donné ma nouvelle adresse ? je demande, impatiente d'entendre son explication.

— Tu sais comment il est. Il peut pas me sentir. Il m'a donné ton adresse et c'est tout. Qu'est-ce qui s'est passé ?

— Je l'ai quitté. Il veut pas se marier. Et je ne veux pas avoir ce bébé avec un simple petit copain.

— Tu l'as dit à tes parents ?

— Ils savent que je suis enceinte.

On se tait un moment. C'est comme si on ne se connaissait pas finalement. Je le soupçonne d'être impatient de s'en aller. Dans ses yeux, je vois qu'il est déjà parti, déjà dans Rocky Street à Yeoville. Quand il pensera à moi, il dira peut-être, « on a vécu une petite histoire ensemble ».

Il reste pour moi, par politesse. Du coup, je me remémore quelle affreuse amie j'ai été pour lui. Très honnêtement, j'aurais pu être plus à l'écoute.

— Tu sais où tu vas habiter ?

— Pas vraiment, mais je suis pas inquiet. Si je trouve rien, je peux toujours aller chez ma tante. En tout cas, c'est bien moins cher de se loger à Jo'burg.

— Tu ne m'as toujours pas dit comment tu gagnais ta vie, comment tu peux te permettre de t'habiller si bien.

— Je t'ai dit que je vendais de la drogue, il répond, impassible. Je ne sais pas si je dois le croire ou pas. Décidément, je ne le connais plus, mais il a toujours les mêmes gestes.

— Au moins, tu t'arraches plus les poils du nez, je le taquine.

— Il fallait que ça s'arrête.

— Tu as l'air loin.

— Je crois que tu te sens seule, il répond.

— Peut-être. Il s'est affirmé, il rend coup pour coup.

— Je voulais pas partir comme ça, que tu l'apprennes par quelqu'un d'autre, il dit avec tact après un silence. Les bonnes manières sont parfois une arme. Elles peuvent rappeler combien on a été grossier. J'ai toujours dit que je lui rendrais visite à Gardens, mais je ne l'ai jamais fait.

— Tu m'écriras ?

— Mmmh, il dit d'une nouvelle façon, adulte. Ça m'intrigue. Les gens mûrissent en silence. Je me sens dépassée, encore une enfant.

— Je ne crois pas que ce soit une bonne idée de promettre d'écrire ou d'appeler. Il y en a toujours un qui attend des nouvelles de l'autre, ça devient lourd quand l'un des deux oublie et que le temps passe, il dit.

— Mais comment je te trouverai à Jo'burg ? J'y serai en janvier, je lui dis.

— Eh bien, tu sais où habite ma tante. Je lui laisserai toutes mes coordonnées.

Ça m'énerve un peu qu'il n'ait pas l'air plus affecté.

— Tu as l'air content de partir, je dis froidement.

— Je suis un peu fatigué.

— Ne me laisse pas te retarder si tu as à faire.

— C'est pas ce que je voulais dire. J'aurais pu sortir avec d'autres amis ce soir, mais c'est toi que je voulais voir.

Je boude un peu. C'est comme si on avait échangé nos vies. Je suis devenue lui, il est devenu moi. Avant, c'était moi qui m'habillais et qui sortais, qui passais toujours le prendre. Il était toujours seul chez lui, réservé, gauche, guettant ma venue. Tout s'est retourné. Ma *belle époque* est passée.

Une femme enceinte n'est qu'une femme enceinte aux yeux des autres, une invalide même pour certains. Il ne faut pas que j'espère qu'on me regarde de la même façon. Quand on me regarde, on voit la mère de quelqu'un, ma jeunesse s'est évaporée.

— C'est quand la dernière fois que tu es allée chez Ganesh ? il demande.

— Quand on est allés chez A Touch of Madness, le soir où Arne est venu me chercher, c'est la dernière fois où je m'en suis approchée. Et toi ?

— J'y vais plus, il dit en faisant une grimace. Le centre-ville est plus près. Je sors sur Long Street.

— J'espère que ça va marcher pour toi à Jo'burg.

— J'espère que ça va bien se passer pour toi et le bébé et…

— Oh non, on va pas se remettre ensemble. Même s'il venait supplier devant ma porte. Pas cette fois. Je vais avoir ce bébé toute seule.

Il a l'air un peu gêné par cette sortie. Il finit par dire :

— J'aime ta coiffure.

— Merci. J'ai trouvé ça dans un livre sur les anciennes coiffures africaines, les rituels, leur signification culturelle. Apparemment, les femmes de Gambie portent les cheveux ainsi quand elles sont enceintes. Les huit raies sur le haut de mon crâne sont censées symboliser les huit ancêtres, source de santé et de prospérité. Je suis fière de partager cette information avec lui. En silence, je suis allée plus profondément en moi-même et j'ai découvert une femme.

— Bon sang, quelle hôtesse minable je fais, tu veux un peu de jus ?

Je me lève pour aller à la cuisine. Il n'a peut-être pas tant changé que ça. Et pourquoi ça m'inquiète tellement qu'il ait changé ? Je n'ai pas peur du changement, je me dis, comme un mantra.

Je reviens avec un verre de jus d'orange, quelques biscuits dans une soucoupe.

— Tu vas me manquer, il dit, je crois pas que j'aie jamais rencontré une fille plus forte que toi.

Personne ne m'a jamais dit ça. Je fais une petite grimace pour cacher l'effet que me fait ce compliment.

— Tu sais, je t'ai mal jugé, je réponds.

— Comment ça ?

— Je crois pas que j'aie jamais regardé au-delà des apparences. Tu me semblais naïf, si je peux me permettre.

— La plupart des gens pensent que je suis un idiot. Je sais. Les apparences sont trompeuses. C'est pas nouveau, il dit avec nonchalance.

— Mais tu sembles être devenu la personne que tu avais toujours cachée.

— Je cachais rien. J'attendais juste le bon moment pour être moi-même.

Je suis troublée, il y a quelque chose en plus chez lui, une confiance intérieure que je n'avais jamais remarquée. Il se cachait derrière sa naïveté. Que protégeait-il, sa sagesse ? Il sourit, il me regarde comme s'il lisait dans mes pensées. Ça me met mal à l'aise, je me lève pour mettre de la musique. Je mets Jamiroquai, mais doucement.

Il regarde ma chambre, mais pas d'un œil critique. Deux de mes colocataires entrent avec leurs amis bruyants. Ils vont dans la chambre d'Alex, à côté, et mettent la musique à fond. C'est vendredi, je peux pas me plaindre. On s'est mis d'accord sur les heures où on peut faire du bruit ; le vendredi, de sept heures à minuit, on peut. Tshepo fait la moue quand il les entend mettre Marilyn Manson.

Il se lève, tire sur son pantalon.

— Tu pars pas déjà ? S'il me laisse maintenant avec cette bande à côté et leur musique de merde, ça va me déprimer.

— Il faut que je fasse mes bagages. J'ai couru toute la journée pour organiser le reste des trucs.

Je me lève, je l'embrasse.

— Disparais pas.

— Pas question, il sourit, je le raccompagne à la porte.

— Nous y voilà. Je me force à sourire. J'espère que tout ira bien pour toi. Je me sens nulle, j'ai eu du mal à dire ça. Et fais attention où tu mets les pieds. Hillbrow est bourré de Nigérians et de *makwere-kwere. Ba loya*, ils jettent des sorts et ils vendent de la drogue.

— T'inquiète pas, Mmabatho, il dit l'air las. Porte-toi bien.

Je lui fais signe de la main, je le regarde descendre le petit chemin qui mène à la grille, il disparaît dans la rue.

Je ferme la porte. Un autre chapitre de ma vie se referme. Je me sens seule et malheureuse. J'aurais dû être plus prudente, je me morigène, rester en retrait a bien réussi à Tshepo. Les gens disent que c'est important d'être direct, de dire ce qu'on pense, que ce sont des qualités indispensables. Le petit gars qui se tait dans son coin, qui mène simplement sa vie, il fait juste partie du décor. Jusqu'au jour où.

Je retourne dans ma chambre, d'humeur introspective. Je ne peux rien changer. Il faut que je fasse avec ce que j'ai. Je n'entendrai sans doute plus jamais parler de Tshepo. Et j'ai le pressentiment désagréable que tout va bien tourner pour lui, qu'il va réussir, devenir célèbre même. Juste une impression comme ça. Mon sixième sens s'est développé depuis que je suis enceinte.

Je m'allonge sur mon lit, j'écoute Jamiroquai, sa musique céleste, le didgeridoo lui donne une forte tonalité aborigène. Je me laisse emporter par ma rêverie, un tout petit garçon plein de santé et de vigueur nommé Vénus rit avec moi.

TSHEPO

À Jo'burg, tout le monde me connaît sous le nom de Tshepo. J'ai laissé Angelo au Cap, à sillonner les rues, explorer les bas-fonds. Je ne crois pas que j'y retournerai avant longtemps. Trop de blessures à soigner. Noël et le Jour de l'An sont passés en fanfare. Tout le monde parle du nouveau millénaire. Je suis allé à une fête sur Rocky Street. Ça me rappelle un peu Le Cap, mais les gens sont différents, le mélange est plus réussi.

Je vis dans Hillbrow et toute sa décrépitude. Deux semaines après le Nouvel An, j'ai trouvé un job dans un foyer pour enfants. Une petite publicité dans le journal a attiré mon attention. J'ai appelé, j'y suis allé. Je crois que j'étais le seul à répondre. Ça paye mal, mais je suis logé et nourri. J'ai une petite chambre à l'arrière.

Les enfants sont intéressants, ni géniaux ni affreux, simplement intéressants. Le matin, je me lève tôt, je les aide à s'habiller, à se préparer pour l'école. Je les dépose, je les reprends plus tard. L'après-midi, je les aide à faire leurs devoirs, je supervise leurs tâches. Notre petit foyer est un foyer modèle, dans le district de Jo'burg. Les enfants des autres foyers aimeraient tous venir ici, mais c'est difficile d'entrer. Ma Thembi, la mère du foyer, tient sa maison propre, ne tolère aucun laisser-aller, y compris chez moi. Avec elle, je fais gaffe. Mais on s'entend bien parce qu'elle ne me traite pas comme un enfant.

La plupart des enfants viennent de foyers brisés, des parents qui boivent, des pères abusifs, des familles qui vivent dans une pauvreté absolue, si ça veut dire quelque chose. Quand ils arrivent, ils sont durs, rebelles. Une tâche simple, comme leur demander de faire leur lit, peut déclencher une dispute, voire un conflit. Ils ont toujours la rue en eux. Je vois l'insubordination dans leurs yeux, ils défient toujours les plus grands. Ensuite, ils maltraitent les autres, les plus petits, parce que c'est comme ça que ça marche dans la rue. Il faut que je sois patient avec eux. La première semaine, je les suis de près. Sans arrêt sur leur dos, je ne relâche pas la pression, pour qu'ils sachent ce que ça veut dire de respecter les règles. Ce sont les règles qui font tenir le foyer, qui empêchent l'édifice de s'écrouler. Elles nous empêchent de nous laisser aller les uns envers les autres. Même Ma Thembi doit respecter certaines règles.

Progressivement, au bout de deux semaines, ils commencent à se détendre. Il arrive même qu'on voie poindre un sourire, mais il a l'air embarrassé, étrangement beau. Le sourire d'un enfant vaut plus que toutes les excuses et les politesses réunies. Il n'y a pas de façon plus sincère de dire « je suis désolé ». Je leur pardonne quand ils font des erreurs, quand ils agressent les autres, quand ils se montrent négligents et égoïstes. Mais seulement s'ils me le demandent. Ils doivent apprendre à se plier à cette exigence, trop de dégâts ont été commis par des gens qui ne savaient pas demander pardon, comme mon père. Il faut regarder courageusement son passé en face si on veut progresser. Être honnête, c'est s'autoriser à être faible. La faiblesse est un pas vers le pardon. S'il y a une chose que je sais, c'est que le pardon est accordé à ceux qui le demandent.

Ils m'appellent «oncle», ça fait partie du protocole. Plus facile pour eux de savoir comment me répondre correctement. Je ne suis pas un de ces *tsotsis* sniffeurs de colle qu'ils croisent dans les rues. Ils doivent apprendre à quoi ressemble un adulte responsable et comment on s'adresse à lui. Nos enfants sont fragiles, ils héritent de tout ce qu'on leur laisse, bon ou mauvais. Quand je lis des articles sur ceux qui militent pour la légalisation de la ganja, je pense à nos enfants. Ils sont encore trop fragiles, ils ont trop de valeur. Ils ont besoin de nos conseils, de notre contrôle. Ils ont besoin de règles pour comprendre et apprendre. Trop d'entre eux ont été détournés du bon chemin par la ganja. Ils ont déjà assez de problèmes à l'école, distraits par la délinquance, l'argent facile, l'absentéisme. Je me bats pour qu'ils arrêtent de fumer ou de sniffer de la colle. Quand je les chope parfois, il faut que j'applique la punition la plus sévère, celle qui consiste à les envoyer dans un autre foyer, avec des règles différentes, une structure qui n'est pas aussi familiale que la nôtre, avec une mère à domicile. Je fais ça à contrecœur, pleurant parfois en secret, particulièrement quand je vois comme ils se sont bien intégrés, comment leurs notes progressent régulièrement, mais je ne peux pas être gentil quand c'est l'avenir qui en dépend.

Je crois en nos enfants. Je crois dans les gens, dans l'humanité, dans le fait d'être un individu. À Hillbrow, je vis avec des étrangers, des immigrants légaux et illégaux, ceux que les noirs sud-africains appellent *makwere-kwere* avec mépris, défiance et arrogance. Je me sens chez moi avec eux, ils essaient de trouver un foyer dans notre pays. Ils sont si fragiles, si cultivés, si beaux, ces hôtes de l'étranger. Dans leurs yeux, je me sens chez moi, je vois l'Afrique. J'ai le sentiment de vivre en Afrique quand je sors dans la rue et que j'entends des beautés à la peau noire s'engueuler en lingala, en congo ou dans un patois français que je ne comprends pas. J'aime la façon dont ils s'habillent, travaillent dur, font des boulots que les Sud-Africains moyens considèrent comme en dessous de leur condition, tout en se plaignant du chômage. J'aime la façon dont ils se tiennent les coudes, mais pas si l'un d'entre eux triche. Leur honnêteté, leur optimisme sont rafraîchissants. Et comme ils aiment s'instruire, apprendre. «Ma fille a dix ans, mais elle est en CP», dit fièrement madame Jegede, une voisine sénégalaise. «Je sais que c'est difficile pour elle, mais je veux qu'elle commence tout en bas pour atteindre le sommet», elle dit, son mari souriant à ses côtés, vêtu d'un boubou qui lui va bien. J'aime leur nourriture, leur appétit à essayer de nouvelles choses, leur capacité à adapter leurs coutumes au fil de la route. Je sais bien que certains participent au problème de la délinquance ou importent des pratiques illégales dans le pays, particulièrement les grands et beaux Nigérians. Comme je regrette ce que les Nigérians ont fini par symboliser. Jadis, quand Olukun était un dieu bienfaiteur, ils apportaient culture et dignité à tous les gens qu'ils croisaient. Je trouve du réconfort avec Soyinka et Okri. Mais peut-être que le temps réserve les Nigérians pour des jours meilleurs; plutôt qu'être une retardataire, l'Afrique est peut-être vouée à s'épanouir sur le tard.

Dans ma chambre, à l'arrière, j'ai un chevalet. C'est l'objet qui a le plus de valeur pour moi, avec mes livres, il est au milieu de la pièce. Je marche autour, je me tiens à côté. Je me couche dessous. Je ne m'en suis toujours pas servi. Je n'ai toujours rien dessiné ni tenté de peindre. J'attends. J'absorbe, je me souviens, je déchiffre. Je fais l'amour à toutes les images qui couvent dans mon esprit, attendant d'être relâchées dans la vie. J'attends l'impulsion, que le désir d'utiliser mon chevalet soit irrépressible, insupportable. Je développe mes capacités en silence. Je veux que l'appétit soit total, comme ça, quand je toucherai le papier avec le fusain, les images bondiront sur la surface presque sans intervention réfléchie.

Il est magnifique, mon chevalet. Quand les enfants entrent dans ma chambre, ils le regardent toujours avec émerveillement, trop ébahis par cette étrange installation pour même demander ce que c'est, à quoi ça sert. Il est en train de trouver sa propre vie, son propre sens, comme un masque ancestral. Son bois insuffle de la vie dans ma chambre.

J'adore mon chevalet. Je me couche dessous, je lui raconte mes belles idées, je lui décris les belles images que je veux partager avec lui. Avec lui, je me souviens de toute ma vie. Je lui parle des hommes que j'apprécie, de ceux sur lesquels je fantasme. Il y a une dimension spirituelle à aimer les hommes, je lui dis.

Jo'burg m'a donné de la place et du temps pour réfléchir. Au Cap, j'étouffais. Je me cherchais moi-même, fouillant furieusement. J'ai pataugé dans tellement de trucs. Sans compter quelques mauvaises surprises en cours de route, que je ne regrette pas. Les mauvaises choses mènent aux bonnes qui mènent aux mauvaises. Il semblerait que les bonnes finissent toujours par être en infériorité numérique. L'Univers, c'est peut-être l'amour parti à la recherche de lui-même.

Quelquefois, la terreur des jours à venir s'accumule en moi, me rend irritable, muet de peur. C'est juste que mon esprit est plein d'images de la destruction que l'humanité va connaître. La nature du changement est violente. Il va sans dire que du sang sera versé. Mais il faut considérer l'autre aspect, la face plus ensoleillée des recommencements. Il ne m'est pas encore permis de réfléchir à ça. Il semble qu'il faille d'abord être conscient des difficultés qui nous attendent. Nous vivons la période de calme qui précède la tempête. Lentement, les gens se mettent à écouter.

Un soir par semaine, je sors en ville. Je vais parfois dans des boîtes de nuit, parfois dans des bars, parfois dans des bistros, ça dépend de l'humeur. Mais je rencontre toujours des hommes venus d'endroits différents. Ils ont des cadeaux pour moi, comme le disait délicatement Nasuib. Je ne couche pas toujours avec eux, mais notre rituel comporte toujours une forme d'intimité. Ils m'offrent des plans de survie, en vue de l'édification d'une civilisation nouvelle, d'un nouveau mode de vie. J'ai rencontré des banquiers, des architectes, des poètes, des constructeurs, des mineurs, des diplomates, des ingénieurs, des syndicalistes, des serveurs, des marins, des pompiers, des agriculteurs, des enseignants, des hommes de valeur, des hommes intègres. Tous, ils me confient leurs secrets, ils partagent leur sagesse. Nous avons tellement à apprendre les uns des autres. Il existe de meilleures méthodes, ils me disent, le capitalisme n'est pas la seule solution. Nous sommes loin d'avoir exploré toutes les possibilités, ils disent. Nous savons que l'avenir dépend de notre capacité à travailler ensemble.

J'ai développé quelques capacités spéciales que je ne pensais pas accessibles aux humains. Mon horizon s'élargit. Quand je suis avec ces hommes, je réalise combien nous sommes fragiles, à quel point notre destruction sera totale. La vérité sauvera ceux qui la cherchent, ceux qui l'ont méritée. Les autres se retrouveront soudain au mauvais endroit, au mauvais moment et mal entourés. Et il sera trop tard. Ceux qui savent se débrouiller dans la vie survivront. La survie du plus apte, c'est une mise à l'épreuve à laquelle nous sommes tous soumis.

Je rêve très clairement de la façon dont ça va finir. Nous allons au-devant de désastres terribles. Dieu craint peut-être sa propre force, c'est pourquoi Il ne lève pas directement sa main sur nous, mais trouve d'autres formes à sa vengeance.

Quand je pense au Cap, aux promenades sur les plages de rêve, je me souviens aussi de la quantité d'algues brunes que charriaient les vagues. On aurait dit des têtes humaines flottant dans l'eau. Une nuit, j'ai rêvé que c'était des têtes de rastas que je voyais flotter. Quand je pense au Cap, à toutes les expériences que j'ai eues, à toutes les couleurs des visages que j'ai croisés, je m'interroge avec méfiance et curiosité. La vie m'a peut-être donné un indice. L'avenir de l'humanité réside peut-être dans la réciprocité, pas dans des continents distincts, des peuples séparés. En tant qu'espèce, nous sommes toujours en train d'évoluer, nos différences se rejoignent.

Quand je regarde les enfants avec qui je travaille, noirs pour la plupart, plus quelques visages coloureds et blancs, je sens que Dieu ne peut pas être une seule histoire. Il est un ensemble de scénarios. Il observe. Nous sommes tous sous observation.

J'abandonne ma vie telle que je la connais. De grands changements nous attendent. Toutes les haines, toutes les déceptions sont en train de s'effacer. Nous devons penser les uns aux autres, comment nous nous sentons, que faire pour nous réconforter. Je suis las de montrer du doigt, de désigner les coupables. Trop de choses sont en train de se produire. Trop de choses à organiser, auxquelles il faut réfléchir. Je continue à prendre soin de mon pécule. Demain, les enfants vont à l'école. Il faut que je me lève tôt, que j'aide à la cuisine. Je dois m'assurer que les petits ont toutes leurs affaires en ordre, que tous leurs cahiers ont été signés. Je dois faire tout ce que je peux pour eux tant que j'en ai la force.

Chaque journée est une bénédiction. Je me sens proche de qui je dois être, l'individu derrière le sourire. Je sens les yeux de ma mère sur moi, mon père me guide.

Je suis Horus, fils du soleil.

Je suis l'enfant de ma mère, depuis le dessin de mes lèvres jusqu'à ma façon de traîner légèrement les pieds en marchant.

Un jour, je me suis promené dans la nature apprivoisée, m'égarant dans les ciels du Sud, explorant le Royaume d'en bas. J'ai voyagé et j'ai découvert que les arbres avaient plus d'histoires à raconter que les animaux, que leur mémoire était plus grande. Leur souffrance aussi est plus profonde, plus silencieuse.

Je suis un danseur, un peintre. Mon regard est plein d'histoires fécondes qui viennent du ventre de ma mère. Je dois créer et ravir, à la façon de ma mère. Je dois continuer à avancer, à la façon de mon père.

Un jour, ma sœur m'a confié un secret. Je me réjouis qu'il fût assez sacré pour s'expliquer avec le temps. Elle disait que dans nos abandons, dans nos souffrances, nous mettons notre cœur au service de l'amour, nous plantons des trésors au fond de nos silences. Ce sont eux qui, dans nos moments de tristesse, nous font pleurer et nous souvenir.

C'est immobiles que nous entendons le mieux.

C'est dans la frugalité qu'on reçoit le plus.

Faire confiance, c'est se faire confiance. Toujours croire au cours des choses.

Je sais où se cachent mes plus grands trésors. Ils sont au fond de moi.

Lexique

Ag : Ah.

Aish / eish : Exclamation de peur, de surprise.

Amour, Gloire et Beauté : Sitcom américaine créée en 1987, qui a dépassé les 6000 épisodes.

Ashford and Simpson : Couple de chanteurs noirs du Bronx, R&B soul pop, dans les années 1960 à 1980.

Baas : Boss, patron blanc.

Baasskap : Domination des blancs prônée par les Afrikaners les plus radicaux.

Bafana bafana : Garçons, garçons en zoulou. Surnom de l'équipe de foot d'Afrique du Sud.

Bantoustans : Territoires réservés aux populations noires d'Afrique du Sud et du Sud-Ouest (actuelle Namibie) pendant l'apartheid dans le but de les regrouper par ethnie.

Bona : Voir, regarder (sesotho).

Bunny chow : Plat de fast-food sud-africain d'origine indienne, composé d'une miche de pain remplie de curry.

Chip roll : Sandwich de pommes de terre.

Coloured : Habitant d'Afrique du Sud d'ascendance mixte parmi les Africains, les Européens et les Asiatiques.

Cruella De Vil, la méchante dans *Les 101 Dalmatiens*.

Dagga : Dope (afrikaans).

Dop : Argot pour alcool.

Entjie : Bout, clope, cigarette (afrikaans).

Fynbos : Végétation côtière au sud du Cap.

Gemors : Espèce de merde (afrikaans).

Gerook : Défoncé (afrikaans).

Gugulethu : Notre fierté (xhosa). Township dans la banlieue du Cap. Une de celles où étaient parqués les non-blancs pendant l'apartheid.

Hawu : Bon sang!

Himba : Peuple semi-nomade du nord de la Namibie.

Hini, a' funi ukudla? Tu n'as pas mangé ton pain (zoulou).

Homelands : Bantoustans, provinces rattachées

Houtkop : Tête de bois, tête de mule (afrikaans).

Hustler : Mensuel pornographique de Larry Flynt.

Indaba : Affaires personnelles (zulu).

Indoda : L'homme, le mari (zulu).

I n I : Formule qui caractérise l'unité entre Dieu et l'humain, dans la culture rasta (anglais de la Jamaïque, « je et je »).

Ital : Nourriture végétarienne du mouvement rastafari.

Jeffrey Dahmer : Tueur et violeur américain en série, a tué dix-sept hommes et jeunes garçons de 1978 à 1991.

Jita : Les mecs, les potes, les gars de la bande.

John Vorster Square : Commissariat central de Johannesbourg. Centre de détention et de torture pendant l'apartheid.

Justice se moer! Merde à la justice! (afrikaans).

Kaffirs : Nègre.

Ke eng ka wena? : Qu'est-ce qui t'arrive? (sesotho)

Ke mohlolo. O jele eng : Quel miracle! (sesotho).

Khayelitsha : Township du Cap, dans les Cape Flats. En xhosa, le nom signifie « nouveau foyer ».

Kleurling : Coloured (insultant) (afrikaans).

Kulukutz : Mitard.

Kwaito : Dérivé de l'afrikaans « kwaai », féroce. House music venue de Johannesbourg dans les années 1990. Mélange de hip-hop, raga et African « jive ».

Lighty : Petit jeune, bleu.

Malkop : Fou, dingue (afrikaans).

Mail & Guardian, Hebdomadaire sud-africain, réputé pour ses enquêtes et historiquement anti-apartheid.

Masangoma : Divination – plus général : l'art du guérisseur. Médecine et psychiatrie traditionnelles, incluant magie, medium, divination (zulu).

Masbieker : Vieille insulte afrikaans, à l'origine esclave du Mozambique. Insulte pour tout noir, esclave (mozambicain).

Masepa! : Merde! (sesotho).

Meneer, wat gaan aan hier? : Monsieur, qu'est-ce qui se passe ici? (afrikaans).

Moloi : Sorcière (tswana).

Mpepho : Encens sud-africain, utilisé dans la médecine traditionnelle (xhosa).

Mpintshi : Un ami (parfois insultant), niais (xhosa).

Nando's : Chaîne de fast-food sud-africains spécialisés dans le poulet pimenté (peri-peri).

Nè : Hein (afrikaans).

Necklacing : En Afrique du Sud, façon de tuer quelqu'un en passant un pneu enflammé autour de son cou.

Nokutela et *John Langalibalele Dube* : Couple qui milita et récolta des fonds pour une Afrique du Sud où cohabiterait éducation occidentale et traditions africaines, au début du xxe siècle. John fonda ce qui allait devenir l'ANC.

Ntho tsa boloyi : Les blessures, les maux de la sorcellerie (sesotho).

Phuma : dehors (xhosa).

Poep drunk : ivre mort, complètement bourré (afrikaans).

Poephol : trou du cul (afrikaans).

Punani : argot pour vagin.

Ragnarök : fin du monde dans la mythologie nordique.

Rattex : mort aux rats.

Rebecca Malope : chanteuse de gospel sud-africaine.

Rhodes University, une des plus anciennes universités sud-africaines, dans la province du Cap, fréquentée par l'auteur.

San (les chasseurs-cueilleurs) : peuple du Kalahari, souvent appelé Bushmen ; à ne pas confondre avec les Khoi, les éleveurs (Hottentots).

Shebeen : Boui-boui clandestin.

Tiekieline : prostituée, traînée (afrikaans).

Toyi toyi : danse de protestation (kikuyu).

Transkei : premier bantoustan autonome, en 1960, territoire majoritairement habité par des Xhosa.

Tsotsi : voyou (argot, nguni).

Tuck : bouffe.

Ukudla, nourriture (zulu).

Uyathetha ngumxhosa : c'est une Xhosa.

Vusamazulu Credo Mutwa : guérisseur zoulou né en 1921, auteur de plusieurs livres.

Voortrekkers : pionniers Boers qui ont accompli le Grand Trek depuis la colonie du Cap jusqu'au Transvaal, de 1834 à 1837.

Waterfront : quartier du Cap.

Wena : toi (zulu).

Windgat : grande gueule, frimeur (afrikaans).

Woodstock : quartier du Cap, à environ 1 km à l'est du centre.

When-we : anciens colons britanniques qui parlent des colonies avec nostalgie, « when we… ».

Zol : en argot sud-africain, joint de cannabis.

« Pulsations » :
se faire l'écho des mutations du monde.

La collection « Pulsations » entend, à travers des œuvres de fiction venues de tous les horizons, se faire l'écho des changements sociaux, culturels, politiques de notre monde. Tant ils sont nombreux, aux confins parfois proches du nôtre, ces univers dont nous ignorons la vie, la manière de penser, d'aimer, d'écrire. « Pulsations » s'ouvre à ces œuvres littéraires au regard inédit et aux voix parfois dérangeantes qui nous obligent à réviser nos opinions toutes faites, à sortir de nous-mêmes pour aller voir ce que dit l'autre. Pour dessiner avec lui ce qui se profile ailleurs et nous atteindra tôt ou tard.

Collection dirigée par Jean-Pierre Orban et Claire Riffard.

La couverture est imprimée sur un papier de création de pure cellulose Stucco Tintoretto,
la fausse couverture sur Sirio Color Nero, tous deux fournis par les papeteries Fedrigoni et garantis
sans chlore, au pH neutre et issus de forêts écologiquement gérées.
Le papier intérieur est issu de forêts écologiquement gérées.

Achevé d'imprimer
sur les presses de Laballery à Clamecy
en février 2014
Dépôt légal mars 2014
Numéro d'impression : 403157
Imprimé en France